Christoph Prignitz

Vaterlandsliebe und Freiheit

**Deutscher Patriotismus
von 1750 bis 1850**

Franz Steiner Verlag GmbH Wiesbaden
1981

CIP-Kurztitelaufnahme der Deutschen Bibliothek

Prignitz, Christoph:
Vaterlandsliebe und Freiheit : dt. Patriotismus von 1750 – 1850 / Christoph Prignitz. – Wiesbaden : Steiner, 1981.
  ISBN 3-515-03340-8

T

100062334X

INHALTSVERZEICHNIS

MEINER FRAU

1. EINLEITUNG

Thema der vorliegenden Untersuchung sind Bedeutung und Relation der Begriffe Patriotismus und Freiheit in Deutschland von 1750 bis 1850.[1] In der heutigen Zeit dreht sich die aktuelle Diskussion viel eher als um den Patriotismus und die mit ihm verbundenen Probleme um die Idee supranationaler Verbindungen, um die Europa-Idee und ihre Geschichte.[2] Nach zwei Weltkriegen im Namen und Zeichen nationaler Werte erscheint eine Rückkehr zum nationalen Denken als geschichtlicher Rückschritt, den es mit allen Mitteln zu verhindern gilt. Als 'Die Zeit' jungen Lesern die Frage nach ihrem Verhältnis zur Idee der Nation vorlegte, bekannten sich die meisten zu europäischen Idealen. Es fielen Äußerungen wie: „Ich fühle mich als Europäer, als Angehöriger der abendländischen Kultur"; „Gerade in der heutigen Zeit sollte unser europäisches Bewußtsein besonders stark ausgeprägt sein, da die Existenz einer nationalen Souveränität im Sinne rücksichtslosen politischen Alleingangs nicht mehr möglich ist [. . .]"[3].

Dennoch ist eine Beschäftigung mit der Geschichte des nationalen Denkens, mit der Geschichte des Patriotismus der einzelnen Völker trotz der gegenwärtigen Abkehr vom Nationalstaat und seinen Werten auch heute aktuell. Die Entwicklung der einzelnen Nationen läßt — wie Eugen Lemberg, einer der wohl bedeutendsten Nationalismus-Forscher[4], mit Recht betont — erkennen, „daß es sich bei diesem Erwachen der Völker um einen globalen Vorgang handelt, der überall auf den gleichen Voraussetzungen beruht, daß das Erwachen des einen Volkes mit dem des andern in ursächlichem Zusammenhang steht"[5]. Darüber hinaus muß jede Gesell-

---

1   Zur ersten Problemorientierung vgl. W. Conze: Nation und Gesellschaft. Zwei Grundbegriffe der revolutionären Epoche, in: Historische Zeitschrift 198 (1964), S. 1–16. Ders.: Das Spannungsfeld von Staat und Gesellschaft im Vormärz, in: W. Conze (Hrsg.): Staat und Gesellschaft im deutschen Vormärz 1815–1848, Stuttgart 1962, S. 207–269. Th. Schieder: Nationalstaat und Nationalitätenproblem, in: Zeitschr. f. Ostforschung 1 (1952), S. 161–181. R. Wittram: Das Nationale als europäisches Problem, Göttingen 1954. C. v. Krockow: Nationalismus als deutsches Problem, (München 1970). H. A. Winkler (Hrsg.): Nationalismus, (Königstein/Ts. 1978), mit Bibliogr. — Zur Terminologie: Mit Patriotismus, Vaterlandsliebe und Nationalgefühl werden die frühen Stufen des nationalen Denkens in der Epoche der Aufklärung und teilweise des Vormärz bezeichnet. Nationalismus und dann Chauvinismus meinen das gesteigerte, aggressiv gegen andere Nationen gerichtete Denken, das im 19. Jahrhundert immer mehr an Gewicht gewann.
2   Vgl. F. Chabod: Der Europagedanke von Alexander dem Großen bis Zar Alexander I., Stuttgart 1963.
3   'Die Zeit' vom 17.3.1978.
4   Vgl. den Nachruf in 'Die Welt' vom 6.1.1977.
5   E. Lemberg: Nationalismus. I. Psychologie und Geschichte, (Reinbek b. Hamburg 1964), (= rde, 197/198). Ders.: Nationalismus II. Soziologie und politische Pädagogik, (Reinbek b. Hamburg 1964), (= rde, 199). Zitat Nationalismus I, a.a.O., S. 114. — Vgl. auch K. R. Minogue: Nationalismus, (München 1970), (= samml. dialog, 41).

schaft, der modernen Entwicklungsforschung zufolge[6], vier Aufgaben bewältigen: die Staatsbildung, d.h. die verwaltungsmäßige und infrastrukturelle Durchdringung, die Nationsbildung, d.h. die Identitätsbildung, ferner die politische Demokratisierung und schließlich die Realisierung sozialer Gerechtigkeit. So erscheint die Nationsbildung als notwendiger Schritt in der Entwicklung jeder Gesellschaft, der allein ein Zusammengehörigkeitsgefühl der Bürger gewährleistet. Die Analyse eines derartigen Phänomens ist also schon um seiner umfassenden historischen Bedeutung willen gerechtfertigt. Dies gilt auch, wenn es sich wie in der vorliegenden Untersuchung um einen nur begrenzten Ausschnitt zur Nationalismusfrage handelt.

In Deutschland läßt die Geschichte des Patriotismus erkennen, wie es zu einer nationalistischen Haltung kommen konnte, die in die Katastrophe der Weltkriege führte, sie kann darüber hinaus aber auch erkennen lassen, daß der Patriotismus einst ein geschichtlich progressives Element von großer Bedeutung gewesen ist und mit Vorstellungen eines erneuerten, besseren gesellschaftlichen Zusammenlebens verknüpft war. Hier scheinen Werte auf, die von der seitherigen geschichtlichen Entwicklung nicht eingelöst wurden, deren Kenntnis von Bedeutung ist, gerade wenn man Geschichte als „die kritische Rekonstruktion der Vergangenheit aus dem erkenntnisleitenden Interesse an Emanzipation"[7] faßt. Die Werte des frühen nationalen Denkens können auch in der Epoche supranationalen Strebens ihre Kraft behalten und, in Bezug zur Gegenwart gesetzt, prägend wirken.

Ein deutsches Reichsbewußtsein hat es von jeher gegeben. Als seine Exponenten sind etwa Walther von der Vogelweide, Alexander von Roes, Jakob Wimpfeling oder Ulrich von Hutten anzusehen: Sie protestierten gegen den Zerfall des kaiserlichen Deutschland, sie wandten sich gegen den Einfluß fremder Mächte, gegen Frankreich oder das Papsttum. Dennoch ist dieses 'National'-bewußtsein deutlich vom Patriotismus und Nationalismus der Neuzeit abzugrenzen. Bis in das 18. Jahrhundert waren nicht Abstammung, Sprache, Sitte und Kultur die Definitionskriterien einer Nation, 'Nationen' waren Personenverbände, die sich auf Land- und Reichstagen, in Parlamenten und Ständen repräsentierten. Das moderne Nationalgefühl erscheint dagegen, und dies ist sein wesentliches Kriterium, gebunden an das Werden eines nicht mehr ständisch fixierten, sondern auf Teilhabe aller Bürger ausgerichteten Staatswesens. Der neuzeitliche Patriotismus ist mit dem Aufstieg breiterer Schichten zum politischen Bewußtsein und mit der Forderung dieser Schichten nach einer Gesellschaft freier und gleichberechtigter Bürger verknüpft. Dies heißt auch, daß ein Gesellschaftsideal, das so konzipiert ist, die Nation als Träger der freiheitlichen Gesellschaft in den Zusammenhang demokratischer Strukturen stellt.

---

6   Vgl. zu den Modernisierungstheorien der politischen Entwicklungsforschung P. Flora: Modernisierungsforschung, Opladen 1974. H.-U. Wehler: Modernisierungstheorie und Geschichte, Göttingen 1975.

7   So im Anschluß an Habermas A. Kuhn: Einführung in die Didaktik der Geschichte, (2. Aufl.), München (1977), S. 20. Vgl. auch D. Groh: Kritische Geschichtswissenschaft in emanzipatorischer Absicht, Stuttgart 1973.

Seit etwa 1750 tritt in der Diskussion der deutschen Intelligenz zunehmend der Begriff des Patriotismus hervor. Er wird zu einem Kampfruf der deutschen Aufklärung in ihrem Ringen um Emanzipation im feudalen, partikularistischen Deutschen Reich. Der Patriotismusbegriff dieses Zeitraums, in welchem „das Bürgertum seine großen Positionen bezog"[8], ist dem geschichtlichen Progreß im Sinne einer besseren Gesellschaft verpflichtet, die den Interessen gerade auch des Bürgertums gerecht werden kann. Hier verbindet sich der Patriotismus mit der antifeudalen Vision einer freieren Gesellschaft, mit dem Ringen nach Freiheit. Eine detaillierte Untersuchung zum Freiheitsbegriff, die sich auf die zweite Hälfte des 18. Jahrhunderts konzentriert, hat kürzlich Jürgen Schlumbohm vorgelegt.[9] Hiernach ist der Freiheitsbegriff eng mit der bürgerlichen Emanzipation verknüpft; wenn auch von den Gegnern des Dritten Standes angegriffen, oft für ihre Zwecke umgeformt[10], ist der Freiheitsbegriff ein wichtiges Instrument der antifeudalen Bewegung gewesen. Es ging nicht mehr um die tradierten 'Freiheiten' der einzelnen Stände des Reichs, es ging um die allgemeine und gleiche Freiheit einer neuen, bürgerlichen Ordnung. In diesem Sinne, so wird sich zeigen, vereinen sich in dem Zeitraum, der am Anfang der vorliegenden Untersuchung steht, Patriotismus und Freiheitsbegriff.

Patriotismus meint daher in der Epoche der Aufklärung eine menschliche Gemeinschaft, die den Bedürfnissen ihrer Bürger in größerem Maße gerecht zu werden vermag als die damals bestehende ständisch strukturierte Gesellschaft. Es geht hier um das Drängen nach erweiterten ökonomischen, politischen und geistigen Freiheiten, um Freiheiten, die allein erst das gesellschaftliche Zusammenleben erträglich machen können. Nur auf dieser Basis erscheint Vaterlandsliebe im Rahmen staatlicher Gemeinschaften möglich. Der in diesem Sinne bürgerlich-freiheitliche Patriotismusbegriff steht am Beginn der Untersuchung. Kontinuität und Wandlungen, historische Chancen und Niederlagen dieser Form des Patriotismus sollen dann im weiteren Verlauf verfolgt werden.

Im Vergleich mit der traditionellen deutschen Patriotismus- und Nationalismusforschung werden für die Zeit nach 1789 vor allem die deutschen Jakobiner, die radikalen und aktiven Anhänger der Französischen Revolution in Deutschland, mit in die Betrachtung einbezogen. Nicht als unnationale Kräfte, die das Vaterland verrieten, sondern als Vertreter des freiheitlichen und kosmopolitischen aufgeklärten Patriotismus erscheinen sie. Als Patrioten, die die Aufklärung konsequent politisierten und den Patriotismus erstmals mit ganz konkreten politischen Forderungen füllten. Wird hier eine Kontinuität, die auf anderen Gebieten von der heutigen Forschung bereits erarbeitet wurde, deutlich, so steht in dieser Studie das Kapitel über Ernst Moritz Arndt im Gegensatz zur gegenwärtig verbreiteten Sicht.

---

8 W. Benjamin: Deutsche Menschen, (Frankfurt a.M. 1977), (= Bibl. Suhrkamp, 547), S. 9.
9 J. Schlumbohm: Freiheit. Die Anfänge der bürgerlichen Emanzipationsbewegung in Deutschland im Spiegel ihres Leitwortes (ca. 1760 – ca. 1800), Düsseldorf (1975), (= Geschichte u. Gesellschaft, 12).
10 Vgl. Schlumbohm, a.a.O., S. 67ff.

Arndt erscheint, von einer ganz anderen politischen und weltanschaulichen Basis
als die deutschen Revolutionsanhänger ausgehend, dennoch als Repräsentant
derer, die in der Phase der Freiheitskriege nationale Ideen mit konkret freiheitlichen
Forderungen verbanden. Insofern steht auch er in der Traditon eines Patriotismus,
der sich emanzipatorischen, d.h. auf die politischen Rechte der Mehrheit gerichteten Zielen verpflichtet weiß.

Dieser Nexus der Vaterlandsliebe und Freiheit läßt sich schließlich über die Freiheitskriege hinaus auch in der Epoche des Vormärz verfolgen. Gleichermaßen
liberal und national eingestellte Publizisten und Dichter standen in engagierter
Opposition zum restaurativen System in den deutschen Einzelstaaten. Ihre Opposition gipfelte im Revolutionsversuch von 1848/49: Hier findet sich das freiheitliche Nationalgefühl, wie in der Forschung vielfach betont, weiterhin als bestimmende politische Kraft. Die Entwicklungslinie, von der die vorliegende Studie handelt,
kommt entscheidend zum Tragen, bricht mit dem Scheitern der Revolution jedoch
ab. Eine hundertjährige Kontinuität der deutschen Geschichte, hier in allen ihren
Phasen, auch der 'jakobinischen', dargestellt, ist beendet. In einem Resümee soll
dann auf die Frage eingegangen werden, welche Ideen von nun an das Denken
des deutschen Bürgertums bestimmten, welche der im Verlauf der folgenden Dar-
legungen jeweils kurz angesprochenen Alternativen an die Stelle des bürgerlich-
freiheitlichen Nationalgefühls traten.

Faßt man Geschichte mit Gervinus als Geschichte der je verwirklichten oder
noch zu verwirklichenden Freiheit, so ist das Gesetz der historischen Entwicklung
die Befreiung der großen Mehrheit der Menschen von sozialer, politischer und kultu-
reller Benachteiligung. Freiheit wird zum Maßstab für das Aufsteigen und Vergehen
der einzelnen geschichtlichen Epochen.[11] Die „Bewegungen und Strebungen der
Völker", ihr Ringen „nach Freiheit und Selbstherrschaft",[12] werden für Gervinus
und wieder für die moderne Geschichtswissenschaft[13] zum Kriterium historischer
Progressivität.

Für das politische Streben der bürgerlichen Intelligenz im späteren 18. und in
der ersten Hälfte des 19. Jahrhunderts gelten so die folgenden Sätze: „Die Emancipation aller Gedrückten und Leidenden ist der Ruf des Jahrhunderts, und die
Gewalt dieser Ideen ist in der Abstellung von Servituten und Frohnden in Europa

---

11 Es „ ist ein regelmäßiger Fortschritt zu gewahren von der geistigen und bürgerlichen
    Freiheit der Einzelnen zu der der Mehreren und der Vielen. Wo aber die Staaten ihren
    Lebenslauf ganz vollendet haben, da beobachtet man dann wieder, von dem Höhepunkte
    dieser aufsteigenden Linie der Entwicklung abwärts, ein Zurückgehen der Bildung, der
    Freiheit und Macht von den Vielen zu den Wenigen und Einzelnen. Dieses Gesetz ist
    es, das sich in jedem Theile der Geschichte, in jedem vollkommneren Einzelstaate vorfin-
    det [. . .]"; G. G. Gervinus: Einleitung in die Geschichte des neunzehnten Jahrhunderts,
    (Frankfurt a.M. 1967), (= sammlung insel, 24/1), S. 13.
12 G.G. Gervinus: Geschichte des neunzehnten Jahrhunderts seit den Wiener Verträgen,
    Bd. 1, Leipzig 1855, S. VII.
13 H. P. Dreitzel: Theorielose Geschichte und geschichtslose Soziologie, in: H.-U. Wehler
    (Hrsg.): Geschichte und Soziologie, Köln o.J., S. 37–52.

und in der Befreiung der Sklaven Westindiens über mächtige Interessen und einge-
wurzelte Zustände Sieger geworden. Dieß ist der große Zug der Zeit. Die Stärke
des Glaubens und der Ueberzeugungen, die Macht des Gedankens, die Kraft der
Entschlüsse, die Klarheit des Ziels, die Ausdauer der Hingebung ist in dem volksthümlichen Lager, Alles was einer geschichtlichen Bewegung den providentiellen
Charakter, den Charakter der Unwiderstehlichkeit gibt"[14]. Von hier aus erscheint
der Begriff des Patriotismus, der Vaterlandsliebe in seinem engen Nexus zur Freiheit,
zum Emanzipationskampf des Bürgertums als geschichtlich progressiv. Im Ruf nach
Patriotismus auch in Deutschland klingt die Sehnsucht nach einem Vaterland an,
das allen Schichten seiner Bevölkerung die Möglichkeit gewährt, sich ihm verbunden
zu fühlen. Bis zur Mitte des 19. Jahrhunderts, so wird sich im Verlauf der vorliegenden Untersuchung erweisen, ist in Deutschland der Patriotismus ein Fanal der um
den historischen Progreß kämpfenden Kräfte, ist er der „Emancipation", „der
Abstellung von Servituten und Frohnden" verpflichtet.

In dieser Studie geht es darum, die angesprochene Relation von Patriotismus
und bürgerlicher Freiheitsforderung zu analysieren und quellenmäßig zu belegen.
Als Quellen werden dabei die politische Publizistik und literarisch-dichterische
Äußerungen gleichermaßen herangezogen. Bei der Einbeziehung literarischer Werke
wird davon ausgegangen, Dichtung sei „immer und zu allen Zeiten politisch brisant
und virulant"[15]. Dies gilt insbesondere für eine Zeit der politischen Bewußtwerdung
breiterer Schichten, die — wie angesprochen — zugleich die Zeit des modernen
Patriotismus ist.

Ein Kennzeichen der progressiven politischen Publizistik ist es, daß sie, ausgehend von als negativ empfundenen Erscheinungen der eigenen Gegenwart, in kritischer Reflexion die Bedingungen eines besseren menschlichen Seins prüft. Die Dichtung, sofern sie von einem im weitesten Sinne optimistischen Grundton getragen
ist, bildet dagegen eine erhoffte, erträumte Zukunft individueller Art. Hat Dichtung
jedoch politische Intentionen, so formt auch sie in visionärer Schau ein erneuertes
Bild menschlicher Sozietäten. Im Rahmen dieser dichterisch oder publizistisch
ausgerichteten Ahnungen und analytischen Formungen alternativer Möglichkeiten
des menschlichen Seins spielt im Zeitraum von 1750 bis 1850 das Vaterlandsideal
eine konstitutive Rolle. Deshalb lassen sich neben der politischen Publizistik die
Dichter vom Sturm und Drang bis zum jungen Deutschland als Zeugen eines freiheitlich gerichteten Patriotismus heranziehen.

Die wichtigste bisherige Arbeit zur Entstehung eines nationalen deutschen Denkens im 18. Jahrhundert stellt, so sei noch eingefügt, Gerhard Kaisers 'Pietismus
und Patriotismus im literarischen Deutschland' (zuerst 1961) dar. Die vorliegende

---

14 Gervinus, Einleitung, a.a.O., S. 171.
15 W. Schemme: Vom 'Politischen Mandat' der Literaturpädagogik, in: Wirkendes Wort
    (1969), S. 376—402; hier zitiert nach R. Dithmar (Hrsg.): Literaturunterricht in der
    Diskussion, Tl. 1, Kronberg/Ts. 1973, (= Scriptor Taschenb. S 6), S. 193—228, hier S. 193.
    Vgl. auch W. Emrich: Dichterischer und politischer Mythos, in: Geist und Widergeist,
    Frankfurt 1965, S. 78—96. D. Wellershoff: Fiktion und Praxis, in: Akzente 16 (1969),
    S. 156—169.

Studie versteht sich hierzu als Ergänzung. Während Kaiser die religiösen Komponenten des patriotischen Denkens untersucht, d.h. aufzeigen will, wie Gefühlswerte
eines säkularisierten Pietismus (z.B. Emotionalisierung, Gemeinschaftserlebnis,
eschatologische Erwartungshaltung) auf die vaterländische Gesinnung übertragen
wurden, geht die hier vorgelegte Arbeit vor allem vom politikgeschichtlichen
Hintergrund aus. Dem geistesgeschichtlichen Ansatz soll — der veränderten Forschungslage entsprechend — der Aufweis anderer, aus dem zeitgeschichtlichen
Geschehen der Revolutionsepoche resultierender Quellen patriotischen Denkens
in Deutschland folgen.

Die Darstellung eines derartig umfassenden Themas muß sich notwendig beschränken. Hier kam es darauf an, wesentliche Entwicklungslinien herauszuarbeiten,
nicht aber einen mehr oder weniger vollständigen Überblick über all diejenigen Publizisten und Dichter zu geben, die patriotisches und nationales Gedankengut vertraten, ein Vorhaben, das ohnehin jeden vertretbaren Rahmen gesprengt hätte. Es
wurden exemplarische Äußerungen aus den verschiedenen Phasen der Entwicklung
des Patriotismus zusammengestellt; so mag Bekanntes fehlen oder nur in kurzen
Zeilen angesprochen, weniger Bekanntes bisweilen an seine Stelle getreten sein:
Historische Kontinuitäten eines wichtigen Abschnitts der bürgerlichen deutschen
Entwicklung sollen sich in jedem Fall herauskristallisieren.

Oberstes Ziel ist es zu zeigen, daß der Patriotismus, das frühe Nationalgefühl
und die Vaterlandsliebe, Begriffe, die in ihrem Bezug zum Freiheitsideal das gleiche
meinen, vor dem späteren Umschlag in den Nationalismus der antifeudalen bürgerlichen Emanzipationsbewegung verbunden gewesen sind. Geht man davon aus,
daß die Aufgabe der Geschichtsbetrachtung wie auch des Geschichtsunterrichts
sein sollte, „den historischen Prozeß der Demokratisierung sowie der Widerstände
dagegen an bestimmten 'Schlüsselereignissen' aufzuklären"[16], so erscheint eine
Analyse der Entwicklung des patriotischen Denkens als sinnvoll. Sie verweist
auf weite Bereiche des Ringens um eine freiere, demokratischere Form menschlichen Zusammenlebens. Gerade hier kann ein Wert liegen, der auch in der gegenwärtigen Zeit supranationalen Denkens seine prägende Kraft bewahrt.

---

16 H. Giesecke: Didaktik der politischen Bildung, (7., völlig neubearb. Aufl.), München
   (1972), S. 175.

2. DER PATRIOTISMUS IM ZEITALTER DER AUFKLÄRUNG

In Deutschland setzte die erste neuzeitliche Ausformung patriotischen Denkens im Zeitalter der Aufklärung ein.[1] Der Schweizer Publizist Isaak Iselin, 1760 Gründer der patriotischen 'Helvetischen Gesellschaft' zum Studium der Schweizer Geschichte und zur Förderung des Gemeinsinns, schrieb über das Denken seiner Zeit, es sei

> der Geist des Patriotismus, den wir selbst in solchen Ländern zur Mode werden sehen, wo er noch vor kurzer Zeit würde lächerlich geschienen haben. Nicht nur in den Schriften der Gelehrten, und dieses wäre schon eine glückliche Vorbedeutung für unsre Nachkömmlinge, thut sich der Geist der wahren Freyheit hervor. Die Liebe des Vaterlandes beseelet auch nicht einzelne Personen allein, sondern viele verehrungswürdige Gerichtshöfe, die sich zur Pflicht machen, die Rechte der Völker zu vertheidigen, und die Klagen der Unterdrückten vor den Thron zu bringen. Noch sind ihre Erfolge hin und wieder schwach; allein so sehr sie es auch scheinen, so sind die Bemühungen des Patrioten nie verlohren.[2]

Die Begriffe 'Patriotismus' und Vaterland' finden sich daher in mannigfachen literarischen Zeugnissen jener Jahre. Sogar Joseph II., der Kaiser des Heiligen Römischen Reiches Deutscher Nation, verwendet am Vorabend der Französischen Revolution in seinem Briefwechsel mit Karl von Dalberg jene so gebräuchlich gewordene Begriffe.[3] Dalberg schrieb Ende April 1787 an Joseph, nach seiner Wahl zum Koadjutor in Mainz hoffe er, seinem „Vaterlande nützlich zu werden". In der Antwort des Kaisers vom Juli 1787 ist die Rede vom „gemeinschaftlichen Vaterland, das ich gern so nenne, weil ich es liebe, und stolz darauf bin, ein Deutscher zu sein". Was „unser Vaterland glücklich machen könne", so führt der Kaiser aus, sei ein enges Band zwischen ihm, dem Reichsoberhaupt, und „dem deutschen Staatskörper". Dann heißt es:

> In jeder Gesellschaft, von welcher Art sie sei, muß ein, Allen gemeinschaftliches Objekt vorhanden sein, aber das Wort 'Patriotismus', dessen man sich so gemeinlich bedient, sollte ausschließlich auch eine reelle Bedeutung haben, während das Interesse des Augenblicks, die Eitelkeit der Personen, politische Intriguen Verbindungen bilden und Besorgnisse rege machen, denen man, selbst bis zu den juristischen Entscheidungen unter Einzelnen, Alles unterwerfen möchte. Wenn unsere guten deutschen Mitpatrioten sich wenigstens eine patriotische Denkungsart geben könnten, wenn sie weder Gallomanie noch Anglomanie, weder Prussiomanie noch Austromanie hätten, sondern eine Ansicht,

---

1 Der Barockpatriotismus kann, obgleich er — so bei Leibniz — in vielem den aufklärerischen Patriotismus vorbereitet, hier nicht behandelt werden. Zum Barockpatriotismus vgl. A. Wandruszka: Reichspatriotismus und Reichspolitik zur Zeit des Prager Friedens 1635, Graz, Köln 1955.

2 I. Iselin: Über die Geschichte der Menschheit, 4., verb. u. verm. Aufl., Bd. 1–2, Basel 1779, Bd. 2, S. 423f. Vgl. U. Im Hof: Isaak Iselin, Bern, München (1967), S. 77ff.

3 Vgl. K. Frh. v. Beaulieu-Marconnaij: Karl von Dalberg und seine Zeit, Bd. 1–2, Weimar 1879, hier Bd. 1, S. 117ff.

die ihnen eigen wäre, nicht von Andern erborgt; wenn sie wenigstens selbst sehen und ihre Interessen prüfen wollten, während sie meistens nur das Echo einiger elenden Pedanten und Intriganten sind.

Unter Patriotismus versteht Joseph also ein „Allen gemeinschaftliches Objekt", d.h. ein verbindendes politisches Moment, das dem „Interesse des Augenblicks", der „Eitelkeit" einzelner und den „Intriguen" entgegenwirken, das mithin die partikularistische Vielfalt, in die sich das Deutsche Reich teilte, verbinden könnte. Weder Bewunderung des Auslands noch Konzentration auf einzelne Territorien, sondern die Besinnung auf das Vaterland ist entscheidend. Nur in dieser patriotischen Besinnung, für ihn auf die allen gemeinsame Institution des Kaisertums fixiert, sah Joseph die Vorbedingung für eine bessere Zukunft des Vaterlandes.

Darin, daß der Kaiser selbst patriotische Gedankengänge aufgriff — und sie seinen spezifischen Reichsinteressen dienstbar machte —, zeigt sich die große Popularität patriotischer Ideale in der zweiten Hälfte des 18. Jahrhunderts. Wesentlich waren es jedoch nicht die herrschenden Instanzen, die in Deutschland patriotisch dachten; der Patriotismus wurde vor allem von der literarischen Intelligenz, die sich zum Vorreiter der bürgerlichen Emanzipationsbestrebungen machte, verfochten. Allmählich nämlich trat auch in Deutschland im Bewußtsein der Bürger die Berechtigung eigener spezifischer Interessen hervor. Immer häufiger wurde angesichts einer politischen Wirklichkeit, die das Glück der einzelnen Bürger nicht zu realisieren vermochte, die Meinung vertreten, Staaten gegenüber, die so verfaßt seien wie die Einzelstaaten des Deutschen Reiches, könne es auch keinen Patriotismus geben. Die Forderung nach Emanzipation der benachteiligten Schichten verband sich mit dem Streben nach Patriotismus, d.h. nach einem Staat, der Patriotismus, der Vaterlandsliebe verdiene.

Diese frühbürgerlich patriotischen Emanzipationsbestrebungen spielten sich vor einem ökonomisch-politischen Hintergrund ab, der ihnen, wie zunächst zu betonen ist, keineswegs günstig war. Die ökonomische Struktur Deutschlands[4] war zu Beginn der Französischen Revolution fast rein agrarisch, die Gesamtgesellschaft war ständisch gegliedert und basierte auf einer dem westlichen Ausland gegenüber zurückgebliebenen Wirtschaft, in der sich der Schritt von der feudalen zur kapitalistischen Produktionsweise noch nicht abzeichnete. Infolge der veralteten Produktionsmethoden stagnierte der landwirtschaftliche Ertrag. In der gewerblichen Produktion überwog das ständische Handwerk; nur ganz allmählich wurde es von der Mitte des 18. Jahrhunderts an durch die Manufaktur ersetzt, die eine neue Stufe

---

4 Vgl. im wesentlichen J. Kuczynski: Allgemeine Wirtschaftsgeschichte von der Urzeit bis zur sozialistischen Gesellschaft, Berlin 1951. J. Kulischer: Allgemeine Wirtschaftsgeschichte des Mittelalters und der Neuzeit, Bd. 1–2, Berlin 1954. H. Hausherr: Wirtschaftsgeschichte der Neuzeit. Vom Ende des 14. bis zur Höhe des 19. Jahrhunderts, 3. Aufl., Köln, Graz 1960. F. Lüttge: Deutsche Sozial- und Wirtschaftsgeschichte, 3., verb. Aufl., Berlin, Heidelberg, New York 1966, H. Mottek: Wirtschaftsgeschichte Deutschlands, Bd. 1, 5., unver. Aufl., Berlin 1971. H. Aulin, W. Zorn (Hrsg.): Handbuch der deutschen Wirtschafts- und Sozialgeschichte, Bd. 1, Stuttgart 1971. Hinweise u. Bibliogr. F. Kopitzsch (Hrsg.): Aufklärung, Absolutismus und Bürgertum in Deutschland, (München 1976), S. 11–169.

der Produktion darstellte. Was den Binnenhandel angeht, so ist zwar seit dem Beginn des Jahrhunderts eine Wiederbelebung zu verzeichnen, dennoch behinderte die territoriale Zersplitterung mit ihrer Vielzahl von Zöllen und Abgaben den Handelsverkehr auf das äußerste. Es entstand kein geschlossener Binnenmarkt als Voraussetzung für die Nutzung der Rohstoffe, einen florierenden Handel und den Übergang zur Industrialisierung. Im Außenhandel erklärt sich die negative Handelsbilanz aus dem agrarischen Charakter Deutschlands sowie der Rückständigkeit der gewerblichen Produktion.

Insgesamt läßt sich sagen, daß die Entwicklung der Produktivkräfte in Deutschland noch keinen solchen Stand erreicht hatte, daß sich der Hauptwiderspruch schon auf den Gegensatz zwischen Feudalklasse und Bürgertum verlagert hätte. Eine wesentliche Bedingung dafür wäre die Verfügbarkeit freier Lohnarbeiter gewesen, zum andern ein ausreichender Grad ursprünglicher Akkumulation von Kapital als Vorbedingung für Kapitalisierung und Industrialisierung, Voraussetzungen, die in Deutschland kaum gegeben waren. So blieb das deutsche Bürgertum in wirtschaftlicher Hinsicht weit hinter dem Bürgertum des westlichen Auslands zurück.

Dieser wirtschaftlichen Grundsituation entsprach auch die Rolle, die der Absolutismus in Deutschland spielte. In Frankreich förderte der Absolutismus als das letzte Stadium vor dem revolutionären Aufbruch von 1789 durch die politische Zentralisation die nationalen wirtschaftlichen Aufgaben und bereitete so mit der wachsenden Einheit des Landes — ungewollt — auch die nationale politische Erneuerung vor. In Deutschland zeigt sich eine entgegengesetzte Entwicklung, da hier der Absolutismus einen anderen Stellenwert hatte: Er verschärfte im Rahmen der territorialen Zentralisation lediglich die wirtschaftliche und allgemeine nationale Zersplitterung. Dem deutschen Bürgertum gelang es, während in Frankreich die wirtschaftliche und politische Emanzipation der Bourgeoisie voranschritt, nicht einmal im Rahmen der Einzelstaaten, sich eine dem französischen Bürgertum entsprechende Stellung und Geltung zu verschaffen, d.h. sich als eigenständige, politisch bedeutsame Klasse zu konstituieren.[5]

Im Heiligen Römischen Reich Deutscher Nation konnte selbst ein Mann wie Johann Jacob Moser[6], wegen seines Eintretens für die Interessen der württembergischen Stände vom Herzog Carl Eugen jahrelang eingekerkert, schreiben: „Daß zwar die Gebrechen unseres Staatskörpers so groß seien, daß, wann nicht die

---

5 Der landesherrliche Absolutismus verhinderte vielfach bewußt den sozialen und politischen Aufstieg des Bürgertums: „Der fürstliche Absolutismus setzte seinen Aufstieg [. . .] fort. Er ließ dabei freilich, auch wo er die Mitwirkung der Landstände völlig ausschaltete, ohne sie aufzuheben, doch die sozialen Grundstrukturen unangetastet. Eben darin lag eine wesentliche Entschädigung für den Adel für seine politische Entmachtung auf Landesebene"; Handbuch der deutschen Wirtschafts- und Sozialgeschichte, a.a.O., S. 583f.

6 Vgl. J. J. Moser: Lebensgeschichte, 3., st. verm. u. fortges. Aufl., Th. 1—3, Frankfurt, Leipzig 1777. Sowie F. Valjavec: Die Entstehung der politischen Strömungen in Deutschland 1770—1815, (Kronberg/Ts., Düsseldorf) 1978, bes. S. 45ff.. R. Rürup: J. J. Moser. Pietismus und Reform, Wiesbaden 1965, E. Schömb: Das Staatsrecht J. J. Mosers, Berlin 1968.

jetzige Reichsverfassung noch ferner bloß durch die göttliche Vorsehung erhalten wird, wir täglich bei der geringsten Gelegenheit einer Hauptrevolution entgegensehen müssen, die auch vielleicht eine in Manchem bessere neue Staatsverfassung veranlassen könnte, als die gegenwärtige ist. Daß aber deßwegen gar nicht erlaubt noch räthlich sei, darauf zu arbeiten, oder es dazu kommen zu lassen, sondern das jetzige Systema zu erhalten, so gut und lang es möglich ist [. . .]"[7]. Das deutsche Bürgertum war also vielfach politisch derart unselbständig, daß ihm trotz der Erkenntnis der Unzulänglichkeiten im Reich eine radikale Änderung unmöglich schien.

Das Deutsche Reich blieb so in 1475 Ritterschaften und 314 souveräne Territorien mit differierender ökonomischer Struktur und politischer Ausrichtung gespalten. Es läßt sich sagen, daß endgültig seit dem 30jährigen Krieg im Reich „die Möglichkeit zu einer einheitlichen politischen Willensbildung [. . .] sehr gering geworden"[8] war. Im Vergleich mit den Nationalstaaten England und Frankreich war Deutschland ein heterogener, politisch ohnmächtiger Staatenbund, in dem jedes Territorium nach seinen Sondergesetzen lebte. Die Zentralgewalt des Kaisers war auf ein Minimum beschränkt:

> Einstimmig wurde dem Oberhaupte des deutschen Volks der erste Rang unter allen weltlichen Herrschern der Christenheit seit Jahrhunderten ohne allen Widerspruch zugestanden; aber seine Gewalt war beschränkter, als sie bey irgend einem andern Regenten in Europa gefunden wurde. [. . .] kein Fleck deutschen Bodens war der unmittelbaren Regierung des Reichsoberhaupts übrig gelassen, keine Einkünfte waren ihm angewiesen, und er mußte die Kosten der Regierung, und selbst seinen Hofstaat aus eigenen Mitteln bestreiten.[9]

Die ganze verfassungsmäßige und realpolitische Misere des Reiches zeigte sich exemplarisch, wenn das sogenannte 'Reichsheer' aufgeboten wurde. Davon gibt Archenholz in seiner vielgelesenen 'Geschichte des siebenjährigen Krieges' ein anschauliches Bild:

> Diese Truppen waren vielleicht den Kreutzfahrern nicht ganz unähnlich. Die Contingente, oder die Reichspflichtmäßigen Beyträge an Soldaten, der Bayern, der Pfälzer, der Würtemberger, und einiger anderer Reichsstände ausgenommen, war der Rest der Armee ein Zusammenfluß undisciplinirter Horden, in Schaaren vertheilt, die ein buntscheckichtes Ganzes bildeten. In Schwaben und Franken waren Reichsstände, die nur einige Mann stellten. Auf manchen fiel allein die Lieferung eines Lieutenants ohne Soldaten, der oft ein vom Pfluge weggenommener Bauerkerl war; andere lieferten blos einen Tambour, und gaben ihm ein Trommel aus ihren alten Rüstkammern. Viele Klosternonnen legten ihre Rosenkränze beyseite, und stickten Fahnen, die, durch Priester-Segen eingeweiht, gegen Ketzer wehen sollten. Die Schweintreiber avancirten zu Querpfeifern, und abgelebte Karrengäule wurden bestimmt, Dragoner zu tragen. Die Reichs-Prälaten, die sich brüsteten, Bundesgenossen so grosser Monarchen zu seyn, liessen ihre Klosterknechte

7 Zitiert nach A. Schmid: Das Leben Johann Jakob Moser's, Stuttgart 1868, S. 223f.
8 W. Hubatsch: Deutschland zwischen dem Dreißigjährigen Krieg und der Französischen Revolution, (Frankfurt a.M., Berlin, Wien 1973), (= Deutsche Geschichte, Bd. 2, 3), S. 44.
9 Chr. W. v. Dohm: Denkwürdigkeiten meiner Zeit, Bd. 3, Lemgo, Hannover 1817, S. 4f.

die Kittel ablegen, und schickten sie zur Armee. Waffen, Kleidung, Bagage, kurz alles war bey diesen zusammengetriebenen Menschen verschieden, die man mit dem Namen *Soldaten* belegte, und von denen man grosse Dinge erwartete.[10]

Politisch und kulturell gilt daher Wielands Feststellung aus dem Jahre 1773: „Die Deutsche Nation ist eigentlich nicht Eine Nation, sondern ein Aggregat von vielen Nationen"[11]. Dies bedeutet auch, daß ein die Deutschen der verschiedenen Territorien verbindender Patriotismus sich nur sehr schwer allgemein durchsetzen konnte. Wiederum Wieland hat diese Lage mit den folgenden Worten charakterisiert: „In meiner Kindheit wurde mir zwar viel von allerlei Pflichten vorgesagt; aber von der Pflicht, ein Deutscher Patriot zu seyn, war damals so wenig die Rede, daß ich mich nicht entsinnen kann, das Wort Deutsch [. . .] jemals ehrenhalber nennen gehört zu haben". Selbst noch im Jahre 1793 gilt für Wieland die skeptische Frage: „Aber Deutsche Patrioten, die das ganze Deutsche Reich als ihr Vaterland lieben [. . .]: wo sind sie?"[12]. Im Vergleich mit anderen Völkern wurden die Begriffe Nation und Vaterland auch auf die deutschsprachige Gemeinschaft an sich angewendet, so wenn der „Nationalgeist" der Ungarn mit dem dort lebender Familien deutscher „Nation" verglichen wird, öfter jedoch wurden sie auf Einzelstaaten bezogen, es war gar von einem salzburgischen „Nationalstolz" die Rede.[12a] Die Loyalität des durchschnittlichen Untertanen gehörte seinem Fürsten und seinem Heimatstaat (oft als 'Vaterland' bezeichnet), nicht dem Kaiser oder Deutschland als ganzem. Es prävalierte der Staatspatriotismus, nicht aber ein wirkliches Nationalgefühl auf politischer Ebene.

Trotz dieser wirtschaftlichen und politischen Rückständigkeit kam es in den Städten zur Herausbildung einer − wenn auch schwachen − bürgerlichen Schicht und einer entsprechenden Schicht bürgerlicher Intelligenz. Der literarische Markt entwickelte sich in starkem Umfang, wissenschaftliche Gesellschaften entstanden[13], immer mehr Schriftsteller versuchten, auf die deutsche Öffentlichkeit einzuwirken. Diese Schriftsteller nun traten vielfach in eine scharfe Opposition zu den bestehenden gesellschaftlich-politischen Verhältnissen, was in unmittelbarer Verbindung mit

---

10 J. W. v. Archenholz: Geschichte des siebenjährigen Krieges in Deutschland, Bd. 1−2, Mannheim 1793, hier Bd. 1, S. 44f.

11 Chr. M. Wieland: National-Poesie, in: Sämmtliche Werke, Bd. 1−36, Leipzig 1853−58, hier Bd. 36, S. 327−335, Zitat S. 327. − Zu Wieland vgl. B. Weyergraf: Der skeptische Bürger. Wielands Schriften zur französischen Revolution, Stuttgart 1972; die Abschnitte S. 26ff. zu W. s. Weltbürgertum und Patriotismus leiden an unklaren Begriffsdefinitionen.

12 Wieland: Ueber Deutschen Patriotismus, a.a.O., Bd. 31, S. 245−259, Zitate S. 247, 252.

12a [J. K. Riesbeck:] Briefe eines Reisenden Franzosen über Deutschand, 2., betr. verb. Ausg., Bd. 1, [Zürich] 1784, S. 324, 160. − Im 'Denkmal der freudigsten Rükkehr des durchlauchtigsten Churfürsten Carl Theodors' (München 1789) ist der Fürst die „Grundveste seiner Nation" (S. 6).

13 Vgl. H. Hubrig: Die patriotischen Gesellschaften des 18. Jahrhunderts, Weinheim 1957.

der oft erbärmlichen sozialen Lage der Intelligenz zu sehen ist.[14] Goethe hat in 'Dichtung und Wahrheit' diese Lage rückblickend geschildert: „Die deutschen Dichter [. . .] genossen in der bürgerlichen Welt nicht der mindesten Vorteile. Sie hatten weder Halt, Stand noch Ansehn, als insofern sonst ein Verhältnis ihnen günstig war, und es kam daher bloß auf den Zufall an, ob das Talent zu Ehren oder Schanden geboren sein sollte"[15]. Symptomatisch zeigt sich die elende Lage weiter Teile der bürgerlichen Intelligenz etwa im Schicksal der vielen Hofmeister, eine Art, seinen Lebensunterhalt zu verdienen, die als der letzte Ausweg aus der prekären beruflichen Situation gesehen werden muß.[16] Diese traurige äußere Position zahlreicher Intellektueller wurde im Verein mit den allgemein hoffnungslos veralteten staatlichen und gesellschaftlichen Zuständen im Heiligen Römischen Reich die Ursache wachsenden Protestes, vorgetragen in einer Vielzahl literarischer und politischer Schriften.

So kann trotz der skizzierten wirtschaftlichen und politischen Rückständigkeit, trotz mannigfacher gesellschaftlicher Hemmnisse festgestellt werden, daß sich in der Epoche der Aufklärung eine bürgerliche Geistigkeit herausbildete: Es kam zu einer Opposition der literarischen Intelligenz gegen die feudalen staatlich-gesellschaftlichen Zustände. Die abwertende Einschätzung der Situation in Deutschland und der damit verbundenen geistigen Strukturen wird besonders deutlich, wenn etwa Lessing von dem „gutherzigen Einfall" spricht, „den Deutschen ein Nationaltheater zu verschaffen, da wir Deutsche noch keine Nation sind! Ich rede nicht von der politischen Verfassung, sondern bloß von dem sittlichen Charakter. Fast sollte man sagen, dieser sei: Keinen haben zu wollen"[17]. Diese Opposition der Intelligenz

---

14 Vgl. H. J. Haferkorn: Der freie Schriftsteller. Eine literar-soziologische Studie über seine Entstehung und Lage in Deutschland zwischen 1750–1800, in: Archiv f. Gesch. des dt. Buchwesens, V, 2, S. 523ff.; erw. Fassung in: B. Lutz (Hrsg.): Deutsches Bürgertum und literarische Intelligenz 1750–1800, Stuttgart 1974, (= Literaturwiss. u. Sozialwiss., 3), S. 113–239. H. Gerth: Die sozialgeschichtliche Lage der bürgerlichen Intelligenz um die Wende des 18. Jahrhunderts. Ein Beitrag zur Soziologie des deutschen Frühliberalismus, Diss. phil., Frankfurt a.M. 1933. H.-W. Engels: Materialien zur sozialen Lage der Intelligenz in Deutschland 1770–1880, in: G. Mattenklott, K. R. Scherpe (Hrsg.): Demokratisch-revolutionäre Literatur in Deutschland: Jakobinismus, Kronberg/Ts. 1975, (= Literatur im historischen Prozeß, Bd. 3/1), S. 243–275.

15 Goethe: Dichtung und Wahrheit, in: Werke (hrsg. v. E. Trunz), Bd. 1–14, Hamburg (1949–60), Bd. 9, hier S. 397.

16 Vgl. H. König: Zur Geschichte der Nationalerziehung in Deutschland im letzten Drittel des 18. Jahrhunderts, Berlin 1960.
   Zur literarischen Darstellung des Hofmeisterdaseins vgl. F. Neumann: Der Hofmeister, ein Beitrag zur Geschichte der Erziehung im 18. Jahrhundert, Halle 1930. W. Meier: Der Hofmeister in der deutschen Literatur des 18. Jahrhunderts, Diss. phil., Zürich 1938.

17 Zitiert nach A. Rapp: Der deutsche Gedanke. Seine Entwicklung im politischen und geistigen Leben seit dem 18. Jahrhundert, Bern, Leipzig 1920, (= Bücherei d. Kultur u. Gesch., Bd. 8) S. 17.

gegen die bestehenden Zustände im Reich konnte auch mit einer Vielzahl von Zensurmaßnahmen nicht zum Schweigen gebracht werden.[18]

Die bürgerliche Intelligenz bildete dem Staat gegenüber zunehmend ihr Selbstbewußtsein aus und bekannte sich immer stärker zur Idee des Fortschritts der Menschen und Völker, wie es Iselin formulierte: „So müssen wir zugeben, daß der Mensch nicht zu einem unveränderlichen Stande bestimmet sey; und daß nicht vergebens die Natur ihm einen Trieb eingeflösset habe, der ihn mit einer unbesiegbaren Macht zur Veränderung anspornet"[19]. Dies führte zu dem Anspruch, selbst im gesellschaftlichen Leben hervorzutreten, im Sinne progressiver Ideen zu wirken. Die bürgerliche Öffentlichkeit wird nun zu einem immer wichtigeren Element im gesellschaftlichen Zusammenleben, was dann letztlich auch zu dem Anspruch führt, über die öffentliche Meinung in das politische Geschehen einzugreifen, also an der Machtausübung zu partizipieren. „Ohne sich ihres privaten Charakters zu begeben, wird die Öffentlichkeit zum Forum der Gesellschaft, die den gesamten Staat durchsetzt. Schließlich wird die Gesellschaft anpochen an den Türen der politischen Machthaber, um auch hier Öffentlichkeit zu fordern und Einlaß zu erheischen"[20]. Ein konstitutiv wichtiges Element in der Entwicklung der öffentlichen Meinung, bei diesem Erwachen der bürgerlichen Intelligenz und der ganzen bürgerlichen Welt ist die Herausbildung einer patriotischen Gesinnung.

Zwei Züge des aufklärerischen politischen Denkens sind, so sei vorweg bemerkt, von wesentlicher Bedeutung für die Diskussion um den Patriotismus[21]: das eudämonistische Staatsverständnis und die kosmopolitische Grundhaltung. Für den modernen Territorialstaat gilt, „daß man den Staat jetzt als Anstalt zu begreifen, im Staat selbst nach Funktionen zu rationalisieren und zueinander gehörende Sachen im Rahmen der Verwaltung zusammenzufassen begann"[22]. Dies ist der Hintergrund

18 Zu den Zensurmaßnahmen vgl. J. Goldfriedrich: Geschichte des Deutschen Buchhandels, Bd. 3, Leipzig 1909, S. 343–434. F. Schneider: Pressefreiheit und politische Öffentlichkeit. Studien zur politischen Geschichte Deutschlands bis 1848, (Neuwied, Berlin 1966), (= Politica, Bd. 24), S. 101ff. u. passim.

19 Iselin, a.a.O., Bd. 1, S. 171. In der Einleitung schreibt Iselin Bd. 1, S. XXIII: „Dieser Fortgang der Menschheit von der äussersten Einfalt zu einem immer höhern Grade von Licht und von Wohlstande, welcher die herrschende Idee meines Werkes ausmacht, ist mir erst im Laufe meiner Untersuchungen über die G.d.M. [Geschichte der Menschheit] in den Sinn gekommen. Ich habe diese Idee gefunden ohne eben sie zu suchen; Sie ist die Frucht, das Resultat meiner Untersuchungen [. . .]".

20 R. Kosellek: Kritik und Krise. Ein Beitrag zur Pathogenese der bürgerlichen Welt, Freiburg, München (1959), S. 41; zur gesamten Entwicklung vgl. S. 41ff. Zur Opposition vor 1789 vgl. bei Valjavec, a.a.O., den Überblick S. 13–87; S. 88ff. zu den 'liberalen', S. 135ff. zu den 'demokratischen' Strömungen.

21 Eine übersichtliche Darstellung der Diskussion vor 1789 bei H. Kohn: Die Idee des Nationalismus. Ursprung und Geschichte bis zur Französischen Revolution, (Frankfurt a.M.) 1962; vgl. auch E. Lemberg: Geschichte des Nationalismus in Europa, Stuttgart (1950), S. 123ff.

22 G. Droege: Deutsche Wirtschafts- und Sozialgeschichte, (Frankfurt a.M., Berlin, Wien 1972), (= Deutsche Geschichte, Bd. 13), S. 102.

dafür, daß im Denken der Aufklärung die Frage nach den Aufgaben eines wohlgeordneten Staatswesens eine große Rolle spielt: Es wurde nach dem besten Staat gefragt, nach dem Staat, der eine möglichst große Anzahl seiner Bürger durch eine gut funktionierende Verfassung glücklich zu machen imstande sei.[23] Dem rationalistischen Denken erscheint ein Staat, der die Freiheiten seiner Bürger optimal schützt, in dem der einzelne die Möglichkeit besitzt, sich frei zu entfalten, als das beste Vaterland.[24] So wird die Liebe zum Vaterland zum Ausdruck der Dankbarkeit des Bürgers für die Wohltaten seines Staates, es geht auf der Grundlage eines eudämonistischen Denkens um die Entscheidung des Bürgers für den am besten konstituierten Staat. Für dieses Streben nach dem vorbildlichen Staat ist es prinzipiell gleichgültig, welcher Sprache und Kultur seine Bewohner angehören, welcher Abstammung sie sind.

Mit diesem Denken stimmt der Kosmopolitismus der Aufklärung überein, von dem es bei Wieland heißt, er betrachte „alle Völker des Erdbodens als eben so viele Zweige einer einzigen Familie und das Universum als einen Staat, worin sie mit unzähligen andern vernünftigen Wesen Bürger sind, um unter allgemeinen Naturgesetzen die Vollkommenheit des Ganzen zu befördern, indem jedes nach seiner besondern Art und Weise für seinen eigenen Wohlstand geschäftig ist"[25]. Noch 1799 setzte Wieland in seiner Zeitschrift 'Deutscher Merkur' Patriotismus gleich mit dem „warmen Eifer zum gemeinsamen Nutzen der Menschheit"[26]. Der Patriot wirkt also für sein Volk, und indem er dies tut, wirkt er gleichzeitig für die gesamte Menschheit. Grundlage dieses stets auf menschheitliche Zusammenhänge gerichteten Denkens ist die vernunftmäßige Basis aller menschlichen Seinsbereiche: „Die Kultur der Aufklärung" will „auf einen Grund bauen [. . .], der auch wirklich universal und allen Menschen gemeinsam ist, auf den Verstand in seiner reinsten, abstraktesten Form"[27]. Der Patriot feiert also nicht lediglich im Gefühlsüberschwang sein eigenes Volk, er weiß auch — auf rationaler Basis — um die Vorzüge anderer Völker.

23 Vgl. Iselin, a.a.O., Bd. 2, S. 343: „Glückselig hingegen muß der Staat seyn, in welchem die Erleuchtung einen so hohen Grad erreichet hat, daß seine Beherrscher fähig sind zu begreifen, wie eng der Wohlstand des Bürgers mit der Glückseligkeit des Staates verknüpft ist und wie sehr die Glückseligkeit des Beherrschers von der Glückseligkeit des Staates abhängt."
24 Vgl. hier insbes. Nicolais Einleitung zu: Th. Abbt: Vom Tode fürs Vaterland, zu Abbts Ehrengedächtnis hrsg. v. F. Nicolai, Berlin, Stettin 1767, S. 11f.
25 Wieland: Das Geheimniß des Kosmopoliten-Ordens, 1788, in: Werke, a.a.O., Bd. 30, S. 397–429, hier S. 406.
26 Zit. nach E. Zechlin: Die deutsche Einheitsbewegung, (2., durchges. Aufl.), (Frankfurt a.M., Berlin, Wien 1973), (= Deutsche Geschichte, Bd. 3,1), S. 21. — Auch Iselin spricht sich in diesem Sinne gegen eine verabsolutierte Vaterlandsliebe aus: „Wie stärker also die bürgerliche Liebe, und die Liebe des Vaterlandes bey den Menschen wurden, deren Seelen noch ziemlich unangebaut waren; desto weniger konnte sich die allgemeine Menschenliebe in ihren Herzen ausbreiten". (a.a.O., Bd. 2, S. 74). Zur Idee einer kosmopolitisch geprägten Vaterlandsliebe vgl. hier Bd. 2, S. 453ff.
27 W. Hof: Der Gedanke der deutschen Sendung in der deutschen Literatur, Gießen 1937, (= Gießener Beitr. z. dt. Philologie, 50), S. 19.

Im Mittelpunkt steht daher die Menschheit, die Humanität ist ein dem Volk und dem je einzelnen Staat übergeordneter Wert. Deshalb kann es zwischen den Menschen, den Völkern und Staaten auch nur unwesentliche Trennungslinien geben, Trennungslinien, die nicht als in der Natur angelegt erscheinen, sondern als Resultat lediglich zeitbedingter, geschichtlich einzuordnender Vernunftentscheidungen. Aufklärerischer Patriotismus und Kosmopolitismus sind keine entgegengesetzten Werte, sie bedingen einander vielmehr. Allerdings darf nicht übersehen werden, daß auch schon das frühe patriotische Denken der Aufklärung sich teilweise scharf gegen die vermeintlichen Eigenarten anderer Völker, besonders der Franzosen, wendet.[28] Schubart, der schwäbische Patriot, spielt in seinem Gedicht 'Der Patriot und der Weltbürger'[29] den Patrioten gegen den „Weltmann, kalt wie Schnee", aus, wendet sich also gegen einen zu weit getriebenen Kosmopolitismus und betont die nationalen Eigenschaften und Vorzüge seines Vaterlandes. Dennoch bleibt im ganzen 18. Jahrhundert die Verbindung von Kosmopolitismus und Patriotismus das durchaus prävalierende Moment. Diese Harmonie zwischen Weltoffenheit und patriotischem Denken hat gleichfalls Schubart in seiner 'Vaterländischen Chronik' gültig formuliert: „Schätzt fremdes Verdienst, meine Brüder, das ist gerecht. Aber verachtet — auch eure ärmere Mutter nicht. — Tretet eure heimischen Schätze nicht mit Füßen [. . .]"[30]. Nicht die verschiedenen Eigenarten einzelner Völker stehen ausschließlich im Mittelpunkt der Betrachtung, das rationalistische Denken müht sich vielmehr, als die für den Patriotismus ausschlaggebenden Kriterien Freiheit und Progressivität der Verfassungen der einzelnen Staaten herauszustellen. Solche Kriterien können nicht national gebunden sein, sie sind nur im Rahmen eines auf kosmopolitisch-supranationale Ideale und Ziele gerichteten Denkens zu verstehen.

28 So heißt es in J. M. Millers: Siegwart. Eine Klostergeschichte, Nachdr. d. Ausg. Leipzig 1776, Bd. 1–2, Stuttgart (1971), Bd. 1, S. 310f.: „Er [Siegwart] entdeckte mit Verwunderung in dem Gemählde der alten Gallier die Grundzüge, die noch jetzt den Charakter der neuern Franzosen ausmachen: den Wankelmut in ihren schnell, oft übereilt, gefaßten Anschlägen; die Begierde, immer etwas Neues auszuhecken und zu erfahren; die Grausamkeit, die sich noch jetzt in ihren Todesstrafen äussert. Den sklavischen Gehorsam des Volkes gegen seine Obrigkeit u.s.w. Dagegen schlug sein Herz laut bey der Schilderung der männlichern und freyergesinnten Deutschen, und besonders der nervichten Sueven; ihrer patriarchalischen Lebensart, die sich blos von der Viehzucht und der Jagd nährte, u.s.w." — Zu Miller vgl. den Überblick bei R. Krauß: Schwäbische Litteraturgeschichte, Bd. 1–2, Kirchheim/Teck 1975, (Nachdr. d. Ausg. 1897–99), hier Bd. 1, S. 174ff.

29 In: Werke, Berlin, Weimar 1965, S. 264f.

30 Werke, a.a.O., S. 120. — Eben diese Einheit von patriotischem und supranationalem Denken haben spätere Zeiten nicht mehr verstanden bzw. bewußt verfälscht; so heißt es in einem nationalsozialistischen Schulbuch: „Die grundsätzliche Gleichsetzung jedes denkenden Wesens mit jedem anderen, gleichgültig, welcher Rasse, welchem Volk er angehörte, führt zu einer verhängnisvollen Verkennung der entscheidenden Bedeutung der rassisch-völkischen Grundlagen alles gesellschaftlichen Lebens. An ihre Stelle tritt die abstrakte Vorstellung einer aus allen einzelnen denkenden Wesen zusammenzuzählenden Menschheit an sich. An die Stelle der lebendigen Kraft tritt der tote Begriff"; Volk und Führer. Deutsche Geschichte für Schulen, hrsg. v. D. Klagges, Kl. 7, 2., unver. Aufl., Frankfurt a.M. 1943, S. 212.

Die kosmopolitische Tradition, die den Wert der einzelnen Staaten nach deren freiheitlichen Strukturen mißt und die Realisierung dieser freiheitlichen Ideale auch im allgemein menschheitlichen Rahmen sucht, ist im europäischen Denken fest verwurzelt.[31] Ein Denken, das dem einzelnen Staat rational gegenübertritt, vermag die Verwirklichung seiner Ziele im größten Maßstab zu konzipieren. Es geht nicht nur um eine freiheitlich-gerechte Ordnung, die lediglich auf ein Land beschränkt ist, es geht um das Wohl der einzelnen Völker, das sich in einem supranationalen System spiegelt. Aus diesem Geist heraus hat sich in Deutschland Kant um eine internationale Friedensorganisation bemüht; sein Entwurf einer Friedensordnung aus dem Jahre 1795 postuliert ein „auf einen Föderalism freier Staaten"[32] gegründetes Völkerrecht, das Freiheit und Frieden aller zu garantieren vermag.

Es bleibt zunächst in bezug auf den aufklärerischen Patriotismus festzuhalten, daß das rationalistische Denken den Staat unter eudämonistischen Kriterien wertet: Entscheidend ist, welche Freiheiten, welches Wohlergehen er seinen Bürgern garantieren kann. Nach diesen Vorteilen, nicht etwa nach geburtsmäßiger oder rassischer Zugehörigkeit bemißt sich das Entstehen einer patriotischen Haltung des einzelnen der Gemeinschaft gegenüber. Zugleich zeigt sich, daß das Ringen um in diesem Sinne erneuerte Staaten kosmopolitisch ausgerichtet ist. Nicht nur der einzelne Staat soll durch seine vorbildliche Verfassung das Glück der Bürger garantieren, auch im überstaatlichen Bereich werden Organisationsformen angestrebt, die ein reibungsloses, gedeihliches Zusammenleben aller Menschen aller freien Nationen gewährleisten.

Im folgenden wird nun danach zu fragen sein, welche Richtungen sich innerhalb des patriotischen Denkens der Aufklärung erkennen lassen. Zunächst wurde das bürgerliche Selbstbewußtsein, Grundlage und Motor jeden patriotischen Denkens, in Deutschland durch das Vorbild der Schweiz gestützt.[33] Die eidgenössische Freiheit war den Patrioten im Reich ein wichtiges Leitbild in ihrer Auseinandersetzung mit den bestehenden absolutistischen Territorialstaaten. Besonders bedeutsam war Johann Georg v. Zimmermanns Buch 'Von dem Nationalstolze', das in Deutschland weite Verbreitung fand. Zimmermann faßt hier als Grundlage des Nationalstolzes die jeweilige nationale Sonderart und beschreibt deren Ursachen mit

---

31 Vgl. etwa Leibniz' Streben nach einer — auf der harmonischen Organisation der Einzelstaaten aufbauenden — „Harmonie der christlichen Völker Europas, einem Völkersystem, worin jede Nation die ihr eigentümliche und durch die Natur der Dinge angewiesene Aufgabe ergreift und zu lösen strebt"; K. Fischer: Geschichte der neuern Philosophie, Bd. 3, 3. Aufl., Heidelberg 1920, S. 7 f.. Vgl. auch: G. Krüger: Leibniz als Friedensstifter, Wiesbaden 1947.

32 I. Kant: Zum ewigen Frieden, in: Werke, hrsg. v. W. Weischedel, Bd. 1—6, Wiesbaden 1956—64, hier Bd. 6., S. 193—251, Zitat S. 208. Vgl. dazu K. v. Raumer: Ewiger Friede, Freiburg, München (1953), S. 151ff.

33 Vgl. E. Ziehen: Die deutsche Schweizerbegeisterung in den Jahren 1780—1815, Frankfurt 1922. Kohn, Idee des Nationalismus, a.a.O., S. 360ff. Im Hof, a.a.O., S. 33ff.

den folgenden Worten: „Die Begriffe, die aus der Gesellschaft, aus dem Orte, aus dem Lande fliessen, in dem wir uns befinden, geben unsern Begriffen eine eigene Falte, sie entscheiden was gut, was wahr, und schön ist, sie bilden die Eigenliebe, und diese den Stolz"[34]. Trotzdem aber hält Zimmermann an der allgemeingültigen Norm einer freiheitlich-kosmopolitischen Menschenkultur fest, er kritisiert scharf einen Nationalstolz, der nur die eigene Art zu leben gelten lassen will, der andere Nationen um ihrer Andersartigkeit willen abwertet.

Lieferte zunächst das Vorbild des Schweizer Patriotismus dem deutschen patriotischen Denken eine freiheitlich orientierende Komponente, so war es dann vor allem die zeitgeschichtlich überragende Gestalt Friedrichs II. von Preußen, die trotz seiner allbekannten Fixierung auf die französische Kultur[35] vaterländisch-patriotische Vorstellungen stets von neuem erregte. Neben einzelnen politischen Vorhaben wie etwa dem Projekt eines Fürstenbundes[36] war es die Gesamtpersönlichkeit des Königs, die Friedrich II. als eine gleichsam nationale Gestalt erscheinen ließ.[37] Zwar kritisierte Friedrich 1780 in seiner Schrift 'De la littérature allemande' die deutsche Geistigkeit scharf. Diesem Werk des Königs traten die Verfechter eines patriotischen Denkens entschieden entgegen[38]; Justus Möser wandte sich — stellvertretend für viele andere — dagegen, daß die Deutschen „dasjenige von Fremden

34 J. G. v. Zimmermann: Von dem Nationalstolze, 2. Aufl., Zürich 1760, S. 17f. — Weitere wichtige Titel sind I. Iselin: Philosophische und patriotische Träume eines Menschenfreundes (1755); F. U. v. Balthasar: Patriotische Träume eines Eidgenossen von einem Mittel, die veraltete Eidgenossenschaft wieder zu verjüngen (1758).

35 So berichtet Voltaire über den Hof Friedrichs: „Ich bin hier in Frankreich. Man spricht nur unsere Sprache. Das Deutsche ist für die Soldaten und Pferde; nötig hat man es nur für die Reise. Als gutem Patrioten schmeichelt mir diese kleine Huldigung, die man unserem Vaterlande erweist, 300 Meilen von Paris", zit. nach L. Reiners: Friedrich, München (1952), S. 160.

36 Vgl. Hubatsch, a.a.O., S. 174ff. K. Epstein: Die Ursprünge des Konservativismus in Deutschland, (Frankfurt a.M., Berlin 1973), S. 287ff. Die zeitgenössische Kritik meinte, „der Gedanke Friedrichs war so natürlich, so äußerst anpassend dem gefühlten Bedürfnis des Augenblicks, daß ihm herzliche Beistimmung überall entgegen kommen mußte"; Dohm, a.a.O., Bd. 3, S. 51.

37 Zur Wirkung Friedrichs insgesamt W. Dilthey: Friedrich der Große und die deutsche Aufklärung, in: W. D.: Gesammelte Schriften, Bd. 3, Leipzig, Berlin 1927, S. 81–205. Vgl. ferner die zeitgenössische Gesamtwürdigung bei J. G. v. Zimmermann: Ueber Friedrich den Großen und meine Unterredungen mit Ihm kurz vor seinem Tode, Frankfurt, Leipzig 1788. — Noch A. v. Arnim nannte beispielsweise seine Darstellung des Fluchtversuchs des jungen Friedrich ein „Nationaltrauerspiel"; vgl. H. M. Kastinger Riley: Arnims Nationaltrauerspiel'Friedrichs Jugend', in: Jb. d. Fr. Dt. Hochstifts, 1976, S. 189–210.

38 Friedrich der Grosse: De La Litterature Allemande. Französisch-Deutsch mit der Möserschen Gegenschrift, hrsg. v. Chr. Gutknecht u. P. Kerner, Hamburg (1969). — Vgl. auch E. Kästner: Friedrich der Große und die deutsche Literatur, Stuttgart, Berlin, Köln, Mainz (1972), (= Stud. z. Poetik u. Gesch. d. Lit. 21), bes. S. 20ff., auch S. 32ff., 60ff. Zu den Gegnern Friedrichs gehören u.a. Möser, Klopstock und Moser, der lakonisch meinte: „Ein Werk über die Kunst, Gold zu machen, hätte ich eher in der Reihe der Möglichkeiten geglaubt, als diese Critic. Doch die Könige und Fürsten thun oft alles eher, als just das, was sie könnten und resp. sollten", (zit. nach Kästner, a.a.O., S. 62).

borgen oder kaufen sollen, was wir selbst daheim haben können"[39]. Dennoch wurde Friedrich II. vielen Zeitgenossen zur Verkörperung deutscher Größe.

Erst kürzlich wurde betont, Friedrich habe eine im genauen Sinne nationale Politik niemals betrieben, dies sei erst später von national eingestellten Historikern wie Heinrich v. Treitschke interpretierend dargestellt worden.[40] Zusammenfassend hieß es: „Vergrößerung seines Territoriums, Schwächung des Kaiserhauses, in diesem Gesichtswinkel findet sich Friedrichs Interesse an den Angelegenheiten Deutschlands erschöpfend dargestellt"[41]. Dennoch ist es ein Faktum , daß unter den Zeitgenossen Friedrich mit seinem aufgeklärten, reformfreudigen Beamten- und Verwaltungsstaat als Vorkämpfer eines größeren, freieren Deutschlands gefeiert wurde; er erschien eben deshalb, wie es der Schweizer Ulrich Bräker 1790 in seinem Tagebuch formulierte, als „größter unter den Königen", als „Heldenkönig"[42].

Die Dichter, die gerade durch ihre bewundernden Werke auf Friedrich bekannt wurden, waren Ramler und Gleim. Ramler beginnt etwa seine Ode 'An den König von Preußen'[43] mit folgenden Zeilen: „Friedrich! du, dem ein Gott das für die Sterblichen / Zu gefährliche Loos eines Monarchen gab, / Und (ein Wunder für uns) der du dein Loos erfüllst!". Gleim stilisierte Friedrich II. zum ersten Patrioten des Staates, der sich väterlich-selbstlos für Preußen aufopfere:

39 J. Möser: Über die deutsche Sprache und Literatur, in: De La Litterature, a.a.O., S. 121—141, Zitat S. 121.

40 R. Augstein: Preußens Friedrich und die Deutschen, (Frankfurt a.M. 1971), (= Fischer T. b., 1212), S. 24ff. Radikal Klischees in bezug auf Friedrich demontiert auch B. Engelmann: Wir Untertanen, (München, Gütersloh, Wien 1974), S. 29f., 180ff.; S. 181 heißt es hier: „Weder die Bevölkerung Preußens noch seine Armee empfand sich selbst als deutsch [. . .]; dergleichen beschränkte sich auf eine Handvoll Intellektuelle. Und am allerwenigsten fühlte sich jener als Deutscher oder gar als Vollstrecker eines — gar nicht vorhandenen — Volkswillens zur nationalen Einigung, dem die traditionellen deutschen Geschichtsschreiber solches immer wieder anzudichten versucht haben: König Friedrich II."

41 Augstein, a.a.O., S. 30f. Friedrich förderte in der Tat eine lediglich landespatriotische Einstellung, empfand einen weiteren, sich auf das ganze Reich erstreckenden Patriotismus aber als schädlich. Dazu tritt seine Ablehnung aufgeklärter, patriotisch alle Bürger umgreifender Bildungskonzeptionen wie derjenigen E. v. Rochows, der die Formung eines „Nationalcharakters durch Volksschulen" anstrebte; vgl. H. J. Frank: Geschichte des Deutschunterrichts, (München 1973), S. 375ff. — Auch im 18. Jahrhundert selbst wurde Friedrich nicht nur bewundert. Als ein Beispiel sei hier der Mainzer Revolutionär G. Wedekind mit einer Rede 'Über die Regierungsverfassungen' (in: C. Träger (Hrsg.): Mainz zwischen Rot und Schwarz. Die Mainzer Revolution 1792—1793 in Schriften, Reden und Briefen, Berlin (1963), S. 190—204) genannt. Für ihn ist Friedrich eben wegen seiner egoistisch auf seine Territorialmacht konzentrierten Politik „ein schlimmer Gast", dem es nur um die Befriedigung „seines Ehrgeizes" (S. 203) gegangen sei.

42 U. Bräker: Leben und Schriften, dargest. u. hrsg. v. S. Voellmy, Bd. 1—3, Basel 1945, hier Bd. 2, S. 223.

43 In: K. W. Ramler: Poetische Werke, Th. 1—2, Berlin 1825, hier Th. 1, S. 3—5.

> Der König lebe! denn er ist
> Der erste Patriot,
> Der keine Väterpflicht vergißt,
> In Kriegs- und Hungers-Noth![44]

In Preußen schienen für Gleim die Ideale der Aufklärung verwirklicht, überdies meinte er, das Preußen Friedrichs II. könne in einer Zeit vaterländischer Gleichgültigkeit einen neuen Nationalstolz prägen.

Aber auch die Vertreter gesellschaftlich-politisch fortschrittlicher Ideen bekannten sich vielfach zur Gestalt des Preußenkönigs, von dem Knigge, begeisterter Verteidiger der Französischen Revolution, noch nach 1789 sagte, er sei „das Muster aller Könige, das Wunder aller Zeitalter, Friedrich der Einzige"[45]. Hier ist etwa der Schwabe Schubart, als Verfechter eines freiheitlich patriotischen, antiabsolutistischen Denkens[46] von Carl Eugen jahrelang eingekerkert, zu nennen. Die deutschen despotischen Fürsten sind für Schubart „Menschengeißeln"[47], die verdienter Untergang treffen wird. Friedrich II. aber stellte sich für ihn — trotz mancher Kritik im einzelnen — doch letztlich als nationale Gestalt dar. Im Zusammenhang mit dem 1785 zwischen Preußen, Sachsen und Hannover gegründeten Fürstenbund, in dem Schubart die Möglichkeit, zur nationalen Einheit zu gelangen, sah, schrieb er:

> Da drängten sich Teutoniens Fürsten
> In Friedrichs Felsenburg, wo der Riese
> Sinnt auf dem eisernen Lager.
> Sie boten ihm die Hand, und nannten ihn
> Den Schützer ihrer grauen Rechte, sprachen:
> 'Sey unser Führer, Friedrich Hermann!'
> Er wolt's. Da ward der deutsche Bund.[48]

Auch Eulogius Schneider, später einer der engagiertesten deutschen Anhänger der Französischen Revolution[49], schrieb 1786 in einer 'Ode auf Friederichs Tod':

---

44 Lied am Geburtstage des Königs 1778, in: [J. W. L. Gleim:] Preussische Soldatenlieder in den Jahren 1778 bis 1790, Berlin 1790, S. 23–25, hier S. 24.

45 A. Freyherr Knigge: Joseph von Wurmbrand (1792), hrsg. v. G. Steiner, (Frankfurt a.M. 1968), (= sammlung insel, 33), S. 101.

46 Verzweifelt fragt Schubart 1786 in dem Gedicht 'Deutsche Freiheit': „Hast du verlassen Germanias Hain,/Wo du unter dem Schilde des Monds/Auf Knochen erschlagener Römer/ Deinen Thron ertürmtest?" (Werke, a.a.O., S. 315–318, hier S. 316). 1788 läßt er den „sterbenden Patrioten" klagen: „Totengräber, schaufle mir ein Grab./Immer tiefer/Sinkt mein liebes Vaterland hinab" (Der sterbende Patriot, in: Werke, a.a.O., S. 320f.).

47 Die Fürstengruft, in: Werke, a.a.O., S. 283–286, hier S. 284.

48 Friedrich der Große, in: Chr. F. D. Schubart: Gesammelte Schriften und Schicksale, Bd. 1–8, Stuttgart 1839–40; Nachdr. Hildesheim, New York 1972, hier Bd. 4, S. 323.

49 Vgl. die zeitgenössischen Biographien von A. S. Stumpf: Eulogius Schneiders Leben und Schicksale im Vaterland, hrsg. u. eingel. v. Chr. Prignitz, Hamburg 1978; Chr. F. Cotta: Eulogius Schneiders Schicksale in Frankreich, hrsg. u. eingel. v. Chr. Prignitz, Hamburg 1979. Eine neue Gesamtdarstellung bei W. Grab: Eulogius Schneider. Ein Weltbürger zwischen Mönchszelle und Guillotine, in: G. Mattenklott, K. R. Scherpe (Hrsg.): Demokratisch-revolutionäre Literatur in Deutschland: Jakobinismus, Kronberg/Ts. 1975, (= Literatur im hist. Prozeß, 3/1), S. 61–138.

> Ein Denkmahl Dir, vergötterter Friederich!
> Unaufgefordert bau ichs, und unbezahlt.
>   Die Nachwelt seh' es einst, und spreche:
>   Friederichs Denkmahl von Priesterhänden! [. . .]

> Doch – war er Held nur? War er nicht Menschenfreund?
> Nicht Vater seiner Tausende? Strömte nicht,
>   Nachdem er ausgedonnert, Segen
>   Auf die Gefilde geschüzter Brennen? [. . .]

> Verkriechet euch, Despoten! Was schauet ihr
> Ihm ins Gesicht? Er kränkte den Schmeichler nicht
>   Mit Waisenblut, und feile Dirnen
>   Mästet' er nicht mit dem Mark des Bürgers.

> In seinem Kerker faulte der Denker nicht [. . .]
> Nur fehlte noch die eherne Kette, die
>   Er schlingen sollte um Alemanniens
>   Getheilte Herrscher [. . .]

> Er schlang die Kette um Alemanniens
> Getheilte Herrscher. Als es Allvater sah,
>   Da sprach er aus: 'Sie sind vollendet
>   'Friedrichs Thaten, sie sind vollendet.'[50]

Schneider, damals Hofprediger beim württembergischen Herzog Carl Eugen[51], spielt in dieser Ode Friedrich gegen seinen despotischen Herzog aus.[52] Darüber hinaus wird ihm der Preußenkönig aber auch zum Verfechter nationaler Ideen, denn Friedrich II. „schlang die Kette um Alemanniens/Getheilte Herrscher".

Ist also die Politik Friedrichs II. in der historischen Rückschau im ganzen nicht als von nationalen Gedanken getragen anzusehen, so gilt doch, daß er den Zeitgenossen als Exponent eines freiheitlicheren Regierungssystems erschien. Projekte wie der Fürstenbund ließen ihn darüber hinaus durch konkrete politische Maßnahmen in den Augen vieler zum Vorkämpfer einer Einigung des Reiches werden. Damit aber konnte Friedrich – im Sinne eines aufgeklärten Patriotismus – zum, wie Schubart sagte, ersten von „Teutoniens Fürsten" werden, zum Symbol eines erneuerten, patriotischen Deutschland. Die Rolle, die Friedrich II. in bezug auf das Werden des Patriotismus spielte, kann mit folgenden Worten charakterisiert werden: „Friedrich kann man nicht eigentlich einen Patrioten nennen. Aber er erweckte, pflanzte, machte Patriotismus an einer Stelle der Staatenwelt erst richtig möglich"[53].

Objektiver Grund für die Idealisierung einzelner Monarchen war, daß das ökonomisch und politisch schwache Bürgertum es dankbar aufnahm, wenn ein Herr-

---

50 E. Schneider: Gedichte, 2., verm. Ausg., Frankfurt a.M. 1790, S. 30–36.
51 Vgl. Stumpf, a.a.O., S. 37; hier heißt es, Schneider habe dem Herzog „mehr die Pflichten, als die Rechte des Fürsten" vorgehalten.
52 Vgl. zu diesem Gedicht die Bemerkungen Laukhards in: Magister F. Ch. Laukhards Leben und Schicksale. Von ihm selbst beschrieben, hrsg. v. V. Petersen, 6., unver. Aufl., Bd. 1–2, Stuttgart 1908, hier Bd. 2, S. 210f.
53 P. Binswanger: Die deutsche Klassik und der Staatsgedanke, Berlin (1933), S. 31.

scher aufgeklärte Normen teilweise realisierte: Ein Repräsentant des aufgeklärten Absolutismus[53a] wie Friedrich II. konnte zum Patrioten verklärt werden. Das Vertrauen in die Person des Herrschers wurde erst durch die in Preußen wie in Österreich anstehende Erfahrung brüchig, daß mit einem Wechsel des Monarchen auch eine kurzfristige und radikale Abkehr von aufgeklärten Prinzipien verbunden sein konnte.

Ein weiteres wichtiges Element bei der Herausbildung eines frühen patriotischen Denkens im Reich stellten die Ereignisse des Siebenjährigen Krieges dar. Hier gilt: „Die Regierungen mußten [. . .] ihre Aktionen durch die Eröffnung eines weiteren, psychologischen Kriegsschauplatzes verstärken. Gerade auf diesem Kriegsschauplatz erwies sich die Überlegenheit der preußischen Argumentierung. Die preußische Regierung verstand es, die Angst aller aufgeklärten Menschen vor einer neuen Gegenreformation zu entfachen"[54]. Zeugnis der aus dieser Taktik resultierenden Verehrung für die preußische Sache legt die 'Ode an die preußische Armee' des 1759 in der Schlacht bei Kunersdorf gefallenen Dichters Ewald v. Kleist ab, in der es heißt:

> Die Nachwelt wird auf dich, als auf ein Wunder sehen,
> Die künft'gen Helden ehren dich,
> Ziehn dich den Römern vor, dem Cäsar Friederich;
> [. . .].[55]

Auch Gleim begleitete in seinen 'Preussischen Kriegsliedern'[56] die Zeitereignisse mit patriotischen Gedanken; in seinem 'Siegeslied' sagt er vom Verhältnis des preußischen Grenadiers zu seinem König:

> Dacht, in dem mörderischen Kampf,
> Gott, Vaterland, und Dich,
> Sah, tief in schwarzem Rauch und Dampf,
> Dich seinen Friederich.[57]

Es wurde nun verstärkt möglich, freiheitliche und nationale Hoffnungen mit Preußen und — wie eben angesprochen — mit der Gestalt Friedrichs II. zu verbinden. Ein Kabinettskrieg der absolutistischen Epoche wurde zum nationalen Krieg umgewertet, wichtig sowohl "dem Preußischen Patrioten von jedem Stande" als auch „dem Deutschen Patrioten andrer Provinzen"[58].

Das wichtigste Dokument zum Patriotismus dieser Jahre ist Thomas Abbts Schrift 'Vom Tode für das Vaterland'[59]. Abbt, der sich längere Zeit in Berlin auf-

---

53a Vgl. das Sammelwerk von Kopitzsch, a.a.O., 52ff., 192ff.

54 W. Krauss: Zur Konstellation der deutschen Aufklärung, in: W. K.: Perspektiven und Probleme, (Neuwied, Berlin 1965), S. 143–265, hier S. 155.

55 In: E. v. Kleist: Sämtliche Werke, Th. 1–2, Karlsruhe 1776, hier Th. 1., S. 12f.

56 J. W. L. Gleim: Preussische Kriegslieder von einem Grenadier, (hrsg. v. A. Sauer), Stuttgart 1882, (= Deutsche Lit.denkmale d. 18. Jhds., 4).

57 Siegeslied nach der Schlacht bey Prag den 6ten May 1757, in: Gleim, Kriegslieder, a.a.O., S. 14–16, hier S. 15.

58 Archenholz, Geschichte des siebenjährigen Krieges, a.a.O., aus dem unpaginierten Vorwort.

59 Th. Abbt: Vom Tode für das Vaterland, Berlin, Stettin 1770. Alle im folgenden Text genannten Seitenzahlen beziehen sich auf diese Ausgabe.

hielt und dort zum Kreis um Nicolai und Mendelssohn gehörte, verfaßte seine Abhandlung im Jahre 1761 während des Siebenjährigen Krieges. Demgemäß will er „den Tod für das Vaterland" so vorstellen, wie „ihn ein jeder preußischer Untertan betrachten kann — betrachten muß" (S. 3). Ziel ist es, die „Mitbürger zum Dienste ihres Vaterlandes" aufzumuntern, die „Untertanen des Königs" zu ermahnen, „ihr Leben für Ihn und für den Staat, wenn er es fordert, aufzuopfern" (S. 6).

Zunächst setzt sich sich Abbt mit der schon zu seiner Zeit verbreiteten Sicht auseinander, Patriotismus, Vaterlandsliebe könne es nur in Republiken geben (1. Hauptstück, S. 11ff.): „Ich weiß nicht, durch welchen unglücklichen Zufall die Meinung fast durchgängig angenommen ist, daß nur ein Republikaner auf ein Vaterland stolz tun könne und daß es in Monarchien nichts weiter als ein bloßer Name, eine leere Einbildung sei" (S. 11). Demgegenüber stellt Abbt zunächst die Punkte heraus, die seiner Meinung nach Vaterlandsliebe bedingen. Erstes und wichtigstes Kriterium ist für ihn die Freiheit: „Die Stimme des Vaterlands kann nicht mehr erschallen, wenn einmal die Luft der Freiheit entzogen ist. Aber, wo man diese Luft noch atmet, ob sie gleich nicht heftig, niemals mit Ungestüm daherrauscht, da muß der Fehler am Gehör liegen, wenn des Vaterlands Stimme nicht gehört wird" (S. 11). Wo mithin Freiheit existiert, kann Vaterlandsliebe entstehen, gleich ob es sich um Monarchien oder um Republiken handelt.

Dem folgt die oft zitierte Definition des Begriffs 'Vaterland', die Abbt seinen Ausführungen zugrundelegt:

> Was ist wohl das Vaterland? Man kann nicht immer den Geburtsort allein darunter verstehen. Aber wenn mich die Geburt oder meine freie Entschließung mit einem Staate vereinigen, dessen heilsamen Gesetzen ich mich unterwerfe, Gesetzen, die mir nicht mehr von meiner Freiheit entziehen, als zum Besten des ganzen Staats nötig ist: alsdann nenne ich diesen Staat mein Vaterland. (S. 17)

Ein wirkliches Vaterland, kosmopolitisch verstanden nicht unbedingt der „Geburtsort", muß dem Bürger einen maximalen Freiraum gewähren, ist diese Bedingung erfüllt, kann sich Vaterlandsliebe in jeder Staatsform entwickeln: „Es gibt also auch in der Monarchie ein Vaterland" (S. 18).

Nachdem Abbt sich im 2. Hauptstück (S. 27ff.) mit den „Einwürfen gegen die Liebe fürs Vaterland" (S. 27) auseinandergesetzt hat, kann er die Konsequenzen der Vaterlandsliebe analysieren. Im 3. Hauptstück (S. 38ff.) geht es darum, daß Vaterlandsliebe „den Untertanen des Staats eine grosse und neue Denkungsart" (S. 38) vermittelt. Der einzelne wird fähig, angespornt vom Vorbild der für das Vaterland Gefallenen, aber auch vom „Anblick eines Monarchen", der auf dem Schlachtfeld „fast mit größerm Glanz als auf seinem Throne strahlt" (S. 41), sich für den Staat bis zum Tod einzusetzen. Eine weitere Konsequenz der Vaterlandsliebe (4. Hauptstück, S. 45ff.) ist, daß sie sich „in allen übrigen Handlungen der Untertanen" (S. 45) äußert. Durch Vaterlandsliebe wird der eingeschränkte Egoismus des Menschen zerstört, kommt es zur Hingabe, ja zum Opfer des einzelnen für das Ganze: „Wir hatten unser stolzes Ich als das letzte Ziel betrachtet, jetzt erkennen wir uns auch als Mittel zu anderer Wohlsein" (S. 47). Eine dritte Folge der Vaterlandsliebe (5. Hauptstück, S. 51ff.) besteht darin, daß durch sie „die Nation als ein verewigtes Muster für andre Nationen" (S. 51) erscheint. Als Beispiel dient Abbt wiederum

Preußen, besonders der im Krieg gefallene Dichter Ewald v. Kleist, für Abbt der „Patriot" (S. 53) schlechthin. Eine solche Nation, solche Patrioten werden von der Nachwelt stets bewundert werden.

Im 6. Hauptstück (S. 62ff.) kehrt Abbt dann zum Hauptthema seines Buches zurück und „beweist, daß die Liebe fürs Vaterland [. . .] am leichtesten die Furcht vor den [!] Tod bezwinge" (S. 62). Diese rückhaltlose Hingabebereitschaft für das Gemeinwesen soll, ja muß, so führt Abbt dann seinen Gedankengang weiter (7. Hauptstück, S. 76ff.), durch die „Ehrbegierde" gestärkt werden. Am Ende (8. Hauptstück, S. 91ff.) steht die Erwägung, daß an dem mit der Vaterlandsliebe verbundenen „Enthusiasmus" „nichts Törichtes" sei, „nichts, was dem Weisen und Helden unanständig ist" (S. 100).

Thomas Abbt zielt also unmittelbar mit seinem Werk darauf, Verehrung und rückhaltslose Hingabe des preußischen Bürgers für seinen König und sein Land in der schwierigen Kriegssituation zu befördern. Insofern ist die Abhandlung 'Vom Tode für das Vaterland' ein weiteres Dokument der patriotischen Verehrung Friedrichs II. Darüber hinaus ist sie aber auch ein wichtiger Teil der aufklärerischen Diskussion um den Vaterlandsbegriff. Abbt tritt als Bewunderer des Preußenkönigs für die Monarchie ein. Er artikuliert jedoch zugleich das Credo der Aufklärung, daß Patriotismus nur dort möglich sei, wo Freiheit herrscht. In seiner berühmten Vaterlandsdefinition meint er, das Vaterland sei „nicht immer" der „Geburtsort allein", eine Definition, die auf dem Kosmopolitismus wie auf der Wirklichkeit des partikularistischen Reiches fußt, das dem Deutschen kein staatlich geeintes, allgemein gültiges Vaterland geben konnte. So beruht der Patriotismus auf der „freien Entschließung" des einzelnen, der sich für ein Vaterland entscheidet, das seine Freiheitsrechte lediglich soweit einschränkt, als es das Staatsganze erfordert. Diesem wesentlichen Kriterium der Freiheitlichkeit gegenüber ist für Abbt die Staatsform – ob Republik oder Monarchie – unwichtig. In jeder freiheitlichen Form staatlicher Organisation hat der einzelne die Möglichkeit, durch Vaterlandsliebe, durch unbedingten Einsatz für das Ganze den kleinlichen Egoismus zu überwinden und zum patriotischen Staatsbürger zu werden.

Hingabebereitschaft für Staat und König sowie das Todespathos, die bei Abbt so stark anklingen, sind mithin kein Selbstzweck. Sie sind nur auf dem Hintergrund der Entscheidung des einzelnen für den freiheitlich konstituierten Staat zu verstehen. Insofern geht Abbt in seiner Abhandlung von einer aufgeklärten Grundüberzeugung aus, die ihm wie vielen anderen Friedrich II. als den politischen Exponenten einer solchen Grundüberzeugung erscheinen ließ. Ist das Todespathos, ist die Königsverehrung auch obsolet geworden, bedeutsam ist das freiheitliche Patriotismusverständnis, das Abbt zur Basis seiner Arbeit über den 'Tod für das Vaterland' macht.

Jedoch auch Dichter, die kritisch vor allem die Schrecken des Siebenjährigen Krieges darstellten, besannen sich in diesen Jahren auf patriotische Ideale. So näherte sich Johann Peter Uz im Vergleich mit Gleim von entgegengesetzter Seite dem patriotischen Denken. Bei ihm spricht sich in dem Gedicht 'Das bedrängte

Deutschland'[60] die Verzweiflung über die Kriegsepoche aus. Der elende Zustand des Vaterlandes läßt Uz zweifeln, ob die jetzige Politik der deutschen Fürsten einer kritischen Betrachtung standhalten könne:

> Gekrönte Häupter großer Staaten,
> Seht eure Thaten,
> Und wie ihr uns beglückt!
> Zählt die erschlagnen Unterthanen,
> Wann ihr, von Heldenlust entzückt,
> auf die ersiegten Fahnen
> Stolz lächelnd blickt!

Es geht Uz darum, die Tugenden der Vergangenheit wiederzubeleben, um den Übeln der Gegenwart zu steuern. Die zentralen Begriffe sind hier „Vaterland und Freyheit". In den Wirren des Krieges gilt es, sich auf die Zeit des alten Deutschland, des Vaterlandes, zu besinnen, auf seine Werte, die in der Freiheit gipfeln.

Patriotismus und Freiheit sind also auch für Uz untrennbare Werte. Im Gedicht 'An die Freyheit'[61] wird diese so angeredet:

> Erstaunte Völker melden
> Die Wunder deiner Hand:
> Du schmückest ein geliebtes Land
> Mit Patrioten, Weisen, Helden [. . .].

In seiner Zeit ist für Uz vor allem anderen ein auf Freiheit basierender Patriotismus notwendig. So gelten sein Streben, seine Bewunderung dem Patrioten, der ganz im Dienst für ein Vaterland aufgeht, das dieses Dienstes auch wert ist:

> Von allen Helden, die der Welt
> Als ewige Gestirne glänzen,
> Durch alle Gegenden bis an der Erde Gränzen,
> O Patriot, bist du mein Held:
>
> Der du, von Menschen oft verkannt,
> Dich ganz dem Vaterlande schenkest,
> Nur seine Leiden fühlst, nur seine Größe denkest,
> Und lebst und stirbst fürs Vaterland.[62]

In der Zeit des Siebenjährigen Krieges hat sich, so läßt sich mithin sagen, das patriotische Denken in Deutschland vertieft. Friedrich II. wurde zur nationalen Integrationsfigur, der Siebenjährige Krieg zum nationalen Krieg umgedeutet. Im Zentrum der propreußischen Argumentation stand ein aufgeklärt-freiheitlicher preußischer Staatspatriotismus (Abbt), der aber zugleich auf den deutschen Patriotismus im nationalen Rahmen wirken sollte. Hier zeigt sich die ganze Schwäche des Bürgertums dieser Jahre: Seine freiheitlichen Hoffnungen knüpften sich an eine Fürstengestalt, die zur nationalen Figur wurde, zugleich blieb der Bezug auf einen nationalen Patriotismus, der das ganz Reich umfaßte, ein lediglich vage ausgesprochener Gedanke. Dieser Variante patriotischen Denkens gegenüber war der Patriotismus, der sich zumindest ansatzweise in Opposition zur fürstlichen Politik artikulierte (Uz), nur eine Randerscheinung.

60 In: J. P. Uz: Sämtliche poetische Werke, Bd. 1–2, Karlsruhe 1776, Bd. 1, S. 38–41.
61 In: Werke, a.a.O., Bd. 1, S. 212–214.
62 Der Patriot, in: Werke, a.a.O., Bd. 1, S. 243–247.

Richtungweisend für die Diskussion in Deutschland war dann unmittelbar nach dem Siebenjährigen Krieg Friedrich Karl v. Mosers Schrift 'Von dem Deutschen national-Geist'[63]. In Moser verkörpert sich der von Gerhard Kaiser analysierte Einfluß pietistischen Denkens auf die Entwicklung des frühen deutschen Patriotismus. War der Pietismus im 17. Jahrhundert eine ganz nach innen gerichtete Strömung, so verbanden sich später in Publizisten wie Moser nationale Visionen mit den pietistischen Idealen christlich-brüderlicher Liebe und eines Freiheitsbegriffs aus religiöser Verantwortung. Die Liebe zum Vaterland wurde mit christlichen Werten erfüllt. Neben pietistischem Gedankengut war Moser besonders vom Reichspatriotismus, der in den kleineren Territorien des Südens, bes. den Reichsstädten noch lebendig war, geprägt. Von einem reichspatriotischen Standpunkt aus wird im 'national-Geist' den Spuren der deutschen Freiheit gefolgt, wird die traditionelle Freiheit des Deutschen Reichs als Maßstab der Zukunft erfaßt.[64] Moser vertritt das zunächst konservative Ziel, die kleineren Reichsstände in ihrer Integrität zu schützen und den Reichsverband in seiner tradierten – also partikularistischen – Form durch ein patriotisches Bewußtsein neu zu beleben. Die freiheitliche Komponente des Patriotismusgedankens zeigt sich aber auch bei Moser, wenn er von seiner reichspatriotischen Position aus den steigenden Despotismus in den einzelnen Territorien angreift. Im Sinne seines „national-Geistes" tritt er dagegen auf, daß „auf Seiten der Unterthanen, welche ihren Herrn über alles Gesetz erhaben zu seyn glauben, [. . .] ein blinder, tummer und knechtischer Gehorsam gefordert und geleistet"[65] wird. Eben dieser Despotismus in den einzelnen Teilen des Reiches wird von Moser, Gegner auch des expansiven Preußen, auf das mangelnde patriotische Bewußtsein für das Ganze zurückgeführt: „Der Patriotische Trieb vors Ganze artet in lauter Eigennuz aus"[66]. Obgleich dem patriotischen Denken Mosers das konservative Ziel des Erhalts der Reichsverfassung zugrunde liegt, zeigt sich doch auch hier, daß sich das Streben nach einem erneuerten Nationalgeist, nach Patriotismus gegen den Despotismus, gegen die freiheitsfeindliche Willkürherrschaft in den einzelnen Teilen des Reichs richtet: „Der ganze Begriff von National-Interesse setzt ein Volck voraus, welches in dergleichen großen, seine Ruhe und Wohlstand betreffenden Angelegenheiten mit zu sprechen hätte, wie solches in allen Republicken und eingeschränkten Monarchien angetroffen wird"[67].

63 [Fr. K. v. Moser:] Von dem Deutschen national-Geist, [Frankfurt] 1765. Zu Moser vgl. N. Hammerstein: Das politische Denken Friedrich Carl von Mosers, in: Historische Zeitschrift 212 (1971), S. 316–338. G. Kaiser: Pietismus und Patriotismus im literarischen Deutschland, Wiesbaden 1961; (2. Aufl. Frankfurt a.M. 1973), passim. U.A.J. Becker: Politische Gesellschaft. Studien zur Genese bürgerlicher Öffentlichkeit in Deutschland, Göttingen 1978, (= Veröff. d. Max-Planck-Inst. f. Gesch., 59), S. 103ff.

64 Zum Reichspatr. vgl. H. J. Berbig: Kaisertum und Reichsstadt, in: Mitt. d. Ver. f. Gesch. d. Stadt Nürnberg 58 (1971), S. 211–286. – Für Moser bildet der Gedanke der Freiheit den für die deutsche Geschichte und Gegenwart konstitutiven Wert. Vgl. [Fr. K. v. Moser:] Patriotische Briefe, [Frankfurt a.M.] 1767; hier heißt es: „Freyheit! ware von den ältesten Zeiten unserer vaterländischen Geschichte an immer das große Wort, so in der Mitte des Volckes lag, die allgemeine Loosung der ganzen Nation" (S. 33).

65 Moser, national-Geist, a.a.O., S. 70.   66 Moser, national-Geist, a.a.O., S. 66.

67 Fr. K. v. Moser: Beherzigungen, Frankfurt 1761, S. 341.

Gegen Moser wandte sich die von dem anhaltischen Hofrat Bülau anonym veröffentlichte Schrift 'Noch etwas zum Deutschen Nationalgeiste' (1766). Hier wird nun sehr dezidiert als eigentliches Kriterium für die Möglichkeit patriotischen Denkens nicht – wie bei Moser – das Verhältnis von Territorialstaaten und zentraler Reichsgewalt betrachtet, sondern die Herrschaftsverhältnisse der Zeit schlechthin. In diesem Zusammenhang heißt es: „Der bedauernswürdige Zustand Deutschlands kann auf seine Fürsten, Grafen und Reichsstände wohl keine genaue Anwendung leiden. Die leben alle gar artig und wohl zufrieden. [. . .] Diese armen Schafe [d.h.: die Untertanen] sind es, die Mitleid verdienen. Die Landstände, wo welche noch unaufgefressen oder unausgekauft vorhanden sind, und in deren Ermangelung der Landadel, die Landstädte, der Bürger, Kaufmann, Handwerker und Ackersmann"[68]. Sehr deutlich klingt hier an, daß, um Patriotismus zu ermöglichen, die Lage gerade der im herrschenden System Unterprivilegierten verbessert werden müßte. Im Vergleich mit Moser zeigt der Patriotismus hier noch sehr viel klarer seine das tradierte System sprengende Kraft. Freiheit und Patriotismus stehen im Dienst der Interessen der vom Absolutismus unterdrückten politischen Institutionen und Schichten.

Beide Schriften, die Bülaus wie die Mosers, lehnt Justus Möser[69] in einer Rezension ab. Mösers, der den bewußten Konservativismus in Deutschland begründete, leitete seine Ideen aus seiner Praxis als Verwaltungsfachmann und Regierungschef in Osnabrück ab, einem Kleinstaat, dessen archaische Verfassung durch klerikale, aristokratische, patrizische und auch demokratische Züge gekennzeichnet war. Ausgehend von den geschichtlich gewachsenen Gegebenheiten seiner Heimat mit ihrer komplizierten Verfassung, die er in der 'Osnabrückischen Geschichte' (1768–1780) beschrieb, wandte er sich ebenso gegen die absolute Monarchie mit ihren nivellierenden Tendenzen zu einheitlichen Institutionen wie gegen die Aufklärung. So stieß etwa die rationalistische Religionskritik auf seine Ablehnung, er verneinte den Versuch, die gegenwärtige Gesellschaft im Namen der Vernunft umzugestalten, da der Mensch ein Geschöpf von Gewohnheit und Traditon sei. Möser idealisierte dagegen die frühe mittelalterliche Geschichte Deutschlands mit ihrer bäuerlichen Kultur, er verfocht hierarchisch-inegalitäre Gesellschaftsstrukturen, definierte den Staat als eine Verbindung freier Besitzer, die durch ihr Grundeigentum – aber auch durch Besitz mobilen Vermögens – gleichsam Aktien des Staates hielten. Freiheit und politische Einflußmöglichkeit sollten an ständische Zugehörigkeit gebunden sein, es ging Möser weniger um eine abstrakte 'Freiheit' als um 'Freiheiten' im mittelalterlichen Sinn.

---

68 Zitiert nach Krauss, a.a.O., S. 166. Orig.ausg. Lindau 1766, S. 203. B. beschreibt den zur „Alleruntertänigkeit [. . .] biegsamen" (S. 44) dt. Nationalgeist, fordert Freiheit für „das geringste freye Mitglied dieses freyen Volkes" (S. 47) und prophezeit, daß „Knechtschaft", die „den höchsten Gipfel erreicht", „durch eine überlegene Uebereinstimmung der Nation", auch mit „gewaltsamen Konvulsionen" (S. 138f.) gestürzt werde.

69 Vgl. L. Bäte: Justus Möser. Advocatus patriae, Frankfurt a.M., Bonn (1961), bes. S. 117ff., 153ff., 197ff. Epstein, a.a.O., S. 345ff.

Eines der wichtigsten Ziele für Möser war die Vertiefung der Liebe zur Heimat und ihren traditionellen Werten, ein Ziel, das seine 'Patriotischen Phantasien' (1774—1786) verfolgten. Gerade in kleineren Staaten wie Osnabrück sah er für seine Art Treue zur Heimat und für brüderliche Verbundenheit der Bürger die besten Voraussetzungen. Möser wandte sich gegen den Kosmopolitismus der Aufklärung, er war gegen die Herrschaft des französischen Klassizismus und entwickelte ein kulturelles Nationalgefühl. Aus diesen Zusammenhängen heraus war er „der erste und einzige Denker der Aufklärungszeit, der aus der Erkenntnis der grundlegenden Verschiedenheit der Nationalcharaktere die radikale Forderung zieht, daß alles doch nur relativ schön und groß sei, daß also jedes Volk seinen eigenen Maßstab der Kultur haben müsse [. . .]"[70]. Mösers Nationalbegriff war darüber hinaus an der frühen deutschen Vergangenheit orientiert, die ihm die Urteilskriterien für Reich, Volk und Staat lieferte. Trotz dieser Verherrlichung der vaterländischen Kultur und Geschichte und obgleich er der Stellung des mittelalterlichen Reiches nachtrauerte, stand dem territorialstaatlich orientierten Möser die Schaffung eines deutschen Nationalstaats nie vor Augen.

In der erwähnten Rezenzion nun polemisiert Möser gegen den Radikalismus Bülaus und wendet gegen Moser ein, dieser habe nur die Welt der Höfe berücksichtigt. Die Frage: „Allein, wo finden wir die Nation?" beantwortet er mit folgenden Sätzen: „An den Höfen? Dies wird niemand behaupten. In den Städten sind verfehlte und verdorbene Kopien, in der Armee abgerichtete Maschinen, auf dem Lande unterdrückte Bauern. Die Zeit, wo jeder Franke oder Sachse paterna rura [. . .] baute und in eigener Person verteidigte [. . .], diese Zeit war imstande, uns eine Nation zu zeigen. Allein die gegenwärtige ist es nicht"[71]. Die nationale Identität kann für Möser nur im Bereich einer bodenständigen, an den Werten ursprünglicher und freiheitlicher Tradition orientierten Gemeinschaft gefunden werden. Es geht ihm vor allem um die mittelalterlichen Wurzeln der deutschen Nation, deren vergessene und verachtete Werte er in die zeitgenössische patriotische Diskussion einbringen wollte.

Mösers Patriotismus ist ein Beispiel für die Konzentration des patriotischen Denkens auf die deutschen Territorialstaaten, für die konservative Bewahrung gegebener Werte, für die politische Enge, die selbst ein Geist wie Möser nicht zu sprengen vermochte. Daneben verkörpert Möser wie kein anderer die historische Rückbesinnung der Deutschen auf ihre Geschichte, auf den Versuch, aus ihr eine nationale Identität zu gewinnen. Dieser Versuch blieb aber bei Möser letztlich in einer konservativen Grundhaltung befangen.

Trotz im einzelnen gegensätzlicher Akzentuierungen stimmen Moser, Bülau und Möser in ihrer Ablehnung der staatlich-gesellschaftlichen Verhältnisse ihrer Zeit überein. Sie wollen sämtlich eine patriotische Neuordnung, die bei Moser reichspatriotisch den territorialstaatlichen Despotismus überwinden soll, die vor allem bei Bülau emanzipative Züge trägt, während sich Möser besonders an der

---

70 Hof, a.a.O., S. 28.
71 Zitiert nach Krauss, a.a.O., S. 165.

nationalen freiheitlich-besseren Tradition orientiert, die aufgeklärte Emanzipationsbewegung aber aus konservativer Position ablehnt.

Der Stolz auf die eigene Vergangenheit wird dann im späteren 18. Jahrhundert
ein immer bestimmenderer Zug des Patriotismus. Nun ging es darum, die vaterländische Geschichte und in besonderem Maße auch die kulturelle Tradition auf breiter
Basis zu erforschen und in der Gegenwart wirksam werden zu lassen. Es entwickelte
sich ein historisch begründeter, kulturell und literarisch akzentuierter Patriotismus[72], der aber stets, wie sich zeigen wird, eine aktuell politische Dimension
besitzt. Das Streben nach einem vertieften Verhältnis zum Vaterland und seinen
tradierten Werten läßt sich in Deutschland deutlich verfolgen. War im 17. und
frühen 18. Jahrhundert die französische Kultur das dominierende Moment[73],
so betonten um die Mitte des Jahrhunderts Bodmer und Breitinger, man könne
und müsse dem französischen Vorbild eigene Leistungen entgegenstellen. Die
Aufnahme Shakespeares, Ossians oder Miltons, aber auch der alten deutschen
Geschichte und Dichtung des Mittelalters[74] eröffnete den Aufbruch zur kulturellen
Selbstbefreiung der Deutschen, führte zu einem neuen Verhältnis zum eigenen
Geschichte und Dichtung des Mittelalters[74] eröffnete den Aufbruch zur kulturellen
Selbstbefreiung der Deutschen, führte zu einem neuen Verhältnis zum eigenen
nationalen Wesen, wie es sich, resultierend aus der deutschen Vergangenheit, dar-
stellte.

Der kosmopolitische Patriotismus der Aufklärung schließt ein allmähliches
Bewußtwerden der Deutschen, zu einer spezifischen Gemeinschaft zu gehören,
keineswegs aus. Das erwachende nationale Bewußtsein der Völker ist vielmehr
eine gesamteuropäische Erscheinung, die sich allerdings in den einzelnen Ländern
zu je verschiedenen Zeiten und unter verschiedenen Akzentsetzungen vollzog.[75]
Stets wird zunächst die eigene Sprache gegen die anderen Sprachräume abgegrenzt.
So ging es in Deutschland Klopstock um „die Sprache, die, Hermann, dein Ur-

---

72 G. A. Rein: Der Deutsche und die Politik. Betrachtungen zur Geschichte der Deutschen
   Bewegung bis 1848, Göttingen, Zürich, Frankfurt (1970), spricht S. 96 von einem primär
   kulturell ausgerichteten „volklichen Gemeinschaftsbewußtsein ohne staatspolitisches Bewußtsein"; auch Zechlin betont, a.a.O., S. 21, noch lange habe das deutsche Nationalbewußtsein „den Stempel eines kulturellen Gemeinschaftsgefühls" getragen. Vgl. den Überblick bei J. Wilke: Vom Sturm und Drang bis zur Romantik, in: W. Hinderer (Hrsg.):
   Geschichte der politischen Lyrik in Deutschland, Stuttgart (1978), S. 141—178.
73 Mit Recht bemerkt A. v. Gleichen-Russwurm: Das galante Europa. Geselligkeit der Großen
   Welt 1600—1789, Stuttgart (1919), S. 62: „Als eigentlicher Sieger des dreißigjährigen
   Krieges trat die geistig feine Diplomatie Frankreichs hervor [. . .] Ihr gesellschaftlicher
   Einfluß vermochte die französische Welt trotz der widersprechendsten Interessen in Eins
   zu schmelzen und die Kabinette fremder Fürsten nachdrücklicher zu bearbeiten, als es
   oft die besten Gründe vermochten."
74 Vgl. [J. J. Bodmer (Hrsg.):] Proben der alten schwäbischen Poesie des dreyzehnten Jahrhunderts, Zürich 1748; Nachdr. Hildesheim 1973.
75 Vgl. Lembergs 'Geschichte des Nationalismus in Europa', a.a.O., passim.

sohn spricht"[76]; Schubart stellte 1787 in seiner 'Vaterländischen Chronik' stolz fest: „Hoch muß dem deutschen Manne das Herz aufschlagen, wenn er die erstaunenden Fortschritte seiner Sprache in den neuern Zeiten bemerkt"[77]. Das Interesse an der philologischen Erforschung der eigenen Sprache erscheint als wesentlicher Beitrag zur nationalen Identität. Dem schließt sich das Bemühen auch in Deutschland um eine Dichtung von europäischem Rang an: Klopstock etwa wollte in seinem 'Messias' dem großen Vorbild Miltons nacheifern. Schon früh hatte Klopstock, indem auch er christliche und patriotische Gefühlswerte amalgamierte, das Projekt eines religiösen Heldengedichts zugleich als kulturelle Tat gefaßt, damit die deutsche Kultur die Leistungen anderer Völker überflügele: „Die größte Freude würde mich dan durchdringen und ganz überströmen, wenn ich die Würdigsten zu diesem Werke dahin brächte, daß sie, wegen der so lange vernachlässigten Ehre des Vaterlands von edler und heiliger Schamröthe glühten. — Wofern aber unter den jetzt lebenden Dichtern vielleicht keiner noch gefunden wird, welcher bestimmt ist, sein Deutschland mit diesem Ruhme zu schmücken; so werde gebohren, großer Tag! der den Sänger hervorbringen [. . .] sol!"[78].

Diesem kulturell orientierten Denken tritt die patriotische Beschäftigung mit der deutschen Geschichte an die Seite. Hermann der Cherusker etwa wird nicht nur im Zusammenhang mit der Entwicklung der Sprache genannt, er, der die Deutschen einst vom römischen Joch befreite, erscheint auch als Exponent der politisch freiheitlichen Traditionen des Vaterlands. Wichtig ist also immer die Betonung und Erforschung der eigenen kulturellen und auch der politischen Vergangenheit als einer Tradition, aus der ein Sendungsbewußtsein des eigenen Volkes hergeleitet wird. Die durch Sprache, Kultur und Geschichte konstituierten einzelnen Völker erhalten so ihre Funktion im Kreise der anderen Nationen, das Sendungsbewußtsein wird zur eigentlichen Daseinsberechtigung der jeweiligen Nation, Züge, die auf die nationale Bewußtwerdung aller europäischen Völker zutreffen. War auch für den ausschließlich der kosmopolitischen Tradition verhafteten Wieland der deutsche Patriotismus ganz überwiegend eine „Modetugend"[79], konnte die vaterländische Vergangenheit doch nun in Deutschland von vielen Angehörigen der Intelligenz, besonders von Klopstock und seinen Anhängern, als verpflichtendes Erbe empfunden werden. So dichtete Klopstock:

---

76 Klopstock: Die deutsche Sprache, in: Sämmtliche Werke, Bd. 1—10, Leipzig 1854—55, hier Band 4, S. 297f. Zu den religiösen Quellen der Aufwertung der Sprache zum nationalen Wert vgl. Kaiser, a.a.O., Kap. 12.

77 In: Werke, a.a.O., S. 117.

78 Zit. nach C. F. Cramer: Klopstock. Er; und über ihn, Th. 1, Hamburg 1780, S. 88f. Zur Verbindung religiösen und patriotischen Denkens bei Klopstock vgl. Kaiser, a.a.O., bes. Kap. 5.

79 Wieland: Ueber Deutschen Patriotismus, in: Werke, a.a.O., Bd. 31, S. 245—259, hier S. 246.

> Ich halt' es länger nicht aus! Ich muß die Laute nehmen,
> Fliegen den kühnen Flug,
> Reden, kann es nicht mehr verschweigen,
> Was in der Seele mir glüht!
>
> O, schone mein – dir ist dein Haupt umkränzt
> Mit tausendjährigem Ruhm; du hebst den Tritt der Unsterblichen
> Und gehst hoch vor vielen Landen her –
> O, schone mein! Ich liebe dich, mein Vaterland![80]

In Deutschland folgte man grundsätzlich einer europäischen Denktradition, die der bedrückenden Gegenwart gegenüber eine bessere, weil gerechtere und freiere Form gesellschaftlichen Zusammenlebens suchte. Dies Zusammenleben malte man sich in imaginären Ländern oder in ferner Vergangenheit aus. Im Zusammenhang dieser utopischen Welt wurde Kritik der Gegenwart gegenüber formuliert, indem das Bild einer besseren Gesellschaft implizit oder explizit der eigenen Zeit als Spiegel vorgehalten wurde. In der Utopie artikulierten sich die Kritik an der Gegenwart und die Konzeption einer Neugestaltung des menschlichen Zusammenlebens.[81]

Das bürgerlich-patriotische Denken in Deutschland wollte in eben diesem Sinne eine idealisierte deutsche Vergangenheit beschwören, um die eigene feudale Gegenwart zu kritisieren. So war für Klopstock Hermann der Cherusker der „geheime Schrecken Roms" und der „Befreier des Vaterlands"[82], Hermann war darüber hinaus aber auch eine für die freiheitlichen Forderungen der eigenen Zeit beispielgebende Gestalt. Patriotische Ziele in der Nachfolge Klopstocks, der bald zu *dem* patriotischen Dichter der Deutschen wurde, vertrat dann vor allem der Göttinger Hainbund, der von 1772 bis 1774 existierte.[83] Diese Gruppe junger Studenten, im Sinne der patriotischen Schriftstellervereinigung, wie sie Klopstock besonders in seiner 'Gelehrtenrepublik' (1774) proklamierte, um Boie und Bürger geschart, fühlte sich dem Deutschtum und dem germanischen Freiheitsideal verpflichtet und lehnte die französische Kultur scharf ab. Den gegenwärtigen Tyrannen setzte man ein aus der deutschen Geschichte gespeistes Freiheitspathos, ein engagiertes 'in tyrannos' entgegen. Es ging hier nicht um eine logisch konzi-

---

80 Klopstock: Mein Vaterland, in: Werke, a.a.O., Bd. 4, S. 213–216.

81 Vgl. J. Droz (Hrsg.): Geschichte des Sozialismus, Bd. 1, (Frankfurt a.M., Berlin, Wien 1974), (= Ullstein Buch Nr. 3093). H. Girsberger: Der utopische Sozialismus des 18. Jahrhunderts in Frankreich, (2. Aufl.), (Wiesbaden 1973).

82 Klopstock: Hermann, in: Werke, a.a.O., Bd. 4, S. 208–213, Zitate S. 208, 210. Vgl . auch das 'Bardiet' 'Hermanns Schlacht', a.a.O., Bd. 6.

83 Zu Klopstock und zum Hainbund vgl. den Überblick bei Kohn, Idee des Nationalismus, a.a.O., S. 395ff. R. Bäsken: Die Dichter des Göttinger Hains und die Bürgerlichkeit, Königsberg 1937; R. Benz: Die Zeit der deutschen Klassik. Kultur des achtzehnten Jahrhunderts 1750–1800, Stuttgart 1953, S. 289ff. U. Dzwonek, C. Ritterhoff, H. Zimmermann: 'Bürgerliche Oppositionsliteratur zwischen Revolution und Reformismus'. F. G. Klopstocks 'Deutsche Gelehrtenrepublik' und Bardendichtung als Dokumente der bürgerlichen Emanzipationsbewegung der zweiten Hälfte des 18. Jahrhunderts, in: B. Lutz (Hrsg.): Deutsches Bürgertum und literarische Intelligenz 1750 bis 1800, (Stuttgart 1974), (= Literaturwiss. u. Sozialwiss., 3), S. 277–328. Zur zeitgenössischen Kritik an der Bardendichtung A. Carlsson: Die deutsche Buchkritik, Bd. 1, Stuttgart (1963), bes. S. 74 f.

pierte Theorie staatsbürgerlicher Freiheit und ihrer Modalitäten, sondern um einen pathetisch-lyrischen Protest gegen die herrschende Unfreiheit, die als mit den besten geschichtlichen Traditionen unvereinbar dargestellt wurde. Patriotische Gesinnung ist hier immer im Sinne dieses Protestes gegen die Unfreiheit der eigenen Gegenwart zu sehen.

Die politisch-gesellschaftlichen und kulturellen Werte der Vergangenheit wurden nun zum integrierenden Bestandteil der Kritik an der Gegenwart und zum Maßstab der Gestaltung einer besseren und freieren Zukunft des Vaterlandes. Deutschland und seine Kultur rückten in den Mittelpunkt der Aufmerksamkeit, ohne daß dies jedoch bereits zu einer Frontstellung anderen Völkern und Kulturen gegenüber geführt hätte: „Die deutsche Kultur kämpfte gegen die Vorherrschaft der Franzosen; sie wurde dann immer unzufriedener mit der Gleichberechtigung und hätte vielmehr auch die Stellung des Lehrmeisters erreichen wollen. Doch war diese Tendenz in Deutschland nicht alleinherrschend. Die meisten Deutschen wollten zusammen mit anderen Völkern gemeinsam weiterschreiten"[84]. Auch für Klopstock ist in diesem Sinne die Toleranz das wesentliche Kennzeichen im Verhalten der Deutschen anderen Völkern gegenüber; in der bereits zitierten Ode 'Mein Vaterland' heißt es:

> Nie war gegen das Ausland
> Ein anderes Land gerecht, wie du.
> Sey nicht allzugerecht! Sie denken nicht edel genung,
> Zu sehen, wie schön dein Fehler ist!

Zwar wird das Verständnis der Deutschen für andere Völker als zu weitgehend kritisiert, dieser „Fehler" bleibt dennoch „schön", die kosmopolitische Offenheit ist für Klopstock trotz seiner Vaterlandsliebe ein verpflichtender Wert.

In dem bereits mehrfach erwähnten Schwaben Schubart personifiziert sich dieser vorrevolutionäre progressive Patriotismus in besonderem Maße. Vor allem macht dies seine in den Jahren 1774—1777 erschienene 'Deutsche Chronik' deutlich, in der die Einheit der verschiedenen deutschen Staaten unter den Begriffen 'Vaterland' und 'Deutschland' stets im Vordergrund steht, in der es um die Nationwerdung der deutschen Stämme geht. Hier beklagt Schubart, daß die Freiheit gegenwärtig aus Deutschland geschwunden sei. „Die Göttin Freiheit" steigt in einem in der 'Chronik' erschienenen Märchen mit der Gerechtigkeit und der Tugend vom Olymp herab (S. 8f.)[85] und sucht die ihrer Verehrung geweihten Altäre in Deutschland vergeblich an den Höfen der Großen und im Volk. Das Märchen schließt mit den Worten: „Seitdem vernimmt man, daß sich die Göttin in Boston niedergelassen", daß sie also aus der Alten Welt in das der republikanischen Freiheit zustrebende Amerika geflüchtet sei. Schubarts Bewunderung gilt angesichts dieser desolaten Gegenwart der germanischen Welt und der Welt des Mittelalters, besonders der Hansestädte, die — ideal stilisiert — für ihn deutsche Größe und Freiheit verkör-

---

84 A. Kemiläinen: Auffassungen über die Sendung des deutschen Volkes um die Wende des 18. und 19. Jahrhunderts, Helsinki, Wiesbaden 1956, (= Suomalaisen Tiedeakatemian Toimituksia, Sar. B, Nid. 101), S. 240.

85 Im folgenden im Text zitiert nach Werke, a.a.O.

pern. Die eigene Zeit dünkt ihn dagegen vom Verfall grundlegender Werte und der ökonomischen Blüte in den despotisch fürstlichen Staaten gezeichnet, in denen die staatliche Dominanz gerade auch die bürgerliche ökonomische Entwicklung behindert:

> [. . .] mich dünkt, ich höre hinter mir den Genius der Deutschen, mit dumpfem Tone sprechend: Verfall der Religion ist Verfall der Ordnung; stehende Heere drücken das Land und fressen das Mark der Bürger; Fürsten sind Monopolisten geworden, die wie Ozeane die kleinere Flüsse verschlingen; die unersättliche Maut sperrt wie die Hyäne ihren Rachen auf und verzehrt den Bissen, den die Handlung zu ihrer äußersten Notdurft erheischt; Mangel an Ermunterung zum Kunstfleiße, Gemächlichkeit, Luxus — O schone meiner, Genius der Deutschen, ich weiß schon genug, um mich über mein Vaterland zu härmen. (S. 12f.)

Einfachheit und Volkstümlichkeit sind nur noch in den unteren Schichten zu finden, bei „den Menschen im niedern Stande", „hier, wo man nicht französisch denkt und deutsch spricht und umgekehrt" (S. 30). An diesen Werten sollen sich Kultur und Literatur orientieren, Lessing, Klopstock, Herder und Goethe (vgl. S. 25) sind für Schubart in diesem Sinne die Verkünder wahrhaft vaterländischer Werte. Die am französischen Vorbild orientierte Kultur der Oberschichten trifft dagegen Schubarts Verachtung.

Der Patriotismus Schubarts ist in seinem politischen Freiheitsstreben und in seiner Polemik gegen die Kultur der Oberschichten ein Patriotismus der Opposition. Im zugleich volkstümlich kraftvollen, pathetischen wie auch empfindsamen Stil seiner 'Chronik' schreibt er programmatisch:

> Wir Deutsche haben keine so freimütige Schriftsteller wie die Engländer! — Glaub's wohl, Hunger, Schmach, öffentliche Schande erwarten den, der's wagt, frei von der Brust zu schreiben. Wenn in den Stunden der Begeisterung uns die Freiheit einen kühnen Gedanken zuschickt und er mit dem Flammenblicke und dem fliegenden Haar ans Pult tritt, so schleicht gleich die kalte Behutsamkeit auf den Zehen herbei und führt ihn ganz langsam wieder zum Zimmer hinaus. Wenn man die verschiedenen Zeitungen, Tagbücher, Zueignungsschriften, Lobreden, Programme u.d.g. aus allen Provinzen Deutschlands sammelte, so sollte man glauben, Deutschland würde von lauter Göttern, Seraphims und Cherubims beherrscht. Mein Fürst ist ein Gott! Meine Obrigkeit untrüglich! Welche Polizei! Welche menschenfreundliche Anstalten! spricht der Lobredner auf der Kanzel und im Rednerstuhle — Und unten steht der Patriot, macht zwei Fäuste in seine Tasche, beißt die Zähne zusammen, und Tränen riesln in seinen Bart. (S. 28)

Eben diese oppositionelle Haltung bewahrt Schubart den Blick für die Unzulänglichkeiten im Deutschland seiner Zeit, läßt seinen Patriotismus trotz allen Pathos nie unkritisch oder selbstüberheblich werden. Die Idealisierung der nationalen Vergangenheit, der Werte des deutschen Volkes wird zum Mittel der patriotischen Polemik gegen die herrschenden Strukturen. Dem entspricht, daß Schubart 1789 die Revolution begrüßte und die Einladung zum Bruderschaftsfest in Straßburg 1790 als die größte Ehrung seines Lebens ansah.

Dichterisch kulminiert das Streben nach einer an den spezifisch deutschen Voraussetzungen und Traditionen orientierten Literatur gegen Ende des 18. Jahrhunderts in der Dichtung des Sturm und Drang. Herder wies z.B. in den 1773 mit Goethe herausgegebenen Blättern 'Von deutscher Art und Kunst' auf die Idee des Nationalgeistes hin, der in der Geschichte der Völker auf einer frühen Entwicklungsstufe gesucht wurde; der Sturm und Drang wandte sich dann auf breiter Basis den ursprünglichen Zuständen der Völker zu und widmete der deutschen Vergangenheit besondere Aufmerksamkeit. So zeugt etwa Goethes 'Götz' vom zeitgenössischen Ideal der Reinheit des einstigen Volkstums, von der Reinheit der ursprünglichen deutschen Zustände. Daß gerade dieser Gedanke von den Zeitgenossen als wesentlich an Goethes Drama empfunden wurde, belegt das Wort Lenz' über den 'Götz': [. . .] laßt uns den Charakter dieses antiken deutschen Mannes [. . .] uns eigen machen, damit wir wieder Deutsche werden, von denen wir so weit weit ausgeartet sind"[86].

Von diesem Interesse an der deutschen Geschichte, an Sprache und Literatur ausgehend, entwickelte sich das Programm, in der Gegenwart die nationalen und antidespotisch-demokratischen Gedanken in einer volkstümlichen Dichtung darzustellen. Diese Dichtung sollte sich der unfreien Gegenwart aus dem Geist einer besseren Vergangenheit heraus entgegensetzen. Der Dichter konnte so als Vertreter und Sprecher seiner Nation empfunden werden, er sollte dieses Amt ausüben in Werken, die sich am Volk und seinen Interessen orientierten. Bürger, selbst für „Deutsche Geschichte, Alterthümer, Literatur, Sprache und Dichtkunst, kurz Alles, was Deutsch heißt"[87], interessiert, um alles bemüht, „was jedem Deutschen von Geburts- und Vaterlandswegen zu lernen interessant seyn muß"[88], forderte deshalb einen in diesem Sinne nationalen Charakter der Dichtung in Verbindung mit Volkstümlichkeit.[89] Den Dichtern seines Vaterlandes ruft Bürger so zu: „Deutsche sind wir! Deutsche, die nicht Griechische, nicht Römische, nicht Allerweltsgedichte in Deutsche Zunge, sondern in Deutscher Zunge Deutsche Gedichte, verdaulich und nährend für's ganze Volk machen sollen"[90]. Bürger strebte „als der Erfinder oder Wiederbeleber ächter Volkspoesie"[91] danach, „Idealität und Volksmäßigkeit in Einklang zu bringen"[92]. Es ging ihm also um ein poetologisches Streben nach der Volkstümlichkeit der Dichtung; damit verbindet sich dann die Aussprache freiheitlich-antidespotischer Inhalte. So läßt er im Gedicht 'Der Bauer. An seinen durchlauchtigen Tyrannen' den Bauern sprechen:

86 J. M. R. Lenz: Über Götz von Berlichingen, in: H. Nicolai (Hrsg.): Sturm und Drang, Bd. 1–2, München (1971), hier Bd. 1, S. 831–834, Zitat S. 833.

87 Brief von 1784, zitiert nach H. Döring: G.A. Bürger's Leben, Berlin 1826, S. 133.

88 Brief von 1784, zitiert nach Döring, a.a.O., S. 139. – In 'Über Deutsche Sprache. An Adelung' schreibt Bürger: „[. . .] ich liebe [. . .] Alles, was Deutsch ist, und wüßte nicht, daß ich einen heißern Wunsch hätte, als den, mich um mein Vaterland verdient zu machen", in: Sämmtliche Werke, hrsg. v. K. v. Reinhard, Bd. 1–7, Berlin 1823–24, hier Bd. 7, S. 204–213, Zitat S. 205.

89 Vgl. L. Kaim-Kloock: Gottfried August Bürger. Zum Problem der Volkstümlichkeit in der Lyrik, Berlin (1963).

90 Bürger: Aus Daniel Wunderlich's Buche, in: Werke, a.a.O., Bd. 6, S. 179–199, hier S. 191; vgl. auch Von der Popularität der Poesie, in: Werke, a.a.O., Bd. 7, S. 266–276.

91 A. W. v. Schlegel: Bürger, in: Bürger: Sämmtliche Werke, hrsg. v. A. W. Bohtz, Göttingen 1835, S. 503–524, hier S. 503.

92 Döring, a.a.O., S. 359.

> Ha! du wärst Obrigkeit von Gott?
> Gott spendet segen aus; du raubst!
> Du nicht von Gott, Tyrann![93].

Für diese Bewegung des literarischen Patriotismus und ihre politische Ausrichtung gilt, was der zeitgenössische Publizist Ernst Brandes formulierte; er führt aus, es habe sich um die Zeit des amerikanischen Unabhängigkeitskrieges „im Norden von Deutschland ein Classe von Dichtern gebildet, deren Werke Freiheits-Gefühl und Tyrannen-Haß athmeten". In diesem Zusammenhang erwähnt Brandes vor allem Klopstock und die von ihm ausgehende patriotische Bardendichtung: „Durch ihre Gedichte ward ein sehr unbestimmtes, aber desto lebhafteres Gefühl für Freyheit und Fürsten-Haß verbreitet". Daneben war es insbesondere die Dramatik des Sturm und Drang, die freiheitliche Gesinnung formulierte: „Die politischen Trauerspiele, wo Tyrannen-Mord und Freyheits-Drang herrschen, folgten [. . .] Die Einbildungskraft junger Leser oder Zuhörer ward durch pathetische Declamationen von Freyheits-Drang und Durst nach Tyrannen-Blut erhitzt"[94]. Es entstand in Deutschland, so läßt sich resümieren, ein Patriotismus, der sich an der nationalen, besonders kulturellen Vergangenheit orientierte und — in der Tiefe ohne Überheblichkeit anderen Völkern gegenüber — die besondere Stellung und Sendung des deutschen Volkes herausstellte. Diese Grundstimmung findet ihren Ausdruck in zahlreichen literarischen Werken, die zugleich, wie bei Bürger, aus patriotischem Geist heraus den Mängeln und Gebrechen der Gegenwart entgegengetreten, die also eine politische Qualität gewinnen. Auch hier bestätigt sich die Bindung des Patriotismusbegriffs an die bürgerliche Emanzipationsbewegung, gerichtet auf den Kampf gegen das feudale System um mehr Freiheit.

Der Patriotismus des 18. Jahrhunderts ist, dies sei zusammenfassend bemerkt, ein wesentlicher Bestandteil des aufklärerischen politischen Denkens. Die bürgerliche Aufklärung übte an den bestehenden staatlichen Systemen eine zunächst moralische Kritik, von der jedoch gilt: „Im Augenblick, als die dualistisch abgesonderte herrschende Politik dem moralischen Richtspruch unterworfen wird, verwandelt sich das moralische Urteil in ein Politicum: in politische Kritik"[95]. Auf den Patriotismus bezogen heißt dies, daß die moralisch gefärbte Kritik am Verfall in fast allen Lebensbereichen, dem patriotisch eine bessere Vergangenheit entgegengestellt wurde, sofort auch eine politische Dimension gewinnt. Die bürgerlichen

---

93 In: Werke, a.a.O., Bd. 1, S. 107f. Eine ausführliche Interpretation findet sich bei Kaim-Kloock, a.a.O., S. 127ff.

94 [E.] Brandes: Ueber einige bisherige Folgen der Französischen Revolution in Rücksicht auf Deutschland, Hannover 1792, S. 46, 47, 48; vgl. insbes. das Kapitel: Die Stimmung zu republikanischen Gesinnungen durch die Schriftsteller, S. 44ff. Zu Brandes vgl. C. Haase: Ernst Brandes 1758—1810, Bd. 1—2, Hildesheim 1973—74.

95 Koselleck, Kritik, a.a.O., S. 84. Vgl. zu diesem Bereich auch P. Burger: Moral und Gesellschaft bei Diderot und Sade, in: G. Mattenklott, K. R. Scherpe (Hrsg.): Literatur der bürgerlichen Emanzipation im 18. Jahrhundert, Kronberg/Ts. 1973, (= Scriptor Taschenbücher, Literaturwiss., S. 2), S. 77—104.

Patrioten greifen — von Konservativen wie Möser abgesehen — implizit oder explizit in emanzipativer Absicht die herrschende politische Ordnung an.

Es entstand neben dem systemstabilisierend auf die Landesherren bezogenen Patriotismus eine Anzahl verschieden akzentuierter Patriotismuskonzepte. Die bürgerliche Intelligenz fixierte ihre Hoffnungen auf einzelne aufgeklärte Herrscherpersönlichkeiten wie Friedrich II. (Abbt), trat im Sinne des Reichspatriotismus gegen den territorialstaatlichen Despotismus auf (Moser) oder formulierte einen mit konservativen Ideen verbundenen, an angeblich vorbildlich konstituierten Einzelstaaten ausgerichteten Patriotismus (Möser). In der zweiten Hälfte des Jahrhunderts wurde dann zunehmend auch die deutsche Geschichte in ihrer politischen und kulturellen Dimension zum Gradmesser einer patriotischen und freiheitlichen Neugestaltung der Gegenwart. Die bürgerlichen Patrioten, an ihrer eigenen Zeit zweifelnd, suchten die Bestätigung ihrer Ideale in einer fernen deutschen Vergangenheit, um dann allerdings teilweise dezidiert Kritik an ihrer Gegenwart zu üben. Auch die Schöne Literatur orientierte sich seit Klopstock und dem Sturm und Drang an der vaterländischen Tradition und wollte, wie es Bürger vertrat, patriotisch zum Ausdruck der Interessen des ganzen Volkes werden.

Ein wirklich oppositioneller, radikal alle bestehenden Strukturen verneinender Patriotismus tritt in Deutschland vor 1789 höchstens als Randerscheinung auf. Im allgemeinen suchte die Intelligenz bei aller Kritik den Kompromiß, richtete ihre Hoffnungen auf aufgeklärte Fürsten wie Friedrich II., wenn sie sich nicht, wie Möser, gar auf konservative Positionen zurückzog. Auch die nationale Komponente, d.h. das Streben nach einem modern konstituierten einheitlichen Deutschland, nach einem Nationalstaat im Sinne Frankreichs oder Englands erscheint nur als vage Idee. Nationale Elemente lagen unter je spezifischen Voraussetzungen im Reichs- und in dem auf Friedrich II. bezogenen Patriotismus, vor allem im kulturhistorisch gerichteten Literaturpatriotismus. Angesichts der Realität war aber auch in dieser Frage noch kein klares Konzept möglich.

Die Inhaltlichkeit, die mit den beiden eng verbundenen Begriffen des Patriotismus und der Freiheit verknüpft wurde, ist deshalb in dieser Phase noch durchaus heterogen und wenig konkret. Aus einer hoffnungslos unterlegenen gesellschaftlichen und wirtschaftlichen Lage heraus vermochte die bürgerliche Intelligenz nur in idealer und utopischer Form das Bild eines besseren gesellschaftlichen Seins darzustellen, sie vermochte diese Ideen noch nicht in politischen Einzelforderungen zu konkretisieren. Allgemeine Kritik, allgemeines Unbehagen auf der einen, eine ebenso allgemeine Vorstellung einer schöneren Gesellschaft auf der anderen Seite, dies ist der Hintergrund des freiheitlich antidespotisch akzentuierten Patriotismus dieser Jahre. Unter seinem Zeichen vermochten sich die Kräfte der bürgerlichen Intelligenz zu vereinigen, sowohl Bewunderer Friedrich II. wie Gleim und Abbt als auch Kritiker der fürstlichen Herrschaft an sich wie Uz konnten unter dem Patriotismusbegriff ihre Vorstellungen von einem wahrhaft menschlichen Zusammenleben formulieren.

Der freiheitliche Patriotismus wird so zum Bestandteil der Ideologie des um seine Emanzipation ringenden Bürgertums, vertreten allerdings nur von einer intellektuel-

len Elite, während das Volk unbeeinflußt blieb und in einem dumpfen Staatspatriotismus oder in Passivität verharrte. Dennoch kristallisieren sich im freiheitlichen Patriotismus prägnant die Wünsche einer aufsteigenden, aber im bestehenden
System noch unterdrückten Schicht. Eben deshalb gilt: „Schon im vorrevolutionären Deutschland war patriotische Gesinnung und politische Opposition so gut
wie gleichbedeutend"[96]. Die Patrioten des 18. Jahrhunderts forderten trotz aller
Einschränkungen eine freiere Ordnung und betonten aus diesem Grunde, daß ein
unfreies Land niemals Objekt einer echten Vaterlandsliebe sein könne. So sei
nochmals Thomas Abbt mit seiner Schrift 'Vom Tode für das Vaterland' zitiert:
„Was ist wohl das Vaterland? Man kann nicht immer den Geburtsort allein darunter
verstehen. Aber wenn mich die Geburt oder meine freie Entschließung mit einem
Staate vereinigen, dessen heilsamen Gesetzen ich mich unterwerfe, Gesetzen, die
mir nicht mehr von meiner Freiheit entziehen, als zum Besten des ganzen Staats
nötig ist: alsdann nenne ich diesen Staat mein Vaterland"[97]. Patriotismus und
Vaterlandsliebe sind für die Vertreter einer progressiven Geistigkeit stets an die
Gewährung maximaler Freiheit für die Bürger gebunden, eine Sicht, die die Kritik
des Bestehenden impliziert.

Kennzeichen des aufklärerischen Patriotismus ist von hier aus die Forderung
nach einer Gesellschaft, die der unbedingten Hingabe des einzelnen an die Gesellschaft wert ist. So formuliert der württembergische Hofrat W. L. Storr: „Patriotismus ist [. . .] diejenige Richtung der Seele, die nichts als Gemeinbestes athmet"[98].
Der wahre Patriot darf keinerlei Einzelinteressen vertreten, er muß sich für das „Ge-
meinbeste", für das Wohl der Gemeinschaft einsetzen. Dies ist mit der Forderung
verbunden, die Beschaffenheit der staatlichen Strukturen müsse derart sein, daß
dem einzelnen eben diese Hingabe an das Ganze möglich ist. Die Freiheit des Sub-
jekts muß durch die freiheitliche Struktur des Allgemeinwesens ermöglicht werden,
eines Gemeinwesens, dem das Subjekt deshalb eng verbunden sein kann. Letztlich
wird dadurch im aufklärerischen Patriotismus die Freiheit des Individuums mit
der Freiheit der Sozietät identifiziert. Hier liegen Wurzel und Möglichkeit eines
wahren Patriotismus.

Im langfristigen Streben nach einem demokratisch organisierten Staat, der den
Interessen breiterer Schichten, d.h. gerade auch derjenigen des sich ausbildenden
Bürgertums gerecht zu werden vermag, spielt das patriotische Denken eine funda-
mentale Rolle. Beim Begriff Patriotismus geht es um das Wohl der gesellschaftlichen
Totalität, das in dieser geschichtlichen Phase mit den Interessen des Bürgertums
identisch ist. Sein Interesse schuf die wirtschaftlichen und technischen Voraussetzungen der modernen Welt, der Kampf um den Aufstieg des Bürgertums stand im

96 Krauss, a.a.O., S. 171.
97 Zitiert nach P. Kluckhohn (Hrsg.): Die Idee des Volkes im Schrifttum der deutschen Be-
    wegung von Möser und Herder bis Grimm, Berlin 1934, S. 1. Vgl. auch die Anm. 59)
    zit. Ausgabe, S. 17.
98 (Storr:) Was ist Patriotismus? in: Jahrbuch für die Menschheit, hrsg. v. F. B. Beneken,
    Jg. 2, Hannover 1789, S. 86–89, hier S. 88.

Dienste geschichtlichen Fortschritts. Dem folgt auch die Einschätzung der bürgerlichen Ideologie. Der Patriotismus, der patriotische Dienst des einzelnen am Gemeinwohl sind trotz aller Einschränkungen Kampfbegriffe des fortschrittlichen Bürgertums seit der Mitte des 18. Jahrhunderts im Ringen um seine Freiheit.

Die freiheitlich-demokratischen Ideale der Aufklärung haben darüber hinaus ihr Interesse und ihre Aktualität bis heute bewahrt. Mit Recht schreibt Jean Améry: „Alle Freiheiten, deren wir uns erfreuen und die weiterzureichen unsere Pflicht ist, sind Früchte der bürgerlichen Aufklärung"[99]. Dies gilt auch für die Ziele, die im aufklärerischen Patriotismus geborgen sind, vor allem für das die Zeiten übergreifende Ideal einer Gemeinschaft, in die sich der einzelne zu integrieren vermag, eben weil die Gemeinschaft zum Ausdruck seiner Interessen geworden ist.

Prinzipiell geht das Nationalgefühl der europäischen Aufklärung von der Reform des Verhältnisses von Herrscher und Beherrschten aus, es ist mit der Idee der Volkssouveränität verknüpft. In Westeuropa drückte sich der Nationalismus daher bald in Veränderungen nicht nur des geistigen, sondern auch des politischen und wirtschaftlichen Gefüges aus. In Deutschland, wo sich das Bürgertum als prägende Kraft nicht durchsetzen konnte, fand das Nationalgefühl dagegen seinen klarsten Ausdruck nicht primär im politischen Streben nach einem Nationalstaat, sondern auf kulturellem Gebiet. In Frankreich konnte Rousseau, der Hauptexponent eines freiheitlichen Patriotismus[100], konkret politische und patriotische Ideen entwickeln. Er stellte im 'Contrat social' das Bild eines Ideal-Vaterlands dar, einer durch Vertrag entstandenen Gesellschaft, in der die unveräußerlichen Rechte des Individuums nicht aufgehoben werden, in der Freiheit und Gleichberechtigung sich in der Beteiligung des einzelnen am Staatswesen ausdrücken. Die Souveränität des Fürsten ersetzt Rousseau durch die Volkssouveränität, für ihn beruht der souveräne Wille auf den Individuen, die sich zum Ganzen vereinen ('volonté générale'). Nur in einer solchen Gemeinschaft können Pflicht und Verantwortung, können Tugend und Moral einen neuen Gemeinschaftssinn schaffen, kann die Loyalität dem auf Recht, Freiheit und Gleichheit basierten Staatsgrenzen gehören. So entsteht hier die Chance einer wahren Brüderlichkeit, eines engen Verhältnisses des 'citoyen' zur 'patrie', des 'amour de la patrie' als der heroischsten aller Leidenschaften. Rousseaus Theorie einer auf Vernunft beruhenden Norm der staatlichen Konstitutionen ist universalistisch, ein allgemeingültiges Naturrecht mit der Lehre vom Staatsvertrag als Hauptstück naturrechtlichen Denkens wird zum Regulativ der gewachsenen Rechtssysteme. Gerade deswegen konnte Rousseau die gedanklichen und gefühlsmäßigen Grundlagen eines aufgeklärten Patriotismus schaffen, der über der Bindung des einzelnen an die staatliche Gemeinschaft die menschheitlichen Belange nicht vergißt und zugleich konkrete Forderungen im einzelstaatlichen Rahmen erhebt.

99 J. Améry: Aufklärung als Philosophia perennis, in: Die Zeit, Nr. 22, d. 20. Mai 1977.
100 Vgl. die gute Zusammenfassung bei Kohn, Idee des Nationalismus, a.a.O., S. 227ff. Zum Patriotismus als idealer, in der Gegenwart von R. aber nur als bedingt realisierbar erfahrener Seinsform zuletzt R. Spaemann: Rousseau – Bürger ohne Vaterland, (München 1980), S. 82f.

In Deutschland ging es den Patrioten nicht unmittelbar um eine zentralisierte Regierungsform als Komplement nationalen Denkens, nicht um die reale Identifikation von Nation und Staat. Das Nationalgefühl, anders als Heimat- und Familienliebe ein abstraktes Gefühl, wurde im Deutschen Reich kaum durch konkrete Gegebenheiten gestützt und mit Leben gefüllt. So blieb der deutsche Patriotismus politisch vage, formte keine konkrete realisierbaren Ideen, blieb Angelegenheit einer gebildeten Minorität, war in seinem Grundanliegen aber dennoch eine potentiell sprengende politische Kraft von großer Fernwirkung.[101]

---

101 In diesem Sinne ist die Behauptung von Kohn, Idee des Nationalismus, a.a.O., S. 330: „Der deutsche Nationalismus konnte sich nicht, wie das im Westen der Fall war, um eine politische Freiheitsidee herum zusammenschließen" zu differenzieren.

3. DER DEUTSCHE PATRIOTISMUS IM ZEICHEN DER FRANZÖSISCHEN REVOLUTION

3.1. FRANKREICH

Am 5. Mai 1789 eröffnete Luwig XVI., „gutherzig und von redlichem Willen beseelt, aber unkräftig und ohne Menschenkenntnis"[1], als letzten Ausweg aus der seit langem immer unüberwindlicher werdenden Staatskrise[2] die Generalstände. Doch anstatt politische Entscheidungen im Sinne des Königs und seiner Regierung zu treffen, bildeten die Abgeordneten des Dritten Standes die Nationalversammlung, die sich als Vertreterin nicht mehr eines einzelnen Standes der absolutistischen Monarchie, sondern als Repräsentantin der ganzen Nation empfand. Die Französische Revolution hatte begonnen.[3]

Es entstand nun in Frankreich ein neues nationales Einheitsgefühl der Menschen. Dieses Einheitsgefühl hat seine Basis schon in der vorrevolutionären Entwicklung selbst, in der der Einigungsprozeß des Landes wirtschaftlich und kulturell bedeutend vorangeschritten war[4]: „The French already possessed what someone has called the essence of nationality, the memory of having done things together in the past, and the expectation of doing things together in the future"[5]. Schon vor 1789 hatte sich so in Frankreich ein Patriotismus ausgebildet, der sich den verkrusteten feudalen Strukturen im Land entgegensetzte: „On the whole, however, the patriotic emotions were strongest among the heralds of change, especially among critics of the monarchy and the church. Liberals of the day were eager,

---

1 K. Griewank: Die Französische Revolution, 1789–1799, 2., durchges. Aufl., Graz, Köln 1958, S. 9.
2 Zur Vorgeschichte der Revolution vgl. bes. M. Göhring: Geschichte der Großen Revolution, Bd. 1–2, Tübingen 1950–51, hier Bd. 1. – Einen guten Überblick gibt auch A. Goodwin: Die Französische Revolution, 1789–1795, (Frankfurt a.M., Hamburg 1964), (= Fischer Bücherei, 573).
3 Einen ausgezeichneten Forschungsbericht zu allen mit der Revolution verbundenen Fragen bietet E. Schmitt: Einführung in die Geschichte der Französischen Revolution, München (1976).
4 A. Soboul: Die Große Französische Revolution, (2., durchges. Aufl.), (Frankfurt a. M. 1973), S. 5: „Die nationale Einigung war im 18. Jahrhundert stark vorangeschritten: dieser Fortschritt wurde begünstigt durch die Entwicklung der Handelsverbindungen und -beziehungen, durch die Verbreitung der klassischen Kultur dank der Erziehung in den Gymnasien und durch die neuen philosophischen Ideen, die bei der Lektüre, in den vornehmen Gesellschaften und den 'Sociétés de pensée' (literarische Clubs) Aufnahme fanden."
5 R. R. Palmer: The National Idea in France before the Revolution, in: Journal of the History of Ideas 1 (1940), S. 95–111, hier S. 97.

even impatient, to be patriots. But they agreed with La Bruyère, who had said that there was no 'patrie' under a despotism"[6].

Als nun 1789 der Dritte Stand an die Spitze der Nation trat, als sehr bald schon „die Autorität des Königs [. . .] gleich Null"[7] schien, als liberté, égalité, fraternité proklamiert wurden, entstand eine neue Qualität der nationalen Zusammengehörigkeit. In dem Augenblick, in dem der einzelne aus seiner ständischen Gebundenheit heraustrat und sich als freier, gleichberechtigter, den Mitbürgern solidarisch verbundener Bürger (citoyen) zu fühlen begann, war die auf Trennung und egoistischer Absonderung der Stände basierende alte Ordnung hinfällig geworden.[8] So kann es nicht erstaunen, daß fortan die Einheit aller progressiven Kräfte beschworen und als beglückende Realität empfunden wurde. Es schien, als stünde das gesamte Volk — mit Ausnahme verschwindend weniger Repräsentanten des Absolutismus — im Dienste der revolutionären Ideale.[9] Die in Wahrheit schon früh einsetzende Bildung verschiedener politischer Fraktionen innerhalb der revolutionären Kräfte wurde geleugnet oder als zu korrigierender Irrweg empfunden.[10] Feste wie das große Bundesfest vom 14. Juli 1790 sollten den Eindruck einer gemeinschaftlich-freiheitlichen Bewegung dokumentieren; über dieses Fest schrieb Mignet:

> Grenadiere trugen ihn [Lafayette] unter lautem Zujauchzen des Volkes zum Altar des Vaterlandes, und er sprach mit erhöhter Stimme für sich und im Namen der Truppen und der Förderirten: „Wir schwören der Nation, dem Gesetz und dem König stets treu zu seyn [. . .] und mit allen Franzosen durch das unauflösliche Band der Brüderschaft vereinigt zu bleiben".[11]

Diesem Gemeinschaftsgefühl dienten auch politische Akte wie die Abschaffung des Feudalsystems, die am Abend des 4. August 1789 in der Nationalversammlung ihren Anfang nahm; hier, als sich die Abgeordneten gegenseitig in der Aufgabe überalteter Privilegien zu überbieten trachteten, schien es, als herrsche „ein Wettstreit von großmüthigen Anerbietungen und Vaterlandsliebe"[12].

---

6 Palmer, National Idea, a.a.O., S. 101.

7 A. v. Fersen am 15. 8. 1789 an seinen Vater, in: A. v. Fersen: Rettet die Königin. Revolutionstagebuch 1789–1793, (München 1969), S. 12.

8 Die Französische Revolution war ein großer kollektiver Prozeß, bei dem „das Individuum, wenn es aus der Masse heraustritt, nur zum Ausdruck bringt, wie diese Masse die Dinge begreift und empfindet", B. Groethuysen: Philosophie der Französischen Revolution, (Darmstadt, Neuwied 1975), (= Ullstein Buch, 3192), S. 7.

9 „Die Nation ist also das Volk, und sie bekommt dadurch einen gewissen affektiven Akzent. Man erhält ihren Begriff, indem man sie in Gegensatz zu den Aristokraten jeder Art stellt, zu allen Elementen, die nicht zum Volk gehören wollen", Groethuysen, a.a.O., S. 192.

10 So stellte der Abgeordnete Toulongeon dezidiert den „Parteigeist" in Gegensatz zum „öffentlichen Geist": F. E. Toulongeon: Geschichte von Frankreich seit der Revolution von 1789, übers. v. Ph. A. Petri, Bd. 1–3, Münster 1804–07, hier Bd. 2, S. 116.

11 F. Mignet: Geschichte der Französischen Revolution von 1789 bis 1814, Th. 1–2, Wiesbaden 1825, hier Th. 1, S. 126. – Allgemein zu den Revolutionsfesten vgl. A. Mathiez: Les origines des cultes révolutionnaires, Paris 1904.

12 Mignet, a.a.O., Th. 1, S. 76.

Das wichtigste Band zwischen den verschiedenen Gruppen war der revolutionäre Patriotismus. Die Gemeinschaft freier Bürger, eine Gemeinschaft, die das mitverantwortliche Engagement des einzelnen forderte und verdiente, die ihm die Möglichkeit individueller Entwicklung gab und doch zugleich die Integration verschiedener Interessen gewährleistete, war das unbestritten gültige Ideal der Revolution. Saint-Just meint in diesem Sinne: „Ein Volk, das nicht glücklich ist, hat kein Vaterland"[13]. Über die Grundlage dieses Patriotismus läßt sich sagen:

> Volkssouveränität, Vaterlandsliebe, Gemeinsinn, republikanische Tugend waren für die französischen Jakobiner austauschbare Begriffe. Sie alle kreisten um die Vorstellung einer von allen Bürgern praktizierten direkten Demokratie. Ein Vaterland konnte es für den Jakobiner nur dort geben, wo der Staat auf dem Gedanken der Volkssouveränität gegründet war. Es war nicht an ein bestimmtes Territorium gebunden, geschweige denn an Sprache, Rasse oder ähnliches, sondern an das politische Prinzip der Mitverantwortung.[14]

Marat bestimmte den Patriotismus und das Verhältnis der alten Monarchie zur Vaterlandsliebe mit folgenden Worten: „Diese Aktivität, die Genügsamkeit, die Uneigennützigkeit, die Wachsamkeit, die Vaterlandsliebe — das sind Tugenden, mit deren Hilfe die Völker ihre Freiheit bewahren. Folglich machen die zum Despotismus strebenden Fürsten alle Anstrengungen, um ihnen daran die Lust zu verleiden"[15]. War es also das Ziel der Monarchen, die Liebe zur Freiheit und zum Vaterland zu vernichten, so wollte die Revolution eben das Gegenteil: Freiheit und Patriotismus sollten vereint das Leben in Frankreich prägen und ein wahres Vaterland schaffen.

Der großen Mehrheit der Franzosen war der Gedanke des patriotischen Engagements für die gemeinsame Sache ein befreiendes, zutiefst beglückendes Gefühl. Die eigene Leistung, das eigene Leben mußten nicht mehr für den absolutistischen Obrigkeitsstaat eingesetzt werden, sie galten nun dem Interesse der Nation. Nur auf dem Hintergrund dieses patriotischen Ideals als des höchsten revolutionären Werts konnten die folgenden Worte geschrieben werden:

> Le devoir le plus saint, le loi la plus chérie
> C'est d'oublier la loi, pour servir la patrie.[16]

Diese patriotische Begeisterung verstärkte sich im Verlauf der revolutionären Ereignisse. Zudem trat in der politischen Konfrontation mit dem übrigen Europa die kosmopolitische Komponente des französischen Patriotismus immer deutlicher

13 Zitiert nach J. Massin: Robespierre, 5. Aufl., Berlin 1977, S. 205.
14 A. Kuhn: Jakobiner im Rheinland. Der Kölner konstitutionelle Zirkel von 1798, Stuttgart (1976), (= Stuttgarter Beiträge zur Gesch. u. Politik, 10), S. 15.
15 J. P. Marat: Die Ketten der Sklaverei, (Gießen, Lollar 1975), S. 42; Marats Werk erschien erstmals 1774 in England, 1792 dann in Frankreich. S. 34 heißt es hier zur Vaterlandsliebe: „Der Nationalcharakter blieb davon [vom wachsenden Absolutismus] natürlich nicht unbeeinflußt und führte zum Verlöschen der Vaterlandsliebe in allen Herzen. Da das Volk an die Ausübung seiner Rechte nicht mehr gewohnt war, verlor es auch noch die Kenntnis davon. Es hörte auf, sie gegen Übergriffe der Regierung zu verteidigen und wurde schließlich deren Beute."
16 Zitiert nach F. v. Raumer: Geschichte Frankreichs und der französischen Revolution 1740–1795, Leipzig 1850, S. 506.

hervor: Im Sinne der weltbürgerlich ausgerichteten Aufklärung erschien die Erneuerung in Frankreich nicht als isoliertes Ereignis, sondern als Teil einer universalen Erneuerung des ganzen menschlichen Geschlechts. Als Ludwig XVI. nach jahrelanger Konspiration mit dem Ausland gegen die Interessen des revolutionären Frankreichs[17] hingerichtet wurde, bemerkte der Justizminister Garat: „Wir haben den Tyrannen einen Handschuh hingeworfen, und dieser Handschuh ist der Kopf eines Königs"[18]. In einer französischen Zeitschrift hieß es zum gleichen Ereignis: „Frei von allen Ketten, werden wir glücklich sein durch alle Güter; Brüderschaft vereint die menschliche Familie, und die Gleichheit der Rechte macht endlich den Menschen zum König der Erde"[19]. Das patriotisch-revolutionär erneuerte Frankreich, die enge und freiheitlich organisierte Gemeinschaft der Franzosen als Vorkämpferin einer besseren Welt: Dies ist die patriotische Gesinnung, die Frankreich in den Jahren des großen Aufbruchs beseelte.

Der Gedanke des Patriotismus, der die Französische Revolution begleitete, war also mit dem unbedingten Willen verknüpft, die revolutionären Ideale nicht auf Frankreich zu beschränken, sondern ihnen universale Geltung zu verschaffen.[20] Besonders die Girondisten, politische Vertreter der revolutionären Großbourgeoisie, waren kosmopolitisch eingestellt. Die von ihnen beherrschte Legislative gab 18 revolutionsfreundlichen Ausländern — unter ihnen Schiller, Klopstock und Campe — die Ehrenbürgerrechte und bot ihnen Sitze im Konvent an. Aufklärerisch verbanden sich in dieser Phase der Revolution patriotisches Engagement und Kosmopolitismus; dies meint, daß die Ziele der Revolution letztlich auf die ganze zivilisierte Welt gerichtet waren, ihr einen Aufbruch zu neuen Formen gesellschaftlichen Zusammenlebens ermöglichen sollten. So sagte Sieyès: „Ich kenne keinen anderen Gottesdienst als den Dienst der Freiheit und Gleichheit, keine andere Religion als die Liebe der Menschheit und des Vaterlandes"[21]

In diesem Sinne einer Überzeugung, nach der der Einsatz für das Vaterland neben dem Einsatz für die Menschheit steht, beschloß der Konvent am 15. November 1792, allen Völkern, die sich befreien wollten, Hilfe zu leisten. Am 16. Dezember dekretierte er, in den eroberten Gebieten die Fürsten zu verjagen, die alten Beamten und Behörden auszuschalten, die Zehnten und die Lasten der Lehnsverfassung abzuschaffen sowie die Volkssouveränität zu verkünden. Ein jedes Volk,

---

17 Der Monarchist Fersen schrieb am 21. 3. 1792 an den schwedischen König u.a. „Die Majestäten [d.i.: Ludwig XVI. und Marie Antoinette] haben mir die Ehre erwiesen, mir zu erklären, daß nur die äußerste Zwangslage sie bestimmen konnte, sich bis zu Verhandlungen mit solchen Schurken [d.i.: den Politikern der Revolution] zu erniedrigen; das gehöre zum Unangenehmsten ihrer unglücklichen Position", in: Fersen, a.a.O., S. 67.

18 Zitiert nach Raumer, a.a.O., S. 595. Vgl. aber W. Wachsmuth: Geschichte Frankreichs im Revolutionszeitalter, Th. 1—4, Hamburg 1840—44, hier Th. 2, S. 65, Anm. 104[b].

19 Zitiert nach Raumer, a.a.O., S. 595.

20 Im Anschluß an Gentz betont Gervinus, daß die „Revolutionen in Amerika und Frankreich ganz universell, in Beweggründen, Zwecken, Grundsätzen auf alle Zeiten und Völker anwendbar seien"; Gervinus, Einleitung, a.a.O., S. 134f.

21 Zitiert nach Raumer, a.a.O., S. 700.

das sich gegen die Freiheit und Gleichheit wenden würde, sollte feindlich behandelt, jedes Volk, das sich zu erneuern trachtete, dagegen beschützt und unterstützt werden. Die Völker Europas erschienen als die natürlichen Verbündeten im Kampf der Revolution gegen die Aggression der Monarchen, andererseits erschien der Sturz der nicht von den Völkern legitimierten politischen Systeme als gerechtfertigt.[22]

Die patriotische Begeisterung der Franzosen, die die Revolution seit 1789 begleitet hatte, verstärkte sich, als der Krieg mit den Monarchen Europas ausbrach. Nachdem angesichts der wachsenden Bedeutung der Revolution die eigenen Konflikte beigelegt worden waren, hatten bereits Ende August 1791 die wichtigsten Monarchen Europas erklärt, sie würden nicht zögern, „die wirksamsten Mittel anzuwenden, um den [französischen] König in den Stand zu setzen, in größter Freiheit die Grundlagen eines monarchischen Regiments zu festigen"[23]. Nun mußte das ganze französische Volk den revolutionären Aufbruch in eine bessere Zukunft gegen die Kräfte der Reaktion verteidigen. Es kam aufgrund eines Konventsdekrets vom August 1793 zur levée en masse, zur militärischen Organisation des ganzen Volkes im Zeichen „der Ideen des revolutionären demokratischen Patriotismus"[24]. Von dem damaligen patriotischen Enthusiasmus für den Krieg zeugen viele Dokumente; Ende 1794 schrieb ein französischer Korporal an seine Mutter:

> Seit zwei Monaten liegen wir nun auf demselben Stroh in unseren Murmeltierlöchern. Die Hoffnung jedoch, unser Vaterland baldigst über all seine Feinde triumphieren zu sehen, läßt uns das Schlimme geduldig tragen; so streng auch die Kälte sein mag, der Eifer, dem Vaterlande zu dienen, ist bei keinem geringer. „Es lebe die Republik! Es lebe der Konvent!" Das soll immer mitten in Schnee, Nebel und Reif unser einziger Ruf sein. Ich werde mich nicht weiter über das verbreiten, was wir aushalten können. Mut und Hoffnung lassen all unser Leiden verschwinden.[25]

22 „But on the principle advocated by the revolutionaries, the title of all governments then existing was put in question; since they did not derive their sovereignty from the nation, they were usurpers with whom no agreement need be binding, and to whom subjects owed no allegiance"; E. Kedourie: Nationalism, London (1960), S. 15f.

23 Deklaration von Pillnitz, in: W. Grab (Hrsg.): Die Französische Revolution. Eine Dokumentation, (München 1973), (= nymphenburger texte zur wiss., 14), S. 59f. – Ehe es zu einer gemeinsamen Front gegen die Revolution kam, mußten die monarchischen Mächte ihre machtpolitischen Kontroversen untereinander beilegen; so waren seit 1787 Rußland und Österreich im Krieg gegen die Türkei; 1788–90 führte Schweden gegen Rußland Krieg, im Frühjahr 1790 verbündete sich Preußen mit der Türkei und Rußland. Erst im Juli 1790 schlossen Preußen und Österreich im Vertrag zu Reichenbach ein Bündnis, Österreich schloß im August 1791 zu Sistowa mit der Türkei Frieden, im Januar 1792 kam es zum russisch-türkischen Frieden von Jassy: Preußen, Österreich und Rußland waren – trotz weiterhin bestehender machtpolitischer Rivalität – nun bereit, einerseits die polnische Beute untereinander aufzuteilen, andererseits aber gegen das revolutionäre Frankreich Krieg zu führen.

24 Griewank, Französische Revolution, a.a.O., S. 89.

25 Zitiert nach G. Landauer (Hrsg.): Die Französische Revolution in Briefen, Hamburg 1961, S. 420.

Zunächst wurde die Französische Revolution, wie gesagt, als einheitliche Erhebung des ganzen Volkes gesehen, im Zeichen dieser revolutionären Einheit
stand auch der Patriotismus als Band zwischen den verschiedenen sozialen und politischen Gruppen. Im Verlauf der Revolution setzte jedoch ein Prozeß ein, in dem
sich der Dritte Stand als Träger des revolutionären Geschehens differenzierte.
In der Nationalversammlung bildeten sich schon bald Gruppierungen der Rechten,
der Mitte und der Linken heraus, die im außerparlamentarischen Raum durch
sympathisierende Salons, Klubs und eine vielfältige Presse unterstützt wurden.[26]
An die Stelle der Begeisterung, die Nation unter einheitlicher Führung des Bürgertums in eine bessere Zukunft zu führen, traten Differenzen zwischen den einzelnen
Fraktionen des Dritten Standes, hinter denen sozial unterschiedliche Interessen,
ausgehend von ökonomischer Ungleichheit und Ungerechtigkeit, standen. So traten an die Stelle der großbürgerlichen Gironde die, „republikanisch, demokratisch,
parlamentarisch und antiklerikal gesinnt"[27], eine nach außen – gegen das monarchische Europa – entschiedene, im Innern jedoch gemäßigte Politik trieb[28], die
Jakobiner unter Führung Robespierres. Am 10. April 1793 leitete Robespierre
mit seiner Konventsrede 'Über die Verschwörung gegen die Freiheit' den Angriff
gegen die Gironde ein, deren führende Vertreter er als „heuchlerische Agenten"[29]
hinstellte. Hatte die Verfassung von 1791 noch „den Besitzenden und Gebildeten,
gleichviel ob bürgerlich oder adlig geboren, die Führung und alle Vorteile"[30]
gegeben, so versuchten die Jakobiner nun, gegen den Widerstand der sozial privilegierten Schichten Reformen im Sinne vor allen des Kleinbürgertums von Paris
durchzusetzen. Gegen die Jakobiner wiederum agitierten sanskulottische Kräfte,
die in ihrem Streben nach einem sozialen Umsturz, der die politische Revolution
ergänzen sollte, noch weit radikaler waren.[31]
Diese Entwicklung bedeutet, daß die Vorstellung einer einheitlichen revolutionären Bewegung des ganzen Volkes immer mehr an Kraft verlor. An ihre Stelle
trat die Propagierung der Interessen einzelner Schichten. Die Vertreter dieser

26 Vgl. Soboul, a.a.O., S. 137ff., ferner R.v. Albertini: Parteiorganisation und Parteibegriff
   in Frankreich 1789–1940, in: Historische Zeitschrift 193 (1961), S. 529–600, hier
   S. 530ff.
27 P. Gaxotte: Die Französische Revolution, (München) 1949, S. 204.
28 Vgl. M. J. Sydenham: The Girondins, London 1961, (= University of London Historical
   Studies, 8).
29 In: M. Robespierre: Ausgewählte Texte, Hamburg (1971), S. 369–394, hier S. 373. –
   Zum Kampf zwischen Gironde und Jakobinern vgl. Göhring a.a.O., Bd. 2, S. 237ff.;
   Soboul, a.a.O., S. 239ff.; A. Mathiez: Die Französische Revolution, Bd. 1–3, Hamburg
   (1950), hier Bd. 1, S. 232ff.
30 Griewank, Französische Revolution, a.a.O., S. 47.
31 Vgl. zur Forschung den Überblick bei R. R. Palmer: Die demokratische Volksbewegung
   in der Französischen Revolution, in: E. Schmitt (Hrsg.): Die Französische Revolution,
   (Köln 1976), S. 158–180. Eine Darstellung der Rolle der Volksmassen insbes. bei G.
   Rudé: Die Massen in der Französischen Revolution, München, Wien 1961. Zur zunehmenden klassenmäßigen Differenzierung während der Französischen Revolution vgl. auch die
   – freilich orthodox marxistische – Darstellung von R. Herrnstadt: Die Entdeckung der
   Klassen, Berlin 1965, bes. S. 126ff., 142ff.

Schichten sahen nur ihre eigenen Anhänger als wahre Revolutionäre an, versuchten den anderen Gruppierungen jegliche politische und auch moralische Qualifikation abzusprechen. So beantwortet ein radikaler Revolutionär, Vertreter der die Revolution in Paris wesentlich prägenden städtischen Unterschichten, im April 1793 die Frage: Was ist eigentlich ein Sansculotte? folgendermaßen:

> Ein Sansculotte, Ihr Herren Schufte? Das ist einer, der immer zu Fuß geht, der keine Millionen besitzt, wie Ihr sie alle gern hättet, keine Schlösser, keine Lakaien zu seiner Bedienung, und der mit seiner Frau und seinen Kindern, wenn er welche hat, ganz schlicht im vierten oder fünften Stock wohnt.
>
> Er ist nützlich, denn er versteht ein Feld zu pflügen, zu schmieden, zu sägen, zu feilen, ein Dach zu decken, Schuhe zu machen und bis zum letzten Tropfen sein Blut für das Wohl der Republik zu vergießen.
> [. . .]
> Am Abend tritt er vor seine Sektion, nicht etwa mit einer hübschen Larve, gepudert und gestiefelt, in der Hoffnung, daß ihn alle Bürgerinnen auf den Tribünen beachten, sondern vielmehr, um mit all seiner Kraft die aufrichtigen Anträge zu unterstützen und jene zunichte zu machen, die von der erbärmlichen Clique der regierenden Politikaster stammen.
>
> Übrigens: Ein Sansculotte hat immer seinen Säbel blank, um allen Feinden der Revolution die Ohren abzuschneiden. Manchmal geht er mit seiner Pike ruhig seiner Wege; aber beim ersten Trommelschlag sieht man ihn nach der Vendée gehen, zur Alpenarmee oder zur Nordarmee. [. . .][32]

Aus einer Haltung heraus, die dermaßen radikal und militant die eigene soziale und politische Position definiert, kann es anderen Gruppen gegenüber kaum noch Toleranz oder gar Solidarität geben.

Dies ist nun auch für den Patriotismus der Revolution bedeutsam: Die Vorstellung einer einheitlich patriotischen Bewegung muß unhaltbar werden. Wer seine eigene Klasse aggressiv von allen anderen Kräften abgrenzt, muß diesen anderen Kräften auch jeglichen Patriotismus absprechen. Patriotismus, hier die Bereitschaft, „bis zum letzten Tropfen sein Blut für das Wohl der Republik zu vergießen", können nur die Sympathisanten der eigenen politischen Richtung besitzen, andere erscheinen als unpatriotisch, ja als konterrevolutionär.

Man kann also sagen, daß an die Stelle des revolutionären Patriotismus, der das ganze Volk als einheitlich am Revolutionsprozeß beteiligt begreift, nun ein Patriotismus tritt, der jeweils auf einzelne Gruppen innerhalb der Revolution fixiert ist. Jede dieser Fraktionen definiert exklusiv ihren Patriotismus, der als der allein revolutionäre begriffen wird. Dennoch sei betont: Patriotismus bleibt das wesentliche Fanal der Revolution. Wenn auch anders gefaßt und anders begründet als 1789, ist das patriotische Engagement des einzelnen immer noch das entscheidende Kriterium revolutionärer Haltung.

Im selben Maße, in dem der französische Patriotismus an einzelne soziale und politische Kräfte gebunden erscheint, wandelt sich eine weitere Dimension des Patriotismusideals. Nach dem Sturz der Gironde, die überzeugt war, „daß alle

---

32 J. B. Vingternier: Was ist eigentlich ein Sonsculotte?, in: Grab, Französische Revolution, a.a.O., S. 144.

Völker in Kürze den Franzosen im Kampf gegen die Tyrannen der Welt zujubeln würden"[33], machte auch der jakobinische Wohlfahrtsausschuß den nationalen Gedanken zum Zentrum seiner Ideologie. Obwohl auch Robespierre gesagt hatte: „Die Menschen aller Länder sind Brüder; die verschiedenen Völker müssen einander nach Kräften beistehen, wie die Bürger ein und desselben Staates"[34], verlor der Patriotismus nun doch seine kosmopolitische Dimension, er konzentrierte sich auf Frankreich, grenzte sich von anderen Nationen ab.

Charakteristisch für die Patriotismusauffassung der Jakobiner sind Robespierres Ausführungen in seiner Rede 'Über die Grundsätze der politischen Moral, die den Nationalkonvent bei der inneren Verwaltung der Republik leiten sollen'[35]. Zunächst führt Robespierre in bezug auf den Patriotismus aus, „wir wollen eine Ordnung schaffen, in der sich der Ehrgeiz auf den Wunsch beschränkt, Ruhm zu erwerben und dem Vaterland zu dienen; [. . .] eine Ordnung, in der das Vaterland das Wohlergehen eines jeden Einzelnen sichert und jeder Einzelne stolz das Gedeihen und den Ruhm des Vaterlandes genießt [. . .]"[36]. Es ist dies im Prinzip das alte Patriotismusideal, das seit 1789 das revolutionäre Denken bestimmt hat: Der einzelne konzentriert sein Streben auf das gemeinsame Vaterland, auf die Gemeinschaft, die seine Interessen gewährleistet, mit der er sich wiederum identifizieren kann. Nun hatte sich jedoch sowohl innen- als auch außenpolitisch die Situation der Revolution verschärft, der Dritte Stand hatte sich, wie betont, in verschiedene Fraktionen gespalten, von außen bedrohte die monarchische Reaktion das Land. Gerade in dieser Situation ging es den Jakobinern verstärkt um die Schaffung einer im Innern einheitlich-konfliktarmen, den Feinden festgefügt entgegentretenden revolutionären Gesellschaft. Um dieses Ziel zu erreichen, plädierten die Jakobiner, plädierte vor allem Robespierre für eine entschiedene Politik des Terrors, der insgesamt 30 – 40 000 Bürger, allein in der Zeit von Oktober 1793 bis Mai 1794 fast 11 000 Menschen, zum Opfer fielen.[37]

Die Lage Frankreichs schildert Robespierre in seiner Rede folgendermaßen:

> Von außen werden wir von allen Tyrannen umzingelt; im Innern konspirieren alle Freunde der Tyrannen gegen uns : sie werden solange konspirieren, bis dem Verbrechen jede Hoffnung genommen ist. Man muß die inneren und äußeren Feinde der Republik beseitigen oder mit ihr untergehen. Deshalb sei in der gegenwärtigen Lage der erste Grundsatz eurer Politik, das Volk durch Vernunft und die Volksfeinde durch Terror zu lenken.[38]

33 Griewank, Französische Revolution, a.a.O., S. 58.
34 Zitiert nach Massin, a.a.O., S. 234.
35 In: Robespierre, a.a.O., S. 581–616; Rede vom 5. Februar 1794.
36 A.a.O., S. 584.
37 Nach D. Greer: Incidence of the Terror during the French Revolution, Cambridge, Mass. 1935, S. 26f. – Quellen zu den Zuständen zur Zeit des Terrors bei G. Pernoud, S. Flaissier (Hrsg.): Die Französische Revolution in Augenzeugenberichten, (München 1976), (= dtv, 1190), S. 281ff. – Zur allgemeinen Wertung des Terrors vgl. auch R. Dahrendorf: Gesellschaft und Freiheit. Zur soziologischen Analyse der Gegenwart, München 1961, S. 128f.: „Wer eine Gesellschaft ohne Konflikte herbeiführen will, muß dies mit Terror und Polizeigewalt tun; denn schon der Gedanke einer konfliktlosen Gesellschaft ist ein Gewaltakt an der menschlichen Natur."
38 A.a.O., S. 594.

Diese bedrängte Lage, in der die Revolutionspolitiker zu dem äußersten Terror griffen, um die Revolution und das Vaterland zu retten[39], beeinflußte auch den ehemals kosmopolitischen Patriotismusbegriff. Man stand dem Ausland, das sich mit Übermacht gegen die Republik verschworen hatten, mißtrauisch und zunehmend aggressiv gegenüber, das revolutionäre Denken büßte seine kosmopolitische Komponente ein. Dadurch wird der Patriotismus, ein nach wie vor zentraler Begriff der Revolution, enger, er konzentriert sich auf das eigene Land. Die innenpolitischen Gegner erscheinen nun nahezu als Agenten im Solde des Auslands[40] und daher als besonders verabscheuungswürdig.

Diejenigen Ausländer, die sich der Revolution begeistert angeschlossen hatten und in Frankreich politisch wirksam zu werden versuchten, waren vollends ververdächtig. So wendet sich Robespierre gegen den Deutschen Cloots, der kosmopolitisch die Revolution auf die ganze Welt ausdehnen wollte, als einen „heuchlerischen Fremdling, der seit fünf Jahren Paris zur Hauptstadt der Erde proklamiert"[41]. Dieser Hetze gegen die Ausländer, die zeitweise psychotischen Charakter annahm, fiel auch ein so engagierter Revolutionär wie Eulogius Schneider zum Opfer; Schneider, in Deutschland vielfach verfolgt[42], war nach Frankreich gegangen und hatte im Elsaß wichtige revolutionäre Ämter bekleidet.[43] Dieser aufrichtige Republikaner wurde nun von Robespierre eines „tyrannischen Wahns"[44] und schlimmster Verbrechen beschuldigt sowie in den Zusammenhang eines angeblichen „Plans der Konterrevolution" gestellt, ausgesonnen von der „Phantasie der ausländischen, gegen die Freiheit verbündeten Höfe"[45]. Für Schneider bedeutete dieser fremdenfeindliche Angriff das Todesurteil: Er wurde am 1. April 1794 hingerichtet.

Noch ein weiteres deutsches Opfer des Fremdenhasses sei genannt. Auch der berühmte Freiherr von der Trenck[46], als entschlossener und radikaler Revolutionsanhänger in Paris lebend, wurde angegriffen. Ihm, einem der wenigen wirklichen deutschen Jakobiner, warf die Anklage u.a. vor:

---

39 Schon am 10. Oktober 1793 hatte der Konvent beschlossen: „Die vorläufige Regierung Frankreichs ist bis zum Frieden revolutionär"; in der Folge bildete sich die revolutionäre Diktatur, in der die legislative und exekutive Gewalt beim Konvent vereinigt waren, schließlich im Wohlfahrtsausschuß sich konzentrierten.

40 Robespierre, a.a.O., S. 596: „Sind die Feinde im Innern nicht auch die Verbündeten der äußeren Feinde?"

41 A.a.O., S. 603.

42 Vgl. Stumpf, a.a.O.

43 Vgl. Grab, Schneider, a.a.O.

44 A.a.O., S. 607.

45 A.a.O., S. 608.

46 Vgl. W. Grab: Friedrich Freiherr von der Trenck, in: W. G.: Friedrich von der Trenck. Hochstapler und Freiheitsmärtyrer und andere Studien zur Revolutions- und Literaturgeschichte, Kronberg/Ts. 1977, S. 7–68.

Trenck, ein Fremder, bekannt durch seine angeblichen Verfolgungen, die er in Berlin und Wien erlitt, war unter der Maske des Patriotismus nichts anderes als ein Geheimagent von Franz und Wilhelm, den Tyrannen Österreichs und Preußens. Sein Journal war trotz des republikanischen Anstrichs, den er ihm zu geben suchte, ein Organ des Föderalismus, der Tyrannei und des Despotismus. Es ist offenbar, daß er nur der Soldschreiber versteckter Gegenrevolutionäre war, die sich seiner Feder zur Vergiftung der öffentlichen Meinung bedienten.[47]

Trenck wurde am 25. Juli 1794, also unmittelbar vor dem Ende des jakobinischen Terrors, getötet.

3.2. DEUTSCHLAND

Die deutschen Patrioten, in den kleinen Territorien des partikularistisch organisierten Reiches zu Hause, kannten zum großen Teil vor 1789 nur einen vagen Reichspatriotismus, der, orientiert an den Strukturen des zerfallenden Reiches, im Kern längst obsolet war. Höchstens vermochten sie ein erneuertes Vaterland, freiheitlicher und menschenwürdiger verfaßt, zu erträumen; aus einer deplorablen Wirklichkeit flüchteten sie in die Utopie. Da es in der Realität keinerlei ernsthafte Ansätze zur Gestaltung eines wahrhaften Vaterlands gab, blieb lediglich eben die Utopie, konnten keine politisch präzise auf die Überwindung der absolutistisch geführten Einzelstaaten gerichteten Forderungen entwickelt werden. In der Folge Klopstocks träumte man von einer besseren deutschen Vergangenheit, leitete daraus Kriterien einer z.T. engagierten Gegenwartskritik ab, die deutsche Intelligenz war aber nicht in der Lage, eine konkret politische patriotische Programmatik zu entwickeln.

Zwar ergab der Abschnitt über den aufgeklärten Patriotismus, daß auch in Deutschland schon seit etwa 1750 patriotisches Denken Teil des allgemeinen bürgerlichen Emanzipationsstrebens war. Kennzeichnend für die Lage des Bürgertums, dessen progressivste Vertreter sich nur in Geheimorganisationen wie dem Illuminatenbund[48] oder Bahrdts 'Deutscher Union'[49] artikulieren konnten, ist jedoch gesellschaftliche und politische Ohnmacht; so blieb auch sein Patriotismus — als Teil bürgerlicher Ideologie an die konkrete bürgerliche Situation gebunden — utopisch. Mit dem Jahr 1789 aber änderten sich die Voraussetzungen des politischen Denkens in ganz Europa. Während alle früheren Revolutionen „nur ganz nationale, örtliche, besondere Zwecke" verfolgten, waren die amerikanische und besonders die Französische Revolution „ganz universell, in Beweggründen, Zwek-

---

47 Zitiert nach Grab, Trenck, a.a.O., S. 66f.

48 Vgl. H. Graßl: Aufbruch zur Romantik. Bayerns Beitrag zur deutschen Geistesgeschichte 1765–1785, München 1968. R. van Dülmen: Der Geheimbund der Illuminaten. Darstellung, Analyse, Dokumentation, (Stuttgart, Bad Cannstadt 1975). P. C. Ludz (Hrsg.): Geheime Gesellschaften, Heidelberg (1977).

49 Vgl. G. Mühlpfortdt: Karl Friedrich Bahrdt und die radikale Aufklärung, in: Jb. d. Instituts für Deutsche Geschichte d. Univ. Tel-Aviv 5 (1976), S. 49–100, hier S. 68ff.

ken, Grundsätzen auf alle Zeiten und Völker anwendbar", ihr Streben „ward ein
Gemeingut der Welt"[50]. Stärker noch als die Geburt einer von freiheitlich repu-
blikanischem Patriotismus getragenen Nation ohne Privilegien in Amerika wurden
die französischen Ereignisse für das deutsche patriotische Denken wichtig.

Der deutschen Intelligenz war in der Französischen Revolution das Vorbild
eines politisch konkret gefüllten Patriotismus gegeben. Die vaterlandsbegeisterten
Schriften, Reden und Feiern, schließlich die Opferbereitschaft im Rahmen des
nationalen Verteidigungskrieges, der Frankreich 1792 aufgezwungen wurde, waren
Ausdruck und Bestandteil des realen politischen Geschehens. Hier war Patriotismus
nicht mehr nur Utopie, Wunschtraum einer von der Macht ausgeschlossenen Schicht,
sondern Bekenntnis einer politischen Bewegung, die in einem unaufhaltsamen
Siegeszug begriffen zu sein schien. Es stellt sich nun die Frage, wie sich dieser neue,
die bisherigen Dimensionen sprengende Patriotismus Frankreichs auf das Denken
der deutschen Intelligenz auswirkte.

Zur Beantwortung dieser Frage ist es zunächst nötig, in aller Kürze die allgemeine Rezeption der Revolution in Deutschland zu betrachten. Die Französische
Revolution weckte in Deutschland große Hoffnungen. Schon 1789 und 1790 kam
es zu einzelnen Aufstandsversuchen des Volkes. In progressiven Zeitschriften
wurden — allerdings oft von den Herausgebern fingierte — revolutionäre Stellung-
nahmen aus dem Volk abgedruckt, so das Gedicht eines „Landbauers", in dem es
heißt:

> Seid willkommen, edle Franken!
>   Menschenrecht sei unser Bund,
> Dessen Rettung Welten Euch verdanken!
> Alter Irrwahn kehrt in weise Schranken,
>   Menschenwohl auf sichern Grund.
>
> Tapfre Männer! Mit Entzüken
>   Reicht der Teutsche Euch die Hand,
> Brennt vor Lust, Euch an sein Herz zu drüken,
> Euer Haupt mit einem Kranz zu schmüken,
>   Den Verdienst und Ruhm Euch wand.[51]

Diese Unruhe unterer Schichten, deren politisches Bewußtsein noch kaum ausgebildet war[52], stellte jedoch keinen ausschlaggebenden politischen Faktor dar,
zu festgefügt waren die feudalen Strukturen im Reich. Relevanter ist dagegen
die Reaktion der Intelligenz.

---

50 Gervinus, Einleitung, a.a.O., S. 134f. — Zum Einfluß der amerikanischen Revolution auf
   Deutschland vgl. Kohn, Idee des Nationalismus, a.a.O., S. 249ff.
51 Antwort eines teutschen Landbauers auf die Erklärung der National Versammlung Frankreichs an alle Völker, in: Strasburgisches politisches Journal, hrsg. v. F. Cotta, Jg. 1792,
   Bd. 1, Straßburg; Nachdr. Nendeln 1976, S. 100–101, hier S. 100. Im Anschluß an das
   Gedicht heißt es: „Der Verfasser drückt die Gesinnungen von Millionen teutscher Handwerker und Arbeitsleute aus, und daher nahm ich um so eher seinen Aufsaz in meine Zeitschrift auf."
52 Vgl. R. Engelsing: Zur politischen Bildung der deutschen Unterschichten von 1789–1863,
   in: Historische Zeitschrift 206 (1968), S. 337–369.

Es ist bekannt und mittlerweile in mannigfachen Untersuchungen detailliert belegt, daß das deutsche Bürgertum, vor allem eben die bürgerliche Intelligenz, artikuliert in einer Fülle von literarischen Produkten, von Zeitschriftenbeiträgen und Broschüren, die Revolution in Frankreich begrüßte.[53] An die Stelle des früher oft als Vorbild einer freiheitlichen Gesellschaft bewunderten England[54] trat mehr noch bei den Demokraten als bei den Liberalen nun das Beispiel der Französischen Revolution. Offensiv versuchten deutsche Publizisten, ihre an der Revolution orientierten Ideen auch im eigenen Lande zu verbreiten: „Wir können dem Publico nur insofern nützlich werden, als wir die Werkzeuge sind, herrschende Vorurtheile zu bestreiten und richtige Ideen über diesen oder jenen Gegenstand schneller als sonst gewöhnlich in Umlauf zu bringen"[55]. Einige der progressivsten Anhänger der Revolution gingen über dies literarische Engagement hinaus und traten als französische Bürger direkt in den Dienst der Revolution, so. z.B. der Württemberger Christoph Friedrich Cotta[56], in Straßburg und Mainz aktiv, Eulogius Schneider[57], der in Elsaß führende revolutionäre Ämter versah, sowie Georg Kerner, von dem sein Bruder Justinus schrieb: „Von der Akademie zu Stuttgart aus hatte er sich mit aller Begeisterung eines jugendlichen, nur von Freiheit und Menschenbeglükkung träumenden Gemütes der Revolution in die Arme geworfen [. . .]"[58]. In Erinnerung an diese Begeisterung vieler Deutscher schrieb Goethe später in 'Hermann und Dorothea':

> [. . .] wer leugnet es wohl, daß hoch sich das Herz ihm erhoben,
> Ihm die freiere Brust mit reineren Pulsen geschlagen,
> Als sich der erste Glanz der neuen Sonne heranhob,
> Als man hörte vom Rechte der Menschen, das allen gemein sei,
> Von der begeisternden Freiheit und von der löblichen Gleichheit!
> Damals hoffte jeder sich selbst zu leben; es schien sich
> Aufzulösen das Band, das viele Länder umstrickte,
> Das der Müßiggang und der Eigennutz in der Hand hielt."[59]

---

53 Vgl. die umfassende Literaturübersicht bei I. Stephan: Literarischer Jakobinismus in Deutschland (1789–1806), Stuttgart 1976, (= Sammlung Metzler, 150). Eine bündige Einführung jetzt bei W. Grab: Freyheit oder Mordt und Todt. Revolutionsaufrufe deutscher Jakobiner, Berlin (1979), (= Wagenbachs Taschenb., 59).

54 So schrieb Archenholz noch kurz vor der Französischen Revolution: „In der That ist kein Land auf unserer Erde für den philosophischen Beobachter so sehr interessant, als diese nicht genug gekannte Insel [. . .]"; J. W. v. Archenholz: England und Italien, Th. 1., (2. Ausg.), Karlsruhe 1787, S. 2. Vgl. auch Bürgers Aufsatz 'Die Republik England', in: Werke, hrsg. v. Bohtz, a.a.O., S. 400–429. Zum englischen Einfluß vgl. Valjavec, a.a.O., S. 244ff.

55 F.W. v. Schütz in: Niedersächsischer Merkur, Jg. 1792, 2. Bdch., St. 12, Altona 1792; Nachdr. Nendeln 1972, S. 182.

56 Vgl. Allgemeine Deutsche Biographie, Bd. 4, Leipzig 1876, S. 518–520.

57 Stumpf, a.a.O. Grab, Eulogius Schneider, a.a.O.

58 Das Leben des Justinus Kerner. Erzählt von ihm und seiner Tochter Marie, (hrsg. v. K. Pörnbacher), München (1967), (= Lebensl., Biogr., Erinn., Briefe, Bd. 11), S. 11. – Vgl. auch die Textsammlung G. Kerner: Jakobiner und Armenarzt. Reisebriefe, Berichte, Lebenszeugnisse, (hrsg. v. H. Voegt), Berlin (1978).

59 Zitiert nach J. W. v. Goethe: Werke, a.a.O., hier Bd. 2, S. 478.

Deutsche Beobachter reisten ins Land der Revolution, erlebten dort den französischen Aufbruch und verbreiteten ihre Eindrücke in der Heimat. Nur ein Beispiel sei genannt: Ende Juni 1790 brach Gerhard Anton v. Halem von Oldenburg nach Paris auf und traf dort am 4. Oktober ein. Von den Erlebnissen dieser Reise, besonders von seinen Beobachtungen in Paris berichtete er in dem Werk 'Blicke auf einen Theil Deutschlands, der Schweiz und Frankreich bey einer Reise vom Jahre 1790'[60]. Sehr deutlich wird in seinem Buch der Enthusiasmus für die Französische Revolution, sein Optimismus, nun werde sich in Frankreich alles zum Besseren wenden. Wie Halem billigte man — von wenigen Ausnahmen abgesehen[61] — in Deutschland allgemein den Aufstand gegen die absolutistische Monarchie in Frankreich, hatte man doch seit langem den Absolutismus im eigenen Land kritisiert; man sah in der Revolution den Triumph einer freiheitlich-bürgerlichen Geistigkeit über die krude monarchische Gewaltherrschaft.

Die deutsche Intelligenz glaubte im Anfangsstadium der Revolution an einen sieghaften politischen Fortschritt, erkauft mit einem Minimum an Gewalt, errungen von einem nahezu einheitlichen Bürgertum, das noch nicht in verschiedene Fraktionen zerfallen war. Die Revolution trug in der ersten Zeit den Charakter eines fast unblutigen, daher organisch erscheinenden geschichtlichen Progresses, ein Bild, das sich fugenlos in das Denken der Aufklärung einpaßte. Der Glaube an die Perfektibilität des Menschen und seines gesellschaftlichen Zusammenlebens, der Glaube an die Realisierbarkeit eudämonistischer Ideale schien sich glänzend zu bestätigen. Die Französische Revolution konnte als politische Bewegung begrüßt werden, die die eigenen Ideale verwirklichte.

Diese Begeisterung für die Revolution überdauerte im deutschen Sprachraum uneingeschränkt auch den Beginn des Krieges zwischen Frankreich und den monarchischen Mächten, darunter dem Reich. Noch 1792, als der Interventionskrieg ausbrach, schrieb der Republikaner Oelsner: „Unterliegen die Franzosen, so ist es um das traurige Restchen von Freiheit geschehn, was noch in einigen Ländern glimmt, siegen sie hingegen, so möchte die Regeneration Europas ausgemacht seyn"[62]. Noch nach der Hinrichtung Ludwigs XVI. notierte der Schweizer Ulrich Bräker in seinem Tagebuch:

---

60 Th. 1—2, Hamburg 1791. Vgl. K. Witte: Reise in die Revolution. Gerhard Anton v. Halem und Frankreich im Jahre 1790, Stuttgart (1971), (= Texte Metzler, 21), bes. S. 32ff. Zur Biographie Halems auch G. Lange: Gerhard Anton von Halem als Schriftsteller, Leipzig 1928, (= Form und Geist, 10), S. 9ff.; in der Darstellung Langes finden sich auch viele Hinweise zum patriotischen Denken Halems.

61 Einer der radikalsten Gegner der Französischen Revolution war Gleim; zu ihm vgl. F. v. Kozlowski: Die Stellung Gleims und seines Freundeskreises zur französischen Revolution, in: Euphorion 11 (1904), S. 464—484. Ein Überblick über konservative Reaktionen auf die Revolution bei J. Garber (Hrsg.): Kritik der Revolution. Theorien des deutschen Frühkonservativismus 1790—1810. Bd. 1: Dokumentation, Kronberg/Ts. 1976, (= Monographien Lit. wiss., 6).

62 K. E. Oelsner: Luzifer oder gereinigte Beiträge zur Geschichte der französischen Revolution, Th. 1—2, Leipzig 1797—99; Nachdr. Kronberg/Ts. 1977, Th. 1, S. 393. Zu Oelsner vgl. W. Kraft: Carl Gustav Jochmann und sein Kreis, München (1972), S. 52ff.

Menschlichem Ansehen nach scheint es nun freylich, das benachbarte Frankreich werde müssen die Suppe ausfressen und die Zeche bezahlen. Ganz Deutschland, Holland, Engelland, Sardinien alles will auf die armen Franzmänner losbrechen. Es ist zum Erstaunen, daß zu hunderttausenden knapp genug bezahlte Lohnsoldaten sich so blindlings von ihren Despoten anführen lassen, ihr Blut und Leben aufs Spiel setzen, gegen Freyheit und Menschenrechte zu fechten, sie, deren Eltern und Verwandten selbst unter einem sklavischen Joche seufzen. Und wenn sie würklich feige Leute wären, sollten sie doch ihren Mitbrüdern die Freyheit nicht mißgönnen. Lieber ihre Bajonette gegen Despoten und Tyrannen kehren.[63]

Im Laufe des Jahres 1793 jedoch, so sei hier bereits betont, änderte sich diese Einstellung. Der Sieg der jakobinischen Kräfte in Frankreich mußte sich den meisten Angehörigen der deutschen Intelligenz so darstellen, wie ihn Mignet beschrieb: „Die Bergpartei hatte [. . .] einen großen Sieg über die Girondisten davongetragen, welche in ihrer Politik viel mehr Moral hatten als sie, und die Republik retten wollten, ohne sie mit Blut zu beflecken"[64]. Ein Beispiel für die sich wandelnde Haltung der deutschen Intelligenz ist Klopstock. Der Dichter hatte zunächst die Revolution gefeiert; er litt unter der Tatsache, daß die große Erneuerungsbewegung nicht in seinem Vaterland, sondern in Frankreich begonnen hatte: „Ach, du warest es nicht, mein Vaterland, das der Freiheit/Gipfel erstieg"[65]. Bereits im November 1792 warnte Klopstock jedoch in einem Brief an den französischen Innenminister[66], in dem er sich für die Verleihung des französischen Bürgerrechts bedankte, vor der seiner Meinung nach drohenden Anarchie. Von nun an kritisierte er den Verlauf der Revolution, besonders die Jakobiner[67], deren Regime ihm nur zügellose Gewaltherrschaft darstellte.

Wie Klopstock erschien den meisten deutschen Beobachtern die Revolution jetzt als der mißlungene Versuch, die allgemeine Freiheit mit der Freiheit des Individuums zugleich zu verwirklichen. Angesichts der Fraktionierung in Frankreich blieb scheinbar nur ein neues despotisches Regime übrig, vielleicht noch blutrünstiger als das feudale System, ein Regime, das sich zudem in immer stärkerem Maße von der kosmopolitischen Grundeinstellung der ersten Jahre nach 1789 distanzierte und sich mißtrauisch vom Ausland abkapselte. Diesem Regime gegenüber gab es für die meisten bestenfalls noch ein höchst zwiespältiges Gefühl, das der schwäbische Publizist Stäudlin mit den Worten ausdrückte: „Woher dieser Wogendrang von Gefühlen der Bewund'rung und des Abscheus in meiner bebenden Seele?"[68] Die deutschen Intellektuellen blieben hinter der revolutionären Entwicklung zurück, vermochten ihr immer schwerer zu folgen. Die Meinung eines großen Teils von ihnen artikulierte der vielgelesene Journalist Johann Wilhelm v. Archenholz, der über die Jakobiner schrieb, diese seien eine „ursprünglich untadelhafte,

63 Bräker, a.a.O., Bd. 2, S. 270.
64 Mignet, a.a.O., hier Th. 1, S. 266.
65 Sie und nicht wir, in: Werke, a.a.O., Bd. 4, S. 320f.
66 In: Werke, a.a.O., Bd. 10, S. 336–347.
67 Vgl. Die Jacobiner, in: Werke, a.a.O., Bd. 4, S. 326f.
68 (G. F. Stäudlin:) Der Genius des Jahres 1793, in: Der Genius der Zeit, hrsg. v. A. Hennings, Bd. 3, Altona 1794, S. 402–413, Forts. S. 567–600, hier S. 402.

jetzt aber höchstausgeartete Societät, aus welcher seit Anfang des Jahres 1792 Ehre, Klugheit, Politik, so wie jede Tugend verbannt, ja alle Spuren derselben ausgetilgt wurden. An ihre Stelle traten die boshaftesten Ränke zur Verbreitung der Anarchie, teuflische Verfolgung edler Menschen, und Mord-Projecte"[69]. Selbst ein so überzeugter Republikaner wie Georg Kerner hielt die Diktatur der Jakobiner für eine Herrschaftsform, die dem Despotismus des Königtums gleichkomme. Er sprach von der Zeit Robespierres als der Epoche, „wo das Verbrechen und die Aristokratie unter der Maske eines wilden Republikanism Greueltaten auf Greueltaten häuften, um eine unerfahrne und durch die schnell aufeinander folgenden großen Begebenheiten betäubte Nation von einer Stufe des Elends zur andern und so rückwärts in die Arme des Königtums zu schleudern"[70]. Es setzte in Deutschland eine Diffamierung der jakobinischen Politik ein, die bis in die jüngste Geschichtsschreibung hinein fortgedauert hat.[71]

Ein wesentlicher Faktor, der dazu beitrug, daß bis zum Zeitpunkt der jakobinischen Machtergreifung die Französische Revolution in Deutschland allgemein begrüßt wurde, war die kosmopolitische Grundeinstellung der Aufklärung. Über die spezifischen Anliegen der bürgerlichen Schicht hinaus, die, in Deutschland wie in Frankreich ähnlich gerichtet, von der fortgeschritteneren französischen Bourgeoisie realisiert wurden, schien es, als ob in der Revolution wesentliche Ziele der menschheitlichen Entwicklung an sich verfochten würden. Nicht eine Schicht, eine Klasse verfolgte ihre Interessen, der Mensch als solcher erkämpfte sich — scheinbar jedem Klasseninteresse übergeordnet — die Grundbedingungen eines besseren Daseins. Ein solcher Prozeß aber konnte nicht von nur nationaler Bedeutung sein, er mußte über die Grenzen hinaus menschheitlich wirksam werden.[72] Georg Kerner meinte: „Frankreichs höhere Sache ist die Sache der Menschheit"[73]; er, der sich als französischer Bürger ganz auf die Seite der Revolution gestellt hatte, konnte von sich sagen: „Seit zwei Jahren habe ich nicht aufgehört, die Interessen meines Vaterlandes — Frankreich — in meinem Geburtsland — Schwaben — zu verteidigen."[74] Von hier aus begriff die kosmopolitische deutsche Aufklärung die französischen Ereignisse als unmittelbar auch für das eigene Vaterland gültig.

69 Die Pariser Jacobiner, in: Minerva, hrsg. v. J. W. v. Archenholz, Jg. 1793, Bd. 1, Berlin, Hamburg, S. 369—378, hier S. 369.
70 G. Kerner: Briefe aus Paris (1795/96), in: G. Kerner, a.a.O., S. 65ff., hier S. 69.
71 Vgl. H. Scheel: Die Mainzer Republik im Spiegel der deutschen Geschichtsschreibung, in: Jahrb. für Geschichte 4 (1969), S. 9—72. W. Grab: Französische Revolution und deutsche Geschichtswissenschaft, in: Jahrb. d. Inst. f. deutsche Geschichte d. Univ. Tel-Aviv 3 (1974), S. 11—43. M. Neumüller: Liberalismus und Revolution. Das Problem der Revolution in der deutschen liberalen Geschichtsschreibung des 19. Jahrhunderts, Düsseldorf (1973), bes. S. 76ff.
72 In Frankreich wurde zeitweise die Konsequenz gezogen, die humanitären Grundsätze der Revolution im weitesten Sinne kosmopolitisch anzuwenden : Auch die farbige Bevölkerung der französischen Kolonien sollte von den Ideen von 1789 profitieren. Vgl. D. K. Fieldhouse: Die Kolonialreiche seit dem 18. Jahrhundert, (Frankfurt a.M. 1965), (= Fischer Weltgeschichte, 29), S. 38ff.
73 Briefe aus Paris, a.a.O., S. 117.
74 G. Kerner: Bericht über eine Reise nach Württemberg im Herbst 1794, in: G. Kerner, a.a.O., S. 288ff., hier S. 296; vgl. auch S. 393, 396.

Konkret politisch stellte sich schon in den Jahren 1792/93 für die Mainzer die Frage, wie man mit den Franzosen zusammenarbeiten könne: Es ging nach der Eroberung durch französische Truppen um das Problem, ob Mainz eine selbständige Republik werden oder sich an Frankreich anschließen solle. Angesichts der realen Lage, aber auch auf der Grundlage ihres Kosmopolitismus votierten die Mainzer Jakobiner schließlich für den Anschluß an Frankreich. Die 'Neue Mainzer Zeitung' Georg Forsters begründete diese politische Entscheidung mit folgenden Worten:

> Als Freistaat für sich kann nun einmal der unsrige nicht bestehen. Er ist zu schwach, die Regenten Deutschlands sind seine natürlichen Feinde, sie werden nie einen kleinen Staat, der die Grundsätze der Volkssouveränität, der Freiheit und Gleichheit behauptet, in Ruhe lassen, da diese Grundsätze mit ihren Regentenansprüchen unverträglich sind [. . .] Ein Bündnis mit Frankreich könnte uns zwar Vorteil bringen, aber womit sind wir vermögend, Frankreich den Schutz zu bezahlen? [. . .] Es bleibt uns also nichts übrig, als daß wir Frankreich bitten, uns als einen Teil seiner großen Republik anzuerkennen, und uns an den Rechten und Pflichten der Frankenbürger Theil nehmen zu lassen.[75]

Um die Freiheit zu sichern, waren die Mainzer bereit, sich der „großen Republik" anzuschließen: Nationale Vorbehalte kamen diesem Ziel gegenüber nicht in Betracht.[76]

Zwar forderten die deutschen Intellektuellen trotz ihrer beschriebenen Identifikation mit der Französischen Revolution nun keineswegs für das ganze Reich eine sofortige Revolutionierung; es ist sicher nicht nur Taktik der Zensur gegenüber, wenn ein Anhänger der Französischen Revolution wie Knigge schrieb: „[. . .] ich behaupte, wir haben in Teutschland keine Revolution weder zu befürchten, noch zu wünschen Ursache [. . .]"[77]. Das Reich war zersplittert, das Bürgertum in den Territorien zu isoliert und ohnmächtig, als daß eine solche Möglichkeit außerhalb des direkten Einflußbereichs französischer Truppen ernsthaft existierte. Bevor

---

75 Die neue Mainzer Zeitung oder der Volksfreund, hrsg. v. G. Forster, Mainz 1793; Nachdr. Nendeln 1976, vom 22.3.1793. Der Mainzer Revolutionär J. A. Becker schreibt in einem Brief vom 29.11.1792: „Was mich und noch viele trotz aller möglichen Hindernisse immer guten Muts erhält, um die Sache nie aufzugeben, ist die Betrachtung, daß es eine *Weltrevolution* ist; es ist nicht die Frage, ob bloß Frankreich sich seine Freiheit sichert – welchem Tollhäusler könnten Zweifel dagegen aufstoßen? –, sondern ob der Despotismus und alle willkürliche Macht in dem ganzen gallizierten Europa gestürzt werden und die Freiheit und Gleichheit überall triumphieren; und da behaupte ich – ja!" (Zitiert nach Träger, Mainz zwischen Rot und Schwarz, a.a.O., S. 298f.). – Vgl. zum Problemkreis auch B. Lomparski: 'Patriotismus' und 'Vaterland' im Mainzer Klubismus, Diss. phil., Saarbrücken 1974.

76 Gerade diese kosmopolitische Einstellung wurde den Mainzer Revolutionären später verübelt. Zu Forster vgl. u.a. K.G. Bockenheimer: Georg Forster in Mainz, Mainz 1880; Bockenheimer wendet sich dagegen, nach Forster eine Straße zu benennen. Als Grund führt er Forsters „Versündigung an dem deutschen Vaterlande" (S. 3) an. Eine nationalist. Gesamtdarst. bei A. Schulte: Frankreich und das linke Rheinufer, 2., durchges. Aufl., Stuttgart, Berlin 1918, S. 225ff. – Noch W. Andreas: Das Zeitalter Napoleons und die Erhebung der Völker, Heidelberg (1955) spricht S. 116 vom „landesverräterischen Treiben der sogenannten Patrioten".

77 Knigge, Joseph von Wurmbrand, a.a.O., S. 11.

die Uneinsichtigkeit der deutschen Fürsten und das Vorbild der radikalisierten Revolution in Frankreich auch in Deutschland eine – insgesamt praktisch-politisch letztlich periphere – jakobinische Agitation mit dem Ziel eines Umsturzes hervorrief, beschränkte sich die progressive Intelligenz denn auch darauf, die Monarchen zu Reformen aufzufordern.Zu rechtzeitigen Reformen, weil es, so der Gedankengang, sonst irgendwann auch im eigenen Lande zu gewaltsamen Explosionen kommen würde. Im Rahmen dieser beschränkten Möglichkeiten forderte die bürgerliche Intelligenz jedoch entschieden eine Übernahme französischer Errungenschaften. Trotz aller Rückständigkeit der politischen und gesellschaftlichen Entwicklung in Deutschland bekam das Vorbild des revolutionären Frankreich auch im Deutschen Reich große Bedeutung.

Begreift man nun den Patriotismus als konstitutives Element der bürgerlichen Ideologie, so steht zu erwarten, daß die Französische Revolution, die von der deutschen Intelligenz mit derart großer Begeisterung begrüßt wurde, auch das patriotische Denken in Deutschland beeinflußt hat.[78] Exemplarisch wird diese Erwartung von einem Aufsatz 'Ueber Patriotismus' aus dem Jahre 1796[79] bestätigt; hier findet sich eine schlüssige Darstellung des von der Französischen Revolution geprägten deutschen Patriotismus. In einer Begriffsdefinition heißt es zunächst: „Vorerst muß man den Patriotismus wohl von jener fanatischen Wuth unterscheiden, mit welcher man eine auswärtige Nation blos deswegen, weil sie auswärtig ist, oder dessen [!] hasset,weil ihre Regierungsform nicht die unsrige ist"[80]. Deutlich wird hier, daß der revolutionäre Patriotismus immer eine kosmopolitische Komponente in sich birgt. Es geht darum, auch die Qualitäten einer „auswärtigen Nation" mit ihren verfassungsmäßigen und nationalen Eigenarten anzuerkennen. Scharf formuliert eben diesen Gedanken auch ein anderer Aufsatz 'Über die Bedeutung des Wortes Patriot' aus der Zeitschrift 'Freund und Freiheit' (1797–98). Hier führt der anonyme Verfasser aus, wer nur für das Deutsche Reich Partei nehme, könne nicht als Patriot betrachtet werden:

> Der Nationalstolz und Nationalhass machen also keine Ingredienzien des Patriotismus aus. Der Patriot ist daher nicht der Mann, der sein Vaterland liebt, sondern als Cosmopolit muss er die Sache der Menschheit lieben, um auf den Namen eines Patrioten Anspruch machen zu können.[81]

78 Vgl. zusammenfassend H. Kohn: Prelude to nation-states. The French and German experience 1789–1815, Princeton (1967), S. 117ff. – Für den französischen Einfluß auf den deutschen Patriotismus spricht allein schon, daß eine Fülle an der Revolution orientierter Zeitschriften im Titel die Begriffe 'Patriot' oder 'patriotisch' führten, so: Brutus, oder der Tyrannenfeind. Eine Zehntags-Schrift um Licht und Patriotismus zu verbreiten, hrsg. v. T. Th. Biergans, Köln 1795; Nachdr. Nendeln 1972; Der Patriot, hrsg. v. Chr. G. Wedekind, Mainz 1792–93; Nachdr. Nendeln 1972; Der patriotische Volksredner, hrsg. v. H. Würzer, Altona 1796; Nachdr. Nendeln 1976.

79 Ueber Patriotismus, in: Beyträge zur Geschichte der französischen Revolution, [hrsg. v. P. Usteri] Bd. 7, Leipzig 1796; Nachdr. Nendeln 1972, S. 366–381.

80 Ueber Patriotismus, a.a.O., S. 371.

81 Zitiert nach J. Hashagen: Das Rheinland und die französische Herrschaft, Bonn 1908, S. 482.

Ein weiteres wichtiges Kriterium des deutschen Patriotismus seit 1789 ist, daß
Patriotismus hier nicht bedeutet, mit der jeweils herrschenden Regierungsform
solidarisch zu sein, d.h. in Deutschland ganz konkret, nicht der monarchischen
Regierungsform der einzelnen Territorien zuzustimmen. Im Aufsatz 'Ueber Patriotismus' heißt es:

> Den Patriotismus muß man auch sorgfältig wieder von der Personalliebe für den Fürsten
> trennen. Man kann ein sehr guter Patriot seyn, ohne eben die Person des Fürsten zu lie-
> ben. Man kann sogar Patriot seyn, ohne die gegenwärtige Regierungsverfassung für die
> möglichstbeßte, fehlerlose und glücklichste zu halten.[82]

Gerade dieser Gedanke wurde — vielfach in noch schärferer Formulierung — immer
wieder von den deutschen Patrioten zum Ausdruck gebracht. Sie distanzierten sich
von ihrem in Unfreiheit lebenden eigentlichen Vaterland und meinten, Patriotismus
sei nur einem freiheitlichen Staatswesen gegenüber möglich. In diesem Sinne meinte
auch Heinrich Christoph Albrecht: „Patriotismus kann nur in Republiken zur
Leidenschaft werden"[83]. Bereits 1791 formulierte der spätere Mainzer Klubist
Dorsch in einer Rede 'Ueber die Geschichte der Vaterlandsliebe', daß in „Republiken [. . .] der eigentliche Sitz der Vaterlandsliebe"[84] sei. So konnte es den
deutschen Territorialstaaten gegenüber Patriotismus im eigentlichen Sinne nicht
geben:

> Lächerlich ist aber Affektazion des Patriotismus in einem Lande, das keine Verfassung
> hat, dessen Systemen in den Händen der Despoten schaukeln und am Haare jeder ihrer
> Launen hängen [. . .] Ja auch bei den Bewohnern des sogenannten Heiligen Römischen
> Reichs ist der Patriotismus noch bis auf die Stunde lächerlich.[85]

Man verstand den Begriff 'deutsch' nun im Sinne der progressiven patriotischen
Ideale, nur wer sich zu ihnen bekannte, wurde als 'deutsch' bezeichnet. Dies führte
dazu, nicht jeden, der aus dem politisch rückständigen, zersplitterten Reich stamm-
te, nur wegen dieser Abstammung als 'deutsch' im tieferen, jetzt politisch und
moralisch gefüllten Sinne anzusehen. Sehr scharf formulierte dies Christoph Friedrich Cotta, ein Württemberger, der, wie erwähnt, als französischer Bürger im Dienst
der Revolution stand: „An Frankreichs und Teutschlands Rhein-Grenze unterscheidet man zwischen Teutscher und Teutschländer. Dieses heist ein Mann aus
Teutschland, jenes ein teutsch (wie Luther) handelnder Mann. Es giebt Teutschländer, welche keine Teutsche sind, und Teutsche auser [!] Teutschland. Teutscher

---

82 Ueber Patriotismus, a.a.O., S. 372.
83 H. Chr. Albrecht: Versuch über den Patriotismus, Hamburg 1793, S. 10.
84 Zitiert nach J. Hansen (Hrsg.): Quellen zur Geschichte des Rheinlandes im Zeitalter
    der Französischen Revolution 1780—1801, Bd. 1—4, Bonn 1931—38, (= Pub. d. Ges. f.
    Rhein. Gesch.kunde, 42), hier Bd. 1, S. 1042.
85 Der kosmopolitische Beobachter, hrsg. v. A. Fuchs, Mainz 1793; Nachdr. Nendeln 1976,
    S. 46f. Ganz ähnlich gerichtet ist auch die Beantwortung der Frage: Wie kommt es, daß bei
    uns Deutschen kein Patriotismus anzutreffen ist? in: Neuer Niedersächsischer Merkur als
    Beylage zum Neuen grauen Ungeheuer, hrsg. v. F. W. v. Schütz, Mainz, Altona 1797,
    H. 1; Nachdr. Nendeln 1976, S. 145ff.

Bürger ist ein Ausdruk, welcher jetzt unschiklich gebraucht wird [...] Das
teutsche Bürgerrecht und der teutsche Charakter können ohne gänzliche Umände-
rung der jetzigen Konstitution Teutschlands nicht hergestellt werden."[86]

Positiv wird dann in dem zitierten Aufsatz 'Ueber Patriotismus' der Patriot als
derjenige definiert, der sich für das Allgemeinwohl rückhaltslos einsetzt, der vor
allem für die „Regierten" — auch auf Kosten der „Regierenden" — eintritt:

> Man hat von jeher, und wie mich däucht, mit Recht diejenigen Männer Patrioten ge-
> nannt, welche mit Hintansetzung aller eigennützigen Privatabsichten sich ausschlüßlich
> für das Wohl des Vaterlandes intereßiert, und alles, was in ihrem Vermögen gestanden
> ist, zur Vervollkommnung ihrer vaterländischen Verfassung, zur Abschaffung einge-
> schlichener Mißbräuche, zur Sicherstellung der allgemeinen Wohlfahrt der Regierten,
> wenn dieses auch auf Kosten der Regierenden geschehen mußte, und überhaupt zur Be-
> förderung des gemeinen Beßten beygetragen haben.[87]

Deutlich erhält hier das aufklärerische Ideal des für das Gemeinwohl sich einsetzenden einzelnen einen neuen Akzent. Der Einsatz für „das Wohl des Vaterlandes"
kann auch im Widerstreit mit den Interessen der Herrschenden geschehen. Die
äußerste Form eines solchen Einsatzes ist das Wagnis des eigenen Lebens für das
Vaterland. So ist Tadeusz Kosciuszko, der nach der 2. Polnischen Teilung den
Widerstand des Volkes gegen diese Willkürmaßnahme organisierte (1794), für die
russische Regierung ein „Rebell", für die deutschen Anhänger der Revolution
aber „ein Patriot"; „[. . .] und so zählt Frankreich tausend Patrioten, die sich
weder aus Prahlerey noch aus Privatinteresse aufgeopfert haben, ihrem Vaterlande
eine bessere Verfassung zu geben.[88]

Zu einer in diesem Sinne patriotischen und zugleich revolutionären Position bekannten sich die bewußtesten deutschen Revolutionsanhänger.[89] Sie waren bereit,
auf 'Nationalstolz' dem im Deutschen Reich Bestehenden gegenüber zu verzichten,
sich zu den französischen Ideen zu bekennen, um von dieser kosmopolitischen
Grundlage aus in Deutschland ein besseres Morgen zu schaffen. Ihr Patriotismus
lehnt die deutsche Wirklichkeit, der gegenüber es letztlich nur Trauer und Scham
geben kann, ab und ist auf eine Zukunft gerichtet, in der auch in Deutschland eine
patriotische Menschengemeinschaft realisiert sein wird.

In der gegenwärtigen Lage, der Lage des Jahres 1796, kann deshalb, so der Aufsatz 'Ueber Patriotismus', von den Deutschen kein Einsatz gegen Frankreich erwar-
tet werden. Ein 'Patriotismus', der für die überkommenen monarchischen Strukturen des Reiches gegen das republikanische Frankreich eintritt, wird strikt abgelehnt:

---

86 Beitrag zu F. K. Mosers Versuch einer Stats-Grammatik. – Teutscher, Teutschländer,
teutscher Bürger, in: Strasburgisches politisches Journal, a.a.O., Jg. 1792, Bd. 1, S. 112.

87 Ueber Patriotismus, a.a.O., S. 372.

88 Ueber Patriotismus, a.a.O., S. 373.

89 Vgl. dazu auch H. Scheel: Deutscher Jakobinismus und deutsche Nation. Ein Beitrag
zur nationalen Frage im Zeitalter der Großen Französischen Revolution, Berlin 1966,
(= Sitzungsber. d. Dt. Akad. d. Wiss. z. Berlin, Kl. f. Phil., Gesch., Staats-, Rechts- u.
Wirtschaftswiss., Jg. 1966, Nr. 2), S. 5ff.

Was verlangt man nun von den Deutschen für eine Art von Patriotismus? Man verlangt, daß sie sich in Masse gegen die Franzosen erheben sollen. Man verlangt, daß der Reiche sein Vermögen, der Landesfürst Leute und Schätze, der Gelehrte seine Wissenschaft, und überhaupt jedermann Gut und Blut zur Rettung der Integrität des deutschen Reiches aufopfern soll. Muß man nun, wenn dieses nicht geschieht, über Mangel von Patriotismus klagen? Nein! Der Deutsche schont sein Vermögen und sein Blut, weil er von der Gerechtigkeit dieses Krieges noch nicht überzeugt werden konnte; weil deswegen, daß dieser Krieg, der anfangs ein Offensivkrieg war, jetzt zum Defensivkrieg geworden ist, der Krieg um nichts gerechter ist; weil man sich von Seite der kriegführenden Hauptmächte noch nie bestimmt über den eigentlichen Zweck erkläret hat, und weil man dort, wo dieses geschehen ist, offenbar einen sehr schlechten Zweck angegeben hat; weil der Ursprung dieses Krieges mit Umständen verbunden war, welche, wenn die Angreifer gesiegt hätten, für das Glück der Menschheit in jeden Absichten sehr verderbliche Folgen hätten nach sich ziehen können; weil anfänglich die ersten Schritte zum Kriege von einer solchen Klasse Menschen herrührten, die sich durch ihre Verbrechen, durch ihre Niederträchtigkeit, und selbst durch ihren Uebermuth im Unglücke verhaßt gemacht hatte, und weil man hin und wieder in Manifesten sich einer Sprache bediente, welche die noch nicht ganz betäubte Menschheit empören mußte.[90]

Der Patriotismus muß also immer mit der „besseren Sache" im Sinne des historisch Fortschrittlicheren verbunden sein: „Wo man Patriotismus fordern will, muß es offenbar um ein bessere Sache zu thun seyn"[91]. Eben diese „Sache" ist nicht auf seiten der Verteidiger überkommener gesellschaftlicher Strukturen und einer traditionellen Religiosität zu finden. Die angebliche Verteidigung der Religion wird als Erregung eines bloßen „wüthenden Fanatismus"[92] der unmündigen Massen entlarvt und in bezug auf die Verteidigung der einzelnen Reichsterritorien wird festgestellt: „Ein eben so unsinniger Fanatismus ist es, sich blos für die Person des Fürsten auf Tod und Leben zu schlagen. Leider sind die meisten Kriege, der jetzige nicht einmal ausgenommen, nur Kriege der Fürsten, und nicht der Völker."[93] Abschließend stellt der Verfasser des Aufsatzes fest: „Man wundre sich aber auch nicht über Mangel von Patriotismus, oder vielmehr über die geringe Unterstützung, welche die koalisierten Mächte von Seite der öffentlichen Meinung erhalten. Ihre Politik ist schrecklich und unmoralisch."[94]

Die Untertanen der deutschen Fürsten waren nun nicht länger bereit, sich mit einem System zu identifizieren, in dem Vorteile und Lasten zu einseitig verteilt waren.[95] Mit ganzer Schärfe hat diesen Gedanken, der die Haltung der meisten Deutschen angesichts der Auseinandersetzung mit dem revolutionären Frankreich prägte, auch der Professor und Schriftsteller Christian August Fischer im Gewand einer Tierfabel dargelegt:

---

90 Ueber Patriotismus, a.a.O., S. 373f.
91 Ueber Patriotismus, a.a.O., S. 375.
92 Ueber Patriotismus, a.a.O., S. 377.
93 Ueber Patriotismus, a.a.O., S. 377.
94 Ueber Patriotismus, a.a.O., S. 379.
95 Diese Auffassung vertrat schon 1791 Karl Clauer in seiner fingierten Rede an die deutschen Reichsstände: Der Kreuzzug gegen die Franken. Eine patriotische Rede, welche in der deutschen Reichsversammlung gehalten werden könnte, in: Träger, a.a.O., S. 55—70.

Der Bauer und sein Esel

„Geschwind! Zu den Waffen!" rufte ein Bauer seinem Esel zu, als die Feinde im Anrük-
ken waren. „Zu den Waffen?" antwortete dieser. „Ich sehe nicht ein, warum. Mir kann es
gleichgültig sein, *wem* ich gehöre. Ich muß einmal Lasten tragen; gleichviel *wer* sie mir
auflegt". So sprach er und erwartete die Ankunft der Feinde, ohne sich von der Stelle zu
rühren.

Aufruf zur Verteidigung des Vaterlandes! — das heißt: des fürstlichen Interesse![96]

Abschließend sei noch ein Blick auf eine andere — die konservative — Spielart
des Patriotismus geworfen, die sich seit 1789 zunehmend zu entwickeln begann.
Der deutsche Konservativismus hatte sich im letzten Drittel des 18. Jahrhunderts
herausgebildet als Reaktion auf den allmählichen Aufstieg der bürgerlichen Klasse
und vor allem auf die spezifisch bürgerliche geistige Grundhaltung: die Aufklärung.
Der alte Traditionalismus wandelte sich nun „in einen wachen und selbstbewuß-
ten Konservativismus"[97], getragen von den Fürsten und ihrer Umgebung, vom Adel,
dem städtischen Patriziat und den Zünften, basierend auf dem unbewußten Traditionalismus der Bauern. Von Beginn an war, wie wir gesehen haben, der Angriff auf
die deutschen Verhältnisse vom entstehenden patriotischen Gefühl getragen, wobei
sich die Aufklärer aber stets gegen eine Identifizierung mit den herrschenden
Autoritäten in Deutschland wandten, also in kosmopolitischer Offenheit über die
Grenzen der deutschen Staaten hinaussahen. Demgegenüber stellte die konservative
Seite früh ihren eigenen am Bestehenden orientierten 'patriotischen' Staatsbegriff
auf: „Du bist Staatsbürger, oder du bist Rebell. Kein Drittes giebt es nicht [. . .] Ist
also der Weltbürger [. . .] ein Mensch, der die einmahl geheiligten, natürlichen,
religiösen und politischen Verhältnisse aufhebt [. . .], so sag dir selbst, daß du und
Konsorten des Landes verwiesen verdienet"[98].

Die Herausforderung durch die Französische Revolution führte dann zu einer
Steigerung der konservativen Aktivitäten. Revolutionsfeindliche Kreise versuchten
die Bewegung im Nachbarland mit einer Verschwörung freimaurerischer Vereini-
gungen und der Illuminaten zu erklären[99] und wollten damit gleichzeitig die
progressiven Kräfte im eigenen Land treffen. Ferner reagierten die deutschen
Regierungen neben der Einleitung von Unterdrückungsmaßnahmen auch mit dem
Versuch, mit einer konterrevolutionären Propaganda die öffentliche Meinung zu
beeinflussen[100]: In dem Maße, in dem sich in Deutschland ein an der Französischen
Revolution orientierter Patriotismus herausbildete und deutsche Intellektuelle
entschiedene Reformen im eigenen Vaterland forderten, bemühte sich die konser-

96 Fischers Fabeln erschienen 1796 unter dem Titel 'Politische Fabeln'; hier zitiert nach
    K. Emmerich (Hrsg.): Der Wolf und das Pferd. Deutsche Tierfabeln des 18. Jahrhunderts,
    Darmstadt 1960, S. 271.
97 Epstein, a.a.O., S. 37. Zum ganzen Problem Epstein, passim. Valjavec, a.a.O., S. 255ff.
98 v. Göchhausen: Enthüllung des Systems der Weltbürger — Republik (1786), zit. nach
    Epstein, a.a.O., S. 120. Zum konservativen Patriotismus vor 1789 vgl. auch Valjavec,
    a.a.O., S. 295f., 334f.
99 Vgl. Epstein, a.a.O., S. 583ff.
100 Vgl. Epstein, a.a.O., bes. S. 534ff., 562ff., 599ff.

vative Propaganda um einen Patriotismus in ihrem Sinne. Der reaktionäre Landes-
patriotismus vor 1789 wich einem ebenfalls systemstabilisierenden, aber auf ganz
Deutschland bezogenen Patriotismus. Zunächst ging es um die Abwehr jeglicher
Neuerung, die als mit der vaterländischen Ordnung des Reiches unvereinbar hingestellt wurde. So erließ der Regensburger Reichstag am 25.2.1793 ein Reichsgut-
achten, um „die deutschen Reichs — Eingesessenen ihrer Treue und Pflicht gegen
das deutsche Reich, ihr Vaterland und ihre Obrigkeiten aufs neue zu erinnern und
sie besonders vor der gefährlichen Klasse der jetztmaligen Volksverführer [. . .] zu
warnen"[101]. Im Prolog der reaktionären 'Wiener Zeitschrift' wurde 1792 gegen die
revolutionsfreundliche „Horde kosmopolitischer und philanthropischer Schriftsteller" gehetzt; in der Ankündigung der gleichgesinnten Zeitschrift 'Eudämonia'
war 1795 die Rede von den „Tugenden, welche die Hauptzüge des National —
Characters ausmachten, Religiosität, Regentenliebe, Anhänglichkeit an Verfassung
und Vaterland"[102], 'deutsche' Tugenden, die in scharfem Gegensatz zur Revolution
standen. Hiermit wollte man die Bevölkerung des Reichs gegen die angeblichen
französischen Feinde des Vaterlandes aufhetzen und zur Verteidigung des feudalen
Systems einspannen, obgleich die Franzosen erklärt hatten, sie selbst wollten
lediglich „Gewalt abtreiben, der Unterdrückung widerstehen, alles vergessen, wenn
nichts mehr zu fürchten ist, und in allen überwundenen, versöhnten oder ent-
waffneten Widersachern nur Brüder [. . .] erkennen"[103].

Schon 1789 schrieb ein „deutscher Patriot" gegen die aufgeklärten Publizisten:
„Auf! auf! ihr Männer im Erbe von Teut! auf! auf! rächet Glaube, Sitten und Großmut eurer rühmlichen Väter. Jaget sie fort, diese schädlichen Witzlinge, diese
großen Verführer! denn sie rauben euch Religion, Tugend und Großmut. Jaget sie
fort, diese Feinde euers Gottes! denn sie untergraben euere Throne und zerrütten
euere Staaten"[104]. Die deutsche Reaktion ging schließlich so weit, den französischen Patriotismus zu leugnen und einen deutschen Patriotismus zu unterstellen,
der angeblich ungleich größer sei: „Wenn Patriotismus eine Zuneigung, eine Anhänglichkeit zu seinem Vaterlande ist, die sich auf den Vorstellungen des Nutzens,
der Bequemlichkeiten und aller übrigen Vorteile des gesellschaftlichen Lebens
gründet, die uns das Vaterland vor jedem andern darbietet, so glaube ich, daß das
kleinste Ländchen des deutschen Reiches mehrere Patrioten zählt als heutzutage

---

101 Zitiert nach W. Grab: Leben und Werke norddeutscher Jakobiner, (Stuttgart 1973),
    (= Deutsche revolutionäre Demokraten, 5), S. 26. Zum konservativen Patriotismus nach
    1789 vgl. auch Valjavec, a.a.O., S. 335ff.
102 Zitiert nach Garber, a.a.O., S. 141, 145.
103 Erklärung der National-Versammlung Frankreichs an alle Völker Europens, an die ganze
    Menschheit. Vom 29. December 1791, in: Strasburgisches politisches Journal, a.a.O.,
    Jg. 1792, Bd. 1, S. 45—50, hier S. 50.
104 Christlich-philosophische Rede über die Generalversammlung und den dermaligen Zustand
    Frankreichs. Nebst dem Schreiben eines deutschen Patrioten, der aus Gelegenheit des
    wirklichen Zustandes von Frankreich seines Vaterlandes wegen besorgt ist, 1789, S. 74f.;
    diese Schrift ist Teil der Gesammelten Schriften unserer Zeiten zur Verteidigung der
    Religion und Wahrheit, Bd. 4, Augsburg 1789. Vgl. zu dieser von Exjesuiten veranstalteten
    Sammlung konservativer Broschüren Epstein, a.a.O., S. 103.

das weitschichtige Gallien". Die für den Autor dieser Zeilen, den Augsburger Exjesuiten Joseph Lanpacher, katastrophalen Ereignisse der Französischen Revolution sind deshalb „keine Folgen der Vaterlandsliebe, es sind Ausbrüche wildstürmender Leidenschaften"[105].

Wenn die Revolutionäre verkündeten: „Die franke Nation thut Verzicht darauf, irgend einen Krieg in Absicht, Eroberungen zu machen, zu unternehmen"[106], eine Versicherung, der weite Kreise in Deutschland durchaus Glauben schenkten[107], versuchte die offizielle deutsche Propaganda einen gegenteiligen Eindruck zu verbreiten. Man weckte dazu wieder die Erinnerung an die Greuel der Reunionskriege, um Vorurteile zwischen Deutschen und Franzosen zu schüren, so z.B. in 'Die alten Franzosen in Deutschland, hinter der neufränkischen Maske verschlimmert'[108]. Ein 'Aufruf an den teutschen Patriotismus'[109] rief zu Spenden für den Krieg gegen Frankreich auf, während die Schrift 'Ueber den Verfall der Vaterlandsliebe in Deutschland' die Fürsten ermahnte, ihre Völker zur „Vaterlandsliebe" anzufeuern, „denn dadurch sichern sie die Grenze ihres Staats, und ihr ruhiges und zufriedenes Volks selbst vor dem allergefährlichsten Uebel, nemlich vor Aufruhr und Empörung"[110].

Diese Versuche, einen reaktionären Patriotismus zu schaffen, waren allerdings nicht sonderlich erfolgreich. Die Stimmung in Deutschland war in den ersten Jahren nach 1789 und trotz mancher Distanzierung über die jakobinische Phase hinaus von einem revolutionären Patriotismus geprägt, der — dem französischen Vorbild nacheifernd — die politischen und gesellschaftlichen Strukturen im Reich im progressiven Sinne zu verändern trachtete. Ein weiteres wichtiges Dokument dafür, die Broschüre 'Sendschreiben an alle benachbarte Völker Frankreichs, zum allgemeinen Aufstand' (1791) von Karl Clauer[111], sei noch kurz zitiert. Clauer spricht in seiner Schrift die Untertanen der deutschen Fürsten an, um sie von der Unhaltbarkeit des feudalen Systems zu überzeugen; in diesem Zusammenhang heißt es:

---

105 Joseph Lanpacher: Was war Frankreich? Was ist es jetzt? Was wird daraus werden? 1790, Zitate S. 23, 24 (= Gesammelte Schriften unserer Zeiten zur Verteidigung der Religion und Wahrheit, Bd. 7, Augsburg 1790).

106 Frankreichs Erklärung über die Ursachen zum Krieg, und über die Art, wie er soll geführt werden, in: Strasburgisches politisches Journal, a.a.O., Jg. 1792, Bd. 1, S. 476—483, hier S. 478 (Dekret der Nationalversammlung vom 29.12.1791 und vom 14.4.1792).

107 Vgl. etwa Klopstocks Gedicht: Der Freiheitskrieg (1792), in: Werke, a.a.O., Bd. 4, S. 323—325, aber auch: Der Eroberungskrieg (1793), in: Werke, a.a.O., Bd. 4, S. 335f.

108 Deutschland 1793. Verfasser der anonymen Schrift ist Johann Karl Philipp Riese; zu ihm vgl. Epstein, a.a.O., S. 623f.

109 In: Politisches Journal, [hrsg. v. G. B. v. Schirach u. W. v. Schirach], Jg. 1793, Bd. 1, Hamburg, S. 206—208.

110 Ueber den Verfall der Vaterlandsliebe in Deutschland, Nürnberg 1795, S. 38.

111 Abgedr. bei H.-W. Engels: Karl Clauer, in: Jahrb. d. Instituts f. dt. Geschichte d. Univ. Tel-Aviv 2 (1973), S. 101—144, hier S. 126ff.

> Das Wort Nation hast du wohl schon gehört, auch wohl selbst schon oft ausgesprochen.
> Aber hast du auch je dabei bedacht, was es eigentlich bedeutet? Was heißt denn Nation?
> Bist du nicht selbst ein Teil davon? Du, dein Weib, deine Kinder, deine Verwandten,
> deine Freunde, deine Nachbarn, und alle deine Landsleute, die zusammen machen die
> ganze Nation aus.[112]

Die Nation wird hier im demokratischen Sinne zur Gemeinschaft aller und gerade
der einfachen, unterprivilegierten Menschen. Dieses demokratische Verständnis des
Begriffes 'Nation' führt nun auch zu einer Umwertung der Funktion des Souveräns:

> Die Souveräne, wenn sie von der Nation reden, über welche sie als Handhaber der Geset-
> ze gesetzt sind, pflegen immer zu sagen: *Mein Volk, meine Nation.* Nun kann zwar
> freilich der Knecht eben so gut zu seinem Herren sagen, mein Herr; als der Herr zu
> ihm, mein Knecht. Aber in dem Sinne nehmen die Fürsten dies Mein und Dein nicht.
> Sie verstehen darunter ein Eigentumsrecht. Und in dem Verstande sollte vielmehr die
> Nation sagen: *Mein Fürst, mein König.* Denn die Nation ist es ja, die ihn zum Fürsten
> und Könige macht, damit durch seine Sorgfalt die Gesetze der Nation, zum Besten der
> Nation, beobachtet werden. Dafür bekommt er ja auch von der Nation seinen jährlichen
> Gehalt.[113]

Der König oder der Fürst steht hier also gleichsam als der oberste Beamte da, als
Mandatar, gebunden an die Nation, die ihn einsetzte. Der Herrscher hat eine Berechtigung nur noch als Repräsentant der Nation, eine unausgesprochene Drohung
gegen den Souverän, der diese Beschränkung seiner Macht vergißt. Damit setzt sich
deutlich auch in Deutschland der – in Frankreich von Rousseau konzipierte, von
der Revolution verwirklichte – Gedanke der Volkssouveränität durch.[113a]

Dieser demokratische Patriotismus führt in letzter Konsequenz dazu, die revolutionäre Bewegung auf Deutschland zu übertragen, führt mithin zu einem revolutionär akzentuierten Patriotismus. In diesem Sinne schreibt Clauer: „Habt nur einmal das Herz, ernstlich zu wollen, was vor Gott und Menschen recht und billig ist.
Vereinigt euch, und seid einmütig und standhaft in euern Gesinnungen. Bildet nach
dem Beispiel der Franken Staatsversammlungen, die in euch das Feuer der Vaterlandsliebe entzünden und unterhalten können"[114]. Die „Vaterlandsliebe" der
Deutschen ist nun untrennbar mit der Übertragung des revolutionären Aufbruchs
in Frankreich auf das eigene Vaterland verbunden. Der Patriotismus wird hier
endgültig zum Element, das die tradierte Ordnung des Reichs zu sprengen trach-
tet.

Nach 1789 war der Freiheitsbegriff[115] der deutschen Revolutionsanhänger
zunehmend politisch gefaßt, im Vergleich mit dem Freiheitsbegriff der Aufklärung
hatte sich die politische Akzentuierung verschärft. Die Liberalen traten nun in
Deutschland dezidiert für die Freiheit der Presse und der Religion ein, daneben

---

112 A.a.O., S. 130.
113 A.a.O., S. 134f. – In genau diesem Sinne äußert sich auch C. F. Bahrdt: Rechte und Obliegenheiten der Regenten und Unterthanen in Beziehung auf Staat und Religion, Riga
  1792, (= C. F. Bahrdt: System der moralischen Religion, 3); Nachdr. Kronberg/Ts. 1975,
  S. 64 u.ö.
113a Vgl. B. Weissel: Von wem die Gewalt in den Staaten herrührt, Berlin 1963.
114 A.a.O., S. 136.
115 Vgl. Schlumbohm, a.a.O., S. 49f., 55ff., 147ff.

— wenn auch, dem allgemeinen Entwicklungsstand entsprechend, weniger laut-
stark — für die wirtschaftliche Freiheit, d.h. den ungehinderten Gebrauch bürgerlichen Eigentums. Die deutschen Jakobiner gingen einen Schritt weiter und wollten auch die unteren Schichten, die Volksmassen, an dem Genuß der zu erkämpfen-
den Freiheit partizipieren lassen. Im Verein mit dieser Entwicklung ist der deutsche Patriotismus nach 1789 als ein zentraler Begriff freiheitlichen Denkens kon-
kret-politisch und sozial gefüllt; nur ein Vaterland, in dem im genannten Sinne
Freiheit verwirklicht ist, kann mit dem Patriotismus seiner Bürger rechnen. Die
freiheitliche Komponente prävaliert dabei das nationale Element. Wenden sich
Jakobiner auch „an die deutsche Nation"[115a], so geht es ihnen nicht primär konkret um den nationalen Einheitsstaat, sondern um die Prinzipien einer demokratischen Gesellschaft.

Kosmopolitisch am Vorbild Frankreichs orientiert, nicht bereit für die Herr-
schaftsinteressen von Potentaten in den Krieg gegen Frankreich zu ziehen, so sei
das Ergebnis dieses Abschnitts resümiert, wandten sich die deutschen Patrioten kritisch gegen die Regierungen der Territorien und vertraten die Interessen der von der
politischen Macht, von den gesellschaftlichen Führungspositionen ausgeschlossenen
Schichten. Dagegen wird das Bild des uneigennützig für die gemeinsame Sache arbei-
tenden Staatsbürger gestellt, eben des Patrioten, der mithilft, den Staat im Interesse
der Mehrheit seiner Bürger umzugestalten. Am Ende soll so auch in Deutschland
nach dem Prinzip der Volkssouveränität ein Staatswesen stehen, das auf dem
Gemeinschaftsgefühl aller Bürger basiert, ein Staatswesen, das von 'Gemeingeist'
oder 'Gemeinsinn' geprägt und mithin wahrhaft patriotisch sein sollte.

In hymnischer Sprache hat diesen Gedanken eines freien, patriotischen Idealen
entsprechenden Deutschlands, das auch im Verein mit anderen Nationen wirksam
wird, der Revolutionsanhänger Karl Friedrich Cramer[116] formuliert. Cramer,
der als Klopstockanhänger schon vor 1789 patriotische Ideen vertrat, rezipierte
später die Ziele der Französischen Revolution und vereinte beides in kosmopoli-
tisch-patriotischer Gesamtschau:

> Dieser große, seelenerhebende Gedanke: Deutschland, ein Volk! eine Brüdernation!
> nach gleichen Rechten durch Volksrepräsentation und, wenn ihr wollt, ein freiwillig
> erwähltes, eingeschränktes Oberhaupt regiert! Deutschland über alles, durch seinen
> Genius, seine Männlichkeit, seiner Einwohner ausdauernden Fleiß; durch seine Größe,
> seine Menschenzahl, die Erzeugnisse seiner Natur, über alles, wenn es nur will! Deutsch-

---

115a J. B. Erhard: Wiederholter Aufruf an die deutsche Nation (1794), in: Erhard: Über
 das Recht des Volks zu einer Revolution, (München 1970), S. 101–107. Auch A. Kuhn,
 a.a.O., S. 174f. gegen Scheel.
116 Vgl. A. Ruiz: Karl Friedrich Cramers ideologisch-politischer Werdegang. Vom deutschtümelnden Freiheitsbarden zum engagierten Anhänger der Französischen Revolution, in:
 Jahrb. d. Instituts f. dt. Geschichte d. Univ. Tel-Aviv 7 (1978), S. 159–214. — Im Hinblick
 auf das Thema der vorliegenden Untersuchung ist die Arbeit von Ruiz zu undifferenziert.
 Da Ruiz die Symbiose von Patriotismus und Kosmopolitismus in der Aufklärung verkennt
 (z.B. S. 171), verschließt sich ihm auch das Verständnis für die Rezeption französischer
 Ideale durch die deutschen Patrioten; seine Arbeit bleibt in sich widersprüchlich (z.B.
 S. 171 und 213f.).

land, nicht mehr, ach! sein eigen Eingeweide zerfleischend, sondern mit Frankreich und England (das, ehe wir uns versehen, sich auch reformiert) zu gleichen Grundsätzen des Weltfriedens vereint; und in diesem Verein Europa wenigstens Frieden und obrigkeitliche Schlichtung alles Völkerhaders gebietend: . . .O! gibt es ein Herz, das verworfen und elend genug ist, nicht bei dieser Verehrung unserer selbst, dieses Sommermorgens, dieser entzückenden Aussicht, diesem erhabensten aller menschlichen Gedanken von . . . Wonne zu entglühn?[117]

Es geht letztlich für Deutschland um die Aufgabe, eine neue gesellschaftliche Ordnung auf der Solidarität der vom Gemeingeist durchdrungenen Bürger aufzubauen. Hiervon spricht exemplarisch das Gedicht 'An den Gemeinsinn'[118] des preußischen Demokraten Hans v. Held[119], der für seine Überzeugungen mit Verfolgung und Gefängnis büßte. Hier heißt es zu Beginn:

Steige auf der Menschheit Thron
   O Gemeinsinn wieder!
Dir, der Bürger Tugendsohn
   Tönen neue Lieder.
Es verschlang der Zeiten Strom
   Sie, die dich einst kannten,
Da in Griechenland und Rom
   Dir noch Opfer brannten.

Dämon starre, Selbstsucht flieh
   In des Orcus Nächte!
Wo du weilst gedeihen nie
   Wahrer Menschenrechte.
Bastart schiefer Unnatur,
   Gott der Ideoten!
Fleuch, verpeste nicht die Flur
   Guter Patrioten.

Wo des Stolzes Vorurtheil
   Und der Kaltsinn nistet,
Wird des Menschen wahres Heil
   Wie sein Herz verwüstet.
Brüder auf, umarmet euch!
   Sagt wozu uns trennen?
Die Natur schuf alle gleich,
   Wollt ihrs ihr misgönnen.

Ziel ist die vom 'Gemeinsinn' geprägte Gesellschaft 'guter Patrioten', eine Gesellschaft von Natur gleicher Menschen, die ständische Vorurteile, Grenzen und Unter-

117 Zitiert nach Ruiz, a.a.O., S. 204f.
118 In: Sammlung verschiedener Gedichte und Freiheits-Lieder, gesammelt von einem Freund der Freiheit, Landau im 5ten Jahr der Republik [1797], S. 19—23. Dies Gedicht findet sich auch unter der Überschrift: An den Gemeinsinn. Gesungen von einer zahlreichen Versammlung, ihren Staat und König liebender Bürger. Zur Feier des Geburtstags des Königs. Cüstrin, den 25ten September 1792, in: Journal für Gemeingeist, hrsg. v. G. W. Bartholdy und J. G. Hagemeister, Jg. 1792, St. 6, Berlin, S. 594—599. — Es zeigt sich eine kontinuierliche Entwicklung darin, daß der aufklärerische Wert 'Gemeinsinn', der in Preußen anläßlich des königlichen Geburtstags 1792 gefeiert wurde, 5 Jahre später in eine republikanisch-französisch orientierte Sammlung patriotischer Freiheitslieder einging.
119 Vgl. C. Grünhagen: Zerboni und Held in ihren Konflikten mit der Staatsgewalt 1796— 1802, Berlin 1897, S. 117 ff., 159ff., 281ff. (aus konservativer Sicht).

schiede nicht mehr anerkennt. Dieses von den Idealen der Aufklärung wie der Französischen Revolution bestimmte Bild einer antifeudal-bürgerlichen Gemeinschaft beruht auf dem Gedanken des selbstlos-patriotischen Bürgers, der seine Individualität der Sozietät verpflichtet weiß:

> Aber Heil dem Biedermann,
>> Der in seinem Stande
> Gutes thut, so viel er kann,
>> Der da liebt die Bande,
> Die um ihn sein Vaterland,
>> Pflicht und Freundschaft winden,
> Und für dieses Herz und Hand
>> Stets läßt helfend finden.

Der deutsche Patriotismus im Zeichen der Französischen Revolution, der sich von gemäßigten Formen bis zu jakobinisch-demokratischen Äußerungen steigerte (Clauer)[120], stellt einen Höhepunkt in der Entwicklung des freiheitlichen Patriotismus in Deutschland dar. Vom westlichen politischen Denken mit seiner Betonung der Volkssouveränität, mit seiner rationalen, auf die Freiheits- und Menschenrechte gerichteten Sicht des Staates beeinflußt, wird der deutsche demokratische Patriotismus nach 1789 Teil einer universalen Freiheitsbewegung. An die Stelle des älteren, politisch vagen Kulturpatriotismus treten nun rational gefaßte Freiheitsforderungen. Bevor im 19. Jahrhundert die Volkstumsidee des Nationalismus mit ihrer Betonung der Eigenständigkeit der Nationen und gerade auch der deutschen Identität in den Vordergrund tritt, gab es auch in Deutschland einen weltoffenen, freiheitsbewußten Patriotismus: den der Anhänger der Französischen Revolution, die deren Ideale auch als für ihr Vaterland gültig ansahen. Ohne damals die Chance einer Realisierung zu besitzen, bleiben die patriotischen Ideen dieser Jahre dennoch — im Gegensatz zur tradierten Wertung durch die deutsche Historiographie — ein großes Vermächtnis unserer Geschichte.

---

120 Zum Unterschied zwischen den liberal-gemäßigten und den jakobinisch-demokratischen deutschen Revolutionsanhängern vgl. noch Valjavec, a.a.O., S. 146ff., 180ff., auch S. 207ff.

4. DER PATRIOTISMUS IN DEUTSCHLAND VON DER AUFLÖSUNG DES REICHES BIS ZU DEN BEFREIUNGSKRIEGEN

4.1. DIE SYNTHESE ZWISCHEN NATIONALEM UND KOSMOPOLITISCHEM DENKEN

Die Distanzierung der deutschen Patrioten von der Entwicklung in Frankreich, die sich — wie bereits angesprochen — schon zur Zeit der Jakobinerherrschaft abzeichnete, setzte sich auch in den folgenden Jahren fort. Für diese Entwicklung sind mehrere Faktoren ausschlaggebend. Lange hatten sich die progressiven politischen Kräfte in Deutschland, besonders im Rheinland und im Süden, auf französische Hilfe für ihre freiheitlichen Bestrebungen verlassen. Im Süden entstand seit 1795 eine enge Zusammenarbeit zwischen den oppositionellen deutschen Kräften und den Franzosen.[1] Allerdings ließen diese schon 1796 nach ihrem Einmarsch die deutschen Patrioten im Stich[2]; der Leitspruch der Franzosen lautete nun: „Im Rücken der Armee duldet man keine Revolution!"[3]

Bedeutete diese Haltung Frankreichs, die sich in den Folgejahren noch verstärkte[4], bereits eine herbe Enttäuschung, so konnte die Behandlung der eroberten Gebiete diese Enttäuschung der Patrioten nur noch vergrößern. Während Robespierre gegen jede Annexion eingetreten war, strebten seine Nachfolger die sog. 'natürlichen Grenzen' an, d.h. Frankreich sollte sich bis zur Schelde, bis zur Maas und zum Rhein erstrecken. Es ging nun um eine offene Annexion. Damit war verbunden, daß die französischen Truppen in den linksrheinischen Gebieten, darüber hinaus auch in den anderen vorübergehend besetzten Territorien des Reiches eine rücksichtslose Eroberungs- und Ausbeutungspolitik trieben. Sie traten, so wird z.B. aus Württemberg berichtet, „noch immer mit neuen unerwarteten Forderungen hervor, und machten [. . .] Ansprüche, die kaum größer hätten seyn können, wenn ganz Deutschland von ihren Legionen besetzt gewesen wäre"[5]. Frankreich ging es immer eindeutiger nur noch um den eigenen Vorteil, um Annexion und Ausbeutung, nicht um die Verwirklichung kosmopolitisch-freiheitlicher Ideen, die höchstens noch einen Propagandazweck erfüllten.

1 Vgl. H. Scheel: Süddeutsche Jakobiner. Klassenkämpfe und republikanische Bestrebungen im deutschen Süden Ende des 18. Jahrhunderts, 2., durchges. Aufl., Berlin 1971, (= Dt. Akad. d. Wiss. zu Berlin, Schr. d. Zentralinst. f. Gesch., R. I, Allg. u. dt. Gesch., 13), S. 147ff.
2 Vgl. Scheel, Süddeutsche Jakobiner, a.a.O., S. 215ff.
3 Zitiert nach Scheel, Süddeutsche Jakobiner, a.a.O., S. 222.
4 Am 16. März 1799 erließ General Jourdan den Befehl, jede revolutionäre Bewegung im Rücken der Franzosen zu unterdrücken; das Dekret der französischen Regierung, das dies befahl, bei Scheel, Süddeutsche Jakobiner, a.a.O., S. 514.
5 J. G. Pahl: Denkwürdigkeiten zur Geschichte von Schwaben während der beyden Feldzüge von 1799 und 1800, Nördlingen 1802, S. 45f. — Zu den Bedrückungen Württembergs im Jahre 1796 vgl. umfassend J. G. Pahl: Materialien zur Geschichte des Krieges in Schwaben, im Jahre 1796, Lief. 1−3, Nördlingen 1797−98.

Die französische Politik faßte ein deutscher Beobachter prägnant in dem Satz zusammen: „Man will nichts als Geld und Geld"[6]; schon 1796 hatte ein anderer Beobachter folgendermaßen formuliert: „Was nun die politischen und militairischen Grundsätze der Franken betrift, so hört man die Worte: Menschenwürde, Freyheit, Gleichheit, Brüderschaft, Nation, Republik und ähnliche selten oder gar nicht"[7]. Über diese Politik und ihre Auswirkungen auf die Stimmung in Deutschland schreibt W. Grab mit Recht:

> Da der Verteidigungskrieg Frankreichs schon während der Direktorialherrschaft in eroberungslüsterne Aggression und nationalistische Expansion umschlug, scheiterten die deutschen radikal-demokratischen jakobinischen Schriftsteller und Journalisten, die sich auf die Bestrebungen der Unterschichten orientierten und die theoretischen Postulate der Aufklärung nach Völkerfreundschaft und Volksverbundenheit in die revolutionäre Praxis umzusetzen suchten.[8]

Das Mißtrauen weiter Kreise gegen die Revolution wurde so stark, daß die Verfechter revolutionsfreundlicher Ideen in Deutschland zunehmend weniger Gehör fanden.

Der ungünstige Eindruck, den die Revolution in Deutschland machte, wurde durch die innenpolitischen Geschehnisse in Frankreich nach dem Sturz Robespierres verstärkt.[9] Die Ideale der Anfangsjahre schienen aus der politischen Diskussion verschwunden zu sein, die französische Politik stellte sich als erbitterter Machtkampf egoistisch miteinander rivalisierender Gruppierungen dar. Ein Zeitgenosse urteilte darüber: „Die republikanische Parthei schwächt sich so, indem sie gegen sich selbst handelt; sie entehrt die Sache, indem sie die Personen in ihrer Nacktheit zeigt, und die Erhabenheit der Macht [. . .] erhält einen harten Stoß durch alle diese Bekenntnisse die man sich an die Köpfe wirft."[9a] Es ging den jeweils herrschenden Gruppen der Bourgeoisie nur noch darum, im Interesse ihrer Klientel soziale und politische Errungenschaften abzusichern; eine weitere Demokratisierung und Emanzipierung der Volksmassen paßte nicht mehr in die politische Landschaft. Zudem verelendete das einfache Volk in der Zeit der Herrschaft der Thermidorianer, die Robespierre gestürzt hatten, dann in der Phase des Direktoriums immer mehr, während eine kleine Schicht der politischen Aristokratie sowie die Finanzoligarchie schamlos ihren Reichtum zur Schau stellten. Über die allgemein verbreitete Stimmung im Frankreich jener Jahre hieß es bei einem Beobachter:

> Der allgemeine Sinn scheint mir in diesem Augenblick in Interesse eines jeden für seine persönlichen Angelegenheiten zu bestehen, und im Gefühle der Sattheit, des Ekels

---

6 Zitiert nach E. Hölzle: Das Alte Recht und die Revolution, München, Berlin 1931, S. 272.
7 Schreiben aus den von den Franzosen eingenommenen Ländern, auf der rechten Seite des Rheins. (Vom 28sten August 1796), in: Minerva, hrsg. v. J. W. v. Archenholz, Jg. 1796, Bd. 3, Berlin, Hamburg, S. 450–468, hier S. 456.
8 Grab, Französische Revolution und deutsche Geschichtswissenschaft, a.a.O., S. 12.
9 Eine übersichtliche Darstellung findet sich bei F. Furet, D. Richet: Die Französische Revolution, (Frankfurt a.M. 1968), S. 335ff.
9a [A. J. F. Baron v.] Fain: Manuskript des Jahres III (1794–1795), Leipzig 1829, S. 26.

und der Verachtung für öffentliche Angelegenheiten. Oeffentliche Meinung scheint mir überall nicht da zu seyn. Der Gemeingeist ist ausgestorben.[10] Der idealistische Aufschwung von 1789, das gemeinsame Streben des Volkes nach einer Umgestaltung aller Lebensbereiche, dessen Ausdruck gerade der Patriotismus war, schien unter diesen Umständen in Frankreich erloschen zu sein.

Dies, vor allem aber die erwähnten Bedrückungen, die von den französischen Interventionsarmeen seit 1796 ausgingen[11], ließen in den betroffenen Gebieten des Reichs die Distanzierung von Frankreich zunehmen. Zwar konnten deutsche Demokraten wie Johann Friedrich Abegg auch 1798 noch die französische Politik — im Vergleich mit der Politik der Feudalmächte — nicht vorbehaltlos verurteilen:

> Wenn man in der Nähe von Rußland ist, u. selbst in Preußen sieht, wie greulich die Menschen noch unterdrückt sind, wie gegen diese Bauern die Greuelthaten, die sich die Edelleute leisten können, geduldet werden, so wünscht man bei allen Schrecknissen, die die Franzosen verbreiten, u. allem Unfug u. Unrecht, das sie anrichten, daß das Gewitter, welches dort aufsteigt und überall sich verbreitet, und die Luft reinigt, nicht durch die Kanonen Rußlands vertrieben werde, ohne daß die Reinigung vollbracht werde.[12]

Zwar stützten süddeutsche Demokraten ihre z.T. bis zu national-revolutionären Konzeptionen gesteigerten Hoffnungen ('Entwurf einer republikanischen Verfassungsurkunde', 1799; 'Über Württemberg an die Württemberger', 1801)[12a] weiter auf Hilfe durch Frankreich, wurden aber enttäuscht. Allgemein nahm die Skepsis Frankreich gegenüber zu. Daher ist die Meinung des Schweizers Bräker über die französische Politik in den besetzten Gebieten durchaus repräsentativ: „Und das thut die großmütige Nation, die alle Völker frey macht! Herjemini, welch eine Freyheit! Ja, die Freyheit zu betteln, wenn man nichts mehr hat"[13].

In den ersten Jahren nach 1789 waren die deutschen Revolutionsanhänger angesichts der mangelnden Reformmöglichkeiten im Reich und angesichts ihrer Bedrohung durch die deutsche Reaktion auf das Bündnis mit Frankreich verwiesen; so entschied man sich in Mainz 1793 für die Union mit dem Nachbarland. Anders verlief die Diskussion, als die linksrheinischen Gebiete seit Herbst 1794 wieder unter französischer Verwaltung standen.[14] Jetzt zerfiel hier endgültig die Feudal-

10 Ueber den Gemeingeist. Von Röderer, in: Frankreich im Jahr 1797. Aus den Briefen deutscher Männer in Paris, Bd. 1, Altona, S. 217–224, hier S. 217.
11 Vgl. zusammenfassend auch: Zur Frage des Charakters der französischen Kriege in bezug auf die Entwicklung in Deutschland in den Jahren 1792–1815, Berlin 1958, (= Dt. Akad. d. Wiss. zu Berlin, Schr. d. Inst. f. Gesch., R. III, Vortr. u. Tag. d. Inst. f. Gesch., 2), S. 24ff. S. 2 heißt es hier, ab 1796 hätten „die Kriege Frankreichs den Charakter ungerechter Eroberungskriege erhalten".
12 J. F. Abegg: Reisetagebuch von 1798, hrsg. v. W. u. J. Abegg in Zusammenarb. mit Z. Batscha, (Frankfurt a.M. 1976). Vgl. die Rezension von R.-R. Wuthenow, in: Die Zeit vom 28.1.1977.
12a Vgl. Scheel, Süddeutsche Jakobiner, a.a.O., S. 291ff., 452ff., 581ff.
13 Bräker, a.a.O., Bd. 2, S. 345; geschrieben 1798.
14 Zur Rheinlandpolitik der Franzosen vgl. bes. C. Th. Perthes: Politische Zustände und Personen in Deutschland zur Zeit der französischen Herrschaft, Bd. 1–2, Gotha 1862–69, hier Bd. 1, S. 138ff. K. Julku: Die revolutionäre Bewegung im Rheinland am Ende des 18. Jahrhunderts, Bd. 2: Die Revolution im Rheinland während der Franzosenherrschaft (1792–1801), Helsinki 1969, (= Suomalaisen Tiedeakatemian Toimituksia, Sarja B, Nide

ordnung: die Privilegien der Geistlichkeit und des Adels wurden aufgehoben, bürgerliche Reformen wie die Gleichheit vor dem Gesetz und die Gleichstellung der Konfessionen wurden eingeführt. Die Bevölkerung, vor allem die Intelligenz in ihren Zeitschriften (F. Dautzenberg: 'Aachener Zeitung', F. Th. Biergans: 'Brutus oder der Tyrannenfeind', J. B. Geich: 'Bonner Intelligenzblatt', M. Metternich: 'Politische Unterhaltungen am linken Rheinufer') lehnte die Rückkehr zu den alten Zuständen ab. Dennoch wuchs die Opposition gegen die französische Politik, es wuchs der Widerstand der deutschen Bevölkerung gegen die französischen Eroberer.[15]

Als es 1795/96 für die rheinischen Gebiete um die Frage nach einer selbständigen Republik oder einen Anschluß an Frankreich ging, hatte sich die französische Politik derart gewandelt, daß die Stimmung im Linksrheinischen nun anders war als 1793 in Mainz. Zwar traten vor allem die im französischen Exil lebenden ehemaligen Mainzer Jakobiner auch jetzt für die Union mit Frankreich ein[16], die im Rheinland selbst lebenden sogenannten Cisrhenanen, zu denen vor allem der 22jährige Joseph Görres gehörte, kämpften jedoch für eine selbständige Republik. Von dem französischen General Hoche unterstützt, setzten sie sich seit dem Sommer 1797 von Koblenz aus für eine Rheinische Republik ein; schließlich wurde die Cisrhenanische Republik angerufen.

Sehr scharf formulierte Rebmann die Argumente für eine Loslösung der deutschen revolutionären Bestrebungen von Frankreich. Ausgehend von seiner Erfahrung, daß die Franzosen die besetzten Gebiete lediglich benutzten, „um ihre Armeen gut zu verpflegen"[17], meinte er, ein Volk müsse „seine Freiheit selbst erobern", dürfe sie „nicht zum Geschenk erhalten"[18]. Aus seiner Erfahrung mit der von ihm negativ eingeschätzten französischen Politik heraus konnte es für Rebmann keinen Anschluß an Frankreich mehr geben: „Diese Vereinigung würde [. . .] die Verbreitung der Freiheit in Deutschland hindern, statt sie zu befördern; sie würde die Einwohner dieser Länder zu Heloten machen, stiefmütterlich von der Republik behandelt."[19]

Die Politik der Cisrhenanen scheiterte daran, daß mit dem Staatsstreich vom Fructidor (September) 1797 die Kräfte im Direktorium das Übergewicht erhielten, die für die Annexion der Rheinlande eintraten. Im Frieden von Campio Formio (Ende 1797) mußte das linke Rheinufer in einem Geheimartikel an Frankreich abgetreten werden. Viele cisrhenanische Republikaner wurden nun zu Propagandisten der Vereinigung mit Frankreich (Neojakobiner) als dem besten Mittel, zumindest die Errungenschaften der Direktorialverfassung von 1795 zu sichern.

148), S. 115ff. J. Streisand: Deutschland von 1789 bis 1815, 4., durchges. Aufl., Berlin 1977, (= Lehrbuch d. dt. Geschichte, 5), S. 84ff. W. Grab: Eroberung oder Befreiung? Deutsche Jakobiner und die Franzosenherrschaft im Rheinland 1792–1799, in: Studien zu Jakobinismus und Sozialismus, Berlin, Bonn-Bad Godesberg 1974, S. 1–102. A. Kuhn, a.a.O.
15 Streisand, a.a.O., S. 84.
16 Vgl. Hansen, a.a.O., Bd. 4, S. 164 ff.
17 Zitiert nach Grab, Eroberung, a.a.O., S. 64.
18 Zitiert nach Grab, Eroberung, a.a.O., S. 99.
19 Zitiert nach Grab, Eroberung, a.a.O., S. 63.

Dies schloß die Opposition den französischen Behörden gegenüber nicht aus; doch obgleich Männer wie Görres die Korruption der französischen Verwaltung auch weiterhin kritisierten (in: 'Das rote Blatt', Februar bis September 1798, dann bis Juli 1799 in: 'Rübezahl'), war der Weg zur endgültigen Annexion nicht mehr aufzuhalten. Systematisch wurde unter machtpolitischen Aspekten versucht, die rheinischen Gebiete völlig mit Frankreich zu verschmelzen und jede Kritik der deutschen Demokraten zu unterdrücken. Auch jakobinische Aufrufe zur Volkserhebung im Reich fanden in dem Maße, in dem Frankreichs territoriale Interessen befriedigt wurden, immer weniger Unterstüzung: Die jakobinische deutsche Publizistik verstummt daher um die Jahrhundertwende. Am 9. Februar 1801 trat das Reich im Frieden von Lunéville schließlich offiziell das linke Rheinufer ab. Angesichts dieser Annexion zeigt sich in der — gerade bei den engagiert progressiven deutschen Kräften einsetzenden — Distanzierung von Frankreich, daß sich der deutsche Patriotismus von dieser Zeit an zunehmend an deutschen Entwicklungsmöglichkeiten und Interessen ausrichtete, während das französische Vorbild in den Hintergrund trat.

Das Reich in seiner tradierten Organisationsform war allerdings kein geeigneter Bezugspunkt mehr für den deutschen Patriotismus. Zu gering war, trotz vereinzelter Versuche, die Reichsverfassung in letzter Minute neu zu beleben, der Bezug, den der einzelne Untertan zum Reichsganzen besaß. Angesichts dieser reservierten Haltung kann es nicht erstaunen, daß bei Auflösung des Reiches vielfach kein Bedauern zu spüren war.[20] Am 6. August 1806 erklärte Franz II. das Heilige Römische Reich Deutscher Nation für erloschen; im selben Jahr meinte Goethe Zelter gegenüber: „Wenn aber die Menschen über ein Ganzes jammern, das verloren sein soll, das denn doch in Deutschland kein Meinsch kein Lebtag gesehen, noch viel weniger sich darum bekümmert hat, so muß ich meine Ungeduld verbergen, um nicht unhöflich zu werden oder als Egoist zu erscheinen."[21]

Trotz dieser dem Untergang des Reiches gegenüber indifferenten Haltung der Deutschen wurde durch die nun fehlende Bindung zwischen den einzelnen Territorien die nationale Frage fortan immer drängender. Die Suche der Deutschen nach einer eigenen Nationalität gewinnt an Wichtigkeit: „Im Zusammenhang mit dem kulturellen und politischen Streben nach Selbständigkeit entstanden neue vom [alten] Reich unabhängige Auffassungen vom deutschen Volke als einer

20 Vgl. Zechlin, a.a.O., S. 18: „Daß dieses Begräbnis des alten Reiches im deutschen Volk und seinen führenden Schichten kaum Erregung oder Anteilnahme hervorrief, läßt erkennen, wie sehr das Reichsbewußtsein, soweit es zuvor noch lebendig gewesen war, in den Stürmen der Revolution und angesichts der Ohnmacht der Reichsgewalt gelitten hatte". Vgl. auch Epstein, a.a.O., S. 751–755, 769–771. Einige Zeugnisse zur politisch- ideologischen Nachwirkung der Reichsidee allerdings bei A. Berney: Reichstradition und Nationalstaatsgedanke (1789–1815), in: Historische Zeitschrift 140 (1929), S. 57–86.
21 Zitiert nach H. Tiedemann: Der deutsche Kaisergedanke vor und nach dem Wiener Kongreß, Diss. phil., Jena 1932, S. 32.

Nationalität oder einem Volkstum"[22]. Es stellte sich die deutsche Frage, nach Konstantin Frantz das „dunkelste, verwickeltste und umfassendste Problem der ganzen neueren Geschichte"[23].

Einen weiteren entscheidenden Aufschwung nahm das deutsche Nationalgefühl dann angesichts der Opposition gegen die napoleonische Herrschaft in Deutschland.[24] Es vollzog sich nun endgültig die Wendung vom weltbürgerlichen zum nationalstaatlichen Denken, wie sie Friedrich Meinecke beschrieben hat.[25] Zwar besaß der französische Kaiser noch lange in Deutschland Bewunderer. Goethes Mutter, die schon 1798 geschrieben hatte: „Die Deutschen sind kein Volk, keine Nation mehr, und damit punktum"[26], meinte: „Ich hab recht meine Freud gehabt am Napoleon, wie ich den gesehen hab; er ist doch einmal derjenige, der der ganzen Welt den Traum vorzaubert, und dafür können sich die Menschen bedanken, denn wenn sie nicht träumten, so hätten sie auch nichts davon und schliefen wie die Säck, wie's die ganze Zeit gegangen ist"[27]. Noch im Jahre 1801 schrieb Friedrich Joseph Emerich: „Bonaparte erziehet das fränkische Volk und mit dem lezten Seegen entläßt der größte Mensch das freiste Volk auf Erden"[28].

Die Bewunderung des Kaisers konnte sich in Deutschland in den folgenden Jahren vor allem darauf stützen, daß sich unter seiner Herrschaft und seinem Einfluß in dem in mittelalterlichen Feudalismen zurückgebliebenen Reich bedeutende gesellschaftliche, politische und wirtschaftliche Wandlungen vollzogen. Hegel, der meinte: „Deutschland ist kein Staat mehr", sah so in der Politik Napoleons den Anstoß zur Reform Deutschlands, stand noch den Befreiungskriegen verständnislos

---

22 Kemiläinen, a.a.O., S. 30.

23 Zitiert nach E. Stamm: Ein berühmter Unberühmter. Neue Studien über Konstantin Frantz und den Föderalismus, Konstanz 1948, S. 93. — Ein prägnantes Beispiel für diese Suche nach einer Bindung des deutschen Volkes, nachdem das Reich zerbrochen war, ist A. Heeren: Ueber die Mittel zur Erhaltung der Nationalität besiegter Völker, (1810), in: A. H.: Historische Werke, Th. 2, Göttingen 1821, S. 1—32. H. betrachtet Verfassung, Sitten, Religion, Sprache und Literatur sowie „geistige Bildung" (= Wissenschaft) (S. 6) als Elemente, die die Nationalität ausmachen. Für ein besiegtes Volk sieht H. vor allem im Bereich der Sitten, von Sprache, Literatur und Wissenschaft Möglichkeiten, seine Nationalität zu bewahren.

24 Vgl. H.-O. Sieburg (Hrsg.): Napoleon und Europa, Köln, Berlin (1971), (= Neue Wiss. Bibl., 44) Ders.: Napoleon in der deutschen Geschichtsschreibung des 19. und 20. Jahrhunderts, in: Geschichte in Wissenschaft u. Unterricht, 1970, S. 470—486; M. Freund: Napoleon und die Deutschen. Despot oder Held der Freiheit, München (1969); W. v. Groote (Hrsg.): Napoleon I. und die Staatenwelt seiner Zeit, Freiburg 1969.

25 F. Meinecke: Weltbürgertum und Nationalstaat, 7., durchges. Aufl., München, Berlin 1928. Kurze, treffende Wertung der Arbeit M.s. bei Krockow, a.a.O., S. 50 f.

26 Zitiert nach Tiedemann, a.a.O., S. 15.

27 B. v. Arnim: Goethes Briefwechsel mit einem Kinde, hrsg. u. eingel. v. H. Amelung, Berlin, Leipzig, Wien, Stuttgart (1914), S. 13, Brief v. 14. März 1807.

28 F. J. Emerich: Blick in die Zukunft bei dem Lüneviller Frieden, Mainz 1801, S. 8. Zu Emerich vgl. Ch. Waas: F. Emerich aus Wetzlar. Ein vergessener Freund Hölderlins, in: Wetzlarer Anzeiger, 23., 27., 28., 29. Dez. 1939.

gegenüber.[28a] Es kam im Gebiet des Rheinbundes zur Beseitigung der vielen Klein-
staaten, zur Vereinheitlichung des Rechts wie der Münz- und Maßsysteme, zu einer
zeitgemäßen Verwaltung, zum Bau eines modernen Straßennetzes; vor allem aber
besserte sich die Lage vieler Angehöriger der unteren Schichten: der Zunftzwang
und die Hörigkeit fanden ihr Ende, Leibeigenschaft und Fronen wurden beseitigt
oder konnten abgelöst werden, Bauern wurden zu freien Eigentümern ihres Landes.
Dies und vieles andere ließ die Herrschaft Napoleons als Katalysator eines historischen Prozesses erscheinen, der in Deutschland erst recht eigentlich die Neuzeit
einleitete.[29]

Eben dieser gesellschaftliche und politische Fortschritt, den die französische
Expansion nach Deutschland brachte, weckte noch im Jahre 1809 in Österreich die
Hoffnung auf Reformen unter dem Patronat Napoleons. Dies dokumentiert eine
'Vorstellung östreichischer Biedermänner an den französischen Kaiser, *Napoleon
den Großen*, um Abstellung der bisherigen Mißbräuche, und um Einführung einer
bessern Regierung in Oestreich.'[30] Hier wird Napoleon als Herrscher gesehen,
„der aus den Trümmern der alten morschen Verfassungen, mit schonender Hand
und schöpferischer Weisheit, neue beglückende Konstitutionen bildet". In Erinnerung an die Errungenschaften der großen Revolution, die die Verfasser immer noch
in Napoleon fortgesetzt sehen, heißt es über den historischen Prozeß in den an
Frankreich angrenzenden Territorien:

> Auch in den mit Frankreich verbündeten Staaten wurde der Schutt der alten Verfas-
> sungen aus dem Wege geräumt, und eine neue Konstitution nach helleren, tief durch-
> dachten Planen aufgeführt; die Form und die Zweige ihrer Staatsverwaltung genau
> bestimmt, die Gerechtigkeitspflege vereinfacht und gleich gemacht, die Abgaben auf
> einen festen Fuß gesetzt, der Streitkraft eine unerschütterliche Basis gegeben, der Be-
> triebsamkeit, so viel es die Umstände bisher erlaubten, neue Quellen geöffnet, und für
> die Nationalerziehung durch vernünftige Preßfreyheit, liberale Beförderung der Künste
> und Wissenschaften gesorgt. Mit Kummer werfen wir dagegen die Blicke auf unsre
> eigne Lage.

So bleibt hier nur die Hoffnung auf Hilfe von außen, eben auf Hilfe durch Napoleon. Auf diesem Hintergrund erträumte man auch 1809 noch von „einer von
Eurer Majestät Weisheit und Macht gegründeten Konstitution Ruhe, Ordnung
und dauerhafte Sicherheit [. . .]".

Dennoch setzte sich in Deutschland allgemein ein tiefes Mißtrauen dem französischen Kaiser und seiner Politik gegenüber durch. Zuallererst empfand man Erstau-

---

28a J. Streisand: Hegel und das Problem des Übergangs vom Feudalismus zum Kapitalismus,
   in: J. S. (Hrsg.): Studien über die deutsche Geschichtswissenschaft, Bd. 1, (Berlin 1974),
   S. 56–78, bes. S. 68 ff. – Zitat der Eingangssatz aus 'Die Verfassung 'Deutschlands'
   (1802).

29 Am Beispiel des dem Fürstprimas des Rheinbundes Karl v. Dalberg unterstellten Großherzogtums Frankfurt analysiert diese Entwicklung erschöpfend P. Darmstaedter: Das
   Großherzogtum Frankfurt, Frankfurt a.M. 1901. – Vgl. auch v. Beaulieu-Marconnaij,
   a.a.O., Valjavec, a.a.O., S. 350 ff.

30 In: Vertraute Briefe über Oesterreich in Bezug auf die neuesten Kriegsereignisse im Jahre
   1809, Th. 2, Stralsund 1810, S. 51–66; zuerst wurde der Text vom Freiherrn v. Aretin,
   Bibliothekar in München, in seiner Zeitschrift 'Der Morgenbote' veröffentlicht.

nen und Fassungslosigkeit angesichts dieses „Erregers großer Vorgefühle und nachhallender Gewitter"[31]; Napoleon erschien als überragendes aber auch unbegreiflich-unheimliches politisches Phänomen. So schrieb ein Zeitgenosse, der Kaiser könne „niemals Liebe, höchstens Verwunderung einflößen", und fuhr fort: „Wer aber vermöchte wohl Napoleons Herz zu ergründen und über den Rätselhaften zu urteilen, den die ungeheuersten Begebenheiten und wunderbarsten Verkettungen mit sich fortrissen?"[32]

Die Verwunderung über den französischen Herrscher wandelte sich dann in Abneigung. Eine Ursache dieser Abneigung, auf die Napoleon bald in ganz Europa traf, war der Umstand, daß er – entgegen den Versprechungen der Freiheit – die unterworfenen Länder und Völker rücksichtslos im Interesse seiner Politik benutzte und ausnutzte. Zeitgenössische und spätere Bewunderer rühmten zwar an Bonaparte: „Er erinnerte sich der Ursache des Kriegs: gegen die Freiheit der Völker hatten sich die Fürsten verbunden; durch die Freiheit der Völker mußte man sie besiegen"[33]. Demgegenüber läßt sich aber feststellen, daß Bonaparte schon 1796/ 97 in Italien „sein bekanntes System, den Krieg durch den Krieg zu nähren, gleich damals"[34] begann. Für die Behandlung der unterworfenen Gebiete gilt, daß Bonaparte „die Mittel der Erbärmlichkeit der vorigen Generationen zuweilen nicht verschmähen"[35] zu können glaubte.

Dazu tritt der Umstand, daß die Patrioten außerhalb Frankreichs von der Innenpolitik Bonapartes enttäuscht waren. Sehr bald wurde deutlich, daß er, seit 1799 Erster Konsul, die republikanische Ordnung sprengen wollte; schon im November 1799 meinte Hölderlin, „Buonaparte" sei „eine Art von Dictator geworden"[36]. Die weitere Entwicklung, das Konsulat auf Lebenszeit (1802) und die schließliche Kaiserkrönung (1804), bestätigte, daß unter veränderten Voraussetzungen und Formen die Monarchie wiedereingeführt wurde. So konnte in diesem Zusammenhang gesagt werden: „Die Liquidierung der Republik durch Napoleon hat den republikanischen und demokratischen Bestrebungen auch in Deutschland vollends den Boden entzogen"[37]. Diese Feststellung wird bestätigt etwa durch das Urteil Joseph Görres', der unmittelbar nach dem Staatsstreich Bonapartes in Paris war. Görres faßte sein Urteil dahingehend zusammen, „der Zweck der Revolution" sei nun „gänzlich verfehlt", sie habe mit der Machtübernahme durch Bonaparte „das allgemeine weltbürgerliche Interesse verloren, das sie vorhin zur Sache aller Völker

31 F. Sieburg: Napoleon, in F.S.: Robespierre, Napoleon, Chateaubriand, Stuttgart (1967), S. 191–476, hier S. 197.

32 E. O. v. Odeleben: Napoleons Charakter und seine Lebensweise im Felde im Jahre 1813, in: F. M. Kircheisen (Hrsg.): Napoleons Untergang, Bd. 2, S. 41–110, hier S. 43f.

33 X. B. Saintine: Die Feldzüge in Italien. 2. Th. Der Feldzug von 1796 und 1797, Bdch. 2, Darmstadt 1829, S. 161.

34 Fr. Chr. Schlosser: Zur Beurtheilung Napoleon's und seiner neusten Tadler und Lobredner, Tl. 1, Frankfurt a.M. 1835, S. 43.

35 Schlosser, Zur Beurtheilung Napoleon's, a.a.O., S. 75.

36 F. Hölderlin: Sämtliche Werke, Große Stuttgarter Ausgabe, Bd. 6, Briefe, Nr. 199.

37 F. Valjavec: Die Entstehung der politischen Strömungen in Deutschland 1770–1815, (Kronberg/Ts., Düsseldorf) 1978, S. 204.

machte"[38]. Lakonisch meinte später, die weitere Entwicklung zusammenfassend, der überzeugte Republikaner Oelsner: „Bonaparte war ein weit größerer Mann als Napoleon"[39].

Die Abkehr vieler Deutscher vom französischen Vorbild hat exemplarisch Justinus Kerner am Beispiel seines Bruders Georg Kerner beschrieben. Über den einst begeisterten Anhänger der Französischen Revolution heißt es:

> Mit Betrübnis sah mein Bruder Georg um jene Zeit [die Zeit des Aufstiegs Bonapartes] all seine Hoffnungen für Freiheit der Völker schwinden. Bonapartes Plane zu einer Alleinherrschaft nicht bloß in Frankreich, sondern zu einer Weltherrschaft, lagen ihm immer klarer vor Augen. Er hatte in Frankreich mit aufrichtigem Herzen der Sache der Freiheit gedient; der der Tyrannei zu dienen, wenn auch mit persönlichem Vorteil, der ihm auch reichlich angeboten wurde, dazu hatte er kein Gemüt. Wie die Franzosen ihre Freiheit aufgaben, die Republik sich in die absolute Herrschaft verwandelte, gab er mit betrübtem Herzen das sich selbst aufgebende Volk auf.[40]

In der Ära Napoleons, in der besonders „die edleren Geister Deutschlands [. . .] meinten, zu ersticken unter diesem immer näher kommenden Drucke"[41], wandelte sich der deutsche Patriotismus grundlegend. Anläßlich der Schlacht von Leipzig schrieb ein Beobachter: „Jetzt wisset ihr, wackere deutsche Landsleute, sicher, daß jene verderbenden Fremdlinge, welche nur niederzureißen, nichts aufzubauen verstehen, und welche den Erdball in eine Wüstenei verwandelt hätten, nie wieder zu euch kommen werden [. .]"[42]. Mit dieser radikalen Abneigung Frankreich gegenüber wuchs der Glaube an die geschichtliche Aufgabe Deutschlands, ein Glaube, der in der Epoche Napoleons in erster Linie „eine Reaction gegen seinen immer härter werdenden Despotismus"[43] war.

Wenn sich in Deutschland am Ende des 18. Jahrhunderts ein spezifisch 'deutsch' orientiertes Nationalgefühl zu entwickeln begann, lagen die Gründe dafür also einmal in der Enttäuschung vieler Patrioten über die Behandlung der besetzten Gebiete

---

38 Zitiert nach A. Stern: Der Einfluß der Französischen Revolution auf das deutsche Geistesleben, Stuttgart, Berlin 1928, S. 213. Quellen zu G.s. Entwicklung bei J. Baxa (Hrsg.): Gesellschaft und Staat im Spiegel deutscher Romantik, Jena 1924, S. 252 ff., Zitate hier S. 330, 332.

39 Zitiert nach E. Richter: Konrad Engelbert Oelsner und die französische Revolution, Leipzig 1911, S. 50.

40 J. Kerner, a.a.O., S. 229. — Noch im Jahre 1837 äußerte der alte Republikaner und Demokrat Michel Venedey sein Unverständnis für die Bewunderung Napoleons: „Nichts ist mir unbegreiflicher, wie höchst liberale und selbst republikanisch gesinnte Männer enthusiastisch für Napoleon gesinnt sein können, für einen Mann, der ihre liberalen Ideen mit dem Ausdruck Ideologie brandmarkte, der an nichts Edles im Menschen glaubte, und der bei allem, was er Großes getan, als der erste aller Egoisten, nur auf den Egoismus der übrigen Menschen baute, und der nur seinen eigenen persönlichen Ruhm, die Größe Frankreichs, die Erhebung seiner damals im Innern sklavischen Nation über alle andern und die Komplettierung und Befestigung seiner Universalherrschaft bezweckte"; zitiert nach A. Kuhn, a.a.O., S. 161.

41 F. Meinecke: Das Zeitalter der Deutschen Erhebung (1795–1815), (6. Aufl.), Göttingen (1957), (= Kl. Vandenhoeck-Reihe, 46/7), S. 43.

42 Ch. J. L. Hussel: Die Schreckenstage von Leipzig, 14. bis 19. Oktober 1813, in: Kircheisen, a.a.O., S. 265–319, hier S. 318.

43 Fr. Chr. Schlosser: Weltgeschichte für das deutsche Volk, Bd. 18, Frankfurt 1856, S. 172.

sowohl in der Zeit des Direktoriums als auch unter Bonaparte, zum andern in der Distanzierung von der französischen Innenpolitik, die über verworrene Parteikämpfe zur endlichen Restitution einer monarchischen Herrschaft unter Napoleon führte. In dem Maße, in dem in Deutschland die Bewunderung Frankreichs abnahm, wuchs unter den Vertretern der deutschen Intelligenz die Besinnung auf die spezifischen Aufgaben des eigenen Volkes: „.La conséquence, c'est que l'idée nationale s'est trouvée cristallisée, non pas autour d'un territoire bien défini, mais autour du concept de la mission allemande"[44]. Dazu tritt endlich der Umstand, daß deutsche Patrioten nach der Auflösung des Reiches eine neue Form der nationalen Identität zu suchen begannen, die Deutschland Zusammenhalt und damit eine adäquate Rolle im Leben der Völker ermöglichen würde. Im folgenden sollen einige für diese Phase nationalen Denkens charakteristische Entwürfe angesprochen werden.

Ein Beispiel für die Konzentration auf Deutschland und seine historische Mission ist die Entwicklung Johann Gottlieb Fichtes. Nach dem Mord an den Rastatter Gesandten Frankreichs (1799) schrieb er noch: „Es ist klar, daß von nun an nur die französische Republik das Vaterland des rechtschaffenen Mannes sein kann [. . .]"[45]. Aber auch Fichtes Denken richtete sich angesichts des Zerbrechens der Republik in Frankreich und angesichts des Despotismus Napoleons immer stärker auf sein eigentliches Vaterland: Im Winter 1807 auf 1808 hielt er in Berlin die 'Reden an die deutsche Nation'. Hier wendet er sich gegen ein supranationales, universales staatliches Gebilde, das mit einer einheitlichen Kultur, die für die in diesem Reich zusammengefaßten Völker verbindlich gemacht wird, die jeweilige spezifische Kultur und nationale Identität eben dieser Völker vernichten muß. Wenn nun das deutsche Volk als ursprüngliches, unverfälschtes Volk um seine Freiheit und Identität kämpft, erfüllt es damit einen menschheitlich bedeutsamen Auftrag, es wird der allgemeinen Aufgabe der Völker, ihre je besondere Kultur zu wahren und zu verteidigen, gerecht. Das deutsche Volk ist von hier aus verpflichtet, seine Freiheit wiederzuerobern und für künftige Zeiten zu sichern.

In seinen Reden wies Fichte den Weg, auf dem sich die Erneuerung im Kampf um die Freiheit und nationale Identität vollziehen sollte. Es steht hier der Wunsch nach einer grundlegenden geistigen Erneuerung Deutschlands im vaterländischen Sinne neben dem Appell zur konkreten Befreiung von der Fremdherrschaft. Am Ende der Reden findet sich dann folgender Aufruf an die Deutschen: „[. . .] wenn ihr versinkt, so versinkt die ganze Menschheit mit, ohne Hoffnung einer einstigen Wiederherstellung"[46]. Bereits dies Zitat belegt, daß für Fichte neben dem nationalen Engagement noch immer das kosmopolitische Ideal der Menschheit von großer Bedeutung ist. Allerdings wird in diesem kosmopolitischen Rahmen Deutschland nun eine herausgehobene weltgeschichtliche Rolle zugeschrieben. Von Fichtes Position zur Zeit der 'Reden' gilt insgesamt: „In diesem Jahre war er

---

44 J. Droz: L'Allemagne et la révolution française, Paris 1949, S. 482; zur gesamten Entwicklung vgl. Droz, a.a.O., S. 476ff. sowie Kemiläinen, a.a.O., S. 222.

45 Zitiert nach Stern, a.a.O., S. 175f.

46 In: Werke, hrsg. v. F. Medicus, Bd. 1–6, Leipzig 1908–12, hier Bd. 5, S. 610. Zu Fichtes Konzeption einer rigide lenkenden staatl. Nationalerziehung vgl. Frank, a.a.O., S. 419 ff.

nicht weniger kosmopolitisch als in den Vorlesungen über das gegenwärtige Zeitalter vor einigen Jahren, aber seine Auffassung vom Gang der Weltgeschichte hatte neue Züge bekommen, und in seinen Reden erteilte er kühn der deutschen Nation eine Sendung und die Führerschaft der Menschheit."[47]

Fichte gelang es, ein auf Deutschland bezogenes nationales Denken mit den alten aufklärerischen kosmopolitischen Idealen zu vereinen: „Diese Wendung zu einem äußersten Nationalismus war für Fichte noch eigentlich ohne Bruch mit seinem Weltbürgertum möglich"[48]. Deshalb konnte Fichte in den Dialogen 'Der Patriotismus und sein Gegenteil' (1806/07) auch schreiben:

> Und so wird denn jedweder Kosmopolit ganz notwendig, vermittelst seiner Beschränkung durch die Nation, Patriot; und jeder, der seiner Nation der kräftigste und regsamste Patriot ist, ist eben darum der regsamste Weltbürger, indem der letzte Zweck aller Nationalbildung doch immer der ist, daß diese Bildung sich verbreite über das Geschlecht.[49]

Ein weiteres Beispiel für den Patriotismus um die Jahrhundertwende, der sich stets auch für kosmopolitische Werte offenhielt, ist Schillers Fragment 'Deutsche Größe'[50]. Schillers Werk ist – trotz der Dominanz ästhetischer Normen – stets auch Dokument des politischen Denkens seiner Zeit, „vom Anbeginn an war es voll von politischem Explosionsstoff"[51]. Diese politische Aussagekraft zeigt sich ebenfalls im Bereich seines patriotischen Denkens. Das Fragment 'Deutsche Größe' erscheint als ein Beispiel für die Konzentration der Intelligenz auf Deutschland nach der Enttäuschung über die Französische Revolution, als Beispiel für ein vaterländisches Denken, das sich gleichwohl mit kosmopolitischer Weite vereint.

Schiller geht es hier um die Definition der geschichtlichen Aufgaben Deutschlands, er fragt, ob in einem Augenblick politischer Schwäche, da „der Sieger sein Geschick bestimmt", der Deutsche „mit Selbstgefühl" sich „in der Völker Reihe" behaupten könne. Diese Frage bejaht der Dichter. Weil „Deutsches Reich und deutsche Nation" nicht identisch sind, beruht „die Majestät des Deutschen" nicht auf den „Fürsten", d.h. auf dem dynastischen Geschick, „die deutsche Würde" bleibt

---

47 Kemiläinen, a.a.O., S. 196.

48 P. Joachimsen: Vom deutschen Volk zum deutschen Staat, (3. Aufl.), Göttingen (1956), (= Kl. Vandenhoeck-Reihe, 24/5), S. 47; Zechlin, a.a.O., S. 23, bemerkt ebenfalls: „Diese zur Sendungsidee gesteigerte Vorstellung einer besonderen Leistung und Verpflichtung des deutschen Volkes blieb jedoch verwurzelt im weltbürgerlichen Ideal der Humanität, Bildung und Gesittung."

49 J. G. Fichte: Der Patriotismus und sein Gegenteil. Patriotische Dialogen, hrsg. v. H. Schulz, Leipzig 1918, S. 11.

50 In: F. Schiller: Sämtliche Werke, hrsg. v. G. Fricke u. H. G. Göpfert in Verb. mit H. Stubenrauch, 4., durchges. Aufl., Bd. 1–5, München (1965–67), hier Bd. 1, S. 473–478; hier wird als Entstehungszeit 1797 angegeben. – F. Burschell: Schiller, (Reinbeck b. Hamburg 1968), S. 530 nennt dagegen die Zeit des Lunéviller Friedens (1801). – Zu Schillers Patriotismus vgl. Kemiläinen, a.a.O., S. 129ff. Kohn, Idee des Nationalismus, a.a.O., S. 381ff.

51 B. v. Wiese: Friedrich Schiller. Erbe und Aufgabe, (Pfullingen 1964), (= Opuscula aus Wiss. u. Dichtung, Bd. 18), S. 5.

also vom Untergang des Reichs unangefochten. Unabhängig von unmittelbar „politischen Schicksalen" ist sie „eine sittliche Größe", die „in der Kultur und im Charakter der Nation" verhaftet ist.

Gerade deswegen ist Deutschlands Aufgabe die prägende Aufgabe der Zukunft, Deutschland, das „den Geist bildet", erscheint als „die goldne Frucht", als abschließend-entscheidende geschichtliche Macht. Mit seiner Kultur, in seiner geistigen Größe wird Deutschland wirksam werden:

> Das ist nicht des Deutschen Größe
> Obzusiegen mit dem Schwert,
> In das Geisterreich zu dringen
> Vorurteile zu besiegen
>   ringen
> Männlich mit dem Wahn zu kriegen
> Das ist seines Eifers wert.

Wird Deutschland einmal geschichtlich tätig, so wird es ihm darum gehen, „die Geister selbst" zu befreien, „Freiheit der Vernunft" zu erfechten, den politischen Aufbruch also in einer geistigen Gesamterneuerung zu vollenden.

Eben hier ist nun die Vision einer spezifisch deutschen Aufgabe mit menschheitlichen Idealen verbunden; vom Deutschen heißt es:

> Ihm ist das Höchste bestimmt,
> Und so wie er in der Mitte von
> Europens Völkern sich befindet
> So ist er der Kern der Menschheit,
> Jene sind die Blüte und das Blatt.

Schiller grenzt Deuschlands Geschick in seinem Entwurf gegen Englands und Frankreichs Aufgaben ab; während die beiden anderen Mächte das politische Geschehen der Zeit bestimmen, steht Deutschland zurück. Es nimmt aber gerade in dieser Stille „die Schätze von Jahrhunderten", die geistigen Erträge anderer Völker auf, um „erwählt von dem Weltgeist", einst geistig reif und groß hervorzutreten:

> Jedes Volk hat
> seinen Tag in der Geschichte, doch der Tag
> des Deutschen ist die Ernte der ganzen Zeit —

Immer steht die Aufgabe Deutschlands, trotz der überragenden Rolle des Vaterlands, im Dienst auch der übrigen Völker. Schillers Vision der deutschen Zukunft ist in kosmopolitische Ideale eingebunden und erhält von hier ihre spezifische Tönung. Im Erwachen Deutschlands, in seinem Schicksal vollzieht sich das Geschick einer ganzen Epoche. Deutschland hat — in Schillers Sicht — die Aufgabe, „die Menschheit, die allgemeine, in sich zu vollenden und das Schönste, was bei allen Völkern blüht, in einem Kranze zu vereinen".

Zwei Hauptgedanken sind für das Verständnis dieses Fragments wesentlich, Gedanken, die auch allgemein für die Entwicklungsstufe des Patriotismus um die Jahrhundertwende von Bedeutung sind. Einmal wird Deutschlands Mission als eine Mission vorwiegend geistiger Natur gesehen, die über das unmittelbar Politische weit hinausgeht. Während andere Nationen die konkreten politischen Auseinandersetzungen der Zeit bestimmten, hat sich Deutschland für weitergefaßte

Aufgaben bewahrt; die „politische Schwäche" Deutschlands wird hier „sogar ein Vorzug"[52]. Zum andern ist wesentlich, daß Deutschlands Mission kosmopolitisch ausgerichtet gesehen wird. Zwar ist das Vaterland durch seine Aufgaben aus dem Kreis der anderen Nationen herausgehoben, seine Mission wird aber nicht verabsolutiert. Deutschlands Aufgabe ist immer auch ein Dienst an der Entwicklung der gesamten kultivierten Welt. Schiller blieb in der Zeit, zu der das nationale Denken erwachte, von dieser neuen geistigen Richtung nicht unberührt, blieb dabei aber stets weltbürgerlichen Idealen treu.[53]

Die Entwicklung vom Patriotismus der Zeit der Französischen Revolution bis zu der neuen Stufe des nationalen Denkens um die Jahrhundertwende veranschaulicht besonders deutlich Hölderins Biographie.

Sein politisches Denken ist seit den Darstellungen Pierre Bertaux', der die These vertritt, Hölderlin sei als Jakobiner, d.h. als Anhänger des radikalen Flügels der Französischen Revolution zu sehen[54], in den Mittelpunkt der Aufmerksamkeit gerückt. Bertaux gegenüber ist jedoch die Einschränkung zu machen, daß das Politische nur *eine* — allerdings wesentliche — Komponente im Werk Hölderlins ist.[55] Im Rahmen des so in seiner wahren Dimension verstandenen politischen Denkens ist bei Hölderlin nun der Vaterlandsgedanke von konstitutiver Bedeutung. Das Streben nach einer vaterländischen Erneuerung hat den gedanklichen Gehalt

---

52 Hof, a.a.O., S. 45.

53 Vgl. auch Kemiläinen, a.a.O., S. 129: „Schiller war und blieb ein Weltbürger, der der ganzen Menschheit die Berufung vorhielt, auf dem gleichen Wege zum gleichen moralischen Ziel zu wandern. Er freute sich darüber, daß in seinem Jahrhundert die Schranken durchbrochen seien, welche Staaten und Nationen in feindseligem Egoismus absonderten [. . .]".

54 Vgl. bes. P. Bertaux: Hölderlin und die Französische Revolution, in: Hölderlin-Jahrbuch 15 (1967/68), S. 1–27. Ders.: Hölderlin und die Französische Revolution, (Frankfurt a.M. 1969), (= edition suhrkamp, 344).

55 Mit D. Lüders läßt sich sagen: „Um Mißverständnissen vorzubeugen: es ist jederzeit zu begrüßen, wenn das Politische *bei* Hölderlin aufgesucht wird. Derjenige politische Aspekt, der in seiner Dichtung wirklich steckt, muß als der eine Aspekt unter vielen, der er ist, ans Licht kommen. Abzulehnen ist aber jede Politisierung Hölderlins. Man soll nichts in sein Werk hineingeheimnissen, was nicht darin ist, und keinen der vielen weiterführenden und erst eigentlich entscheidenden Aspekte vergessen", D. Lüders: Hölderlins Aktualität, in: Jahrb. d. Fr. Dt. Hochstifts, 1976, S. 114–137, Zitat S. 121. – Vgl. bes. folg. Darst.: Chr. Prignitz: Friedrich Hölderlin. Die Entwicklung seines politischen Denkens unter dem Einfluß der Französischen Revolution, Diss. phil., Hamburg 1976, (= Hamburger Philologische Studien, Bd. 40). Ders.: Die Bewältigung der Französischen Revolution in Hölderlins 'Hyperion', in: Jahrb. d. Fr. Dt. Hochstifts, 1975, S. 189–211. Ders.: Hölderlin als Kritiker des Jakobinismus und Verkünder einer egalitären Gesellschaftsutopie, in: Jahrb. d. Instituts für Deutsche Geschichte der Univ. Tel-Aviv 8 (1979), S. 103–123. A. Beck: Hölderlin als Republikaner, in: Hölderlin-Jahrbuch 15 (1967/68), S. 28–52. L. Ryan: Hölderlin und die Französische Revolution, in: Festschrift für Klaus Ziegler, Tübingen 1968, S. 159–179.

seiner Werke von Anbeginn an bis zum Ende seines bewußten Lebens geprägt.[56] Schon beim jungen Hölderlin zeigt sich die Begeisterung für das alte freiheitliche Deutschland, das gegen die eigene Zeit der Unfreiheit, der Unterdrückung ausgespielt wird. Die deutsche Vergangenheit wird als Element der Kritik an der eigenen Zeit eingesetzt.[57] Der junge Hölderlin steht ganz in der oben dargestellten patriotischen Zeitströmung, die das deutsche Vaterland erneuern will, erneuern im Geiste der Freiheit, wie sie in einer längst vergangenen Epoche gesehen wurde: „Es ist gleichermaßen Märchen, in dem beschönigte Vergangenheit gesammelt wird, wie ein intellektueller, die Wirklichkeiten umstürzender Entwurf"[58].

Nach 1789 zeigt sich auch in Hölderlins patriotischem Denken ein Wandel, der in Übereinstimmung mit der schon beschriebenen Tendenz steht: Hölderlins Vaterlandsbegriff nimmt die Färbung der Revolutionsjahre an. Weite Teile der Tübinger Hymnendichtung sind von diesem vaterländischen Ideal bestimmt.[59] Vor allem in der 'Hymne an die Freiheit' klingt das Ideal der Gemeinschaft einer „neuen Schöpfungsstunde", eines „freien kommenden Jahrhunderts" an:

> Staunend kennt der große Stamm sich wieder,
> Millionen knüpft der Liebe Band;
> Glühend steh'n, und stolz, die neuen Brüder,
> Stehn und dulden für das Vaterland;
> Wie der Epheu, treu und sanft umwunden,
> Zu der Eiche stolzen Höh'n hinauf,
> Schwingen, ewig brüderlich verbunden,
> Nun am Helden Tausende sich auf.[60]

Hölderlin formuliert seine Sehnsucht nach einer freien, harmonischen Form der Gesellschaft, die — geprägt durch die „Liebe" der Menschen zueinander — die „Millionen", die „Tausende" zusammenführt, er stellt seine besten patriotischen

---

56 Zum Vaterlandsbegriff bei Hölderlin vgl. insbes. E. Meisel: Die vaterländische Lyrik Friedrich Hölderlins. Wandlung des Begriffes 'Vaterland' und des korrespondierenden künstlerischen Bildes von der frühen Lyrik bis zu den Vaterländischen Gesängen, Diss. phil., Jena 1969 [Masch.]. Dies.: Der Vaterlandsbegriff und der demokratische Patriotismus in der Lyrik Friedrich Hölderlins, in: Wiss. Zeitschr. d. Friedrich-Schiller-Universität Jena, Ges.- u. sprachwiss. Reihe, Jg. 21, H. 3 (1972), S. 395–403. Chr. Prignitz: Der Gedanke des Vaterlands im Werk Hölderlins, in: Jahrb. d. Fr. Dt. Hochstifts, 1976, S. 88–113. Ders.: Hölderlins früher Patriotismus. Struktur und Wandlungen seines patriotischen Denkens bis zu den Tübinger Hymnen, in: Hölderlin-Jahrbuch 21 (1978/79), S. 36–66. A. Beck: Hölderlins Weg zu Deutschland, in: Jahrb. d. Fr. Dt. Hochstifts, 1977, S. 196–246; 1978, S. 420–487.
57 Vgl. die folgenden Gedichte: 'Die Tek', in: Werke, a.a.O., Bd. 1, 1, S. 55–57; 'Burg Tübingen', Bd. 1, 1, S. 101-103; 'Auf einer Haide geschrieben', Bd. 1. 1, S. 29f.; 'Am Tage der Freundschaftsfeier', Bd. 1, 1, S. 58–63; 'Gustav Adolf', Bd. 1, 1, S. 85–87; 'Lied der Freundschaft', Bd. 1, 1, S. 104–109.
58 P. Härtling: Hölderlin. Ein Roman, (Darmstadt, Neuwied 1976), S. 136.
59 Aus den Tübinger Hymnen sind hier vor allem folgende Titel zu nennen: 'Hymne an die Muse', Bd. 1, 1, S. 135–138; erste 'Hymne an die Freiheit', Bd. 1, 1, S. 139–142; 'Hymne an die Menschheit', Bd. 1, 1, S. 146–148; 'Hymne an die Unsterblichkeit', Bd. 1, 1, S. 116–119; zweite 'Hymne an die Freiheit', Bd. 1, 1, S. 157–161; 'Hymne an die Liebe', Bd. 1, 1, S. 166f.
60 Bd. 1, 1, S. 141.

Ideale in den Rahmen einer allumfassenden geschichtlichen Erneuerung, eben der „neuen Schöpfungsstunde". So kann das Reifen eines wahren Vaterlandes zum Maßstab für die Entwicklung und Reifung des Menschen an sich werden.

Im Vaterlandsideal der Hymnen Hölderlins spiegelt sich die Revolutionsbegeisterung von 1789. Hölderlin erhoffte — wie so viele andere Deutsche seiner Zeit — für das eigene Vaterland einen patriotischen Aufbruch: In einer erneuerten vaterländischen Gemeinschaft sollen zugleich die aus der freieren deutschen Vergangenheit abgeleiteten Ideale und die revolutionär patriotischen Ideen von 1789 Wirklichkeit werden. In der bereits zitierten 'Hymne an die Freiheit' kann in diesem Sinne gesagt werden:

> Dann am süßen heißerrungnen Ziele,
> Wenn der Erndte großer Tag beginnt,
> Wenn verödet die Tirannenstühle,
> Die Tirannenknechte Moder sind,
> Wenn im Heldenbunde meiner Brüder
> Deutsches Blut und deutsche Liebe glüht;
> Dann, o Himmelstochter! sing' ich wieder,
> Singe sterbend dir das lezte Lied.[61]

Die Ideen, die Kampfziele der Revolution nimmt der Patriot Hölderlin in sein Denken auf und vereinigt sie mit seiner auf die vaterländische Tradition bezogenen politischen Sicht. Typisch auch für viele andere progressive Vertreter der deutschen Intelligenz ist die Symbiose, die die aktuell politischen, von der Revolution inspirierten patriotischen Ziele und der im Denken bereits verwurzelte aufklärerische Patriotismus eingehen.

Hölderlin bewahrte sich den progressiven Patriotismus über die politischen Schwankungen hinweg durch lange Jahre. Beleg dafür ist ganz besonders seine Ode 'Der Tod fürs Vaterland', die zuerst den Titel 'Die Schlacht'[62] trug. Hier geht es um den Kampf patriotischer, also vom Vaterlandsideal getragener Jünglinge gegen die bestehende Ordnung und ihre Vertreter. Sehr deutlich, deutlicher als in der wohl für den Druck abgeschwächten Endfassung der Ode wird diese Tendenz des Dichters im Entwurf. Hier heißt es:

> O Schlacht fürs Vaterland,
>   Flammendes blutendes Morgenroth
>   Des Deutschen, der, wie die Sonn, erwacht
> Der nun nimmer zögert, der nun
>   Länger das Kind nicht ist
>   Denn die sich Väter ihm nannten,
>   Diebe sind sie,
>   Die den Deutschen das Kind
>   Aus der Wiege gestohlen
>   Und das fromme Herz des Kinds betrogen,
> Wie ein zahmes Thier, zum Dienste gebraucht.[63]

---

61 Bd. 1, 1, S. 142.
62 Bd. 1, 1, S. 299, Lesarten Bd. 1, 2, S. 605–608. Der erste Entwurf ist spätestens 1797 niedergeschrieben worden, die endgültige Fassung erschien 1800.
63 Bd. 1, 2, S. 605.

Es geht Hölderlin um einen neuen Menschheitsmorgen[64], um eine Ära, in der auch die Deutschen Gelegenheit haben werden, ihr vaterländisches Ideal zu realisieren. Dies bedingt, daß die Deutschen aufhören, „Kind", d.h. Untertan, zu sein, daß sie also die patriarchalische Herrschaft absolutistischer Landes-„Väter" beenden, die in Wahrheit nur „Diebe" sind, die den Deutschen, „das Kind", zu ihren Zwecken mißbrauchten. Noch im Jahre 1797 hat, so zeigt sich hier, Hölderlin den Elan des revolutionär patriotischen Aufbruchs bewahrt, immer noch ist für ihn die Realisierung des vaterländischen Ideals mit der Realisierung einer politisch freiheitlichen Ordnung im Sinne des antidespotischen Kampfes der Zeit untrennbar verbunden. Nur ein in dieser Richtung verändertes Deutschland kann zum wirklichen Vaterland werden.

Auch Hölderlin wandelte sein patriotisches Denken um die Jahrhundertwende. In Übereinstimmung mit der in Deutschland verbreiteten Besinnung auf das eigene vaterländische Schicksal angesichts der Enttäuschung über die französische Politik unter Napoleon konzentrierte er sich seit der Jahrhundertwende auf Deutschland und seine spezifischen Aufgaben. Es zeigt sich bei Hölderlin eine zunehmende Distanz zum Verlauf der Französischen Revolution, zum jakobinischen Terror, zu den Zuständen im direktorialen Frankreich und zur Despotie Bonapartes.[65] Daß hieraus nun die verstärkte Besinnung auf das eigene Vaterland resultiert, belegt der Brief an Ebel vom 10. Januar 1797; hier spricht Hölderlin seine Verbitterung über die Lage in Frankreich aus, was für ihn bedeutet, daß er selbst, wie er es auch dem Freund empfiehlt, „von nun an dem Vaterlande leben"[66] wird.

Deshalb trägt der Vaterlandsbegriff des Dichters seit der zweiten Hälfte des Jahres 1799 in den Briefen die Bedeutung des seiner eigenen Aufgaben lebenden Vaterlandes. Das Leitbild Hölderlins ist jetzt nicht mehr das Vorbild der Französischen Revolution, von der Bonaparte lakonisch im Dezember 1799 hatte erklären lassen: „Sie ist beendet"[67], sondern die ideal geschaute vaterländische Entwicklung. Dies erzeugt die Trauer Hölderlins bei seiner Abreise nach Bordeaux, die er seinem Freund Böhlendorff gegenüber ausspricht: „Aber es hat mich bittere Thränen gekostet, da ich mich entschloß, mein Vaterland noch jezt zu verlassen [. . .] Denn was hab' ich lieberes auf der Welt? [. . .] Deutsch will und muß ich übrigens bleiben [. . .]"[68].

Das Spätwerk Hölderlins ist dem Dienst am Vaterland geweiht. So heißt es 1803 dem Verleger Wilmans gegenüber, es sei die Zeit gekommen, „da ich mehr aus dem Sinne der Natur und mehr des Vaterlandes schreiben kann als sonst"[69]. Im Dezem-

---

64 Zur allgemeinen Verwendung von Nacht und Morgen als Metaphern von Despotismus und Freiheit vgl. H.-W. Jäger: Politische Metaphorik im Jakobinismus und im Vormärz, Stuttgart (1971), (= Texte Metzler, 20), S. 16ff.

65 Zu Hölderlins Haltung vgl. Prignitz, Friedrich Hölderlin, a.a.O., S. 127ff.

66 Bd. 6, Brief Nr. 199.

67 Proklamation der Konsuln über die Beendigung der Revolution, in: Grab, Die Französische Revolution, a.a.O., S. 300f.

68 Bd. 6, Brief Nr. 236.

69 Bd. 6, Brief Nr. 241, vom 28. September 1803.

ber desselben Jahres berichtet der Dichter seinem Verleger dann von „einzelnen lyrischen größeren Gedichten", deren „Inhalt unmittelbar das Vaterland angehn soll oder die Zeit"[70]. Leo v. Seckendorf gegenüber heißt es schließlich am 12. März 1804 allgemein: „Das Studium des Vaterlandes, seiner Verhältnisse und Stände ist unendlich und verjüngt"[71]. Besonders aus dieser Äußerung wird deutlich, daß Hölderlins vaterländische Besinnung über den Rahmen künstlerischen Schaffens hinaus auch allgemein auf die Erneuerung Deutschlands gerichtet ist. Der späte Hölderlin entwirft die Möglichkeit einer allumfassenden, geistig und politisch-gesellschaftlich gerichteten vaterländischen Erneuerung.

Dichterisch beschwört Hölderlin das für ihn nun entscheidende Ideal in dem 1801 entstandenen Entwurf 'Deutscher Gesang':

> So krönet, daß er schaudernd es fühlt
> Ein Seegen das Haupt des Sängers,
> Wenn Dich, der du
> Um deiner Schöne willen, bis heute,
> Nahmlos geblieben o göttlichster!
> O guter Geist des Vaterlands
> Sein Wort im Liede dich nennet.[72]

Zunächst ist aus dem Kreis der Dichtungen, die vom „Geist des Vaterlands" handeln, die Ende 1799 geschaffene Ode 'Gesang des Deutschen'[73] zu nennen. Das Vaterland wird Hölderlin hier zum „heilig Herz der Völker"; ist Deutschland auch noch „allverkannt", so besteht dennoch die Hoffnung, es werde seine geschichtlichen Aufgaben erfüllen können und zu seiner vorbestimmten Größe aufsteigen. Deshalb kann Hölderlin formulieren: „Nun! sei gegrüßt in deinem Adel, mein Vaterland, / Mit neuem Nahmen, reifeste Frucht der Zeit!" Jetzt stellt sich dem Dichter Deutschland, nicht mehr Frankreich als die entscheidende geschichtliche Potenz, als die „reifeste Frucht der Zeit" dar.

Die Thematik der Ode 'An die Deutschen'[74] ist ähnlich. Der Charakter der Deutschen wird hier als „thatenarm und gedankenvoll" geschildert; ebenso wie Schiller definiert Hölderlin die Natur des Vaterlands primär nicht als politisch-aktivistisch, sondern als geistig geprägt. Deutschland, das deshalb bisher kaum wirksam wurde, besitzt jedoch in der Zukunft bedeutende Wirkungsmöglichkeiten. So muß der Dichter darauf drängen, daß die „That", die diese Möglichkeiten realisiert, folge. Es muß sich dabei um eine „That" handeln, die als „geistig und reif" verstanden werden kann, also um ein geläutertes Handeln, das sich vom bisherigen geschichtlichen Geschehen scharf abhebt. Ein solches neues Werden wird — in der Sicht Hölderlins — von Deutschland ausgehen und die historischen Ansätze der Französischen Revolution fortsetzen und vollenden. Hier allerdings handelt

---

70 Bd. 6, Brief Nr. 242, vom 8. Dezember 1803.
71 Bd. 6, Brief Nr. 244. Der Begriff des Vaterländischen findet sich noch in den Briefen Nr. 162, 193, 235.
72 Bd. 2, 1, S. 202f.
73 Bd. 2, 1, S. 3—5.
74 Bd. 2, 1, S. 9—11; wohl um die Jahrhundertwende entstanden.

es sich um eine Hoffnung, die von Zweifeln erschüttert wird, die Ode ist von der Spannung zwischen Hoffen und Verzagen geprägt. Dennoch sollte, wie die Lesarten belegen[75], der Schluß der unvollendeten Ode von der Gewißheit vaterländischer Größe zeugen.

Zum zentralen dichterischen Ausdruck des Vaterlandsideals werden dann die 'Vaterländischen Gesänge', die nach der Jahrhundertwende einsetzen und bis in das Jahr 1803 hineinreichen.[76] Hier kann nur der Gesang 'Germanien'[77] genannt werden, der — wohl im Jahre 1801 entstanden — die Hoffnungen Hölderlins auf eine größere vaterländische Zukunft in aller Klarheit bezeugt. Zunächst betont der Dichter die Notwendigkeit, sich von den „Götterbildern in dem alten Lande", von den antiken griechischen Göttern also, abzukehren und statt dessen auf das Schicksal Germaniens sich zu konzentrieren. Der Dichter will sich der Gegenwart, die voller „Verheißungen" und doch „drohend" ist, zuwenden. Im weiteren Verlauf des Gesangs stellt Hölderlin im Bild des „Adlers" den weltgeschichtlichen Prozeß dar, der auch das vaterländische Schicksal umfaßt. Die Bahn des „Adlers" versinnbildlicht die einzelnen Schwerpunkte im Verlauf der gesamthistorischen Entwicklung: die Bahn vom Indus her fortsetzend, werden in Zukunft die „vielgearteten Länder" diesseits der Alpen, wird also Deutschland eine historisch tragende Rolle zu übernehmen haben.[78] Hölderlin stellen sich nun die vaterländischen Aufgaben im geschichtlichen Ablauf als schwer, aber, da notwendig, als gewiß erfüllbar dar.

Germanien erscheint in diesem Gesang als „stillste Tochter Gottes", „die zu gern in tiefer Einfalt schweigt", die, „da ein Sturm/Todtdrohend über ihrem Haupt ertönte", d.h. in den Wirren der Französischen Revolution, von diesen Ereignissen im Kern unberührt blieb. Gerade diese Unberührtheit wird nun aber — wiederum wie auch bei Schiller — als Zeichen der Vorbereitung auf künftige Aufgaben gesehen. Germanien wird zur Priesterin, der der Adler zurufen kann:

> Du bist es, auserwählt
> Allliebend und ein schweres Glük
> Bist du zu tragen stark geworden [.]

Hölderlin sieht also die Zeit gekommen, zu der Deutschland seine Aufgaben erfüllen muß: Germania steht — ursprüngliches Volk im Sinne Fichtes — im Nexus mit dem naturhaften Grund menschlichen und geschichtlichen Seins, sie ist „Tochter" „der heiligen Erd"', die jetzt „in der Mitte der Zeit", am kritischen Wendepunkt zwischen Überkommenem und Neuem, wirksam wird.

---

75 Vgl. Bd. 2, 2, S. 402.
76 Zur Gesamtinterpretation vgl. bes. Meisel, Die Vaterländische Lyrik, a.a.O., S. 210ff.
77 Bd. 2, 1, S. 149–152.
78 Denselben geschichtlichen Gang zeichnet Hölderlin in 'Am Quell der Donau', Bd. 2, 1, S. 126–129, V. 35ff., und in dem hymnischen Entwurf 'Der Adler', Bd. 2, 1, S. 229 f., V. 1ff.

Deshalb auch findet sich am Ende des Gesangs das Bild Deutschlands als der welthistorisch ausschlaggebenden Potenz; Hölderlin spricht von

> [. . .] deinen Feiertagen
> Germania, wo du Priesterin bist
> Und wehrlos Rath giebst rings
> Den Königen und den Völkern.

Damit wird dem deutschen Vaterland eine ihm eigentümliche Aufgabe im geschichtlichen Prozeß zugeschrieben. Germania erscheint als „Priesterin", als die Kraft, die die Begegnung zwischen Göttlichem und Menschlichem erneut verwirklichen kann. Hier erweist sich der religiöse Charakter, den der Vaterlandsbegriff des späten Hölderlin trägt. Mit der priesterlichen Funktion im Rahmen einer geistig-religiösen Erneuerung verbindet sich dann die politische Wirksamkeit Deutschlands, eine Wirksamkeit vaterländischer und zugleich kosmopolitischer Art. Germania gibt „den Königen und den Völkern" „wehrlos Rath", Deutschlands Aufgabe ist die friedliche Erneuerung des eigenen Landes und zugleich und eben damit die Förderung einer gesamtgeschichtlichen, einer kosmopolitischen Neuerung. Deshalb konnte Wilhelm Michel in bezug auf dieses Denken Hölderlins sagen:

> [. . .] in diesem Menschen empfindet sich das Deutschtum nicht als etwas feindselig Abgegrenztes, nicht als eine bestimmte, bewaffnete Volksindividualität, zähneknirschend neben gewaltsamen Konkurrenten, sondern es empfindet sich, jugendlich kraftvoll und waffenlos, als die Menschheit schlechthin.[79]

Aus einer solchen Vision friedlichen vaterländischen Wirkens erklärt sich die Hoffnung, die der Dichter mit den Versuchen, eine Friedensordnung in Europa zu erreichen, verband. Um das Neujahr 1801 schreibt Hölderlin an den Bruder, „daß uns der Friede, der jezt im Werden ist, gerade das bringen wird, was er und nur er bringen konnte"[80]. Anläßlich des — historisch ephemeren — Friedens von Lunéville meinte Hölderlin dann seinen Freund Christian Landauer gegenüber, mit dem Frieden hätten nun „die politischen Verhältnisse und Misverhältnisse überhaupt die übergewichtige Rolle ausgespielt": „Ich denke, mit Krieg und Revolution hört auch jener moralische Boreas, der Geist des Neides auf, und eine schönere Geselligkeit, als nur die ehernbürgerliche mag reifen!"[81]. Der Friede ist für den Dichter Vorbedingung der säkularen Verwirklichung einer „schöneren Geselligkeit". In der kommenden Ära des Friedens, in der „Krieg und Revolution" keine Rolle mehr spielen, wird — wie aus dem Gesang 'Germanien' hervorgeht — die „stillste Tochter Gottes" ihre Aufgabe erfüllen können.

Der späte Hölderlin ist von der Erwartung einer Epoche des Friedens erfüllt, einer Epoche, in der sich das Neue nicht mehr chaotisch und verwirrend ankündigen wird, sondern durch ein organisches und friedliches Werden realisiert werden kann. Im Rahmen dieser Utopie eines grundsätzlich anders strukturierten geschichtlichen Verlaufs spielt für den Dichter sein eigenes Vaterland die entscheidende Rolle. Deutschland soll nun an die Stelle Frankreichs treten und die besten Ideale der

---

79 W. Michel: Hölderlin und der deutsche Geist, Darmstadt 1924, S. 32.
80 Bd. 6, Brief Nr. 222.
81 Bd. 6, Brief Nr. 229, Mitte bis Ende Februar 1801; vgl. auch Brief Nr. 228.

Revolution vollendend weiterführen. Damit überträgt Hölderlin die politischen Ideale seiner Jugend einer anderen geschichtlichen Macht; in seiner Vision künftiger vaterländischer Wirksamkeit gehen die politisch gesellschaftlichen Hoffnungen auf in einer Göttliches und Menschliches umfassenden, eben durch das Vaterland zu realisierenden Seinsordnung. Deutschland hat den geschichtlichen Neuaufbruch zu wagen, der jedoch nicht auf das Vaterland allein beschränkt bleiben darf, sondern sich auch in einem kosmopolitischen Rahmen zu bewähren hat. Hölderlin setzt seine Hoffnung darauf, daß sein Vaterland eine allgemeine Neuordnung ausschlaggebend fördern kann, eine Neuordnung, die den Ideen von 1789 nicht entgegengesetzt ist, sondern sie aufnimmt und aus ihnen eine neue Zukunft für Deutschland und die ganze hesperische Welt schafft.[82]

Es formt sich also in den Jahren um die Jahrhundertwende in Deutschland ein Nationalbewußtsein aus, was wohl dem deutschen Vaterland eine zentrale geschichtliche Aufgabe zuweist, das sich aber von einer Verabsolutierung des Vaterländischen und damit auch von einer Abwertung anderer Nationen zugunsten des eigenen Landes weitgehend freihält. Es erschien in dieser geschichtlichen Situation noch „die Nation als eine vor dem Staat gegebene, entweder historisch oder kulturell oder als sozialer Verband begründete Größe", es ging um die „Idee der Völker als Sprach- und Kulturgemeinschaften"[83]. Eben deshalb betonen Fichte, Schiller und Hölderlin den primär geistig-kulturellen Charakter der künftigen Mission Deutschlands, erträumen sie ein friedliches, das Nur-Politische transzendierendes Wirken. Ob dieses Wirken nun — wie bei Fichte — eher aus der konkreten politischen Situation erwächst, ob es — wie bei Hölderlin — auch religiöse Akzente trägt, immer geht es in dieser Phase patriotischen Denkens, mit Hölderlins Worten, um die Tat, die „geistig und reif" ist, die die Epoche der Französischen Revolution krönend fortsetzt. Wegen dieser noch mangelnden eindeutig politischen Fixierung des Nationalbewußtseins, noch ohne „nähere Berührung mit dem realen Leben"[84], das dann im 19. Jahrhundert den Nationalstaat konkret zu verwirklichen strebte, konnte eine prinzipielle Offenheit des deutschen Patriotismus bewahrt blei-

---

82 Diese gesamtabendländische, hesperische Komponente im Werk Hölderlins klingt auch in den Worten Elio Vittorinis an: „Tretet ein, wo ein Dichter ist, der groß ist, und dann seht ihr gleich, daß das Problem eines Landes keine fest umrissenen Grenzen mehr hat, zu einem Problem der ganzen Welt wird. Lesen wir Hölderlin, und Deutschland wächst uns ans Herz wie unser eigenes Land"; zitiert nach A. Andersch: Nachricht über Vittorini, in: A. A.: Norden, Süden, rechts und links. Von Reisen und Büchern 1951–1971, (Zürich 1972), S. 130–141, Zitat S. 130.
83 Th. Schieder: Typologie und Erscheinungsformen des Nationalstaats in Europa, in: Historische Zeitschrift 202 (1966), S. 58–81, hier S. 63.
84 Meinecke, Das Zeitalter der Deutschen Erhebung, a.a.O., S. 37.

ben. Es entstand kein chauvinistischer Haß anderen Völkern gegenüber, sondern es blieb bei einer kosmopolitischen Akzentuierung des Nationalgefühls.[85]

Diese Entwicklung des deutschen Nationalbewußtseins ist unmittelbar mit der Stellung zur französischen Politik verknüpft. Die Vertreter der deutschen Intelligenz besannen sich in dem Maße auf die spezifischen Eigenschaften, Interessen und Aufgaben Deutschlands, in dem sie sich Frankreich und seinem Kaiser gegenüber distanzierter verhielten. Aufbauend auf dem durch die Revolution intensivierten Patriotismus[86], wurde mit der Enttäuschung über die Preisgabe der Ideale der Französischen Revolution durch die reine Machtpolitik des Kaisers die Sehnsucht nach einer Formung und Gestaltung, nach einer weltgeschichtlichen Mission der durch Sprache, Kultur und Geschichte definierten deutschen Nation zunehmend stärker empfunden. Fichte hatte die Deutschen in seinen 'Reden an die deutsche Nation' als Urvolk gefaßt, das entgegen den Überschichtungen und Überfremdungen, die andere Völker erlebten, seine Identität bewahrt habe. Von hier aus erhob sich ein deutsches Sendungsbewußtsein, Deutschland sollte die ihm eigenen Aufgaben im geschichtlichen Prozeß übernehmen.

Das patriotische deutsche Denken kreist bereits um die besonderen, einzigartigen Aufgaben, die dem Vaterland zugeschrieben werden, es bewahrt sich aber Offenheit für die die unmittelbaren Interessen des Vaterlandes übergreifenden Belange. Deutschland steht zwar im Mittelpunkt des patriotischen Denkens, es wird aber nicht isoliert oder verabsolutiert. Ein weitergefaßter menschheitlicher Rahmen birgt die großen Aufgaben, die dem Vaterland zugeschrieben werden.

So erhält das nationale Denken um die Jahrhundertwende bei aller unterschiedlichen Akzentuierung im einzelnen durch die Betonung der kosmopolitischen Komponente und geistig-idealer Aspekte eine gemeinsame Prägung. Dies gilt für Hölderlin, der stets „an Stelle des 'Landesvaters' [. . .] in Deutschland, in Schwaben ein 'Vaterland' instituiert sehen"[87] wollte. Nun schreibt er darüber hinaus Deutschland eine allumfassende Aufgabe zu, diese nationale Sendung erscheint aber kosmopolitisch eingebunden. Auch für Fichte, der von der spezifischen Identität eines jeden Volkes ausging, soll das deutsche Volk zu sich selbst finden und sich von fremdem Druck befreien; diese Tat wird jedoch zugleich als Tat für die übrigen Völker, für das Menschengeschlecht verstanden. Sie ist ein wichtiger Schritt zur

---

85 Vgl. auch Lemberg, Geschichte des Nationalismus, a.a.O., S. 169: „Die fließenden Grenzen, die Weltoffenheit besonders nach Westen, das eigentümliche Verhältnis zur Antike und schließlich das Fehlen eines politischen Nationalismus und Imperialismus ließ die Deutschen um 1800 sich selber als das Weltvolk betrachten, das die Schöpfung der anderen Völker am besten verstehen und verarbeiten und für die anderen fruchtbar zu machen imstande sei, als Umschlagplatz und Veredelungsstätte der Menschheitskultur."

86 Vgl. F. Sieburg, a.a.O., S. 210: „Die Lehren der Französischen Revolution düngen den Boden, aus dem allenthalben die nationalen Reformen hervorwachsen [. . .]. Das Evangelium der Freiheit, mit dem Frankreich seine Kriege begonnen hat, kommt wie ein Wurfgeschoß auf Napoleon zurückgeflogen".

87 P. Bertaux: Friedrich Hölderlin, (Frankfurt a.M. 1978), S. 292.

universalen Verwirklichung der bürgerlich-nationalen Ideale, die aus der politischen Philosophie Fichtes resultieren.[88] Und auch bei Schiller läßt sich die Synthese zwischen vaterländischem Denken und kosmopolitischer Weite nachweisen. Er, der seine Nation als eine, mit Friedrich Meinecke formuliert, 'Kulturnation', nicht als 'Staatsnation' verstand, entpolitisierte stärker noch als Fichte die nationale Freiheitsforderung, vergeistigte sie im Sinne des klassischen Humanitätsideals. So sah er die deutsche Mission als geistige Mission zur Erringung nationaler Würde, aber auch zur Realisierung kosmopolitischer Ideale. Die menschheitliche und die über das Politische hinausgreifende Dimension vaterländischen Denkens vereinen sich und bilden entscheidende Charakteristika des Nationalgefühls im Vorfeld der Freiheitskriege. Hier ist Hölderlins Vision zeittypisch, Germania solle „wehrlos" in sich selbst eine Göttliches und Menschliches umfassende Seinsordnung realisieren und diese dann den „Königen und Völkern" „rings" vermitteln.

4.2. DIE ROMANTIK

In der geschichtlichen Situation, in der sich die deutsche Intelligenz vom französischen Vorbild zu lösen begann, entwickelte sich eine neue geistige Grundhaltung, die mit der Aufklärung auf allen Gebieten radikal brechen wollte: die Romantik.[89] Während sich die Aufklärung an den luziden rationalen Fähigkeiten orientierte, spürt die Romantik, daß im Innern des Menschen Kräfte leben, die sie von der Rationalität nicht erfaßt glaubt.[90] Im Zusammenhang dieser Studie kann die Romantik jedoch nicht als geistesgeschichtliches und literaturhistorisches Phänomen betrachtet werden. Vielmehr geht es um den Beitrag, den die Romantik, im Zusammenhang mit der Entwicklung des Nationalgefühls stets genannt, zur Herausbildung des nationalen Denkens leistete. Es geht darum, wie sich die Romantik in die Geschichte des deutschen Nationalgefühls eingliedert, was sie vor allem zu seiner politisch-freiheitlichen Akzentuierung beitrug.

Den entscheidenden geistigen Anstoß erhielt die Romantik durch den Volksbegriff Herders, der — wie erwähnt — auch schon den Dichtern des Sturm und Drang

---

88 Vgl. Z. Batscha: Gesellschaft und Staat in der politischen Philosophie Fichtes, (Frankfurt a.M. 1970). J. Streisand: J. G. Fichte und die deutsche Geschichte, in: J. S. (Hrsg.): Studien, a.a.O., S. 32–55.

89 Zur Forschung vgl. H. Prang (Hrsg.): Begriffsbestimmung der Romantik, Darmstadt 1968, (= Wege der Forschung, 150). Zum Themenkreis der vorliegenden Studie vgl. bes.: J. Baxa: Einführung in die romantische Staatswissenschaft, Jena 1923. E. Ruprecht: Der Aufbruch der romantischen Bewegung, München 1948. G. Lukács: Die Zerstörung der Vernunft, Berlin 1954. H. Kohn: Wege und Irrwege. Vom Geist des deutschen Bürgertums, Düsseldorf (1962), S. 53ff. Ders.: Prelude to nation-states, a.a.O. E. Winter: Romantismus, Restauration und Frühliberalismus im österreichischen Vormärz, Wien 1968.

90 Aus der Fülle der Literatur vgl. A. Béguin: Traumwelt und Romantik. Versuch über die romantische Seele in Deutschland und in der Dichtung Frankreichs, Bern, München (1972).

wichtige Impulse gegeben hatte.[91] In Deutschland wurde ein auf die einzelnen Völker und nicht mehr ausschließlich auf völkerübergreifende Ideale bezogenes Denken von ihm zuerst entwickelt. Herder wünschte für sein Vaterland größere Einheit, wobei er kulturpolitisch den Akzent auf Geschichts- und Sprachbewußtsein legte; eine 'Teutsche Akademie' sollte sich der „patriotischen Aufklärung" widmen, dabei aber „alle Anzüglichkeiten gegen Landesherren" aussparen.[91a] Während die Aufklärung nach dem besten Staat ganz unabhängig von Sprache und Kultur, von Abstammung und Geschichte suchte, wurden von Herder vor allem in seinen 'Ideen zur Philosophie der Geschichte der Menschheit' (1784—1791) die je besonderen Eigenarten und Entwicklungsvoraussetzungen der einzelnen Völker herausgestellt. Das politische Schicksal eines Volkes wird zum Ausfluß, ja zur Funktion seiner Vorzüge oder Schwächen.[92]

Für Herder ist die Menschheit zwar gleichen Ursprungs, „aber zwischen Menschheit und Individuum hob er als eine höchst wichtige Abstufung das Volk hervor"[93]. Stets ging es ihm deshalb wesentlich um die Perfektibilität des Menschengeschlechts, in diesem Rahmen sollten und konnten jedoch in seiner Sicht die einzelnen Völker, besonders das deutsche Volk eine entscheidende Rolle in Gegenwart und Zukunft spielen: „Er wollte sein begabtes, aber heterogenes Volk zur Erfüllung des menschheitlichen Berufs sammeln [. . .]"[94]. In der kosmopolitischen aufklärerischen Traditon wurzelt Herder insofern, als für ihn die Menschheit einen wesentlichen Wert darstellt, als die Humanität in den Nationalitäten lebt und sich entfaltet: Er lehnte den einseitigen Nationalstolz ab und forderte im Sinne der Harmonie zwischen Nation und Menschheit Toleranz. Neu und über die Aufklärung hinausweisend ist jedoch die Betonung der unverwechselbaren Eigenart der Völker, die auch die besondere geschichtliche Rolle der einzelnen Nationen bedingt.

Die Nation wird von Herder als ein von Gott geschaffenes Ganzes gefaßt, das durch Klima, Umwelt, eigenes Schicksal und eine spezifische historische Sendung zur Individualität wird, sie, die Nation, stellt sich als Teil des göttlichen Schöpfungs-

---

91 Zu Herder vgl. bes. Kemiläinen, a.a.O., S. 83ff. Ferner als Einführung E. Baur: Johann Gottfried Herder, Stuttgart (1960). Kohn, Idee des Nationalismus, a.a.O., S. 450ff. Aus marxistischer Sicht A. Gulyga: Johann Gottfried Herder, Frankfurt a. M. 1978; zum vorliegenden Thema auch W. Goeken: Herder als Deutscher, Stuttgart 1926, (= Tüb. Germ. Arb., 1). Zur Wirkung auf den slawischen Raum H. Kohn: Die Slawen und der Westen, Wien, München (1956), passim.

91a J. G. Herder: Idee zum ersten patriotischen Institut für den Allgemeingeist Deutschlands (1788), in: Sämtliche Werke, hrsg. v. B. Suphan, Bd. 1—33, Berlin 1877—1913, hier Bd. 16, S. 600—616.

92 Zu diesem Zusammenhang vgl. Meinecke, Weltbürgertum, a.a.O. Ders.: Die Entstehung des Historismus, Bd. 1—2, München 1936.

93 Kemiläinen, a.a.O., S. 30.

94 Kemiläinen, a.a.O., S. 85. Vgl. Hof, a.a.O., S. 33: „Der einzige Dienst, den ein Volk dem anderen leisten kann, besteht darin, es zu seiner eigenen Kulturhöhe so weit emporzuziehen, als das bei dessen Lage und sonstigen Umständen möglich ist".

plans dar. Dies heißt zugleich, daß, organologisch gesehen, jeder Stufe im Leben und Werden der einzelnen Völker ein besonderer, eigener Wert zukommt. Auch und gerade die vom aufklärerischen Denken mißachteten frühen Entwicklungsstufen erscheinen nun als wichtige, eine intensive Erforschung lohnende Perioden. So erkennt Herder in der Volksdichtung Charakter und Lebensgrundlagen eines jeden Volkes, hier spiegeln sich die Eigenarten, die Vorzüge und Mängel der Volkscharaktere.

Die Sicht Herders, auch von großem Einfluß auf die nationale Bewußtseinsbildung besonders der slawischen Völker, wurde dann zur Grundlage der deutschen Romantik. Zwei Gedanken stellten die Romantiker, was ihre Auffassung von Nation und Volk angeht, in den Vordergrund. Alle kulturellen Äußerungen wie Literatur und Sprache erscheinen nicht mehr voneinander isoliert, sondern als je spezifischer Ausdruck eines Volkes und seines Geistes. Hier drückt sich die Identität des Volkstums aus. D.h. weiter, und dies ist der zweite Grundsatz im nationalen Denken der Romantik, daß jedes Volk Eigengesetzlichkeit und Eigenwert besitzt. Im Gegensatz zum Fortschrittsglauben der Aufklärung kann nun auch jede Phase in der Entwicklung der einzelnen Völker in sich und für sich gewertet werden. Von diesem Ansatz nehmen ihren Ausgang die Sprachwissenschaft und Volkskunde der Brüder Grimm, die Rechtsaltertümer Jakob Grimms, die rechtswissenschaftliche und -historische Schule Savignys mit ihrer Absage an die abstrakten Menschenrechtstheorien der Französischen Revolution, Rankes Geschichtswissenschaft, die Kunst- und Literaturwissenschaft der Brüder Schlegel sowie die Übersetzungstätigkeit aus den Literaturen der verschiedenen Völker. Sprache und Dichtung, Philosophie und Religion, Recht, Politik und Wirtschaft der Völker erscheinen nicht als isolierte Phänomene, sondern als vielfältige, letztlich aber doch einheitlich zu fassende Äußerungen der Volksindividualitäten. Das Volk kann so — auf der Basis umfassender Forschung — als spezifische Einheit mit großer Integrationskraft in bezug auf den einzelnen gewertet werden.

Im Sinne dieser Grundanschauungen ging die deutsche Romantik früh daran, die eigene nationale Vergangenheit zu erkunden und wissenschaftlich wie dichterisch wiederzuerwecken.[95] So entdeckte der junge Wackenroder in Nürnberg die altdeutsche Malerei und widmete sich dem „Ehrengedächtnis unseres ehrwürdigen Ahnherrn Albrecht Dürers": „Nürnberg! du vormals weltberühmte Stadt! [. . .] Wie innig lieb ich die Bildungen jener Zeit, die eine so derbe, kräftige und wahre Sprache führen! Wie ziehen sie mich zurück in jenes graue Jahrhundert, da du, Nürnberg, die lebendigwimmelnde Schule der vaterländischen Kunst warst, und ein recht fruchtbarer, überfließender Kunstgeist in deinen Mauern lebte und webte [. . .][96]. Das Zeitalter, das einst Goethe in seinem 'Götz' beschworen hatte, wurde nun wiederum als Inbegriff deutscher Größe dargestellt: „Als Albrecht den Pinsel

---

95 Zur Romantik als Beginn der deutschen Geschichtswissenschaft vgl. G. G. Iggers: Deutsche Geschichtswissenschaft. Eine Kritik der traditionellen Geschichtsauffassung von Herder bis zur Gegenwart, (München 1971), S. 62ff. (Bsp. W. v. Humboldt).

96 W. H. Wackenroder: Herzensergießungen eines kunstliebenden Klosterbruders (1797), in: W. H. W.: Werke und Briefe, Heidelberg 1967, S. 7–131, hier S. 57.

führte, da war der Deutsche auf dem Völkerschauplatz unsers Weltteils noch ein eigentümlicher und ausgezeichneter Charakter von festem Bestand; und seinen Bildern ist nicht nur in Gesichtsbildung und im ganzen Äußeren, sondern auch im inneren Geiste, dieses ernsthafte, gerade und kräftige Wesen des deutschen Charakters treu und deutlich eingeprägt. In unsern Zeiten ist dieser festbestimmte deutsche Charakter, und ebenso die deutsche Kunst, verlorengegangen"[97].

Auch Novalis[98] beschrieb in seinem Roman 'Heinrich von Ofterdingen' (1799) die Welt des Mittelalters, ihm ging es hier um den legendären Wettstreit der Minnesänger auf der Wartburg. Im Rahmen des romantisch geschauten und verklärten Mittelalters bildete er in Heinrich von Ofterdingen die Figur eines Suchers und Erlösers, dessen von Liebe und Sehnsucht geprägtes Leben zugleich vom Irrationalen, vom Traum und vom Märchen, beherrscht wird. Im selben Jahr, in dem der 'Ofterdingen' entstand, formulierte Novalis seine Sicht des Mittelalters auch in der Schrift 'Die Christenheit oder Europa'[99]. Hier verklärt er das Mittelalter zu einer Epoche idealer Einheit und Harmonie: „Es waren schöne glänzende Zeiten, wo Europa ein christliches Land war, wo Eine Christenheit diesen menschlich gestalteten Weltteil bewohnte; Ein großes gemeinschaftliches Interesse verband die entlegensten Provinzen dieses weiten geistlichen Reichs". In der Gegenwart kann Novalis nur noch schmerzlich fragen: „Wo ist jener alte, liebe, alleinseligmachende Glaube an die Regierung Gottes auf Erden, wo ist jenes himmlische Zutrauen der Menschen zueinander [. . .]"? Diese glückliche Ära eines kindlich-harmonischen Gottvertrauens, so Novalis, zerbrach mit dem Aufkommen des Protestantismus, später der Aufklärung, jenes „neuen Glaubens", „der aus lauter Wissen zusammengeklebt war". Das Zentrum dieses „neuen Glaubens" war Frankreich, obgleich Novalis auch Deutschland von seinen verhängnisvollen Konsequenzen heimgesucht sieht. In dieser neuen geschichtlichen Ära verschwindet das unbedingte Vertrauen in die patriarchalischen und monarchischen Strukturen, ist die die Einzelstaaten übergreifende und einigende Mach der kirchlichen Hierarchie gebrochen.

Seinen Höhepunkt fand der hybride Versuch des Menschen zur Selbstbestimmung und zur autonomen Umformung der Welt für Novalis in der Französischen Revolution. Die Revolution erscheint hier als ein Sisyphusgeschäft: „Alle eure Stützen sind zu schwach, wenn euer Staat die Tendenz nach der Erde behält, aber knüpft ihn durch eine höhere Sehnsucht an die Höhen des Himmels, gebt ihm eine Beziehung auf das Weltall, dann habt ihr eine nie ermüdende Feder in ihm und werdet eure Bemühungen reichlich gelohnt sehn". Bei dieser Aufgabe nun, im europäischen Rahmen eine neue, eben geistig grundlegend veränderte Form des Zusammen-

---

97 Wackenroder, a.a.O., S. 62.
98 Zu Novalis' politischen Überzeugungen vgl. Baxa, Einführung, a.a.O., S. 52ff.
99 In: Werke, [Reinbek b. Hamburg] (1967), (= Rowohlts Klassiker, 11), S. 35–52, Zitate S. 37, 51, 44, 46, 47. – Zum religiös bestimmten Nationalgefühl der Romantik vgl. Kaiser, a.a.O. Kritisch ist anzumerken, daß Kaiser Einflüsse aufzeigt, jedoch nicht bestimmt, wo diese christlichen Einflüsse letztlich geschichtlich progressiv gewendet werden (Aufklärung) und wo sie in ein grundsätzlich konservatives Denken eingespannt erscheinen (Romantik).

lebens zu errichten, schreibt Novalis Deutschland eine besondere Rolle zu: „In Deutschland hingegen kann man schon mit voller Gewißheit die Spuren einer neuen Welt aufzeigen. Deutschland geht einen langsamen aber sichern Gang vor den übrigen europäischen Ländern voraus. Während diese durch Krieg, Spekulation und Parteigeist beschäftigt sind, bildet sich der Deutsche mit allem Fleiß zum Genossen einer höhern Epoche der Kultur, und dieser Vorschritt muß ihm ein großes Übergewicht über die andern im Lauf der Zeit geben".

Die Romantik, so geht schon aus den bisherigen Ausführungen hervor, denkt, obwohl in der Idealisierung der die Einzelstaaten übergreifenden christlichen Ordnung des Mittelalters ein kosmopolitisches Element enthalten ist, im Rahmen nationaler Kategorien. Jedes Volk erscheint den Romantikern als Individualität, Phänomene wie Kunst und Sprache sind Ausfluß des spezifischen Volksgeistes. Auch eine eigene geschichtliche Funktion wird jeder einzelnen Nation zugeschrieben. So wird die im Kern kosmopolitische Idee einer gesamteuropäischen geistigen Erneuerung gerade zur nationalen Aufgabe Deutschlands umgestaltet. Mit diesen Ansätzen verbunden ist die Wendung zu frühen Kulturstufen, auf denen sich der Volksgeist am authentischsten ausdrückt. Deshalb verherrlicht die Romantik das Mittelalter, besonders das deutsche Mittelalter, in dem der deutsche Volksgeist unverfälscht erfahren werden kann.

Spezifisch romantisch ist aber nun, daß sich diese Grundanschauungen mit einer klaren Frontstellung gegen die Aufklärung verbinden. Diese erscheint jetzt als übermäßig verstandesbetonte Epoche, eigentlich als eine Epoche geschichtlichen Verfalls. Eben dies Verdikt trifft gesteigert die Französische Revolution, die sich Novalis als der in sich sinnlose und vergebliche Versuch des Menschen darstellt, in rationaler Planung autonom das menschliche Leben zu reformieren. Gefordert wird demgegenüber eine an der besseren Vergangenheit orientierte Gläubigkeit, eine Bindung „an die Höhen des Himmels".

Im geschichtlichen Prozeß, der aus der verstandesbetonten Epoche nach deren Übersteigerung und Zerfall zu einer Erneuerung in diesem Sinne hinführt, schreibt Novalis, wie gezeigt, Deutschland eine ausschlaggebende Mission zu. Das deutsche Vaterland ist für Novalis ein stilles, von politischen Wirren unberührtes Land. Aus eben dieser Zurückhaltung leitet er Deutschlands Aufgabe als Neuerer der abendländischen Welt im umfassend geistigen Sinne her. Ein solches Verständnis der vaterländischen Funktion im geschichtlichen Werden findet eine Parallele in den Äußerungen Schillers und besonders Hölderlins, die im vorigen Abschnitt zitiert wurden. Der gravierende Unterschied liegt aber darin, daß sich Fichte, Schiller und Hölderlin nicht von den Ideen der Aufklärung distanzieren, daß Hölderlin zudem den Idealen der Französischen Revolution treu blieb.[100] Der radikal antiaufklärerische Affekt Novalis' ist Hölderlin wie auch Schiller fern, sie bilden vielmehr, was das nationale Denken angeht, die aufklärerische Sicht weiter, verlassen diese Grundlage jedoch nicht. In der Geschichtsphilosophie Novalis' aber leitet sich die Bestimmung der historischen Mission Deutschlands aus einem strikt gegen die verstandesorien-

---

100 Vgl. Prignitz, Hölderlin als Kritiker des Jakobinismus, a.a.O.

tierte Epoche gerichteten Denken her. Seine nationale Sicht ruht auf einem im Ansatz aufklärungsfeindlichen Fundament; stets geht es Novalis um eine Erneuerung
als Rückkehr zu Idealen der Vergangenheit, es geht ihm um „die alte poetische und
kulturelle Gemeinschaft des christlich-germanischen Abendlandes, die zu erneuern
Deutschland, das alte Kaiserland, berufen ist"[101].

Das mit der Romantik verbundene nationale Denken wurde dann besonders
durch den Heidelberger Kreis geprägt. Hier gaben Clemens v. Brentano und Achim
von Arnim Volkslieder in 'Des Knaben Wunderhorn — Alte deutsche Lieder' (Bd. 1
1805) heraus. Einen gleichen Zweck, dem deutschen Volk seine Geschichte und
damit seine Identität wieder vor Augen zu führen, verfolgte Joseph Görres' Werk
'Die Teutschen Volksbücher' (1807), auch die 'Kinder- und Hausmärchen' der
Brüder Grimm (1812—1815) sind hier zu nennen. Brentano und Arnim betätigten
sich zudem als Herausgeber der wichtigen 'Zeitung für Einsiedler' (1808). Hier
erschienen die ersten altdeutschen Studien der Brüder Grimm und die frühen
volkstümlichen Lieder Uhlands; Tieck steuerte eine Übertragung des 'König Rother'
bei, Görres Arbeiten über den 'Gehörnten Siegfried' und die 'Nibelungen', Maler
Müller publizierte hier sein Genoveva-Drama. Wichtige Impulse, die eigene Vergangenheit kennenzulernen, gaben auch Tieck mit seiner Sammlung 'Minnelieder
aus dem schwäbischen Zeitalter' (1803) und August Wilhelm Schlegel, der in
seinen Berliner Vorlesungen (Winter 1803/04) auf das 'Nibelungenlied' hingewiesen
hatte, das dann Friedrich Heinrich von der Hagen 1807 veröffentlichte. Immer ging
es den Romantikern hierbei um Erforschung und Wiederbelebung der deutschen
Geschichte, ihrer Traditionen und Werte, die als sinngebend auch für die eigene
Gegenwart empfunden wurden. Auf dieser Grundlage sollten die Deutschen ein
Nationalgefühl entwickeln, um ihrer nationalen Identität gemäß wirken zu können.

Exemplarisch für das politische Denken der späteren Romantik sind die in den
'Elementen der Staatskunst' (1808—1809)[102] zusammengefaßten Theorien Adam
Müllers.[103] Für Müller steht der nationale Staat, die einzelne Nationalität im Mittelpunkt, der Kosmopolitismus der Aufklärung erscheint ihm gegenüber der konkret
erfahrbaren Nationalität lediglich als ein vager, unfaßbarer Begriff. Als einziges,
allerdings entscheidendes Band zwischen den Nationen läßt er — wie schon Novalis
— die Kirche gelten; die Religion symbolisiert die Idee einer wahren Staatenge-
meinschaft. Im Innern ist für Müller, der eine Gesellschaftsauffassung „in streng
konservativem Sinne"[104] vertrat, der Staat in einzelne Stände gegliedert. So er-

---

101 Hof, a.a.O., S. 84.
102 A. Müller: Die Elemente der Staatskunst (1809), Berlin (1968).
103 Vgl. J. Baxa: Adam Müllers Philosophie, Ästhetik und Staatswissenschaft, Berlin 1929.
     Ders.: Einführung, a.a.O., S. 102ff. R. Aris: Die Staatslehre Adam Müllers in ihrem Ver-
     hältnis zur Deutschen Romantik, Tübingen 1929. Zum organologischen Staats- und Ge-
     schichtsdenken vgl. Kaiser, a.a.O., Kap. 10, 11.
104 Baxa, Müller, a.a.O., S. 73.

scheint er — im Gegensatz zur aufklärerischen Vertragstheorie — nicht lediglich als ein menschliches, auf rationaler Basis konstruiertes und veränderbares Werk, sondern als organisches, natürlich gewordenes Produkt. Der ständische Staat ist, so meint Müller als Anhänger und Bewunderer Burkes[105], historisch gewachsen, diese Dimension darf nicht vergessen, tradierte Institutionen dürfen nicht eigenmächtig geändert oder zerstört werden.

Von derartigen Auffassungen geprägt, konnte Müller die Französische Revolution nur verurteilen. Sie erscheint ihm als der Versuch, gewachsene Formen in hybrider, willkürlicher Anmaßung zu zerstören:

> In Frankreich wurden sogenannte künstliche Institute umgestoßen, um die sogenannte Natur zu rächen, ihr Reich wiederherzustellen; alle diese künstlichen Institute, Adel, Geistlichkeit, Parlementer, die ganze Verfassung der französischen Monarchie waren offenbar nicht Erfindungen der Kunst des Einzelnen, sondern mehr durch den Gang der europäischen Bildung im Ganzen, ihrer Modifizierung auf das Lokale von Frankreich, als durch individuelle Willkür, allmählich, pflanzenartig erzeugte Werke der Natur. An diesen Werken der Natur sollte die Natur gerächt werden; und wie wurde diese Rache vollzogen? Mit Werken unerhörter Anmaßung, beispielloser Willkür, mit dem höchsten Übermute der Kunst selbst. Tausendjährige Werke der reichsten Natur werden umgestoßen; an ihrer Stelle pflanzt die armseligste Kunst die Werke einer Stunde: wo der Natur und allen ihren Kräften nur eine Verfassung, ein Zustand der Dinge gelungen war, da wurde die Kunst unverhofft in dem Schwachen mächtig, daß einem einzigen Sieyes hundert Auswege, hundert Verfassungen zu Gebote standen[106].

Hier erscheint selbst die auf krasser Ungerechtigkeit beruhende Verfassung des ancien régime, erscheinen seine Strukturen als „pflanzenartig erzeugte Werke der Natur". Den Versuch des aufgeklärten Menschen, sein Geschick selbst zu formen und darum Staat und Gesellschaft umzugestalten, trifft ein hartes Verdikt. Müller kann darin lediglich einen Verstoß gegen den organischen Wachstumsprozeß der Geschichte erblicken.

Grundlegend wandelt sich nun auch der Freiheitsbegriff. Adam Müller polemisiert heftig gegen den politisch-staatsrechtlichen Freiheitsbegriff der Aufklärung und besonders der Französischen Revolution:

> Sobald die Freiheit als die Eigenschaft einzelner Bestandteile des Staates, z.B. der kleinen Männer, die gerade jetzt auf der Bühne stehen, anerkannt wird; [. . .] sobald man, wie es in Frankreich geschah, ein von aller der Eigenart, in deren Behauptung sich eben die Freiheit äußert, entkleidetes Wesen, ein Abstraktum, einen Begriff 'Mensch' frei erklärt: so ist die Freiheit selbst ein Begriff, und kann keine andere Kraft begehren, als die der blosen Masse; sie kann wie ein großer Fels andere kleinere Felsen zerschmettern, ist aber in dem allgemeinen Ruin eben auch nichts mehr als Trümmer. Nichts kann der Freiheit [. . .] mehr widersprechen, als der Begriff einer äußeren Gleichheit. Wenn die Freiheit nichts anderes als das allgemeine Streben der verschiedenartigsten Naturen nach Wachstum und Leben ist, so kann man keinen größeren Widerspruch ausdenken, als indem man, mit Einführung der Freiheit zugleich, die ganze Eigentümlichkeit, d.h. Verschiedenartigkeit, dieser Naturen aufhebt[107].

105 Adam Müller geht wie viele Romantiker in seinen Anschauungen vom staatlichen und gesellschaftlichen Leben von Edmund Burke aus, der in seinem Hauptwerk 'Reflections on the revolution in France' (1790) die Französische Revolution scharf kritisierte.

106 A. Müller: Die Lehre vom Gegensatz (1804), zitiert nach Baxa, Müller, a.a.O., S. 73.

107 A. Müller: Elemente der Staatskunst, zitiert nach Baxa, Müller, a.a.O., S. 75f.

Wahre Freiheit ist mithin für Müller nicht definiert als dem Abstraktum 'Mensch' zugehörig, d.h. sie ist kein Menschenrecht im Sinne der Aufklärung und der Französischen Revolution. Wahre Freiheit ist auch nicht an den „Begriff einer äußeren Gleichheit" gebunden, sie ist kein egalitäres Prinzip.[108] In eben diesem Sinne schrieb auch Novalis: „Die absolute Gleichheit ist das höchste Kunststück, das Ideal, aber nicht natürlich. Von Natur sind die Menschen nur relativ gleich, welches die alte Ungleichheit ist; der Stärkere hat auch ein stärkeres Recht. Ebenfalls sind die Menschen von Natur nicht frei, sondern vielmehr mehr oder weniger gebunden. Wenig Menschen sind Menschen; daher die Menschenrechte äußerst unschicklich, als wirklich vorhanden, aufgestellt werden. Seid Menschen, so werden euch die Menschenrechte von selbst zufallen"[109]. Gingen die Patrioten vorher von den Idealen der égalité und der liberté gleichermaßen aus, forderte noch Fichte mit der bürgerlichen Freiheit sogar die Gleichheit in der Verteilung des Eigentums[110], so vollzieht sich nun ein tiefgreifender Wandel. Geleugnet wird zusammen mit der Gleichheit die Freiheit als ein Menschenrecht, entsprechend den Menschenrechten der Aufklärung und der Französischen Revolution.

Orientiert an der vorabsolutistischen Vergangenheit strebte Adam Müller, strebten die Romantiker nach einer Freiheit, die historisch entwickelt, die kein lediglich rationales Konstrukt sein sollte. Dem Individuum kam in dieser Sicht Freiheit als Teil von Familie, Zunft, Gemeinde oder Gesamtstaat zu, aber nicht als individuelles staatsbürgerliches Recht im Sinne des politischen Denkens der Aufklärung. Es zeigt sich hier ganz deutlich die Orientierung an den mittelalterlichen genossenschaftlich und ständisch definierten Freiheiten, eine Rückwendung gegenüber Aufklärung und Revolution. In der Negierung einer konkret, in reformerischer oder revolutionärer Veränderung realisierbaren Freiheit leugnet die deutsche Romantik die politische Entwicklung seit 1789. Sie erscheint deshalb getrennt von der westeuropäisch aufklärerischen, politisch progressiven Entwicklungslinie.

Nicht übersehen werden darf, daß es auch eine andere, eine kritisch zeitbezogene, eine gesellschaftlich ausgerichtete Romantik gegeben hat. In ihrer Jugend fühlten sich viele der Romantiker zur Französischen Revolution hingezogen. So sind die frühen Publikationen Joseph Görres' ('Das rote Blatt', 'Rübezahl') von den politischen Grundsätzen der Aufklärung und der Revolution geprägt. Görres erstrebte eine supranationale republikanische Ordnung.[111] Auch Friedrich Schlegel wollte, wie er in seinem Roman 'Lucinde' radikal gegen die überkommenen ethischen Normen protestierte[112], im politischen Bereich in seiner Jugend eine repu-

---

108 Vgl. auch A. Müller: Über Friedrich II., Berlin 1810, S. 153ff.

109 Zitiert nach Baxa, Einführung, a.a.O., S. 55.

110 Vgl. J. G. Fichte: Die Grundzüge des gegenwärtigen Zeitalters, in: Werke, a.a.O., Bd. 4, S. 603f.

111 Vgl. zusammenfassend Baxa, Einführung, a.a.O., S. 25ff.

112 Zum romantischen Ideal des sich seine ethischen Prinzipien autonom setzenden Menschen vgl. die in ihren Wertungen freilich veraltete Arbeit von H. Gschwind: Die ethischen Neuerungen der Früh-Romantik, Bern 1903, (= Unters. z. neueren Sprach- u. Lit. gesch., 2); Nachdr.: Hildesheim 1974.

blikanische Ordnung eingeführt sehen. Dies belegt einmal seine Schrift 'Versuch über den Begriff des Republikanismus'[113]. Schlegel identifiziert sich hier im Jahre 1796 mit einem republikanischen Staatsverständnis: „Der Staat soll sein, und soll republikanisch sein. Republikanische Staaten haben schon um deswillen einen absoluten Wert, weil sie nach dem rechten und schlechthin gebotenen Zwecke streben"[114]. Im 'Versuch' bekennt sich Schlegel als Anhänger der Ideale von Freiheit und Gleichheit sowie der unmittelbaren Demokratie.

Deutliches Beispiel für ein anfänglich progressives Grundbekenntnis Schlegels ist auch sein Aufsatz 'Georg Forster: Fragment einer Charakteristik der deutschen Klassiker'[115]. Dieser Aufsatz ist 1797 entstanden und ergreift dezidiert Partei für den verfemten, wegen seines Engagements für den Anschluß der Mainzer Republik an Frankreich als Landesverräter eingestuften Georg Forster. Schlegel sieht Forster als einen „klassischen Prosaisten", er gehört zu den Schriftstellern, die in Deutschland eine „gemeinschaftliche Bildung" garantieren. Damit wird der als Landesverräter Verleumdete für Schlegel zu einem der Garanten für den Zusammenhalt des deutschen Volkes durch ein gemeinsames geistiges Band: Der von Forster verkörperte Kosmopolitismus kann in der Phase der Frühromantik noch akzeptiert werden. Der weltbürgerliche Anhänger der Französischen Revolution Forster, für dessen radikalste politische Schrift, die 'Parisischen Umrisse', Schlegel ein ausgewogenes Urteil findet[116], hat im Denken der frühen Romantik seinen Platz.

Im ganzen aber zeichnet sich mit fortschreitender Entwicklung der Romantik die oben angesprochene Tendenz ab. Fichte schrieb noch 1794 im Sinne des aufgeklärten progressiven Kosmopolitismus: „Jeder hat die Pflicht, nicht nur überhaupt der Gesellschaft nützlich sein zu wollen, sondern auch seinem besten Willen nach alle seine Bemühungen auf den letzten Zweck der Gesellschaft zu richten, auf den — das Menschengeschlecht immer mehr zu veredeln"[117]. Den Romantikern dagegen ging es, wie sich bei Novalis zeigte, um die Anlehnung an die mittelalterliche christlich-germanische Ordnung, deren Wiedererweckung Deutschlands spezifisch nationale Mission ist. In romantischer Perspektive hat jedes Volk — gerade auch das deutsche — nach seinen eigenen geschichtlichen Gesetzmäßigkeiten und Aufgaben zu leben; auch der kosmopolitische Gedanke einer gesamteuropäischen Erneuerung wird, indem die führende Rolle Deutschlands betont wird, in den Rahmen der nationalen Mission eingespannt. Im Verein damit zeichnet sich eine

---

113 In: H. Schanze (Hrsg.): Die andere Romantik, (Frankfurt a.M. 1967), (= sammlung insel, 29), S. 39—58.
114 A.a.O., S. 52.
115 In: Die andere Romantik, a.a.O., S. 52—85, Zitate S. 77, 59.
116 Vgl. Schlegel, Forster, a.a.O., S. 68ff.
117 Fichte: Über die Bestimmung des Gelehrten, in: Werke, a.a.O., Bd. 1, S. 249.

deutliche Entfremdung des deutschen Nationalbewußtseins gegenüber der im westlichen Europa ausgebildeten aufgeklärten Freiheitsidee ab.[118]

Ausgehend von einer auf die je besondere Kultur und Geschichte der einzelnen Völker gerichteten Sicht, wendete sich die Romantik gegen die Aufklärung. Sie entfernte sich von der gedanklichen Basis des Rationalismus, der den Staat auf vertragsmäßiger Grundlage verstand, gegründet aus vernünftiger Erwägung zum Zweck der Daseinserhaltung, bewertbar nach eudämonistischen Kriterien. Damit war in der Aufklärung der Gedanke auch der Veränderbarkeit staatlicher und gesellschaftlicher Strukturen in den Vordergrund getreten, um die naturrechtlich begründeten Werte von Freiheit und Gleichheit in demokratischer Ordnung zu realisieren. Die Romantik dagegen orientierte sich verstärkt an den vorindustriellen, autoritär und hierarchisch geprägten Herrschaftsformen. Einzelne Phasen der deutschen Vergangenheit wurden nun verklärt, in ihnen sah man den nationalen Volksgeist verkörpert. Dazu gehörte vor allem das Mittelalter mit seiner ständisch aufgebauten Gesellschaftsform, die Epoche, in der die Kaiser und mit ihnen das Reich die führende Position in der abendländischen Welt innehatten. Diese tradierten Strukturen erschienen als geschichtlich organisch gewachsene Einheiten, ihre Überreste als ehrwürdig, die fundamentalen Umgestaltungen im Zeitalter der Revolution dagegen als willkürliche und kurzfristige Veränderungen, letztlich als Verstoß gegen die Gesetze historischen Werdens.

Insgesamt gab so die Romantik der deutschen Nationalbewegung eine Richtung fort von den auf der Aufklärung basierenden liberalen, demokratischen und nationalstaatlichen Ideen des westlichen Europa. Entscheidendes Kriterium für die Zugehörigkeit zu einem Volk wurde die Tatsache, daß man in eine Nation hineingeboren war und daß man sich zu ihrem Volksgeist bekannte. Ausschlaggebend waren nicht mehr in erster Linie die aktuell politische, auf der Volkssouveränität beruhende Verfassung und die Freiheiten, die diese dem einzelnen Bürger gewährte. Damit aber begann sich die enge Verbindung zwischen dem patriotischen Denken und dem Kampf um die bürgerliche Emanzipation, um die Freiheit als Ausdruck der Interessen des Bürgertums zu lösen. Ein für den Patriotismus bisher konstitutives Moment, die Symbiose von Freiheit und nationalem Denken, verliert seine Tragfähigkeit.

War in der Epoche der Aufklärung der Versuch unternommen worden, das entstehende Nationalgefühl unter den verschiedensten Akzentsetzungen in die bürgerliche Emanzipationsbewegung zu integrieren, Patriotismus und Freiheitsidee zu verknüpfen, so wandelte sich dies im romantischen Denken. Freiheit sollte nun dem Individuum nur als Teil organisch in langen Zeiträumen gewachsener

---

118 Diese Gesamtentwicklung überblickend formuliert F. Herre: Nation ohne Staat. Die Entstehung der deutschen Frage, Köln, Berlin (1967), S. 43: „Die Entdeckung der völkischen Eigenart verleitete zu nationaler Nabelschau und nationalistischer Überheblichkeit, erschwerte den Weg zum Verständnis der anderen, riß eine Kluft zwischen Deutschland und seinen westlichen Nachbarn auf. Und nicht zuletzt: Der Traum vom Reich, vom vergangenen und zukünftigen, führte zur Vernachlässigung der Gegenwart [. . .]“.

Einheiten, als genossenschaftliche und ständische Freiheit zukommen. Ausgehend von der emotional verherrlichten nationalen Vergangenheit schworen die Romantiker dem rational gefaßten, konkret politisch begründeten und durchsetzbaren Freiheitsbegriff der Aufklärung ab. Die Französische Revolution und die Herrschaft Napoleons wurden als vom französisch-rationalen Geist getragen eingestuft und im Gegensatz zur vom Gefühl her viel tiefer angelegten deutschen geistig-kulturellen Tradition gesehen. Diese Tradition und die aus ihr abgeleitete historische Mission der Deutschen traten eindeutig und einseitig in den Vordergrund; es nahm die Abwertung der demokratischen Ideen, die aus dem Westen nach Deutschland drangen, ihren Anfang.[119]

Die Romantiker waren, so zeigte sich, engagierte Verfechter des nationalen Gedankens, wenn sie auch dessen Verflechtung mit bürgerlichen Inhalten nicht teilten. Ausgehend von der Idee der Identität der Völker, waren sie auf die nationale Tradition und Aufgabe Deutschlands konzentriert. Von diesem weltanschaulichen Ansatz her wurden sie zu scharfen Gegnern des universalistischen, die europäischen Völker gleichmachenden napoleonischen Systems. Bedingungslos identifizierten sie sich daher, wie im nächsten Abschnitt gezeigt werden soll, mit dem Freiheitskampf Deutschlands gegen die französische Vorherrschaft. Die deutschen Romantiker trugen mit ihrem Ideengut wesentlich zur Volkserhebung gegen Napoleon bei.

Nach dem Ende der Freiheitskriege, so sei schon hier zeitlich vorausgreifend eingefügt, und nach der Neuordnung Deutschlands auf dem Wiener Kongreß verlor die Romantik weitgehend ihren Einfluß auf das politische Leben des deutschen Volkes. Als der Deutsche Bund entstand, wurde deutlich, daß der Traum der Romantiker von einem erneuerten Kaisertum und einem organischen Ständestaat nicht Wirklichkeit wurde. Dennoch konnten sie sich mit dem Ziel der Heiligen Allianz, eine christliche Regeneration Europas zu erreichen, identifizieren. Faktisch vertrugen sich die Romantiker daher mit den wiedererrichteten Gottesgnadenherrschaften der Restaurationszeit, die ihr Ideal einer organischen und patriarchalisch ständischen Ordnung zwar nicht völlig erfüllten, sich aber doch mit dem Denken der politischen Spätromantik sehr viel eher vereinbaren ließen als die bürgerlich emanzipatorischen Ideen der Aufklärungszeit. Wenn von Tieck gesagt wurde, er hatte „zunehmend das Bedürfnis nach Abstand zwischen sich und dem Fanatismus des Fortschritts"[120], so gilt dies für die gesamte spätere Romantik.

119 Vgl. Grab, Französische Revolution und deutsche Geschichtswissenschaft, a.a.O., passim, sowie für das Beispiel der Mainzer Republik Scheel: Die Mainzer Republik, a.a.O., passim.
120 M. Thalmann: 'Der umwissend Gläubige'. Eine Studie zum Genieproblem, in: M. T.: Romantik in kritischer Perspektive, Heidelberg (1976), (= Poesie u. Wiss., 20), S. 87–115, hier S. 88; weiter heißt es hier: „Im politischen und literarischen Getriebe steht Tieck immer rechts, nie links, trotzdem [!] er persönlich unverbauter und aufgelockerter war als die meisten Fortschrittler".

Dies ging mit der Tendenz einher, daß sich viele Romantiker von den aktuellen gesellschaftlichen und politischen Fragen ab- und verstärkt der Theologie und der katholischen Kirche zuwandten.[121] Was Novalis schon 1799 als Ziel in 'Die Christenheit oder Europa' hatte anklingen lassen: ein theologisch fundiertes staatliches Universalsystem, trat jetzt in den Vordergrund des romantischen Denkens. Zwar gibt es in der Spätromantik eine auf den ersten Blick modern anmutende Sozialkritik an der sich entfaltenden kapitalistischen Produktionsweise.[122] Scharf wird das Elend der frühindustriellen Periode gekennzeichnet[123]; besonders Bettina v. Arnim schilderte in ihren Schriften 'Dies Buch gehört dem König' (1843), 'Gespräche mit Dämonen' (1852) und dem erst postum veröffentlichten 'Armenbuch'[124] schonungslos das soziale Elend ihrer Zeit. Im Kern ist aber auch diese soziale Kritik rückwärtsgewandt[125], sie faßt die katastrophale Progression der Armut als Resultat der Zerstörung der feudalen Ordnung. Eben diese Ordnung mit ihrer nicht arbeitsteiligen Produktionsweise, mit ihrer ständestaatlich und zunftmäßig organisierten Gesellschafts- und Wirtschaftsform wird dem gegenwärtigen Elend gegenüber idealisiert. So flüchteten die Romantiker aus ihrer Zeit in die Werte einer fernen Vergangenheit, wendeten sie sich den inneren und innerlichen Werten zu und überhöhten oder idyllisierten den prosaischen Alltag, wo sie ihn überhaupt darstellten[126]; „solch hocharistokratischer Humanismus", so wurde gesagt, „erhebt sich verächtlich über die Welt der Arbeit, wo die Schwere des Stoffes reine und freie Menschlichkeit zu Boden drückt"[127]. Den drängenden Fragen der frühindustriellen Epoche stellte sich die Romantik nicht mehr mit konstruktiven und realisierbaren Konzepten.

Das politische Denken der Spätromantik wird von einer zunehmend konservativen Sicht von Gesellschaft und Staat bestimmt. Franz von Baader[128], einer der bedeutendsten romantischen Philosophen, wandte sich entschieden gegen die vom Naturrecht ausgehenden Societätstheorien des 18. Jahrhunderts und verfocht eine ganzheitlich-organische Gesellschaftsauffassung, eine auf ständischen Prinzipien beruhende Ordnung. Der einzelne ist nur als Teil des jeweiligen Standes oder der Korporation Glied des Gesamtstaates. Baader wie andere Spätromantiker

---

121 Vgl. Baxa, Einführung, a.a.O., S. 129ff. Zur katholischen Erneuerung in der Zeit der französischen Romantik, die ein verinnerlichtes religiöses Gefühl anstrebte, zur Vereinnahmung der katholischen Kirche durch den Staat unter Napoleon und zur reaktionären Politik von Kirche und Staat in der Zeit der Restauration vgl. A. Dru: Erneuerung und Reaktion. Die Restauration in Frankreich 1800–1830, München (1967).

122 Vgl. die informative Studie von H. Kals: Die soziale Frage in der Romantik, Köln, Bonn (1974).

123 Vgl. Kals, a.a.O., S. 220ff.

124 B. v. Arnim: Armenbuch, hrsg. v. W. Vordtriede, Frankfurt a.M. 1969.

125 Vgl. Kals, a.a.O., S. 135ff.

126 Vgl. Kals, a.a.O., S. 79ff.

127 H. Weinstock: Arbeit und Bildung. Die Rolle der Arbeit im Prozeß um unsere Menschwerdung, 3. Aufl., Heidelberg 1960, S. 26.

128 Vgl. J. Siegl: Franz von Baader. Ein Bild seines Lebens und Wirkens, (München) 1957.

glaubten, die staatliche Autorität werde am besten in einer monarchischen Staatsform gewahrt, in einer Monarchie, die jedoch ständische Elemente enthalten sollte, eine Organisationsform, die sie einst im christlich-römischen Kaisertum des Mittelalters verwirklicht meinten. Die einzelstaatlichen Systeme sollten dann durch ein christliches Staatensystem verbunden und auf der Basis der Religion geeint werden. Programmatisch nannte Baader 1815 eine seiner Schriften: 'Über das durch die französische Revolution herbeigeführte Bedürfnis einer neuen und innigeren Verbindung der Religion mit der Politik'[129].

Baader sah den Einzelmenschen wie die Gesellschaft in einen göttlichen und organischen Gesamtzusammenhang des Lebens gestellt. Die Religion, institutionalisiert in der Kirche, sollte für den gläubigen Katholiken Baader die Erneuerung der menschlichen Gesellschaft einleiten, da jede Gewalt göttlich begründet sei („omnis potestas a Deo"), da der Staat in diesem hierarchischen und autoritären Gesellschaftsbild als von Gott eingesetzt erfahren wird. Für Baader mit seiner Tendenz zur ständischen Gesellschaftsordnung, wie sie einst das Mittelalter prägte, und zur katholischen Kirche verschob sich damit vor allem auch der Freiheitsbegriff. Es geht nicht mehr wie in der Aufklärung um die liberalistische Auffassung von Freiheit als eines Freiseins von religiösen, ethischen oder auch staatlichen Bindungen. Frei ist der einzelne nur, wenn er bewußt die lebendigen, natürlich organischen Gesellschaftsstrukturen akzeptiert und sich in die göttlich gesetzte Ordnung fügt. Die von Gott begründeten Autoritäten einer monarchisch und ständisch strukturierten Gesellschaft gilt es anzuerkennen und auf sich zu nehmen.

Diese Entwicklung zu einem politisch konservativen Denken läßt sich auch bei dem einstigen Revolutionsanhänger Görres[130] sowie bei Friedrich Schlegel[131] verfolgen. Hatte Schlegel einst Georg Forster noch engagiert verteidigt, bekannte er sich später zum monarchischen Prinzip und löste sich völlig von der Französischen Revolution. In seiner Schrift 'Philosophie des Lebens' (1827) meinte Schlegel:

> Für uns ist es [. . .] eine allgemeine und anerkannte Lehre geworden, daß alle Obrigkeit und die Gewalt der Könige von Gott sei; und daß aller Gehorsam gegen die Gesetze, und gegen die oberste Staatsgewalt auf dieser göttlichen Grundlage und Autorität beruhe. Und wenn man auch eine kurze Epoche hindurch alles in dem Staate auf die Vernunft und die unbedingte Freiheit derselben hat gründen wollen, so hat sich der Irrtum gerade in der Erfahrung am meisten als Irrtum gezeigt und durch die Tat selbst widerlegt, und ist man in der Theorie allgemein wieder zu dem Rechte und der göttlichen Autorität, als Grundlage der obersten Staatsgewalt zurückgekehrt[132].

Schlegel, der in der genannten Schrift auch meinte, der König sei „eigentlich nicht bloß Stellvertreter, sondern zugleich der bevollmächtigte Exekutor der göttlichen Gerechtigkeit"[133], löst sich hier von allen demokratischen Bestrebungen wie der Gewaltenteilung und fordert ein absolutistisches Gottesgnadentum in der Nachfolge geschichtlich längst überholter Strukturen.

129 In: F. v. Baader: Vom Sinn der Gesellschaft. Schriften zur Social-Philosophie, angew. u. hrsg. v. H. A. Fischer-Barnicol, Köln 1966, S. 95ff.
130 Vgl. Baxa, Einführung, a.a.O., S. 65ff.
131 Vgl. Baxa, Einführung, a.a.O., S. 79ff.
132 Zitiert nach Baxa, Einführung, a.a.O., S. 150.
133 Zitiert nach Baxa, Einführung, a.a.O., S. 151.

Mit dieser Vorliebe für organisch gewordene und monarchisch-theokratische Staatsformen, für Feudalwesen und Ständestaat, mit der Gleichgültigkeit gegenüber der Problematik individueller Freiheitsrechte löste sich die Spätromantik, wie es sich schon in den früheren Phasen der Romantik abzeichnete, völlig vom bürgerlich demokratischen Denken. Die nationalen Ideen wurden nun den dynastischen Interessen zugeordnet oder verschwanden im Nebel mystischer Spekulation über einen im Sinne reaktionären Traditionalismus rekonstituierten Staat. Mit den aktuellen Kämpfen um die bürgerliche Emanzipation hat die deutsche Spätromantik, die sich durch Vergessen vom Alpdruck der Geschichte zu befreien trachtete, nichts zu tun. Sie konnte nichts zu einem progressiven, freiheitlich akzentuierten Nationalgefühl beitragen.

So läßt sich resümieren, daß die Romantiker zwar in nationalen Kategorien dachten; indem jedem Volk ein spezifischer Wert, eine eigene Identität und eine besondere geschichtliche Funktion zugeschrieben wurden, leistete die Romantik einen gewichtigen Beitrag zum nationalen Denken. Dadurch daß sie sich aber schon früh gegen Aufklärung und Revolution wandte, dagegen tradierte Institutionen idealisierte, sprach sich die Romantik implizit oder explizit gegen die konkrete Reformierbarkeit der politisch-gesellschaftlichen Strukturen aus. Von hier aus tat sich eine unüberbrückbare Kluft zu den Versuchen nach 1789 auf, einen Wandel überlebter Konventionen zu erreichen. Konsequent lehnte die Romantik so auch den aufklärerischen Freiheitsbegriff, die Freiheit als Menschenrecht, ab. In ihren Augen war im Kern das Streben, die individuellen Freiheitsrechte auf der Basis rationaler Erwägung und jeweils der Lage angepaßter politisch-taktischer Maßnahmen zu realisieren, diskreditiert. All diese Züge, in der Romantik von Beginn an angelegt, in der Zeit der Spätromantik, d.h. in den ersten Jahrzehnten des 19. Jahrhunderts, ins Reaktionäre gesteigert, bedingen, daß wohl Impulse zum nationalen Denken von der Romantik — besonders von der Frühromantik — ausgehen konnten, daß aber ein bürgerlich-freiheitliches nationales Denken im Umkreis der Romantik nicht eigentlich zu finden ist. Die Entwicklungslinie, die vom konkret freiheitlichen Patriotismus der Aufklärung ausgeht, schließt die Romantik nicht wesentlich ein.

5. DER PATRIOTISMUS IN DER ZEIT DER FREIHEITSKRIEGE

Seit 1789 war Europa nicht mehr zur Ruhe gekommen. Vom Beginn der 90er Jahre an waren die europäischen Monarchen angetreten, um, wie Bignon, ein Anhänger Napoleons, schrieb, aggressiv und erobernd gegen Frankreich vorzugehen: „Seit langer Zeit ist das Gleichgewicht in Europa vernichtet. Die Mächte ersten Ranges haben keinen andern Gedanken, als Gedanken an Vergrößerung. So bald sie namentlich gegen die französische Revolution unter die Waffen traten, haben sie sich in der That bewaffnet, um zu erobern"[1]. Frankreich reagierte darauf seinerseits mit einer zunehmend aggressiven Politik, von der Bignon fragend und zugleich rechtfertigend meinte: „Kann Frankreich, wenn England, Rußland und Oestreich in das Ungemessene einer fortwährenden Erweiterung sich eingelassen haben und es durch sie auf das Schlachtfeld gefordert worden ist, eine Macht in engen Gränzen bleiben?"[2] Aus der zunächst defensiven Reaktion auf die Angriffe des monarchischen Auslands war dann unter Napoleon endgültig eine Macht- und Eroberungspolitik größten Stils getreten.

Als Napoleon[3] ein Land nach dem andern in Abhängigkeit von Frankreich brachte, bildete sich — zuerst in Spanien — in den unterworfenen Völkern zunehmend ein nationales Bewußtsein aus, das sich gegen die imperiale französische Politik richtete.[4] Präzise hat Gervinus den politischen Charakter und geschichtlichen Zusammenhang dieser Widerstandsbewegung gegen Napoleon beschrieben:

> Der Druck auf die nationale Freiheit, die Politik der Entnationalisierung regte in einem natürlichen Gegenstoße das Selbstgefühl der Völker auf, das ihr politisches Erwachen überhaupt anzeigte [. . .]. Die Volkskriege in Spanien, Rußland und Deutschland verkündigten örtlich die neue Zeit auch jenseits Frankreichs und zeitlich über die Dauer der Franzosenherrschaft hinaus. Die Waffen der Monarchen selbst wurden demokratisch; der Kampf gegen den Tyrannen ward im Namen der Völkerfreiheit von Heeren geführt, in denen der nationale und politische Begriff lebendig war; und er ward mehr für die gemäßigten Grundsätze der Revolution geführt, als gegen sie. Darin lag der Wendepunkt der Zeit, der das Ende der Revolution nicht minder revolutionär machte, als ihr Anfang gewesen war[5].

1 [L. P. E. Baron v.] Bignon: Geschichte von Frankreich, vom achtzehnten Brümaire (November 1799) bis zum Frieden von Tilsit (Julius 1807), Bd. 1—6, Leipzig 1830—31, hier Bd. 6, S. 307.
2 Bignon, a.a.O., Bd. 6, S. 308.
3 Zu allen wesentlichen Aspekten der Herrschaft Napoleons vgl. jetzt die umfassende Darstellung von J. Tulard: Napoleon oder der Mythos des Retters, Tübingen (1978).
4 Vgl. E. Tarlé: 1812. Rußland und das Schicksal Europas, Berlin (1951), S. 7: „Die Kämpfe der französischen Revolution, die im Namen des revolutionären Fortschritts gegen die Interventen ausgefochten wurden, gingen mit der Zeit in die Eroberungskriege Napoleons über; doch diese imperialistischen Raubkriege Napoleons riefen ihrerseits in dem geknebelten Europa eine nationale Befreiungswelle hervor, die Kriege der europäischen Völker gegen Napoleon nahmen den Charakter von nationalen Befreiungskämpfen an".
5 Gervinus, Einleitung, a.a.O., S. 147f.

Der Kampf gegen Frankreich war also in der Sicht Gervinus' nicht allein ein nationales Aufbegehren gegen die Fremdherrschaft, er war darüber hinaus ein Kampf, der eine „neue Zeit" ankündigte. Eine neue Zeit, in der der demokratische Begriff 'Völkerfreiheit' immer größeres Gewicht erhielt, in der es nicht nur um die nationale Integrität, sondern auch um die Freiheit ging, die von vielen politisch und im Sinne der revolutionären Grundsätze von 1789 verstanden wurde.

Was hier allgemein zur Reaktion der europäischen Völker auf die französische Hegemonie gesagt wurde, gilt auch für das deutsche Volk[6]: In der Zeit vor den Freiheitskriegen, gesteigert in den Jahren 1813 bis 1815 bildete sich ein deutsches Nationalgefühl aus. Im folgenden wird es um einen Überblick über den politisch-militärischen Hintergrund gehen, sodann um die verschiedenen Richtungen und Akzentuierungen des Nationalbewußtseins in Deutschland. An einem Einzelbeispiel, an Ernst Moritz Arndt, wird dann detaillierter der leitende Gesichtspunkt dieser Studie zu verfolgen sein, die Frage, wie die Relation von Nationalgefühl und Freiheitsbewußtsein in dieser Epoche beschaffen war. Die These Gervinus', die Freiheitskriege der europäischen Völker seien im nationalen, aber eben auch im freiheitlichen Geiste, der von der Französischen Revolution seinen Ausgang nahm, geführt worden, ist für Deutschland zu überprüfen.

5.1. DIE POLITISCH – MILITÄRISCHEN EREIGNISSE

Auch nach dem Frieden von Amiens (1802) setzte sich unvermindert die Feindschaft zwischen Frankreich und England[7] fort: „Da schon seit langer Zeit der Haß Frankreichs in England die herrschende Stimmung ausmachte und Jedermann das Wachsthum der Wohlfahrt Frankreichs fürchtete, so glaubte man sich auch zu Paris und in den Provinzen zu einem ähnlichen Grundsatze, zu demselben Hasse gegen England verpflichtet"[8]. Schon bald hatte die englische Diplomatie deshalb eine dritte antifranzösische Koalition zusammengebracht, die von Frankreich die Rück-

---

6 Vgl. O. Dann: Nationalismus und sozialer Wandel in Deutschland 1806–1850, in: O. Dann (Hrsg.): Nationalismus und sozialer Wandel, (Hamburg 1978), (= Historische Perspektiven, 11), S. 77–128. Ferner: W. Conze: Die deutsche Nation. Ergebnis der Geschichte, Göttingen (1963), (= Die deutsche Frage in der Welt, 1). E. Angermann: Die deutsche Frage 1806–1866, in: E. Deuerlein, Th. Schieder (Hrsg.): Reichsgründung 1870/71, Stuttgart 1970, S. 9–32. L. Gall: Die 'deutsche Frage' im 19. Jahrhundert, in: 1871 – Fragen an die deutsche Geschichte, (Berlin 1971), S. 19–52. W. Sauer: Das Problem des deutschen Nationalstaats, in: H.-U. Wehler (Hrsg.): Moderne deutsche Sozialgeschichte, 2. Aufl., Köln 1968, S. 407–436.

7 Zum historischen Hintergrund vgl. außer den genannten Titeln noch W. Wachsmuth: Geschichte Frankreichs im Revolutionszeitalter, Th. 1–4, Hamburg 1840–1844, hier Bd. 3 und 4. K. A. Menzel: Geschichte unserer Zeit seit dem Tode Friedrichs des Zweiten, 4., verb. u. verm. Ausg., Th. 2, 3, Berlin 1844, (= Forts. zu K. F. Becker: Weltgeschichte, Th. 13, 14). Zum militärischen Geschehen vgl. noch D. Chandler: Napoleon, (Bergisch Gladbach 1978), bes. S. 65ff., 106ff, 133ff.

8 Bignon, a.a.O., Bd. 3, S. 81.

gabe aller Eroberungen der letzten zehn Jahre verlangte. Während Bayern, Württemberg, Baden sowie Hessen-Darmstadt schon jetzt auf die Seite Napoleons traten, stand Österreich auf Seiten der Koalition, Preußen schwankte zwischen beiden Parteien. In der Dreikaiserschlacht bei Austerlitz (Dezember 1805) fiel die Entscheidung: Nach vernichtender Niederlage der Russen und Österreicher zog der Zar seine Truppen zurück, Österreich schloß einen Waffenstillstand. Preußen hatte sich zwar der Koalition genähert, zögerte aber eine endgültige Entscheidung hinaus, bis der Sieg der französischen Waffen feststand. Dann unterwarf es sich im Vertrag von Schönbrunn allen Forderungen Napoleons, der, nun vor einer preußischen Intervention gesichert, Österreich den äußerst harten Frieden von Preßburg diktierte. Mitte 1806 wurde dann der Rheinbund gegründet, Bayern, Württemberg, Baden sowie eine Anzahl kleinerer Fürsten traten aus dem Reichsverband mit der folgenden Erklärung aus: „Seit dem Augenblicke, wo sich im Jahre 1795 im Reiche [nach dem Frieden von Basel zwischen Preußen und Frankreich] eine Trennung in ein nördliches und südliches Deutschland hervorgethan, seyen alle Begriffe von gemeinschaftlichem Vaterlande und Interesse verschwunden; die Ausdrücke: Reichskrieg und Reichsfrieden, seyen Worte ohne Sinn geworden; vergeblich habe man Deutschland mitten im Reichskörper gesucht. Indem man sich jetzt von diesem Reichskörper lossage, befolge man nur das durch frühere Vorgänge und selbst durch Erklärungen der mächtigeren Reichsstände aufgestellte System"[9]. Die genannten Territorialstaaten schlossen sich endgültig an Napoleon an, der zum Protektor des Rheinbundes erklärt wurde. Dadurch geriet ein großer Teil Deutschlands unter direkten französischen Einfluß, zugleich wurde die Brüchigkeit der deutschen Reichsorganisation unübersehbar: Am 6. August 1806 erklärte Kaiser Franz das Deutsche Reich für aufgelöst.

Im Innern der Rheinbundstaaten kam es, wie oben bereits erwähnt, unter französischem Einfluß zu Reformmaßnahmen, die einerseits Konzessionen an bürgerliche Forderungen enthielten, die andererseits aber die Entfremdung den übrigen deutschen Staaten gegenüber vollständig machten. Diese Entfremdung stand denn auch in der Reaktion der deutschen Patrioten im Vordergrund. Daß sich die Rheinbundfürsten um politischer Vorteile willen vom Reich abgewandt und Frankreich angeschlossen hatten, wurde mit Verbitterung aufgenommen und kommentiert: „Das Souverainitätsrecht, das Napoleon seinen gekrönten Sclaven zutheilte, behagte diesen allzuwohl; auf diesem Kissen, das er ihren bösen Willkürgelüsten und -begierden unterlegte, herrschte es sich zu bequem, als daß die so Begünstigten irgend etwas veranlaßt haben mögten, den Arm des irdisch-Allmächtigen zu schwächen, der über ihren Thronen und Fürstenstühlen das Schutz und Strafschwerdt hielt und ihnen das weiche Sitzpolster sicherte"[10].

9 Menzel, a.a.O., Th. 2, S. 252.

10 L. Wächter: Historischer Nachlaß, hrsg. v. C. F. Wurm, Bd. 1–2, Hamburg 1838–1839, hier Bd. 2, S. 239.

Nun nach der Auflösung des Reiches war auch das alte Preußen trotz seines langen Taktierens zwischen den Parteien zum Untergang verurteilt. Napoleon besiegte das preußische Heer in der Doppelschlacht von Jena und Auerstädt vernichtend, am 25. Oktober 1806 besetzten die Franzosen Berlin. Da Rußland jedoch von neuem den Krieg mit Frankreich aufnahm, versuchte auch Preußen abermals den Widerstand gegen Napoleon. Im Juni 1807 zwang dieser aber die Russen zum Waffenstillstand, Kaiser und Zar einigten sich in Tilsit auf ein Abkommen, nach dem Preußen als Pufferstaat zwischen beiden Mächten bestehen bleiben sollte. Preußen mußte jedoch über die Hälfte seines Gebiets abtreten und verlor nahezu die Hälfte seiner Einwohner.

Mit den Niederlagen Österreichs und Preußens in den Jahren 1805 bis 1807 war Deutschland völlig dem Einfluß des napoleonischen Frankreichs preisgegeben. Napoleons Herrschaft, jene, so einer seiner Bewunderer, „wundervolle Regierung [. . .], das Erstaunen der Welt, jenes Archiv unerhörter Thaten und jene monumentale Epoche"[11], Napoleons Herrschaft erstreckte sich nun auch auf Deutschland. Die deutschen Territorialstaaten waren besetzt oder von Frankreich abhängig, das Reich war aufgelöst, Preußen keine Großmacht mehr.

Dennoch begann zu diesem Zeitpunkt deutscher Ohnmacht eine umfassende nationale Besinnung, begannen der Widerstand und der Kampf um die nationale Befreiung. Schon oben wurde erwähnt, daß unter Napoleons Einfluß in den deutschen Territorien wesentliche Reformen initiiert wurden. Mit Recht wurde gesagt, Napoleon habe deutschen Fürsten zur absoluten Herrschaft, also zur Repression der adeligen Stände verholfen, damit aber zugleich fortschrittliche Reformen im Interesse breiter Schichten eingeleitet: „Hätte er den Fürsten des mittäglichen Teutschlands nicht zu ihrer allmähligen Freimachung vom Joche der Aristokratie für sich und ihre Unterthanen kräftige Unterstützung zugestanden, niemals hätten diese Fürsten ihren Unterthanen die freisinnigern Verfassungen zugestehen können, deren sie sich jetzt erfreuen. Die nicht adelige Classe, d.h. die Masse des Volkes, hätte heute noch keinen Anspruch auf die Gleichheit der bürgerlichen und politischen Rechte [. . .]"[12]. Trotz mannigfacher Reformen in den von Frankreich abhängigen Ländern, trotz Reformen also, die den bürgerlichen Freiheitsforderungen auch der deutschen Intelligenz entgegenkamen, wurde immer deutlicher, daß die abhängigen Gebiete letztlich im Zuge einer maßlosen imperialen Politik den Interessen Frankreichs dienstbar gemacht werden sollten. Die erwähnten Reformen waren dazu bestimmt, die Rheinbundstaaten in die Lage zu versetzen, diesen Interessen Frankreichs noch besser zu dienen. So wurde auch das deutsche Zusammengehörigkeitsgefühl systematisch unterdrückt, wie der folgende Bericht deutlich macht: „Als im Jahre 1811 in Cleve, bei Anwesenheit Napoleons und seiner Oesterreichischen Gemahlin, der Kaiserin, neben einem Französischen Gedichte, auch mehrere Deutsche Verse überreicht werden sollten, verwarf der Präfect die letzteren und ließ sie nicht vor die Augen der Gebieterin kommen, um uns dadurch

11 Bignon, a.a.O., Bd. 1, S. 30.
12 Bignon, a.a.O., Bd. 4, S. 110.

auf den längst bekannten Ausspruch seines Herrn und Meisters über uns Clever
'Ils sont François' zurückzuführen, gerade als wenn sich der hingegebene Deutsche
auch seine Nationalität wie einen Rock auszieben ließe"[13].

Daß alle dem Kaiser verbündeten Staaten seiner Eroberungspolitik zu dienen
hatten, wurde für die Bevölkerung durch die Konskriptionen am sichtbarsten:
120 000 Deutsche wurden zeitweise zugleich als Soldaten von den Rheinbundstaaten gestellt. Dazu kamen Behinderungen des Handels und mangelnde Rohstoff-
lieferungen, bedingt durch Napoleons Kontinentalsperre gegen England. All dies
führte zu ersten Widerstandsäußerungen, wie der des Nürnberger Buchhändlers
Palm, der die Flugschrift 'Deutschland in seiner tiefen Erniedrigung' verbreitete.
Zwar wurden sofort brutale Unterdrückungsmaßnahmen eingeleitet — Palm wurde
Ende August 1806 erschossen —, dennoch handelte es sich um erste Anzeichen
eines umfassenden Widerstands.

Während sich die erste Opposition regte, nahmen in Preußen nach der katastrophalen Niederlage Stein (2. Ministerium von Oktober 1807 bis März 1808) und
seine Mitarbeiter wie Scharnhorst, Gneisenau und v. Schön umfassende Reformen
in Angriff.[14] Die fortschrittliche und nationale Bewegung gewann damit an Boden,
Stein, der persönlich stets zwischen Reform und tradierten Wertvorstellungen,
zwischen moderner Staatsraison und Reichsgefühl, zwischen Preußischem und
Deutschem schwankte, bezweckte „die Belebung des Gemeingeistes und Bürger-
sinns", „die Wiederbelebung der Gefühle für Vaterland, Selbständigkeit und Nationalehre"[15]. Gegen vielfachen Widerstand der uneinsichtig am Alten festhaltenden
Junker kam es zu einer Agrarreform, in der die feudalen Verhältnisse auf dem Land
überwunden werden sollten: Die Privilegien der Junker wurden partiell aufgehoben.
In der Städteordnung vom November 1808 wurde den Städten vermehrte Auto-
nomie zugestanden, neben der Bauernschaft profitierte auch das Bürgertum von der
Reformbewegung. Insofern als sich in den deutschen Niederlagen den französischen
Heeren gegenüber gezeigt hatte, daß unfreie, in Unmündigkeit gehaltene Untertanen nicht einer Armee patriotisch begeisterter Bürger standhalten könnten, stellten Agrarreform und Städteordnung eine wichtige Voraussetzung zur nationalen
Befreiung dar. Indem die preußische Regierung — in den von ihr gesteckten Grenzen
freilich — den Forderungen des progressiven Bürgertums entgegenkam, schuf sie
gleichzeitig die Voraussetzungen für eine stärkere Identifikation der Bürger mit
ihrem Staat.

Die direkte Vorbedingung zur Befreiung war die Reform des, wie die Niederlagen gezeigt hatten, hoffnungslos veralteten Heeres. Die Reformer um Scharnhorst
und Gneisenau milderten die barbarischen disziplinarischen Maßnahmen und änderten Offiziersauswahl und Taktik. Durch das Krümpersystem gelang es zudem, mehr

13 Ueber Cleve, Frankfurt 1823, zitiert nach Menzel, a. a. O., Th. 2, S. 273.
14 Vgl. an neueren Darstellungen Valjavec, a. a. O., S. 372ff. R. Koselleck: Preußen zwischen
   Reform und Revolution, Stuttgart 1967. F.-L. Knemeyer: Regierungs- und Verwaltungsreformen in Deutschland zu Beginn des 19. Jahrhunderts, Köln 1970. R. Ibbeken: Preußen
   1807—1813. Staat und Volk als Idee und in der Wirklichkeit, Köln, Berlin 1970.
15 Nach Herre, Nation, a. a. O., S. 48. Vgl. auch ders.: Freiherr vom Stein, München (1979).

Soldaten auszubilden, als nach dem mit Frankreich geschlossenen Vertrag gestattet war. Entscheidend wurde aber über alle Einzelmaßnahmen hinaus, daß nun ein anderer Geist geschaffen wurde, auch die Soldaten sollten sich fortan mit der Sache, für die sie kämpften, identifizieren können.

Die Reformen nahmen auch nach der Entlassung Steins unter Hardenberg ihren Fortgang, der im Juni 1810 zum Staatskanzler ernannt wurde. Im November dieses Jahres erließ er ein Edikt über die Gewerbesteuer, das die Steuerpflicht allgemein machte, d.h. auch auf den Adel ausdehnte, im September des nächsten Jahres wurde der Zunftzwang beseitigt, im März 1812 erschien das 'Edikt über die bürgerlichen Verhältnisse der Juden'. Mit dem Ausscheiden Steins war allerdings der Schwung der Reformen erlahmt; dies zeigte sich im Zusammenhang mit der Agrarreform, als die Ablösung der Feudallasten für die Bauern ungünstig, für den Adel jedoch äußerst vorteilhaft geregelt wurde.[16] Trotz dieser Einschränkungen war mit dem gesamten Reformwerk in Preußen die Basis für ein patriotisches Denken gegeben. Waren die Bürger dem alten Obrigkeitsstaat gegenüber gleichgültig gewesen, so konnten sie sich nun für die Befreiung ihres Staates, darüber hinaus für die deutsche Befreiung insgesamt einsetzen.

Unmittelbar begann die Erhebung gegen Napoleon jedoch nicht in Preußen, sondern 1809 in Österreich. Nach der Niederlage von 1805 reorganisierten die Kräfte um den Grafen Stadion mit maßvollen Reformen Staat und Heer, im April 1809 wurde der Krieg gegen Frankreich eröffnet und durch publizistische Appelle (F. Schlegel, A. Müller) als Auftakt zur Wiederherstellung eines unabhängigen Deutschlands dargestellt.[17] Gleichzeitig erhoben sich die 1805 unter bayerische Herrschaft gekommenen Tiroler unter der Führung Andreas Hofers. Hier mischte sich die Empörung der traditionsgebundenen Bauern gegen die Reformen im Rheinbundstaat Bayern unter Montgelas mit dem Kampf gegen die französischen Besatzungstruppen. Diese Bewegung der Tiroler wurde — trotz der politisch rückständigen und klerikalen Züge der Erhebung[18] — in ganz Deutschland als Befreiungsversuch breitester Schichten gegen die Herrschaft Napoleons begeistert begrüßt. So bezog auch Bettina v. Arnim engagiert für die Tiroler Partei. Am 20. März 1809 schrieb sie an Goethe von den Tiroler Aufständischen als „festen,

---

16 In den Durchführungsbestimmungen vom Mai 1816, als der Adel nach den Befreiungskriegen wieder sicher im Besitz der Macht war, wurden die Bedingungen für die Bauern weiter verschlechtert.

17 Vgl. H. Rössler: Österreichs Kampf um Deutschlands Befreiung, Bd. 1—2, Hamburg 1940. Zur österreichischen Reformbewegung ein Überblick bei Valjavec, a.a.O., S. 366ff.

18 In einem Aufruf Hofers hieß es: „Streitet mit uns als Brüder, denn wenn wir uns den Feinden ergeben wollen, werdet ihr sehen, daß binnen vierzehn Tagen ganz Tyrol von jungen Leuten beraubt, und zuletzt unsere Gotteshäuser und Klöster, wie auch Religion vernichtet, und sammt den Feinden die ewige Verdammniß uns zubereitet seyn würden", zitiert nach Menzel, a.a.O., Th. 3, S. 20. — Es konnte nicht ausbleiben, daß dieser fromme, dem österreichischen Kaiser und den alten Institutionen ergebene Patriotismus Hofers im Vormärz von Konservativen zum Vorbild stilisiert wurde; vgl. etwa H. Döring: Geschichte des Aufstandes in Tyrol, Hamburg 1842.

sicheren, in sich einheimischen Naturen, die den Geist der Treue und Freiheit mit der reineren Luft ihrer Berge einatmen"[19]. Dennoch erschien Bettina Napoleon als übermächtiger Gegner, am 9. September 1809 meinte sie: „[. . .] und so wird es auch noch kommen, es [d.i. Österreich] wird noch den großen Napoleon um Verzeihung bitten, daß man ihm die Ehre erzeigt, ihm ein Heldenvolk entgegenzustellen; [. . .] zu gewiß ist mir, daß auf Erden allem Großen schlecht vergolten wird"[20].

In der Tat gelang es Napoleon, über Österreich zu siegen. Nach der Niederlage bei Wagram bat Österreich um Waffenstillstand, im Oktober 1809 wurde in Wien ein Friede geschlossen, der harte Bedingungen auferlegte. Ohne die Unterstützung der österreichischen Truppen waren auch die Tiroler dem Kampf mit Frankreich nicht mehr gewachsen. Ende 1809 war ganz Tirol erobert.

Auch im übrigen Deutschland regten sich angesichts des österreichischen Kampfes Kräfte, die den Widerstand gegen Napoleon planten. In Norddeutschland kam es zu mehreren Erhebungen, die sich an die Namen von Schill, Katte, Dörnberg und den des Herzogs Friedrich Wilhelm von Braunschweig knüpfen. Vor allem aber bestimmte der Kampf gegen die Fremdherrschaft zunehmend auch das geistige Leben. So wurde unter der Leitung Wilhelm v. Humboldts 1810 die Universität in Berlin gegründet, eine Gründung, die zu einem Zeitpunkt nationalen Niedergangs im politischen Bereich der Wissenschaft neue Möglichkeiten bieten sollte. Hier wirkten patriotisch eingestellte Gelehrte, neben anderen Fichte und Schleiermacher. Zur Reform unter Humboldt gehörte auch eine Erneuerung des Schulwesens, in das von nun an nationale Lehrinhalte Eingang fanden.[21] Es kam zu einer „didaktischen Konzentrierung um die Idee der Nation" und so „zu bedeutsamen Wandlungen auch des Erziehungsideals". Jetzt und in den folgenden Jahrzehnten wurde es zur Aufgabe der Schule, „die geistige Grundlage für die längst herbeigesehnte politische Einigung zu schaffen".[22]

Allgemein mit der Verbreitung des bürgerlich-patriotischen Gedankens befaßte sich in Preußen auch der 1808 in Königsberg gegründete 'Tugendbund'[22a]. Für die Vorbereitung des Befreiungskampfes war ferner die Turnbewegung wichtig, die vor allem von Friedrich Ludwig Jahn inspiriert wurde. Jahn, der 1810 die national gesinnte antinapoleonische Kampfschrift 'Deutsches Volkstum' veröffentlicht hatte, wollte Deutschland zu einem einheitlichen, nach bürgerlichen Grundsätzen konstituierten Nationalstaat machen. Neben diesen freiheitlichen Zielsetzungen, deret-

19 B. v. Arnim: Goethes Briefwechsel, a.a.O., S. 251.
20 B. v. Arnim, Goethes Briefwechsel, a.a.O., S. 286.
21 Allgemein vgl. H. König: Zur Geschichte der bürgerlichen Nationalerziehung in Deutschland zwischen 1807 und 1815, Tl. 1–2, Berlin 1972–73. Beispiele der verschiedenen Ausprägungen des deutschen Nationalismus und ihrer Wirkung auf den schulischen Geschichtsunterricht bei E. Weymar: Das Selbstverständnis der Deutschen. Ein Bericht über den Geist des Geschichtsunterrichts der höheren Schulen im 19. Jahrhundert, Stuttgart (1961).
22 P.-M. Roeder: Zur Geschichte und Kritik des Lesebuchs der höheren Schulen, Weinheim 1961, hier S. 120, 109, 121.
22a Vgl. Ludz, a.a.O., S. 399, 428.

wegen er wenige Jahre später als „Demokrat und Demagog"[23] verfolgt wurde, stand bei ihm aber auch eine deutschtümelnde Einstellung, die die revolutionären Errungenschaften Frankreichs verkannte und einen radikalen Franzosenhaß verkündete.

Während die Widerstandsbewegung in Deutschland derart an Kraft gewann, wuchsen im Zusammenhang mit den Folgen der Kontinentalsperre, die die russischen Gutsbesitzer und Kaufleute schwer schädigte, und mit der polnischen Frage wiederrum die Gegensätze zwischen Frankreich und Rußland. Im Juni 1812 fiel die Große Armee Napoleons ohne Kriegserklärung in Rußland ein. Unter heftigen inneren Diskussionen hatten sich Preußen und Österreich auf die Seite des Kaisers gestellt. Nach großen Anfangserfolgen Napoleons ging schließlich der Plan Kutusows, des russischen Oberbefehlshabers, auf: Die tief ins Innere Rußlands eingedrungene Große Armee wurde durch Partisanen beunruhigt und durch die Weite der Nachschubwege sowie durch das Klima zermürbt. Nach der Eroberung Moskaus begann der Rückzug am 19. Oktober. Völlig geschlagen, erreichte nur ein Bruchteil der Großen Armee wieder die Grenzen Rußlands, eine Niederlage, die der Herrschaft des Kaisers irreparablen Schaden zufügte.

Während die Rheinbundfürsten „ob nach persönlicher Gesinnung oder nach äußeren Verhältnissen"[24] Napoleon auch jetzt noch folgten, wurde, so in Preußen, „die Stimme des Volkes laut; die Policei war nicht mehr im Stande, den Ruf des Grimmes und der Hoffnung niederzuhalten"[25]. Für die Alliierten und ihren Kampf gegen die französische Expansion sprach sich nun in Deutschland offen und eindeutig das Volk aus: „der Geist des Volkes war mit ihnen; es war vorbei mit der schlaffen Unthätigkeit"[26]. Volkslieder artikulierten den Triumph der Deutschen über die Niederlage des Aggressors, in einem 'Fluchtlied'[27] aus dem Jahre 1812 heißt es:

> Mit Mann und Roß und Wagen
> Hat sie der Herr geschlagen.
> Es irrt durch Schnee und Wald umher
> Das große mächt'ge Franschenheer.
> Der Kaiser auf der Flucht,
> Soldaten ohne Zucht.

Jetzt, nach der Niederlage Napoleons, konnte der deutsche Befreiungskampf, von weiten Teilen des Volkes unterstützt, seinen Anfang nehmen. Eine wichtige Voraussetzung dafür war auch, daß sich 1812 in Rußland auf Anregung Steins ein 'Komitee für deutsche Angelegenheiten' gebildet hatte. Hier war die Agita-

---

23 P. D. A. Atterbom: Ein Schwede reist nach Deutschland und Italien. Jugenderinnerungen eines romantischen Dichters und Kunstgelehrten aus den Jahren 1817 bis 1819, Weimar [1967], S. 81. – 1819 wurde Jahn verhaftet, seine Turnplätze wurden geschlossen. Zu Jahn vgl. Kohn, Wege und Irrwege, a.a.O., S. 85ff.
24 Wachsmuth, a.a.O., Bd. 4, S. 92.
25 Wachsmuth, a.a.O., Bd. 4, S. 95.
26 Wachsmuth, a.a.O., Bd. 4, S. 108.
27 Zitiert nach M. Schmitz (Hrsg.): Dichter der Freiheitskriege, Paderborn 1898, (= Schöninghs Ausg. dt. Klassiker, Erg.bd. 2), S. 175; Verfasser ist Friedrich August.

tion gegen die französische Herrschaft in Deutschland vorbereitet worden, z.B. ließ das Komitee den zweiten Teil von Arndts 'Geist der Zeit' illegal in Deutschland drucken und verbreiten. Außerdem wurde eine Russisch-deutsche Legion gebildet, die zum Ansatzpunkt für einen umfassenden militärischen Widerstand der Deutschen wurde.[28] Das direkte Signal zum Befreiungskrieg war dann die Konvention von Tauroggen: Am 30. Dezember 1812 schloß der Kommandeur des preußischen Hilfskorps bei der Großen Armee, York, ohne Zustimmung seines Königs ein Übereinkommen mit Rußland, in dem er sich von Napoleon abwandte. Die spontanen Widerstandsaktionen häuften sich nun, während die heranrückenden russischen Truppen als Befreier begrüßt wurden. In einem Spottlied hieß es:

> Es lebe Alexander, der wackere Held,
> Er stellt Kosacken uns in das Feld!
> Juchheisasasa, die Kosacken sind da,
> Kosacken sind tapfer, das wissen wir ja!
> Es stehen Kosacken wie Männer so fest,
> Und geben den Franzosen den letzten Rest.[29]

Während in Ostpreußen der offene Kampf begann, schwankte Friedrich Wilhelm III. längere Zeit. Kritisch schrieb Friedrich Ludwig August von der Marwitz über diese Haltung des Königs und auch seines Staatskanzlers Hardenberg im Vergleich mit der Reaktion des Volkes:

> Diese Vernichtung des ungeheuren französischen Heeres und die Flucht Bonapartes von Rußland nach Paris wirkten sehr verschieden auf das Volk, Hardenberg und den König. Das Volk jubelte und harrte mit Ungeduld auf den Augenblick, wo ihm würde erlaubt sein, über die durchziehenden Franzosen herzufallen und sie alle totzuschlagen. Es erwartete jeden Augenblick, daß der König sich erklären würde. Hardenberg jubelte auch, glaubte aber, mit Napoleon sei es vorbei, und man werde nun durch Demonstrationen und Traktaten alles erhalten können, was man nur wolle. Der König entsetzte sich, denn er merkte, daß eine Zeit des Handelns kommen werde, und beschloß, seinen gewöhnlichen Gang zu gehen, nämlich: nichts zu tun und das Ende abzuwarten.[30]

Ende Januar erst verlegte Friedrich Wihelm seine Residenz in das unbesetzte Breslau, Schritte zur Bewaffnung Freiwilliger wurden eingeleitet. Da nun zunehmend Bürger und Bauern zu den Waffen griffen, stellte sich der König schließlich an die Spitze der Bewegung. Ende Februar schlossen Preußen und Rußland ein Bündnis, im März zogen preußische und russische Truppen in Berlin ein. Jetzt erschien auch der Aufruf des Königs 'An mein Volk' vom 17. März 1813.[31] Hier wendete sich Friedrich Wilhelm zunächst an seine direkten Untertanen: „Brandenburger, Preußen, Schlesier, Pommern, Litauer! [. . .] Erinnert Euch an die Vorzeit, an den

28 G. Vensky: Die Russisch-Deutsche Legion in den Jahren 1811–1815, Wiesbaden 1966, (= Veröff. d. Osteuropa-Institutes München, 30).
29 F. W. C. Menck: Synchronistisches Handbuch der neuesten Zeitgeschichte, Th. 1–2, Hamburg 1826–1834, hier Th. 2, S. 306.
30 Zitiert nach T. Klein (Hrsg.): Die Befreiung 1813, 1814, 1815. Urkunden, Berichte, Briefe, Ebenhausen 1913, S. 36f.
31 Erschienen in der 'Schlesischen privilegirten Zeitung' vom 20. März 1813, hier zitiert G. Guggenbühl (Hrsg.): Quellen zur Geschichte der Neuesten Zeit, 4. Aufl., Zürich 1966, (= Quellen zur Allgemeinen Geschichte, 4), S. 76f.

großen Kurfürsten, den großen Friedrich. Bleibt eingedenk der Güter, die unter ihnen unsere Vorfahren blutig erkämpften: Gewissensfreiheit, Ehre, Unabhängigkeit, Handel, Kunstfleiß und Wissenschaft". Nach diesem Hinweis auf die Werte der im engeren Sinne vaterländischen Geschichte zollt jedoch auch der preußische König dem werdenden Nationalgefühl seine Reverenz: „Aber welche Opfer auch von einzelnen gefordert werden mögen, sie wiegen die heiligen Güter nicht auf, für die wir sie hingeben, für die wir streiten und siegen müssen, wenn wir nicht aufhören wollen, Preußen und Deutsche zu sein". Charakteristisch ist die Reihenfolge, in der Friedrich Wilhelm schreibt: „Preußen und Deutsche"[32], dennoch wird eine nationale Erhebung auch im Zeichen der Werte des Gesamtvaterlandes angesprochen, Hinweis auf die Stärke der nationalen Bewegung in diesem Moment.

Lange Zeit war das folgende Urteil über den Widerstand der europäischen Regierungen gegen die französische Expansion berechtigt: „[. . .] welcher verkehrte Geist hat, den ganzen Krieg hindurch, beynahe alle Cabinete der gegen Frankreich bewaffneten Mächte zu den größten Mißgriffen verleitet! – Wie konnten sie in einem Momente, wo sie ihre Throne, die Altäre und sogar ihr Seyn bedroht sahen, sich dennoch entzweyen, und einem Feinde, der unerschöpflich an Kräften, alle Mittel sich erlaubte, so unbedeutenden Widerstand leisten?"[33] Dies begann sich, was die deutschen Regierungen angeht, nun zu ändern. Im Verein mit der im Volk herrschenden Stimmung entstand eine allgemeine Solidarität, die den Sturz Napoleons und die Vernichtung der französischen Suprematie bezweckte.

Zu den Bemühungen der Regierungen traten die Aktivitäten deutscher Patrioten, die an Engagement, ein größeres Deutschland zu schaffen, die auf Wahrung ihrer jeweiligen einzelstaatlichen Macht bedachten Regierungen von vornherein übertrafen. Vor allem der Freiherr vom Stein, dessen Bekenntnis lautete: „Ich kenne nur ein Vaterland, das heißt Deutschland"[34], trat dafür ein, daß ein einheitlicheres Staatsgebilde entstünde. Seine Pläne liefen auf eine Dreiteilung der Macht zwischen Preußen, Österreich und den Mittelstaaten hinaus; Ansatz zur zentralen Gewalt sollte die gemeinsame Verwaltung der zu besetzenden Rheinbundgebiete sein. Große Teile des Volkes unterstützten immer verstärkter die patriotischen Bestrebungen durch Geldspenden, viele Freiwillige meldeten sich. Zu den Linientruppen und den freiwilligen Jägerabteilungen trat noch die Landwehr, eine Miliz, die die ganze wehrfähige Bevölkerung erfaßte. Berühmt wurde unter den Freiwilligenverbänden vor allem das Lützowsche Freikorps, in dem sich Patrioten nicht nur aus Preußen, sondern auch aus anderen Territorialstaaten vereinigten, z.B. Jahn, Theodor Körner und Eichendorff: Dieses Korps wurde nicht auf Friedrich Wilhelm III., sondern „auf das Vaterland" vereidigt. In seinem Gedicht 'Lützow's wilde Jagd'[35]

---

32 Ebenso heißt es zu Beginn des Aufrufs: „Sowenig für Mein treues Volk als für Deutsche bedarf es einer Rechenschaft über die Ursachen des Kriegs, welcher jetzt beginnt".
33 Darstellung der Ursachen, welche die Unfälle der österreichischen Armeen im letzten Landkriege, besonders im Jahre 1800, nach sich gezogen haben, London 1802, S. IVf.
34 Zitiert nach Herre, Nation, a.a.O., S. 46f. Äußerung vom 1. Dezember 1812.
35 In: Th. Körner: Sämmtliche Werke, hrsg. v. K. Streckfuß, 3., rechtm. Ges.-Ausg., Berlin 1838, S. 25f.

verewigte Körner sein Korps, für dessen Soldaten nach seinen Worten „der Funke der Freiheit" erwacht war, das unter dem Motto kämpfte: „Die wilde Jagd, und die deutsche Jagd/Auf Henkersblut und Tyrannen!"

Auch in Norddeutschland und in den Rheinbundstaaten regte sich der Widerstand. Hier gab es vor allem Empörungen gegen die neuen Aushebungen, mit denen Napoleon seine Verluste auszugleichen versuchte. Der größte Aufstand nahm am 24. Februar in Hamburg seinen Anfang, in Hamburg, wo in der „fürchterlichen Zeit der französischen Unterjochung" ein „täglich wachsender Haß in der Brust des Volks"[36] festzustellen war. Die Franzosen räumten schließlich vor einer vorausgeschickten Kosakeneinheit die Stadt. Auch in Lübeck, Lüneburg und Stade wurden die Franzosen bekämpft, Ende März war das Küstengebiet von Oldenburg bis Hamburg befreit. Allerdings gelang es den Franzosen noch einmal zurückzukehren, Hamburg wurde zur Festung ausgebaut.

Obgleich Napoleon mit seinen reorganisierten Kräften vorübergehend ein letztes Mal Erfolge erzielen konnte, entschied sich nun Metternich, der Koalition beizutreten, am 11. August erging die Kriegserklärung Österreichs an Frankreich. In einer Tagebucheintragung aus Hamburg vom Oktober 1813 wird die patriotische Begeisterung und Siegeszuversicht dieser Wochen deutlich: „Ja, der deutsche Gemeingeist theilt sich auch fast dem ganzen Europa mit. Rußland, Preußen, Oesterreich sehen wir in einem fast unglaublich innigen Verein; England und Schweden ihm getreu zur Seite. Deutschland ist wieder, wie die Natur es will, Europas Herz und Gemüth. Alle germanischen Stämme, bis auf das abtrünnige Dänemark und ein Paar in Feindes-Gewalt befindliche Rheinbundfürsten, vereint und wunderbar gemischt, so, daß wir an den Ufern der Elbe Tiroler neben Hanseaten, Schweden neben Engländern, Hannoveraner neben Preußen brüderlich kämpfen sehen. Wahrlich diese Zeit ist Deutschlands größte Epoche!"[37] Trotz des Taktierens der Alliierten, die im Gegensatz zu dem zitierten Tagebucheintrag keineswegs eine so völlig gleichgerichtete Politik verfolgten, gelangen entscheidende Schläge gegen die Franzosen, die jetzt mit einem deutschen „Volkskrieg"[38] konfrontiert wurden. Napoleon wurde bei Großbeeren, bei Dennewitz und nach militärischer Initiative Blüchers, des populärsten Generals der Freiheitskriege[39], in der Völkerschlacht bei Leipzig (16. bis 19. Oktober) geschlagen. Mit dem Sieg bei Leipzig war die Befreiung Deutschlands erreicht, der Rheinbund brach zusammen.

Nun zeigte sich jedoch zum erstenmal für jedermann sichtbar, daß die Alliierten den bürgerlich-nationalen Vorstellungen nur sehr bedingt oder gar nicht entgegenzukommen gedachten. Die Rheinbundfürsten, zuerst der bayerische, dann der württembergische König erhielten eine Garantie ihrer Souveränität, sie wurden

---

36 C. W. Reinhold, G. N. Bärmann (Tl. 2): Hamburgische Chronik von der Entstehung der Stadt bis auf unsere Tage, Tl. 1–2, Hamburg 1820, hier Tl. 2, S. 469.
37 C. Mönckeberg: Hamburg unter dem Drucke der Franzosen, 1806–1814, Hamburg 1864, S. 333.
38 Wachsmuth, a.a.O., Bd. 4, S. 129.
39 Vgl. Friedrich Rückerts 'Marschall Vorwärts' sowie Uhlands 'Vorwärts'.

nicht abgesetzt, was nach Steins Vorstellungen der Beginn eines einheitlicheren Deutschland hätte sein sollen. Auch die anderen Rheinbundfürsten — bis auf ganz wenige Ausnahmen — verloren ihre Herrschaft nicht, über alle Gegensätze hinweg setzte sich eine Art fürstlicher 'Solidarität' durch, die es verbot, andere Souveräne ihrer Herrschaft zu berauben.

Den Verbündeten stand nun Frankreich offen, am 31. März zogen sie als Sieger in Paris ein. Napoleon dankte am 6. April ab und begab sich nach Elba, während mit Ludwig XVIII. wieder ein Bourbone den Thron bestieg. Frankreich erhielt, um die Stellung des neuen Königs zu stärken, einen relativ günstigen Friedensvertrag. Als Ende September 1814 in Wien dann die Neuordnung Europas beschlossen werden sollte, erwarteten die deutschen Patrioten, daß die Opfer, die sie während des Krieges gebracht hatten, honoriert würden. Die Forderung nach einem deutschen Nationalstaat wurde in zahlreichen Publikationen erhoben.[40] Dennoch bestimmten nicht die Wünsche der Patrioten, sondern vielmehr die komplizierten dynastischen Machtinteressen die Verhandlungen auf dem Wiener Kongreß. Zudem trat deutlich hervor, daß „Österreich und Preußen dem Grundsatze, der die Staaten nach Sprachen und nach Volksthümern abgrenzen wollte, nicht unbedingt huldigen konnten, ohne den Verein ihrer Völker zu lösen, und daß diese Mächte, wie lebhaft auch ihre Verwendung für Deutschlands Gesammtwohlfahrt war, sich für dieselbe doch immer nur in mittelbarer Stellvertretung, nicht in unmittelbarer, wie für die eignen Völker, befanden"[41].

Der Länderschacher auf dem Wiener Kongreß wurde durch die Landung Napoleons in Frankreich am 1. März 1815 und den erneuten Krieg gegen den Kaiser jäh unterbrochen, einen Krieg, der, bei Waterloo am 18. Juni entschieden, zur vorerst endgültigen Restitution der bourbonischen Herrschaft in Frankreich führte. Im Zweiten Frieden von Paris erhielt Frankreich nun wesentlich ungünstigere Friedensbedingungen. In Wien aber führte der Schrecken über Napoleons zeitweilige Rückkehr dazu, daß die Diplomaten sich schneller zu Kompromissen bereitfanden und die Neuordnung Europas abschlossen. Die Wünsche der deutschen Patrioten nach einem einheitlichen und freiheitlich konstituierten Deutschland fanden dabei keine Berücksichtigung. Die Vielzahl deutscher Territorialstaaten blieb erhalten, im Innern dieser Staaten besaßen die einzelnen Souveräne auch weiterhin fast unbeschränkte Macht.

Zunächst aber wurde in ganz Deutschland in triumphalem Hochgefühl der Sieg über die Franzosen zum Sieg in einem von Gott gebilligten Heiligen Krieg erklärt. In einer 'Dankpredigt' aus dem Jahre 1815 wurde dies mit den Worten formuliert, es handle sich um einen „Kampf, der uns von Gott verordnet ist, weil er gerechter,

---

40 Vgl. W. A. Schmidt: Geschichte der deutschen Verfassungsfrage während der Befreiungskriege und des Wiener Kongresses 1812 bis 1815, Stuttgart 1890.
41 Menzel, a. a. O., Th. 3, S. 113.

heiliger Sache, weil er — der Sache Gottes gilt!"[42] Im selben Geist meinte ein preußischer Prediger, als die verbündeten Heere in Paris einzogen:

> Wie betroffen und tief im Innersten erschüttert wir vor neun Jahren da standen, als mit Adler-Schnelle des Feindes Schaaren heimsuchend über uns kamen, und was Keiner gefürchtet hatte, seine Dolche das Herz und die Hauptstadt des Landes trafen: — so stehen wir, von Gottes Gnade aufgerichtet, getröstet und gestärkt jetzt auf des Ruhmes Gipfel da, und sehen ihn an mit frohem dankerfüllten Erstaunen, den wunderbar schnellen, gewaltigen Wechsel. [...] Alles weist uns auf den allmächtigen und gerechten Regierer der Welt hin, welcher gebesserte Völker segnet und erhebt, und gottlose und lasterhafte furchtbar straft[43].

Der Sieg der Verbündeten wird hier zur Strafe Gottes an den Franzosen erklärt, an den Franzosen, die, dem „Hochmuth" verfallen, sich gegen die göttliche Ordnung der Welt wandten: „Nein, schaamloser, übermüthiger, höhnender, prahlender, wegwerfender hat nie ein Volk, zur Zeit seines Glückes, gesprochen und gehandelt, als dieses"[44].

Gleichermaßen wie der Sieg der Alliierten als Sieg der göttlich sanktionierten Sache dargestellt wurde, wurde er — aus deutscher Sicht — als Triumph vaterländischer Ideale über ausländische Aggression gefeiert. In einer Dankpredigt nach dem „abermaligen glorreichen Einzuge der verbündeten Heere in die Hauptstadt Frankreichs" hieß es: „[...] das Vaterland, das alte deutsche Vaterland, zu schützen vor neuem Einbruch der Verwüster, und neuen Gefahren der Knechtschaft und Tyrannei: dazu hatten die Fürsten einander Wort und Hand gegeben; dazu hatten die Völker sich in Treue und Glauben an einander angeschlossen; dazu zog im Namen Gottes die Macht der Gerechten aus, und wir beteten für die Gerechten, daß es ihnen gelinge [...]"[45]. Der Krieg wird hier ebenfalls zum Gotteskrieg erklärt, zudem zu einem Krieg, der ohne Unterschiede vom ganzen Volk im Verein mit den Fürsten getragen worden sei. Ohne Rücksicht darauf, daß gerade die bürgerlichen Kräfte, die den nationalen Staat zusammen mit einer freiheitlichen inneren Ordnung forderten, die Bewegung der Freiheitskriege getragen hatten, wird hier die fugenlose Einheit von Fürsten und Volk unterstellt. Ein einheitliches Zusammenstehen der Souveräne und der Bürger Deutschlands im Krieg für die gerechte und heilige Sache, dies wird als Kennzeichen des Befreiungskampfes betont: Gott „machte, daß die Fürsten Eins blieben, und die Völker den Bund der Eintracht hielten"[46]. Sehr bald schon wurden diejenigen, die nach dem Sieg diese Sicht

---

42 Dankpredigt. Am Johannisfeste 1815, nach der Tages zuvor eingegangenen Botschaft des Sieges vom 18ten Junius, in: Neuestes Magazin von Fest-, Gelegenheits- und anderen Predigten und kleineren Amtsreden, hrsg. v. Hanstein, Eylert, Dräseke, Th. 1, Magdeburg 1816, S. 213–230, hier S. 222.

43 Wann ist ein Volk reif zum Verderben? Zur Feier wegen des Einzuges der Verbündeten in Paris, in: Neuestes Magazin, a.a.O., S. 247–260, hier S. 248f.

44 Wann ist ein Volk reif zum Verderben, a.a.O., S. 252.

45 Singet mit Freuden von dem Sieg in den Hütten der Gerechten! Dankpredigt nach dem abermaligen glorreichen Einzuge der verbündeten Heere in die Hauptstadt Frankreichs, in: Neuestes Magazin, a.a.O., S. 231–246, hier S. 235.

46 Singet mit Freuden, a.a.O., S. 239.

vertraten, eines Besseren belehrt. Die 'Einheit' von Fürsten und Volk erwies sich als Trugbild, auf dem Wiener Kongreß setzten die Souveräne ihre territorialstaatlichen Interessen durch, die Forderungen des Bürgertums, als des Sprechers der deutschen Nation, blieben dagegen weitgehend unerfüllt.

5.2. DIE GEISTIGE REAKTION

Mit dem Widerstand gegen Napoleon, mit dem Kampf um die Unabhängigkeit Deutschlands trat das deutsche Nationalgefühl immer stärker hervor. Dieser Prozeß erfaßte weite Teile des Volkes, mit ganz besonderer Intensität Bürgertum und Intelligenz, aber auch die unterbürgerlichen Schichten. Es begann die Nationalisierung der Massen.[47] Im folgenden soll nun anhand einiger Beispiele die Reaktion der Deutschen auf die politisch-militärischen Ereignisse der Widerstandsbewegung exemplarisch dokumentiert werden.

Dieser Widerstand begann weitere Kreise zu erfassen, als nach dem Tilsiter Frieden Napoleon in Deutschland, wie beschrieben, allmächtig erschien. Gerade die Übermacht der Franzosen sowie die Ohnmacht der deutschen Staaten führte zu breiter Opposition und zu nationaler Selbstbesinnung. Eine wichtige Quelle für die Stimmung der Berliner nach dem Frieden von Tilsit bis zum Ende des Jahres 1809 sind die Berichte, die Johann August Sack an den preußischen König sandte.[48] Charakteristisch ist die einleitende Stellungnahme Sacks zur öffentlichen Meinung im besetzten Berlin in seinem Schreiben vom 1. November 1807: „Auf nichts ist wohl von je her und insonderheit jetzt die Aufmerksamkeit der Französischen Behörden mehr gerichtet gewesen, als die öffentliche Meynung in ihrem ganzen Umfange für sich zu gewinnen und sie zu leiten; aber nirgend sind ihre angestrengtesten Bemühungen fruchtloser gewesen, als gerade hier [. . .]"[49]. Am 29. November desselben Jahres schrieb Sack wiederum zum Thema der öffentlichen Meinung: „Wie vortreflich diese im Ganzen ist, und wie lebendig das Volk Abscheu gegen die französische Gewalt und den Mißbrauch derselben mit der Ueberzeugung nährt, daß alles geschehe, wovon man nur immer voraussetzen kann, daß es im Stande sey, einen endlichen Zustand der Erlösung herbeyzuführen, können eigentlich nur diejenigen beurtheilen, die im Stande sind, das Gewebe der Intrigen, sowol der heimlich angelegten als der offen durchgeführten, mit einem Blick zu übersehen, welche nun schon länger als ein Jahr gegen Treue und Anhänglichkeit der Unterthanen von den Feinden, welche im Herzen des Landes gefußt haben, gespielt worden sind"[50]. Trotz intensiver Bemühungen der Franzosen und ihrer

---

47 Vgl. G. L. Mosse: Die Nationalisierung der Massen. Politische Symbolik und Massenbewegungen in Deutschland von den Napoleonischen Kriegen bis zum Dritten Reich, (Frankfurt a.M., Berlin 1976).

48 H. Granier (Hrsg.): Berichte aus der Berliner Franzosenzeit 1807–1809, Leipzig 1913, (= Pub. a. d. K. Preuß. Staatsarchiven, 88).

49 Granier, a.a.O., S. 40.

50 Granier, a.a.O., S. 65.

deutschen Verbündeten, das Volk für ihre Sache zu gewinnen, blieben diese Bemühungen in Berlin — wie auch im übrigen Preußen — weitgehend fruchtlos. Anders als in früheren Jahren, als die unterprivilegierten Schichten in den Franzosen nicht so sehr Eroberer als vielmehr Befreier und Vertreter gemeinsamer Interessen gegen Adel und Souveräne sahen, war nun der Eroberungscharakter der französischen Kriegsführung deutlich. „Das Volk" empfand „Abscheu gegen die französische Gewalt und den Mißbrauch derselben".

Der antifranzösische Affekt nahm in Deutschland, wie auch schon im vorigen Abschnitt gezeigt, in dem Maße zu, in dem der Befreiungskampf voranschritt. Es kam zu Ausbrüchen der Begeisterung, wenn die Alliierten in den von den Franzosen geräumten Gebieten erschienen. Aus Hamburg wird über die Reaktion beim ersten Einzug der Russen folgendes berichtet: „Das Entzücken steigerte sich zur Anbetung, als man vor den auf bekränzten Fenstern und Altanen ausgestellten Büsten, den Kaiser [d.h.: den Zaren], den Erretter, den Erlöser, den Befreier Deutschlands und Hamburgs pries"[51]. Nur wenige waren in diesen Tagen noch bereit, das Positive der bürgerlichen Reformen, das die Franzosenzeit auch gebracht hatte, anzuerkennen. Eine Ausnahme ist es, wenn in einer Hamburger Chronik der Zeit formuliert wird: „Im Uebrigen konnten nur Kurzsichtige und Unverständige Alles insgesammt verdammen, was aus dieser französischen Verwaltung hervorging"[52].

Daß jedoch in anderen Gebieten des alten Reichs die Reaktion des Volkes z.T. reservierter war, belegt eine Untersuchung des deutschen Nordwestens (Oldenburg)[53]. In der Zeit der napoleonischen Herrschaft war es nach zunächst ratloser Ablehnung des Fremden zu langsamer Assimilierung gekommen. Nach der Niederlage Napoleons in Rußland regte sich zwar Widerstand, jedoch punktuell und ohne wirklich nationale Motivation, und auch während der Freiheitskriege war die nationale, freiheitliche Begeisterung im Volk geringer als z.B. in Preußen.

Zum wesentlichen Element des nationalen Widerstands wurde so die bürgerliche Intelligenz. Oben wurde ausführlich belegt, wie gerade die deutsche Intelligenz nach 1789 lebhafte Sympathie für die Ziele der Französischen Revolution empfand. Die Gemeinsamkeit bürgerlicher Ziele war stärker als nationale Gegensätze; der traditionelle Kosmopolitismus der Aufklärung verstärkte diese aktuell politischen Gemeinsamkeiten noch. Nun aber hatte sich, was die Haltung der Intelligenz angeht, ein tiefgreifender Wandel vollzogen: Kritik an Frankreich und Feindschaft den Franzosen gegenüber nahmen zu. In einem französischen Bericht vom 25. Januar 1813 mußte der Verfasser über die studentischen Verbindungen und ihre nationale Tendenz feststellen: „Dans un temps, où en Allemagne l'on a vu tant de têtes s'exalter, on ne peut pas répondre que les jeunes gens ne

---

51 J. G. Gallois: Geschichte der Stadt Hamburg, Bd. 1—3, Hamburg 1853—56, hier Bd. 2, S. 644.

52 F. G. Zimmermann: Neue Chronik von Hamburg vom Entstehen der Stadt bis zum Jahre 1819, Hamburg 1820, S. 653f.

53 Vgl. W. v. Groote: Die Entstehung des Nationalbewußtseins in Nordwestdeutschland 1790—1830, Göttingen, Berlin, Frankfurt (1955).

s'avisent un jour d'adopter des principes pernicieux [. . .]"[54]. Die „principes pernicieux", d.h. die nationale Gesinnung, verbunden damit die Ablehnung der französischen Herrschaft in Deutschland, wurden in der Tat immer stärker unter der studentischen Jugend wie unter der gesamten deutschen Intelligenz. Ein bürgerlich-freiheitliches Selbstbewußtsein regte sich in den „Edeln des Mittelstandes", sich „zum Streben für das Volk zu vereinigen"[54a].

Betrachtet man nun die Reaktion bei einzelnen Vertretern der deutschen Geistigkeit, so erscheint zunächst Goethe als Repräsentant derer, die sich abwartend und ablehnend verhielten. Ernst Moritz Arndt berichtet von Goethes „ungläubiger Hoffnungslosigkeit" und seinem Ausspruch: „'O ihr Guten, schüttelt immer an euren Ketten, ihr werdet sie nicht zerbrechen, der Mann [d.i. Napoleon] ist euch zu groß'"[55]. Differenzierter läßt sich Goethes Haltung aus dem Bericht des Historikers Heinrich Luden erschließen. Im Dezember 1813 besuchte dieser Goethe[56], um ihn zur Mitarbeit an seiner geplanten patriotischen Zeitschrift 'Nemesis' zu gewinnen. Goethe erklärte Luden, der ihm „von Vaterland, von Freiheit, von der Notwendigkeit, gerade jetzt eine bessere Zukunft zu begründen", sprach: „Glauben Sie ja nicht, daß ich gleichgültig wäre gegen die großen Ideen Freiheit, Volk, Vaterland. Nein; diese Ideen sind in uns; sie sind ein Teil unsers Wesens, und niemand vermag sie von sich zu werfen". Goethe zeigt sich also durchaus vom nationalen und freiheitlichen Gedankengut dieser Jahre beeindruckt, er meldet aber auch deutliche Kritik an dem Zustand seines Volkes an, wenn er fortfährt: „Auch liegt mir Deutschland warm am Herzen. Ich habe oft einen bittern Schmerz empfunden bei dem Gedanken an das deutschen Volk, das so achtbar im einzelnen und so miserabel im ganzen ist. Eine Vergleichung des deutschen Volkes mit andern Völkern erregt uns peinliche Gefühle, über welche ich auf jegliche Weise hinwegzukommen suche". Trost habe er, so Goethe, in Wissenschaft und Kunst gefunden, die als der ganzen Welt zugehörig über die „Schranken der Nationalität" hinwegzuheben vermöchten; „aber der Trost, den sie gewähren, ist doch nur ein leidiger Trost und ersetzt das stolze Bewußtsein nicht, einem großen, starken, geachteten und gefürchteten Volke anzugehören. In derselben Weise tröstet auch nur der Glaube an Deutschlands Zukunft. Ich halte ihn so fest als Sie, diesen Glauben. Ja, das deutsche Volk verspricht eine Zukunft, und hat eine Zukunft".

---

54 A. Chroust: Französische Geheimberichte zur Geistesgeschichte Deutschlands am Anfang des 19. Jahrhunderts, in: Historische Zeitschrift 157 (1938), S. 537–545, hier S. 541.

54a F. Meinecke: Die Deutschen Gesellschaften und der Hoffmannsche Bund, Stuttgart 1891, S. 72.

55 E. M. Arndt: Meine Wanderungen und Wandelungen mit dem Reichsfreiherrn Heinrich Karl Friedrich vom Stein, in: Arndt: Werke, Tl. 1–12, hrsg. v. A. Leffson u. W. Steffens, Berlin, Leipzig, Wien, Stuttgart [1912], Tl. 5, hier S. 99.

56 Bericht in F. Freiherr v. Biedermann (Hrsg.): Goethes Gespräche ohne die Gespräche mit Eckermann, (Wiesbaden 1957), S. 300–307. Vgl. auch Kohn, Wege und Irrwege, a.a.O., S. 27ff., bes. S. 39ff. Skeptische Äußerungen zur nationalen Bewegung auch bei Kraft, a.a.O., S. 28ff. (Schlabrendorf), S. 226 ff. (Jochmann); im Linksrheinischen war der Wille, wieder 'deutsch' zu werden, gering, so selbst Schulte, a.a.O., S. 293 f.

In bezug auf diese Zukunft, diese Bestimmung des deutschen Volkes führt Goethe dann aus: „Aber die Zeit, die Gelegenheit, vermag ein menschliches Auge nicht vorauszusehen und menschliche Kraft nicht zu beschleunigen oder herbeizuführen. Uns einzelnen bleibt inzwischen nur übrig, einem jeden nach seinen Talenten, seiner Neigung und seiner Stellung, die Bildung des Volkes zu mehren, zu stärken und durch dasselbe zu verbreiten nach allen Seiten und wie nach unten, so auch, und vorzugsweise, nach oben, damit es nicht zurückbleibe hinter den andern Völkern, sondern wenigstens hierin voraufstehe, damit der Geist nicht verkümmere, sondern frisch und heiter bleibe, damit es nicht verzage, nicht kleinmütig werde, sondern fähig bleibe zu jeglicher großen Tat, wenn der Tag des Ruhmes anbricht". Damit erteilt Goethe dem aktuellen politischen Freiheitskampf eine deutliche Absage und konzentriert sich auf die Arbeit an der „Bildung des Volkes", da die Zeit, zu der die (politische) „Zukunft" Deutschlands einsetze, vom einzelnen weder vorausgesehen noch beschleunigt werden könne.

In bezug auf Ludens Überzeugung „von dem Erwachen, von der Erhebung des deutschen Volkes" wies Goethe seinen Besucher zurecht. Das Volk sei nicht erwacht, denn „der Schlaf ist zu tief gewesen, als daß auch die stärkste Rüttelung so schnell zur Besinnung zurückzuführen vermöchte". Das deutsche Volk war in der Sicht Goethes von einer kleinen Schicht Gereifter und Gebildeter „gewaltsam aufgestöbert" worden, in seiner Masse jedoch, so die Worte Goethes, sei es vor allem politisch nach wie vor ungebildet. Unüberhörbar ist hier die Skepsis, es könne schon jetzt zu einem aktiven Handeln des Volkes kommen. Dieser Augenblick erfordere vielmehr eine lange Vorbereitungszeit, die zu bewältigen Goethe als wesentlicher ansieht, als den aktuellen Freiheitskampf zu beginnen.

Die meisten Vertreter von Publizistik und Dichtung allerdings unterstützten im Gegensatz zu Goethe die nationale Bewegung. Fichte mit seinen 'Reden an die deutsche Nation' wurde bereits erwähnt. Ähnlich beschwor Schleiermacher in seinen Predigten den Sieg über die Franzosenherrschaft.[57] Die wohl größte Wirksamkeit aber erreichten populäre Lyriker der Freiheitskriege wie Körner oder Schenkendorf.

Sehr deutlich wird bei Theodor Körner zunächst, wie bei allen Dichtern der Freiheitskriege, die Militanz, die Aggressivität, mit der die nationalen Ziele verfochten werden. Als Beispiel sei die Anfangsstrophe des Gedichts 'Aufruf'[58] zitiert:

57 Vgl. bes. 'Die große Veränderung, deren unser Volk sich erfreut . . .' vom 28. März 1813, in: F. Schleiermacher: Predigten, Bd. 1–4, Berlin 1843–44, hier Bd. 4, S. 69–83; vgl. auch zur rückblickenden Wertung der Befreiungskriege im monarchisch-borussischen Sinne: 'Wofür wir heute Gott danken . . .' vom 22. Oktober 1815, in: Schleiermacher, a.a.O., Bd. 4, S. 84–97.

58 In: Werke, a.a.O., S. 21.

> Frisch auf, mein Volk! Die Flammenzeichen rauchen,
>   Hell aus dem Norden bricht der Freiheit Licht.
> Du sollst den Stahl in Feindes Herzen tauchen;
> Frisch auf, mein Volk! — Die Flammenzeichen rauchen,
>   Die Saat ist reif; ihr Schnitter, zaudert nicht!
> Das höchste Heil, das letzte, liegt im Schwerte!
>   Drück' dir den Speer in's treue Herz hinein:
> Der Freiheit eine Gasse! — Wasch' die Erde,
>   Dein deutsches Land, mit deinem Blute rein!

Der nationale Gedanke vermag sich hier nur in aggressiver Abgrenzung den Feinden gegenüber zu artikulieren, auch die „Freiheit" kann nur mit dem „Schwert" errungen werden.

Neben dieser nationalen Militanz ist dann ein zweiter gedanklicher Zusammenhang bei Körner von großer Bedeutung. Da es sich bei den Freiheitskriegen um eine Bewegung des Volkes handelte, die sich auch gegen legitime Fürstenhäuser — soweit sie mit Napoleon zusammenarbeiteten — richtete, ist eine Tendenz gegen diese Souveräne nicht zu überhören. Ebenfalls in dem Gedicht 'Aufruf' heißt es:

> Es ist kein Krieg, von dem die Kronen wissen;
> Es ist ein Kreuzzug, 's ist ein heil'ger Krieg!

Sicherlich ist Körner kein antimonarchischer Revolutionär, im selben Gedicht beschwört er die verstorbene preußische Königin Luise.[58a] Dennoch spricht Körner auch aus, daß es sich nicht um einen Krieg der „Kronen" handle, d.h. nicht um einen der traditionellen Kabinettskriege vergangener Jahre, sondern um einen Volkskrieg, gefaßt als „Kreuzzug" für die Freiheit. Nur eben einem solchen „Kreuzzug", getragen von einer ganzen Nation, kommt, so läßt sich Körners Sicht zusammenfassen, die Qualität eines „heil'gen Krieges" zu. Der Sache gegenüber, die in einem solchen Krieg verfochten wird, erscheinen separate dynastische Interessen als völlig unwesentlich.

Die hier festgestellten Züge in Körners Denken: Nationalgefühl und Freiheitsliebe, verbunden mit militanter Aggressivität Frankreich gegenüber, die Überzeugung, eine gottgewollte Sache zu vertreten, aber auch eine deutliche Abgrenzung von den deutschen Fürsten, die sich der nationalen Bewegung entgegenstellten, erscheinen ebenfalls in seinem Gedicht 'Unsere Zuversicht'[59], das sich an Gott wendet, in dessen Namen die Deutschen in den Krieg ziehen:

> Und mögen sich noch Brüder trennen
>   Und sich in blut'gem Haß entzwein,
> Und deutsche Fürsten es verkennen,
>   Daß ihre Kronen Schwestern sei'n,
> Und daß, wenn Deutschland einig blieb,
> Es einer Welt Gesetze schrieb:

58a Zum patriotischen Luisenkult vgl. H. Dreyhaus: Die Königin Luise in der Dichtung ihrer Zeit, Berlin o. J.

59 In: Werke, a.a.O., S. 26. Eine Fülle von Belegen zum christlich gefärbten Patriotismus während der Freiheitskriege auch bei Kaiser, a.a.O. Vgl. hier ebenfalls Kap. 9 zum patriotischen Blut- und Wundenkult, der bei Klopstock einsetzt ('Hermannsschlacht'), in den Freiheitskriegen einen ersten Höhepunkt erfährt.

> Wir wollen nicht an Dir verzagen,
>   Und treu und festen Muthes sein.
> Du wirst den Wüthrich doch erschlagen,
>   Und wirst Dein deutsches Land befrein.
> Liegt auch der Tag noch Jahreweit:
> Wer weiß, als Du, die rechte Zeit?
>
> Die rechte Zeit zur guten Sache,
>   Zur Freiheit, zum Tyrannentod!
> Vor Deinem Schwerte sinkt der Drache,
>   Und färbt die deutschen Ströme roth
> Mit Sklaven-Blut und freiem Blut! –
> Du treuer Gott, verwalt' es gut!

Getragen vom Vertrauen, im nationalen Krieg gegen Napoleon eine heilige Sache zu verfechten, werden die Fürsten angegriffen, die sich dem Ideal eines einigen und mächtigen Vaterlands entgegenstellen.

Daß Körners Pathos des heiligen und nationalen Krieges eine allgemeine Überzeugung aussprach, geht bereits aus dem Überblick über die militärisch-politischen Geschehnisse im vorigen Abschnitt hervor. Vollends deutlich wird dies, vergleicht man mit Körners Feier des „heil'gen Krieges" die folgenden Worte einer zeitgenössischen Predigt zum Befreiungskampf: „Da brach endlich die Gewalt des Starken, der größer seyn wollte, als alle Könige; da demütigte endlich der Herr, der Allmächtige, den Stolzen, der sich wider ihn empört hatte, und sich erheben wollte über Gott. Denn da riß die gebundene Kraft der unterdrückten Völker ihre Bande entzwei, und stand auf in Gottes Kraft und Namen wider den, der allein Herr seyn wollte, und die Welt verwandeln in eine Wüste, die Menschen in Sklaven. Der Name Gottes und das Kreuz des Erlösers trugen den Sieg davon"[60].

Neben Theodor Körner steht Max v. Schenkendorf als populärer Lyriker der Freiheitskriege. Sein Lied 'Deutscher Kaiser'[61] zeigt, wie sehr die Hoffnung nach nationaler Einheit das Denken der Zeit bestimmte und wie sehr sich zugleich im Sinne der Romantik die Hoffnung an die alte Institution des Kaisertums knüpfte. Nicht eine nationale Republik, sondern ein mächtiger monarchischer Staat war das politische Ziel der meisten:

> Deutscher Kaiser! deutscher Kaiser!
> Komm zu rächen, komm zu retten,
> Löse deiner Völker Ketten,
> Nimm den Kranz, dir zugedacht!

Die letzten Strophen lassen noch genauer erkennen, welche Kriterien für den künftigen Kaiserstaat gelten sollen; hier wird der Kaiser aufgerufen:

> Schone nimmer den Empörer;
> Bann und Acht ob ihrem Leben!
> Blitzesstrahlen sind gegeben,
> Dir in kaiserliche Hand.

---

60 Singet mit Freuden, a.a.O., S. 232.
61 Aus den 'Mahnliedern zum Freiheitskampfe', zitiert nach Schmitz, a.a.O., S. 108f.

> Wirf nicht fort, was Gott geboten;
> Wieder auf entsühntem Throne
> In der alten heil'gen Krone
> Sei der Stern der Christenheit!

Der Kaiser hat also die Aufgabe, sich dem „Empörer", d.h. dem Vertreter partikularer Interessen entgegenzustellen. Wie im Mittelalter soll derjenige, der sich an den gemeinsamen Zielen des Reiches vergeht, von „Bann und Acht" getroffen werden. Das in sich gefestigte, national einheitliche Reich soll dann, so Schenkendorfs auch der politischen Romantik verbundene Aussage, zugleich in der ganzen „Christenheit" wirksam werden. Dem Reich werden mithin nicht nur nationale und politische, sondern auch geistig-religiöse Qualitäten zugesprochen.

Stets geht es um eine einheitlichere Ordnung des Reichs. Maßstab für die zu schaffende Reichsstruktur war vielen das alte deutsche Kaisertum. In diesem Sinne schrieb auch der Freiherr vom Stein in einer Denkschrift vom 18. September 1812:

> Deutschland bildete im 10., 11., 12. und 13. Jahrhundert ein mächtiges Reich, welches aus einem zahlreichen Adel von verschiedenen Klassen, einer achtungswerten Geistlichkeit und einer Menge kleiner Eigentümer bestand. Der mächtigste Mann war Unterthan des Kaisers, und der kleinste Eigentümer hing unmittelbar von ihm ab. [. . .]
> Statt die deutsche Verfassung des westfälischen Friedens [mit ihrem territorialstaatlichen Partikularismus] herzustellen, würde es dem allgemeinen Besten Europas und dem besonderen Deutschlands unendlich angemessener sein, die alte Monarchie wieder aufzurichten, ein Reich zu bilden, welches alle sittlichen und physischen Bestandteile der Kraft, Freiheit und Aufklärung enthielte, und dem unruhigen Ehrgeiz Frankreichs widerstehen könnte. Ein solcher Zustand der Dinge würde dem Volke das Gefühl seiner Würde und seiner Unabhängigkeit wiedergeben, seine Kräfte würden nicht in Beschäftigung mit kleinen Territorialangelegenheiten versplittert, sondern sich denen der Nation im Ganzen zuwenden; außerdem ist das den Wünschen fast der Gesamtheit entsprechend [. . .].[62]

Ein einheitliches Reich mit einer vom Kaiser repräsentierten Spitze, Strukturen, wie sie in der deutschen Vergangenheit vorgebildet waren, die nun − „den Wünschen fast der Gesamtheit entsprechend" − die Zukunft in einem neugeformten Nationalstaat wieder prägen sollten: dies waren die politischen Zielvorstellungen weiter Kreise unter den deutschen Patrioten. Im Sinne der nationalen Einheit forderte auch Friedrich Rückert programmatisch in seinem Gedicht 'Deutschlands Heldenleib'[63] die Unterordnung partikularer Interessen unter das Reichsganze:

> Wenn nur die Glieder nicht, die Kleinen,
> Statt ein Leib zu sein vereint,
> Selber Leiber wollten scheinen
> Oder gar dem Ganzen feind!

Neben der nationalen Einheit steht, wie sich schon bei Körner zeigte, immer als patriotische Forderung ein zweiter Wert: die Freiheit. Der Freiheitsbegriff bildet so auch das Zentrum von Schenkendorfs Gedicht 'Freiheit'[64]. Hier wird zunächst beschrieben, wo die Freiheit eine Heimstätte habe, nämlich

---

62 Zitiert nach W. A. Schmidt, a.a.O., S. 6, 8.
63 Zitiert nach Schmitz, a.a.O., S. 142.
64 Zitiert nach Schmitz, a.a.O., S. 101f.

Wo sich Männer finden,
Die für Ehr' und Recht
Mutig sich verbinden,
Weilt ein frei Geschlecht.

Die Freiheit, die sich mit den Werten von „Ehr' und Recht" verknüpft, ist zugleich mit der nationalen und der geistlichen Gemeinschaft verbunden:

Für die Kirchenhallen,
Für der Väter Gruft,
Für die Liebsten fallen,
Wenn die Freiheit ruft [.]

Vor allem aber wird auch bei Schenkendorf Freiheit nicht mehr kosmopolitisch erfahren, nicht mehr als Wert, dessen Definition und Einschätzung sich im menschheitlichen Rahmen bewegt, sondern als national gebunden. Dies macht besonders die letzte Strophe deutlich:

Freiheit, holdes Wesen,
Gläubig, kühn und zart,
Hast ja lang erlesen
Dir die deutsche Art.

Freiheit wird hier ein die „deutsche Art" auszeichnender Wert, sie ist den Deutschen zugehörig und unterscheidet sie zugleich von anderen Völkern.

Aus den bisher genannten Beispielen werden bereits einige Züge des neuen Nationalgefühls deutlich. Gemeinsam ist den Exponenten der Freiheitskämpfe naturgemäß die Militanz den Franzosen gegenüber. Nationale Identität und Freiheit sollen in Auseinandersetzung mit Frankreich erreicht werden, in bezug auf die Freiheit spricht Schenkendorf von der Freiheit als zur „deutschen Art" gehörig. Verbunden damit ist ein Sendungsbewußtsein, das die aktuelle Auseinandersetzung als „heil'gen Krieg" versteht. Auf der anderen Seite aber wendet sich der entstehende Nationalismus gegen die politischen Strukturen in Deutschland. Ziel ist ein einheitliches Reich nach dem Vorbild des mittelalterlichen Kaisertums. Fürsten, die gegen die nationalen Interessen handeln, finden, mag ihre Herrschaft auch legitim sein, keine Anerkennung mehr: „Unser Adel und unsre Fürsten und unsre vorige bröcklichte Verfassung sind wirklich veraltet"[65], schrieb Ernst Moritz Arndt. In einem Krieg, der von seinen führenden publizistischen Repräsentanten als ein Krieg um die nationale Einheit definiert wurde, stießen abweichende dynastische Interessen auf kein Verständnis. Sicherlich keine 'republikanische' Opposition, aber die Durchbrechung des legitimistischen Prinzips um übergeordneter Ziele willen: dies ist eine politische Grundhaltung, die jetzt zum erstenmal in Deutschland auf breiter Basis vertreten wurde. Diese antilegitimistische Qualität des Nationalgefühls wurde vorerst noch weitgehend vom Bild des einheitlich von Fürsten und Volk getragenen Krieges überdeckt, erst in der Zeit nach dem Wiener Kongreß, als die partikularistische Politik der Souveräne unübersehbar wurde, wurde auch der Gegensatz zwischen den fürstlichen Interessen und dem bürgerlichen National-

---

65 Brief vom 26. Januar 1807 an J. W. v. Archenholz in: E. M. Arndt: Briefe, hrsg. v. A. Dühr, Bd. 1–3, Darmstadt 1972–75, (= Texte zur Forschung, 8–10), hier Bd. 1, S. 147.

gefühl bestimmend. Die Grundlage eines verbreiteten, gegen die partikularen Souveräne gerichteten Denkens wurde aber bereits während der Freiheitskriege gelegt.

Im Vergleich mit früheren Entwicklungsstufen des deutschen Nationalgefühls ist entscheidend, daß das Streben um die Realisierung eines einheitlichen Deutschland jetzt mit dem Kampf gegen eine andere Nation verbunden war. Mithin wurde der Raum für ein kosmopolitisches Denken angesichts einer solchen politischen Konstellation notwendig geringer. Das Nationalgefühl der Deutschen begann die menschheitliche Sicht, die seit der Aufklärung eine so bestimmende Rolle gespielt hatte, auszuschließen, die Belange der eigenen Nation erschienen wesentlicher als Entwicklung und Geschick der Menschheit.

Sind die genannten Züge für alle deutschen Patrioten in der Zeit der Befreiungskriege in ähnlicher Weise gegeben, so zeichneten sich doch innerhalb des nationalen Denkens zwei politische Richtungen ab, eine eher konservative und eine politisch progressiv akzentuierte Richtung.

Auch Heinrich v. Kleist engagierte sich in der Zeit der napoleonischen Unterdrückung im nationalen Sinne: „Der Kleistsche Nationalismus wurde — wie vielleicht jeder betonte und aggressive Nationalismus — aus der vermeintlichen oder wirklichen Not des Vaterlandes geboren"[66]. Auffallend an Kleists Nationalismus ist vor allem die übersteigerte Aggressivität, mit der er die Franzosen verfolgte[67]. Im 'Kriegslied der Deutschen'[68] (1808 oder 1809) beschreibt Kleist die Verfolgung und Ausrottung wilder Tiere,

> Nur der Franzmann zeigt sich noch
> In dem deutschen Reiche;
> Brüder, nehmt die Büchse doch,
> Daß er gleichfalls weiche!

Neben dieser Gleichsetzung der Franzosen mit wilden Tieren, die es auszurotten gilt, stehen weitere Aufrufe zum Kampf, die an Maßlosigkeit ihresgleichen suchen. In 'Germania an ihre Kinder'[69] heißt es von den Franzosen in der 5. Strophe:

> Alle Triften, alle Stätten
> Färbt mit ihren Knochen weiß;
> Welchen Rab' und Fuchs verschmähten,
> Gebet ihn den Fischen preis;
> Dämmt den Rhein mit ihren Leichen,
> Laßt, gestäuft von ihrem Bein,
> Schäumend um die Pfalz ihn weichen
> Und ihn dann die Grenze sein!
> Chor: Eine Lustjagd, wie wenn Schützen
> Auf die Spur dem Wolfe sitzen!
> Schlagt ihn tot! Das Weltgericht
> Fragt euch nach den Gründen nicht!

---

66 B. Allemann: Der Nationalismus Heinrich von Kleists, in: B. v. Wiese, R. Heß (Hrsg.): Nationalismus in Germanistik und Dichtung, (Berlin 1967), S. 305—311, hier S. 307.
67 Vgl. neben den im folgenden zitierten Texten bes. Kleists 'Katechismus der Deutschen' (1809).
68 Zitiert nach Schmitz, a.a.O., S. 156f.
69 Zitiert nach Schmitz, a.a.O., S. 157—159.

1808 verfaßte Kleist dann sein Drama 'Die Hermannsschlacht', in dem die Erinnerung an die Befreiung Germaniens von den Römern den Widerstand gegen Napoleon stützen sollte. Auch im 'Prinzen von Homburg' (1810), frei allerdings von dem kruden Nationalismus der 'Hermannsschlacht', wollte Kleist den König und die Offiziere Preußens zum Kampf gegen die Fremdherrschaft aufrufen.

Die politische Akzentuierung des Kleistschen Nationalgefühls wird in seinen 'Berliner Abendblättern' (Oktober 1810 — März 1811) deutlich. Diese 'Abendblätter', in denen sich die Ideen der 1810 gegründeten Christlich-deutschen Tischgesellschaft artikulierten, sollten ebenfalls der nationalen Sache dienen. Darüber hinaus war die Zeitschrift Kleists aber auch von einer eindeutig feudalreaktionären Tendenz geprägt. Hier wandte sich Kleist in Verbindung mit der junkerlichen Fronde gegen die bürgerlichen Reformen Steins und Hardenbergs. Am Beispiel Heinrich von Kleists erweist sich somit, daß eine Richtung, die das Nationalgefühl in der Epoche der Befreiungskriege nahm, extrem aggressiv gegen die Franzosen gerichtet war. Diese Aggressivität gerade auch des „Denkers und Rufers der völkischen Gemeinschaft"[70] begründete die unheilvolle Tradition chauvinistischer Todfeindschaft zwischen Frankreich und Deutschland. Zudem nimmt hier mit der kosmopolitischen Weite das Gewicht der bürgerlich-freiheitlichen Zielsetzung ab. Kleist zielt auf Deutschland, seine Unabhängigkeit, Einheit und nationale Würde, artikuliert im Haß auf das französische Volk, es geht ihm aber nicht mehr gleichrangig darum, daß diese Einheit des Vaterlandes auch von einer bürgerlich-freiheitlichen Ordnung getragen werde.

Eine ganz ähnliche Tendenz vertraten in der Epoche der antinapoleonischen Kriege die Romantiker, vereint im Dresdner und Heidelberger Kreis sowie in der Berliner Christlich-deutschen Tischgesellschaft. Auch sie unterstützten die Freiheitsbewegung ihres Volkes gegen die fremde Vorherrschaft. Ob nun Eichendorff, der bei den Lützowern kämpfte, oder Friedrich de la Motte-Fouqué[71]: Persönlich und in ihren Dichtungen engagierten sie sich für die nationale Bewegung. Als im Haß gegen Napoleon den deutschen Patrioten über die jeweiligen territorialstaatlichen Bindungen hinaus erstmals ein gemeinsames Element politischen Handelns gegeben war, als damit die Forderung nach einem einheitlichen Nationalstaat immer

---

70 W. Linden: Heinrich von Kleist. Der Dichter der völkischen Gemeinschaft, Leipzig (1935), S. 54; ebenfalls S. 54 heißt es in nationalsozialistischer Interpretation der Gedanken Kleists: „Er weiß es, daß ein Völkerstreit keine bürgerliche Kulturangelegenheit, sondern ein nackter Daseinskampf auf Tod und Leben ist. Kleist hat die völkischen Auseinandersetzungen in ihrem schonungslos grausamen Wesen erkannt; sie gehören nicht dem Bereiche des zivilisiert und unnatürlich gewordenen Lebens an — höchstens in ihren Veranlassungen —, sondern dem Bereiche der unmittelbaren, unverfälschten Natur in aller ihrer Wildheit, Grausamkeit und Entschlossenheit. Sie müssen mit naturhaften Mitteln ausgefochten werden, mit wilder Lebenskraft, entschlossenem Behauptungswillen, mit unbedingter Todesentschlossenheit und in völliger Verachtung bürgerlicher Kulturgüter, die bloße Hemmungen bedeuten."

71 Zu F. de la Motte-Fouqué vgl. A. Schmidt: Fouqué und einige seiner Zeitgenossen, (Frankfurt a. M. 1975).

gewichtiger wurde, vermochte das romantische Denken grundlegende Impulse zu geben. Das Interesse für Leben und Dichten des Volkes, für die nationale Vergangenheit und den spezifischen Volkscharakter, all dies stärkte die Bewegung gegen Napoleon.

Zugleich aber gab das romantische Denken der nationalen Bewegung auch eine Tendenz fort von der gerade von Frankreich geprägten bürgerlich-freiheitlichen Richtung hin zu einer an den vermeintlich 'deutschen' Traditionen orientierten Sicht. Die politischen Hoffnungen der Romantiker waren auf die Wiederherstellung eines größeren Deutschland und zugleich damit auf die Entwicklung eines weit über die Grenzen des Reichs hinauswirkenden Kaisertums, wie es einst das Mittelalter gekannt hatte , fixiert. Exemplarisch beschrieb Joseph Görres diese Erwartungen und Hoffnungen:

> Darum steht dies fest und oben: daß wir Teutsche Alle uns einander trauen und liebhaben sollen, und Einem so viel Recht und Freiheit lassen als dem Andern, damit das allgemeine Band mit Kraft und Festigkeit sich durch Alle ziehen möge, und wir dem Ausland gegenüber als ein alleinig festgeschlossenes Volks dastehen. Auch ist am Tage, was jeder Teutsche als Teutscher soll, wie das Kriegswesen einzurichten, und die Landstände stark zu machen, daß kein Fürst in sich hineinzehre mehr als ihm gebührt, und wie der Landstand zum Landesherrn, so sollen die Länder zum Reiche stehen, und kein Glied soll fernerhin gegen das andere wüten, und Keiner fortan sich im Innern Teutschlands auf Kosten des Andern gewaltsam zu vergrößern suchen. Und der eherne Ring, in den Teutschland geschlagen ist, sei unsere Einigkeit und Liebe zu dem gemeinsamen Vaterlande, und sein Bild sei die Kaiserkrone, die fortan Habsburg mit Ehre trage. Wenn dann auch Italien das gegeben wird, was es verlangt, eine umgreifende, wohltätige Verfassung; wenn die Hut derselben geknüpft wird durch die eiserne Krone, und der Reichstag dieses Landes in Mailand sich versammelt; dann wird die Ruhe Europas auf lange hin gesichert sein, und der teutsche Kaiser kann und wird wieder für die Völker des Weltteils werden, was das Mittelalter ihm angesonnen, und was Dante ausgesprochen: ein Schirmherr der Christenheit, nicht herrschend durch Gewalt, sondern durch die Gerechtigkeit; und nicht die Völker unterwerfend durch die Waffenmacht, sondern sie gewinnend durch die Harmonie, die vom höheren Recht ausgeht und der Gesetzlichkeit [. . .] Auch wird alsdann der Kaiser wieder in das Recht eintreten, das er in jenen früheren Zeiten ausgeübt: als Schutzherr der Kirche allgemeine Kirchenversammlungen in Gemeinschaft mit dem Papste zu berufen, in ihnen den Vorsitz zu führen, und mit Rat und Beistand die versammelten Väter zu unterstützen, damit unter seinem Schirme und seiner Obhut ihre Beratschlagungen zu einem gedeihlichen Ende führen. Wie das Weltliche seinen Teil erhalten, so wird dann auch das Geistliche wieder zu Recht und Ordnung gelangen, und das zerstörte Gebäude der europäischen Verfassung sich wieder in sich schließen und ergänzen.[72]

Eine derart — trotz der Forderung nach Einheit und nach ständischen Rechten — rückwärtsgewandte, an mittelalterlichen Vorbildern orientierte, christlich-monarchische Grundhaltung ist, wie sich noch im einzelnen zeigen wird, sicherlich nicht für alle am Befreiungskampf beteiligten Kräfte charakteristisch. Dennoch stellt die politische Überzeugung der Romantiker, eingebunden in die nationale Bewegung jener Jahre, einen wichtigen Faktor dar. An die Stelle der konkreten politischen Freiheitsforderungen, die bisher mit dem Patriotismus verbunden waren, tritt nun

---

72 Zitiert nach Baxa, Einführung, a.a.O., S. 125f.

ein an der Vergangenheit ausgerichtetes, von politischer Mystik geprägtes, zutiefst konservatives Denken.

Anders als etwa Kleist und die von der Romantik beeinflußten Dichter und Publizisten argumentierten bürgerlich-radikale Patrioten wie in Berlin Friedrich Buchholz, der den neuen französischen Staat bewunderte und in der Schrift 'Untersuchungen über den Geburtsadel und die Möglichkeit seiner Fortdauer im 19. Jahrhundert'[73] meinte, man könne nicht zugleich Patriot und Feudalherr sein. Auch Friedrich v. Coelln wirkte in seinen 'Vertrauten Briefen über die innern Verhältnisse am Preußischen Hofe seit dem Tode Friedrichs II.' (Amsterdam, Köln 1807) und in der Zeitschrift 'Neue Feuerbrände' sowohl im nationalen als auch im progressiven, d.h. bürgerlich-freiheitlichen Sinne.

Zur Zeit der Unabhängigkeitskriege gegen Frankreich konnte selbst ein Mann wie Ludwig Börne, gewiß kein nationaler „Freiheits-Phraseur"[74], sich zu einem begeisterten, aber eben freiheitlich geprägten Nationalgefühl bekennen. Börne schrieb 1814: „Wir wollen freie Deutsche sein, frei in unserem Hasse, frei in unserer Liebe; mit dem Leibe nicht, nicht mit dem Herzen einem fremden Volke ergeben [. . .] Wir sind Waffensöhne; in dem Eisen ist unser Gold. Wir wollen freie Deutsche sein, und damit wir es bleiben, über sklavische willenlose Völker auch nicht herrschen"[75]. Es ist dies das Bekenntnis zu einem Patriotismus, der sich nun gegen die Unterdrückung der nationalen Identität als der eigentlichen Voraussetzung einer staatlich-gesellschaftlich optimalen Ordnung wendet. Zugleich aber wird der Gedanke der Freiheit betont, der sich hier auch darin äußert, daß eine Herrschaft über andere, über „sklavische willenlose Völker" nicht angestrebt wird. Bei Börne, später − wie noch zu zeigen sein wird − in der Zeit des Vormärz einer der engagiertesten Verteidiger der inneren Freiheit Deutschlands, erscheint die Aggressivität des deutschen Patriotismus abgeschwächt, der Gedanke der Freiheit steht im Vordergrund.

Es lassen sich also, was das Nationalgefühl in der Zeit der Freiheitskriege angeht, unterschiedlich akzentuierte Haltungen erkennen. Einmal verhielten sich Deutsche − wie Goethe − eher abwartend, sie stellten sich nicht gegen den Befreiungskampf, identifizierten sich aber auch nicht mit ihm. Zum andern entwickelte sich in breiteren Bevölkerungsschichten und unter der Intelligenz ein Nationalgefühl, das militant gegen Frankreich gerichtet war, das den Befreiungskrieg, von unbedingtem Sendungsbewußtsein getragen, als einen 'heiligen Krieg' des ganzen Volkes um die Einheit der Nation verstand. Auch der Freiheitsbegriff, fast stets neben nationalen Zielsetzungen angesprochen, wird nun überwiegend nicht mehr kosmopolitisch, sondern national gebunden definiert: Es handelt sich nicht um eine menschheitliche Sicht von Freiheit, sondern um die Freiheit des deutschen Volkes, die mit der Freiheit anderer Völker wenig oder nichts zu tun hat. War man nach 1789 noch bereit, freiheitliche Grundsätze im Anschluß an Frankreich zu realisieren, traten nun

---

73 Berlin, Leipzig 1807. Vgl. auch Buchholz: Gallerie preussischer Charaktere (1808), Frankfurt a. M. 1979. Zu den progressiven Kreisen in Preußen vgl. auch Valjavec, a.a.O., S. 379f.
74 L. Marcuse: Ludwig Börne, o.O. (1971), (= Diogenes Tb, 21/VIII), S. 42.
75 Zitiert nach Marcuse, a.a.O., S. 67.

spezifisch deutsche Freiheits- und Einheitsforderungen in den Vordergrund. Von
der solchermaßen akzentuierten nationalen Zielsetzung her wurden die deutschen
Souveräne, so weit sie sich nicht mit der gemeinsamen Sache identifizierten, angegriffen: Hierdurch entstand vielfach ein „Konflikt zwischen Staatspatriotismus und
deutschem Nationalbewußtsein", im Zuge der „nationalen Revolution" hatten
„legitimistische Skrupel"[76] keinen Platz mehr. Es war dies ein wichtiger Schritt zur
Überwindung des Legitimitätsprinzips, wenn auch in dieser Phase noch keine
allgemeine und breite Absage an das monarchische Prinzip schlechthin; erst in der
Zeit der Restauration sollte diese letztlich systemsprengende Qualität des bürgerlichen Nationalismus wirksam werden.

Von der politischen Tendenz her erscheint das Nationalgefühl dieser Epoche in
zwei Richtungen akzentuiert. Einerseits begann die nationale Komponente, verbunden mit aggressiver Intoleranz anderen gegenüber, die politisch-freiheitliche Komponente zu überwiegen und zu verdrängen. Vor allem die von der Romantik beeinflußten Dichter und Publizisten wendeten sich der einstigen Größe des mittelalterlichen Kaisertums zu und erträumten für das national geeinte Vaterland eine ähnlich
überragende Stellung, wie es sie im Hochmittelalter gehabt hatte. Dieses rückwärtsgewandte Denken verleugnet vielfach zugunsten einer vermeintlich 'deutschen'
Tradition die gerade vom Westen, von Frankreich her beeinflußte, auf die bürgerlichen Freiheiten gerichtete Aufklärung. Damit aber wird die patriotische Freiheitsforderung, ihrer konkreten Inhalte entkleidet, oft zur Leerformel.

Daneben jedoch steht ein Nationalgefühl, das politisch ganz anders ausgerichtet
ist. Auch hier findet sich das Bekenntnis zur Unabhängigkeit Deutschlands, damit
zum Kampf gegen das napoleonische Frankreich. Dabei aber werden freiheitliche
Ideale in bezug auf die innere Organisation des eigenen Vaterlands nicht vergessen.
Im Zentrum steht nicht nur die nationale Einheit, sondern auch die Ausgestaltung
des erhofften und umkämpften einheitlichen Deutschland. Zwar ist die Freiheitsforderung hier ebenfalls weitgehend, von Ausnahmen wie Börne abgesehen, ihrer
kosmopolitischen Dimension entkleidet, sie bewahrt aber ihren bürgerlich-emanzipatorischen Gehalt.

Langfristig mußte gerade dieser Patriotismusgedanke, der nicht auf der tradierten
staatlichen Organisation, sondern auf den Werten von Sprache, Kultur, Geschichte
sowie vor allem den bürgerlichen Emanzipationsidealen basiert, auf den Widerstand
der Dynastien der einzelnen deutschen Staaten treffen. Für diese Dynastien, aus
dem partikularistisch organisierten Reich hervorgegangen, konnte in dem neuen,
auf bürgerlich-patriotischer Gesinnung fußenden Denken kein Platz mehr sein.
Die auf das ganze Deutschland bezogene und freiheitlich akzentuierte Sicht mußte
zuerst die Bindung der Untertanen an die Einzelstaaten überwinden, diese Sicht
war daher dem Bestehenden radikal entgegengesetzt. Erst die Nation konnte ihr als
Ganzheit erscheinen, ihr zu dienen, für ihre Realisierung zu wirken, gab allein dem
Dasein des politisch mündigen Menschen einen Sinn. Die konkrete Struktur
Deutschlands erschien schließlich nur noch als lästiges Hindernis, das es zu überwin-

---

76 Vensky, a. a. O., S. 15; vgl. auch S. 35f.

den und zu vernichten galt: Hier wird die systemsprengende Potenz des Nationalgefühls zur revolutionären Kraft.

Diese Form des nationalen Bekenntnisses, die unter den verschiedensten Akzentuierungen Nationalgefühl und Freiheitsliebe verbindet, muß vom Thema der vorliegenden Studie her im Mittelpunkt der Betrachtung stehen. Hier wird in neuen Formen, unter gänzlich geänderten politischen Verhältnissen doch der Nexus von Vaterlandsliebe und Freiheitsgedanken bewahrt. Im nächsten Abschnitt sollen darum die Werke eines führenden und populären Repräsentanten der Freiheitskriege, die Werke Ernst Moritz Arndts, auf ihre Aussage in diesem Zusammenhang hin genauer betrachtet werden.

5.3. ERNST MORITZ ARNDT

Nachdem Ernst Moritz Arndt lange als eine der wichtigsten Persönlichkeiten seiner Zeit gegolten hatte, nachdem er zu einem der Heroen der deutschen Geschichte stilisiert worden war, gilt ihm seit 1945 nur noch geringes Interesse in der Forschung.[77] Arndt und mit ihm die anderen Exponenten des Nationalismus der Freiheitskriege scheinen uns heute nichts mehr anzugehen, es sei denn, um in der Vergangenheit die Wurzeln des deutschen Chauvinismus aufzuzeigen, der später zu so entsetzlichen Konsequenzen führte. Mit der berechtigten Distanzierung vom Kult um die Freiheitkriege, mit der Entheroisierung der Ereignisse jener Tage, ein an sich notwendiger Schritt eines neuen, demokratischeren Verständnisses unserer Geschichte, wurde zugleich die Einschätzung der führenden historischen Personen radikal umgeformt. Der verdienstvolle Forscher Walter Grab führt im Zusammenhang eines Aufsatzes über Heine folgendes aus: „Schon als Student erkannte Heine, daß der Angriff der Deutschtümler auf die herrschenden Restaurationsgewalten nichts anderes als Spiegelfechterei war, weil beide Kontrahenten die Grundsätze der Demokratie und das menschheitliche Emanzipationsideal ablehnten; er erkannte, daß die Erzväter des deutschen Nationalismus, der Turnvater Jahn und Ernst Moritz Arndt, die von blindem Franzosen- und Judenhaß besessen waren, als Steigbügelhalter der politischen Reaktion dienten"[78]. Arndt erscheint hier also nicht mehr als unbeugsamer Verfechter nationaler Interessen, als positiv gewertete historische Persönlichkeit, sondern vielmehr ausschließlich als Propagandist eines demokratiefeindlichen und krude-aggressiven Nationalismus.

---

77 Vgl. bes. J. Paul: Ernst Moritz Arndt. „Das ganze Teutschland soll es sein", Göttingen, Zürich, Frankfurt a.M. 1971. Kemiläinen, a.a.O., S. 187ff. K. H. Schäfer: Ernst Moritz Arndt als politischer Publizist, Bonn 1974.

78 W. Grab: Heinrich Heine als politischer Dichter, in: Jahrbuch der Wittheit zu Bremen 22 (1978), S. 69—92, hier S. 70. Dieselbe Wertung u.a. auch bei Kohn, Wege und Irrwege, a.a.O., S. 79ff. S. 83 heißt es gar: „Offenbar sah Arndt die Freiheit dort, wo landeseigene [d.h. deutsche] Treiber und Henker an der Macht waren."

Im folgenden wird es darum gehen, im Falle Ernst Moritz Arndt zu überprüfen, ob die von Grab billigend übernommene Sicht Heines, es habe sich bei der Opposition Arndts gegen die monarchische Restauration nach dem Ende der Freiheitskriege nur um „Spiegelfechterei" gehandelt, auch Arndt sei mithin einer der „Steigbügelhalter" der Reaktion gewesen, der historischen Realität entspricht. In der Sicht Grabs, die als repräsentativ für die heute herrschende Einschätzung gelten darf, wird der Nationalismus Arndts jeder freiheitlichen Komponente entkleidet, dieser Nationalismus erscheint als ideologische Vorbereitung und Verbrämung reaktionärer politischer und gesellschaftlicher Systeme. Ohne nun der überholten Idealisierung Arndts zu folgen, sei doch gefragt, ob dies Verdikt Arndts und mit ihm anderer Exponenten der Freiheitskriege mit den geschichtlichen Tatsachen übereinstimmt.

Arndts Stellung der Französischen Revolution gegenüber, die der 1769 Geborene bewußt miterlebte, unterscheidet sich grundlegend von der oben geschilderten Haltung der progressiven deutschen Intelligenz. Ein wichtiges Dokument zur Wertung der Französischen Revolution durch Arndt sind seine Briefe an den Grafen Kurt Philipp Schwerin, die er im 'Nordischen Kontrolleur' 1808/09 veröffentlichte.[79] Hier betont Arndt, daß er — im Gegensatz zu den meisten der zeitgenössischen Intellektuellen — von Anbeginn an die Französische Revolution abgelehnt hat: „Und endlich die französische Revolution? Die fand doch schon den Jüngling; aber kalter und bedächtiger haben wohl wenige sie in Europa empfangen"[80]. Es ging Arndt stets darum, die Einschätzung der Franzosen als „Lichtträger der Welt"[81] zu widerlegen; er führt aus, er könne sich „die Franzosen, weder wie sie sind, noch wie sie es treiben und treiben wollen, nicht als die hohen Welterleuchter und Weltbildner"[82] vorstellen. In diesen Worten bereits wird das Unverständnis Arndts für die Rolle Frankreichs in der Geschichte, besonders seit 1789 sehr deutlich.[83]

---

79 In: Gerettete Arndt-Schriften, hrsg. v. A. Dühr u. E. Gülzow, Arolsen, Kassel 1953, S. 105 – 165.
80 Gerettete Arndt-Schriften, a.a.O., S. 108.
81 Gerettete Arndt-Schriften, a.a.O., S. 115.
82 Gerettete Arndt-Schriften, a.a.O., S. 124.
83 Vgl. auch Gerettete Arndt-Schriften, a.a.O., S. 124ff. – Daß Arndt der Französischen Revolution jedoch *nicht völlig* ablehnend gegenüberstand, sondern vielmehr aus ihr positive Lehren ziehen wollte, belegen die folgenden Zeilen: „Die das kennen, was ich früher bekannt habe, und die mich und das kennen, was ich jetzt bekenne und bin, werden mich schwerlich beschuldigen, daß ich jemals Anhänger der Franzosen und ihrer Revolution gewesen, noch daß ich die Grundsätze je gebilligt und anerkannt habe, aus welchen die Anführer und Anfänger dieser Revolution Verfassungen und Staaten haben bauen wollen; aber ich würde sehr undankbar und zugleich ein Heuchler sein, wenn ich nicht offen gestände, daß wir dieser wilden und tollen Revolution unendlich viel verdanken, daß sie ein reiches Feuermeer des Geistes ausgegossen hat, woraus jeder nicht lichtscheue Mann sein Teil hat schöpfen können, daß sie Ideen in die Köpfe und Herzen gebracht hat, die zur Begründung der Zukunft die notwendigsten sind, und die zu fassen vor zwanzig und dreißig Jahren die meisten Menschen noch zitterten: sie hat jenen geistigen Gärungs-

An anderer Stelle, im 'Geist der Zeit', hat Arndt seine Sicht umfassender dargestellt. Hier wendet er sich nicht nur gegen die geschichtliche Mission Frankreichs, er wendet sich auch gegen den Rationalismus der Aufklärung. Dieser Rationalismus erscheint Arndt als negatives Element, das in Frankreich am stärksten wirkte und zur Revolution führte:

> Alles wollte man wissen, nichts glauben, alles erklären und begreifen, nichts prophetisch weissagen und prophetisch empfinden im höheren Sinn. Man weiß, was Voltaire und alle französische Philosophen in Philosophie und Theologie nicht bloß gepfuscht, sondern wie sie in den höchsten und heiligsten Dingen gesündigt haben. Weil diese zu groß sind, in das enge und logische Maß des Verstandes sich einschnüren zu lassen, so wurden sie von diesen Halbköpfen als Gespenster einer kindischen und barbarischen Vorzeit weggespöttelt [. . .] Nur was man wußte, war da, alles übrige war Traum und Hirngespinst. [. . .] Wie, da einmal soviel Verderben und Sünde in der Welt war, sollte nicht alles in Elend und Herzlosigkeit vergehen? Das ist auch redlich geschehen; denn in allen Ländern hat der Verstand seine Arbeit gemacht: die deutschen Theologen haben durch ihn gewirkt wie die französischen Enzyklopädisten. Soweit logisches Wissen gehen konnte, ging der Verstand mit den Menschen und erklärte auf dem fürchterlichen Abgrund, worauf er sie stellte, alles für Wahn und Lüge, was man nicht klar beweisen und begreifen könnte. So standen die Armen da in der Wüste, reich an Aufklärung, an Klarheit und Wissen, arm an Begeisterung, an Glauben und Vertrauen: unglückliche Atheisten, die durch keinen heiligen Wahn aus dem Schlamm der Erde nach oben gezogen wurden, denen alle die Heiligtümer ein Gelächter waren, wodurch das Leben der Väter herrlich und kühn einherging. [. . .] Es ging ihnen auch wie Satan und seinen Mitgenossen, sie wurden zur Hölle verstoßen; die Französische Revolution brach aus.[84]

Die Revolution von 1789 erscheint somit nicht nur als politisch töricht, sie ist darüber hinaus Ausfluß menschlicher Hybris, ist die Realisierung einer irrigen und der göttlichen Ordnung widersprechenden geistigen Haltung.

Arndt war also im Gegensatz zu großen Teilen seiner Umwelt der Revolution gegenüber von Beginn an recht reserviert eingestellt, er bekannte von sich: „Ich bin von jeher vielleicht ein übertriebener Königischer (Royalist) gewesen"[85]. Diese Ablehnung nahm mit dem Fortschreiten der Revolution zu, die Herrschaft Napoleons schließlich empfand Arndt als den endgültigen politischen Verfall des Nachbarlandes. War er bereit, der Revolution noch einiges, „was des Guten hier und da unter den blutigen Greueln" entstanden war, zuzubilligen, so konnte er an der napoleonischen Gewaltherrschaft keinerlei positive Seiten mehr entdecken: „Es

---

prozeß beschleunigt, durch welchen wir als durch unser Fegefeuer gehen mußten, wenn wir zu den Himmelspfordten des neuen Zustandes gelangen wollten; sie hat gewiesen, wie weit der menschliche Geist sich in irdischen Dingen vermessen darf, alles zu wollen und zu wagen, was er in ihm selbst als ewige Aufgabe der Vernunft gegründet findet. Es wird künftig unsere eigene Schuld sein, wenn wir den glücklichen Mittelweg nicht zu halten verstehen, der uns zwischen der unendlichen Theorie und der beschränkten Praxis allein durch die politischen Gefahren hindurchführen kann [. . .]." Über künftige ständische Verfassungen in Teutschland (1814), in: Werke, a.a.O., Tl. 11, S. 83–130, hier S. 95.

84 Geist der Zeit, Tl. 2 (1809), in: Werke, a.a.O., Tl. 7, hier S. 135.

85 Erinnerungen aus dem äußeren Leben (1840), in: Werke, a.a.O., Tl. 2, hier S. 70.

befiehlt das Wort und der Wille des Einen, und er ist fürchterlich durch die Kraft der großen Monarchie und den Kriegsgeist des Volks, den einzigen, den die Republik erschaffen und die Regierung mit Sorge erhalten hat, während alle andern guten Geister verbannt sind. Alles, was des Guten hie und da unter den blutigen Greueln der Revolution entstanden war, ist nun mit dem Schlechten zugleich vernichtet, alle geistige und leibliche Freiheit, die nicht dienen will, alle Würdigung der einzelnen Kraft unter dem Gesetze. Diener will man, nicht Bürger."[86]

Auf der anderen Seite tritt bei Arndt von Anbeginn an das Bild Deutschlands als der ausschlaggebenden geschichtlichen Macht hervor. Grundlage dieser Konzentration auf das Vaterland ist Arndts Überzeugung von der unterschiedlichen Identität der einzelnen Völker und von der Überlegenheit seiner eigenen Nation, würde diese nur wieder zu sich selbst finden. Diese Sicht zeigt sich schon früh in Arndts Briefen. So stellte er auf seinen Reisen „Racebetrachtungen"[87] an. Alle vorteilhaften Charakterzüge der Völker erschienen als „Gegenwälschheit"[88] und Ausfluß „der einfachen, tapferen Nordnatur"[89]. Im Vergleich mit der „Nordnatur" der Schweden[90] verloren für Arndt selbst die Deutschen seiner Gegenwart, erscheinen sie nahezu degeneriert: „Ja ich bin mir unserer weichen und bröcklichen Deutschheit in diesem Norden schon oft mit Schamröthe bewußt geworden, und habe mir fest vorgenommen dieser meiner Deutschheit von diesen Eisernen nichts zu bieten zu lassen und auch mit Eisen und Stahl ins Zeug zu gehen."[91] Es mußte Arndt so entscheidend darum gehen, die Deutschen von jedem fremden Einfluß, gerade auch vom Einfluß der Franzosen, befreit zu sehen, um zur angestammten deutschen Art zurückzukehren.

In dem Maße dann, in dem Deutschland unter der Expansionspolitik Frankreichs zu leiden hatte, wurde dieser Gedanke für Arndt immer wichtiger, wurde sein Nationalgefühl immer stärker: „Der Zorn aber, ein Zorn der bei der deutschen und europäischen Schmach oft ein Grimm ward, kam mit dem Frieden von Lüneville und mit den schimpflichen Verhandlungen und Vermäkelungen, worin Talleyrand und Maret des Vaterlandes Los und Lose ausschnitten und ausfeilschten. [. . .] als Deutschland nichts mehr war, umfaßte mein Herz seine Einheit und Einigkeit."[92] „Die verwünschten politischen Händel und das Elend und die Erbärmlichkeit der Menschen"[93], vor allem immer wieder „des Vaterlands Noth"[94] waren Ernst Moritz Arndt schmerzliche Erfahrungen. War er anfänglich bereit, in gewissem Rahmen die Vorzüge der französischen Bildung, selbst auch die Qualitäten des

86 Geist der Zeit, Tl. 1 (1806), in: Werke, a.a.O., Tl. 6, hier S. 187.
87 Brief vom 29. VIII. 1804 an Chr. E. Frh. v. Weigel, in: Arndt: Briefe, a.a.O., Bd. 1, S. 120.
88 Brief vom 23. III. 1804 an Chr. E. Frh. v. Weigel, in: Arndt: Briefe, a.a.O., Bd. 1, S. 59.
89 Ders. Brief, S. 61.
90 Vgl. auch R. Wolfram: Ernst Moritz Arndt und Schweden. Zur Geschichte der deutschen Nordsehnsucht, Weimar 1933, (= Forsch. z. n. Lit. Gesch., 65).
91 Brief vom 7. VI. 1804 an Chr. E. Frh. v. Weigel, in: Arndt: Briefe, a.a.O., Bd. 1, S. 81.
92 Erinnerungen aus dem äußeren Leben, in: Werke, a.a.O., Tl. 2, hier S. 74.
93 Brief vom 2. II. 1806 an G. A. Reimer, in: Arndt: Briefe, a.a.O., Bd. 1, S. 139.
94 Brief vom 21. III. 1806 an Chr. v. Kathen, in: Arndt: Briefe, a.a.O., Bd. 1, S. 141.

Feldherrn Bonaparte anzuerkennen[95], so wurde Arndt, als die Freiheitskriege ausbrachen, endgültig zum glühenden Feind der Franzosen und zum radikalen Verfechter deutscher Interessen. Ernst Moritz Arndt wurde zum Repräsentanten der nationalen Sehnsucht, die in dem Aufruf 'Deutsche für Deutsche' vom Februar 1813 anklingt: „Nicht Bayern, Nicht Braunschweiger, Nicht Hannoveraner, Nicht Hessen, Nicht Holsteiner ... Nicht Österreicher ... Nicht Preußen, Nicht Sachsen, Nicht Schwaben ... Nicht ... freie Reichsstädter ... Alles was sich Deutsche nennen darf — nicht gegeneinander sondern: Deutsche für Deutsche!"

Im 'Vaterlandslied' (1812), einem seiner populärsten Lieder, formulierte Arndt sein Bekenntnis gegen Knechtschaft und Tyrannendienst für Napoleon. Dies Bekenntnis verband sich zugleich mit dem Aufruf zum militanten Vorgehen gegen die Franzosen:

> Der Gott, der Eisen wachsen ließ,
> Der wollte keine Knechte,
> Drum gab er Säbel, Schwert und Spieß
> Dem Mann in seine Rechte,
> Drum gab er ihm den kühnen Mut,
> Den Zorn der freien Rede,
> Daß er bestände bis aufs Blut,
> Bis in den Tod die Fehde.
>
> So wollen wir, was Gott gewollt,
> Mit rechter Treue halten
> Und nimmer im Tyrannensold
> Die Menschenschädel spalten,
> [...]
>
> Laßt klingen, was nur klingen kann,
> Die Trommeln und die Flöten!
> Wir wollen heute Mann für Mann
> Mit Blut das Eisen röten,
> Mit Henkerblut, Franzosenblut
> O süßer Tag der Rache!
> Das klinget allen Deutschen gut,
> Das ist die große Sache.[96]

Arndt erscheint hier als aggressiver Verfechter nationaler Ideen im Verein mit bedingungsloser Feindschaft Frankreich gegenüber.

Dazu tritt auch bei Ernst Moritz Arndt die unbedingte Überzeugung, mit der nationalen Sache ein göttlich sanktioniertes Ziel zu verfechten:

---

95 Vgl.: Germanien und Europa, Altona 1803, S. 242: „Die Franzosen, auch die Gemeinen, sind unstreitig das gebildetste Volk aller Europäer, und die Begriffe von Ehre und Schande dringen also auch tiefer in sie ein, als in alle übrigen, und diese Begriffe konnten auch dem ganzen Heere einen gewissen Gemeingeist geben; aber der größte Gemeingeist waren seit 1795 doch die Namen der Feldherren. Unter mittelmäßigen Anführern konnten auch sie keine Wunder thun, und wenn sie große Talente sich gegenüber hatten, waren selbst ihre Furchtbaren und Unsterblichen nicht unbesiegbar. Bei Marengo siegte nichts, als der Name *Buonapartes* über den hartnäckigen Muth der österreichischen Veteranen."

96 Zitiert nach Schmitz, a.a.O., S. 41f.

> Auf! mit Gott zum Heldenstreit!
> Auf für Freiheit, Recht und Ehre!
> Daß sich deutsche Redlichkeit,
> Daß sich deutsche Treue mehre!
> Gott, der Tyrannei zerbricht,
> Gott ist unsre Zuversicht.[97]

In einem mit 'Gottes Krieger'[98] überschriebenen Gedicht heißt es ebenso:

> Da ließ der Herr vom Himmelssaal
> Die Donnerglocken schallen;
> Sie schlug nicht unser Arm und Stahl,
> Sie sind durch Gott gefallen:
> Der Held der Helden hat's gethan.
> In Staub zerschmettert liegt ihr Wahn,
> Ihr Trotz ist stummes Schweigen.

Militantes Nationalgefühl, Fremdenfeindlichkeit und die unbezweifelte Überzeugung, das Rechte zu verfechten: Arndts Gedichte weisen ihn als typischen Vertreter der Ideologie der Freiheitskriege aus.

Im folgenden soll nun dieses Nationalgefühl Arndts genauer analysiert werden. Dabei wird es vor allem um die Frage gehen, ob sich sein Nationalgefühl in radikaler Franzosenfeindschaft erschöpft, ob hier lediglich vordergründig die beherrschenden Themen der Freiheitskriege reproduziert werden oder ob der Nationalismus Ernst Moritz Arndts weitere, vielleicht gewichtigere Aspekte aufweist.

Bereits in seiner 1800 erschienenen Greifswalder Habilitationsschrift 'Dissertatio historico-philosophica'[99] spricht Arndt Gedanken an, die für seine geschichtliche Sicht stets von ausschlaggebender Bedeutung geblieben sind. Wesentlich ist in diesem Zusammenhang zunächst, daß für Arndt die Geschichte unter dem Gesetz einer ständigen Bewegung, unter dem Gesetz des Fortschritts oder des Rückschritts steht: „Die menschlichen Dinge bewegen sich in ihrem ewigen Kreis, und es ist dem Menschen nicht gegeben, haltzumachen oder sich selber ein Ziel zu stecken. Das menschliche Schicksal zwingt uns stets zu einer Vorwärts- oder Rückwärtsentwicklung, zu einer Veränderung ins Bessere oder Schlechtere, zum Entstehen und Vergehen, so befiehlt es das Menschenlos, weil wir mit Vernunft und Verstand ausgerüstet sind."[100]

Als Grund dieser Tendenz des Menschen zur ständigen Bewegung sieht Arndt das Streben nach der Entwicklung aus dem Naturzustand heraus, den Trieb zu einem Sein, das von menschlicher „Kunst" geprägt ist: „insitum hoc et indelebile

---

97 'Vor der Schlacht'; aus dem 'Katechismus für den teutschen Kriegs- und Wehrmann' (1813), bei Schmitz, a.a.O., S. 43–47.

98 Aus dem 'Katechismus für den teutschen Kriegs- und Wehrmann'.

99 Dissertatio historico-philosophica, sistens momenta quaedam, quibus status civilis contra Russovii et aliorum commenta defendi posse videtur, in: Gerettete Arndt-Schriften, a.a.O., S. 2–49.

100 Res humanae orbem suum aeternum circumaguntur, neque homini datum, subsistere et sibi metas figere; semper progressus et recessus, in pejus aut melius mutatio, ortus et interitus, sic sors humana jubet, quod ratione et sensu instructi sumus, Dissertatio, a.a.O., S. 40f.

impulsum ad artem appellare volumus"[101]. Deutlich wird hier die Opposition Arndts gegen eine Kulturkritik im Sinne Rousseaus: Jedes Volk steht vor der Aufgabe, sich, seinen Möglichkeiten und Voraussetzungen gemäß, zu entwickeln, in ständiger Bewegung seinen Zielen nachzustreben.[102]

Dennoch und hier ist ein weiterer Gedankenzusammenhang zu erkennen, der Arndts Denken von Beginn an prägt, dürfen die Schattenseiten der zivilisatorischen Entwicklung nicht übersehen werden. Es besteht in der Entwicklung der Völker die Gefahr des Verfalls ursprünglicher Sittenreinheit und Freiheit. Am Ende einer solchen Fehlentwicklung entsteht folgender Zustand: „Freiheit, Vaterland, Gesetz sind leere Wortschälle. Das Gelüste der Tyrannen ist mächtiger und größer als die Gesetze. Diesem nacheifernd, legt der Adel die ganze Last der Steuern, alle Arbeiten und Gefahren auf den Nacken des gedemütigten und geknechteten Volkes."[103]

Es geht also darum, die menschliche Entwicklung voranzutreiben und dennoch die Ideale „Vaterland" und „Freiheit", definiert als Freiheit *aller* Menschen, zu bewahren, gerade das einfache Volk vor der Willkür der Tyrannen, vor der Ausbeutung durch den Adel zu schützen. Vollziehen sich geschichtliche Entwicklungen in diesem Sinne, kommt die Grundbedingung des historischen Prozesses in sinnvoller Weise zur Wirkung: „Der Mensch ist deswegen hilflos und ohne Instinkte auf die Erde gesetzt worden, um durch die Notwendigkeit zur Menschlichkeit und Kultur erzogen zu werden. Der Stachel ewiger Regsamkeit quält unsre Brust. Denn durch Kampf geht es zum Sieg, durch Sturm zum guten Wetter, durch Verzweiflung zur Hoffnung, durch Arbeit zum Vergnügen."[104]

Schon der junge Arndt betrachtet also die Geschichte im Sinne der Weiterentwicklung, der Höherentwicklung der einzelnen Völker. Vor allem aber geht es ihm darum, gerade den unteren Volksschichten die Möglichkeit zu freier Entfaltung zu einem menschenwürdigen Dasein zu bewahren oder zurückzuerkämpfen. Hier liegt der freiheitliche Zug, der von Anbeginn Arndts Gechichtsdenken trägt, der sich in der Formel von der „Freiheit", die sich in einem wahren „Vaterland" realisieren müsse, kristallisiert.

Entwirft Arndt in seiner Habilitationsschrift von 1800 ein Gerüst der allgemeinen Entwicklung des Menschengeschlechts, so hat er — ein halbes Jahrhundert später — im 'Versuch in vergleichender Völkergeschichte'[105] einen zusammen-

---

101 Dissertatio, a.a.O., S. 42.
102 Vgl. Ernst Moritz Arndt: Fragmente über Menschenbildung, Th. 1—3, Altona 1805—1819. Hier heißt es Th. 1, S. 29: „Ich denke und hoffe eine immer weiter fliegende Erleuchtung und Humanisirung der Erde, weil mir dies nicht allein in der Hoffnung, sondern selbst in der Erfahrung gegeben ist, wenn ich die Weite der jetzt gebildeten Welt mit ihrer Enge in früheren Zeiten vergleiche". Diese Hoffnung gilt trotz aller „Schranken und Hemmungen" (Th. 1, S. 30).
103 Dissertatio, a.a.O., S. 46f.
104 Eam ob causam homo inops et illius impulsus animalis expers in terram emissus est, ut neccessitate ad humanitatem erudiretur. Aeternae agitationis stimulus pectora nostra pungit; nam certamine ad victoriam itur, tempestate ad serenitatem, desperatione ad spem, labore ad voluptatem, Dissertatio, a.a.O., S. 48f.
105 Leipzig 1843.

fassenden Überblick über die Entwicklung des deutschen Volks und seines Nationalbewußtseins gegeben. In der germanischen Zeit sieht Arndt „unsre Väter" als „rauhe tapfre Kriegsleute, große schöne mächtige Gestalten; nichts als Freiheit Tapferkeit Männlichkeit Keuschheit Ordnung und Zucht"[106]. Mit dem Untergang der Staufer Mitte des 13. Jahrhunderts begann der Zerfall, „die allmälige Verbleichung des Glanzes"[107]. Der Niedergang kulminiert für Arndt im 18. Jahrhundert, in der Zeit der Rezeption französischer Sprache und Kultur: „Da verfälschte und verwälschte sich alles bis auf die Hofhaltungen und Sitten der kleinsten Fürsten und Grafen [. . .]"[108]. Die Struktur des Deutschen Reiches bis zu seinem Zerfall in der Zeit der Französischen Revolution stellt sich als Chaos dar, das jedes lebendige Werden, jede Ausbildung der im Volke liegenden Keime verhindern mußte: „Alles hatte sich seit Jahrhunderten gesondert: Fürsten Volk Ritter Bürger Reichsstädte Reichsdörfer Abteien, alles war aus einander gegangen, alles in seinen verschiedenen Stufen Rangen Ordnungen stand nun einzeln dar, machtlos glanzlos schirmlos, wenigstens nach außen und gegen die Fremden schirmlos."[109] Für Arndt korrespondiert mit dieser Struktur des Reichs der Kosmopolitismus der intellektuellen Elite, ein Kosmopolitismus, den er nur als Verfallserscheinung verstehen kann. Diese Gedankenwelt kennzeichnet er mit den Worten: „[. . .] die ganze Welt des Deutschen Vaterland. Es waren sogenannte Philanthropen, Kosmopoliten in ihren Träumen und Hoffnungen, wenn man will veredelte Juden, Juden a la Nathan, die ungefähr einen Staat wollten wie Nathan eine Religion; sie schlossen die ganze Welt in den weiten Mantel ihrer Liebe ein, aber übersahen nur, daß die Leute zu Hause froren."[110]

Diesem Zustand gegenüber sieht Arndt aus der Retrospektive des Jahres 1843 in den Freiheitskriegen einen entscheidenden Fortschritt. In diesem Zusammenhang heißt es: „Wir sind weiter gekommen seit den Jahren 1805 und 1806, unsre Gefühle und Gedanken haben seit 1812 bis 1815 Adlersflug genommen; haben die Fittiche sich seitdem auch wieder etwas zur Erde gesenkt, vieles ist auch im allmäligen Schritt der Zeit, selbst im leisesten stillsten Gange der Dinge, lebendiger und besser geworden"[111]. Auch im Rahmen eines Gesamtüberblicks erscheint Arndt der Aufbruch zu einem neuen Gefühl nationaler Identität seit der Zeit der französischen Unterdrückung als der ausschlaggebende Umschwung der deutschen Geschichte. Allein in der in diesen Jahren gewachsenen nationalen Identität sieht er die Gewähr für den Aufbruch aus der politischen Zersplitterung und Ohnmacht. Es geht hier um eine geistige Haltung, die zur Grundlage jeder politischen

106 Versuch, a.a.O., S. 399.
107 Versuch, a.a.O., S. 400.
108 Versuch, a.a.O., S. 401.
109 Versuch, a.a.O., S. 404.
110 Versuch, a.a.O., S. 391f.
111 Versuch, a.a.O., S. 409.

und gesellschaftlichen Neuerung wird.[112] Die Epoche der Befreiungskriege ist somit für Arndt innerhalb der deutschen Entwicklung Ausdruck der Tendenz zum Fortschritt, den er in der 'Dissertatio historico-philosophica' als Prinzip der gesamten menschlichen Geschichte verstand.

Dennoch hat Arndt die Freiheitskriege nicht uneingeschränkt als den Neubeginn der deutschen Geschichte gewertet. Seine tiefe Enttäuschung über die Realität nach den Freiheitskriegen und auch über die Resulute der Revolution von 1848 drückt die Schrift 'Pro Populo germanico'[113] aus. Die Französische Revolution, „welche solche Gedanken und Grundsätze, womit die besten der Zeitgenossen sich wiegten, sich und der Welt verkündigte, aber durch ihre Thaten und Erfolge alle Verkündigungen der Seher und Weissager zu Schanden gemacht hat"[114], leitete den Untergang des alten Deutschland ein. Der spätere Kampf gegen Napoleon führte zwar zu dem von Arndt immer wieder genannten Neuerwachen des nationalen Bewußtseins, endete politisch jedoch enttäuschend: „Die Geißel Gottes lag denn durch die herrlichen Kämpfe jener Jahre zerbrochen, Napoleons Größe war in den Staub gesunken, aber des Reiches Glück und Größe [. . .] waren mit seinem Sturz nicht wieder aufgerichtet"[115]. Die Ursache sieht Arndt einmal in dem „unvermeidlichen politisch diplomatischen Spiel und Zwischenspiel der Fremden"[116], das die Aufrichtung der politischen Einheit Deutschlands hintertrieb. Aber auch die Gegensätze der deutschen Hauptmächte untereinander verhinderten die Wiedergeburt Deutschlands, bewirkten, „daß von fester, großer, deutscher Gemeinsamkeit, Einheit und Macht keine Rede mehr sein dürfe"[117]. Besondere Schuld fällt in Arndts Sicht hier der österreichischen Politik und Metternich zu, einem Staatsmann, der den „Geist" des „Weltlaufs"[118] nicht verstand. Zusammenfassend heißt es dann von den Zuständen in Deutschland nach dem Wiener Kongreß:

112 Gleichermaßen wie die Befreiungskriege von Arndt als geschichtlicher Neubeginn gefaßt werden, ist die hier gewachsene Geistigkeit auch ein Rückgriff auf die freiheitlichen Traditionen der deutschen Geschichte. Über seine persönliche Haltung schreibt Arndt in dieser Hinsicht: „Ich bin ein Demokrat, ein Jakobiner, ein Schwärmer, ich will alles umkehren und neu machen, werden diejenigen sagen und verklagen, welche recht gut wissen, wieviel Gift für gewisse Ohren in dunkeln und allgemeinen Namen liegt. Sie lügen, sie, die wirklich neue Menschen sind: weil sie das Alte nicht verstehen, ist ihnen auch das Verständnis des Neuen versiegelt; sie lügen: ich will mehr Altes als sie. Ich will wieder die alte Freiheit, die alte Tugend, die alte Ehre, die alte Tapferkeit, die alte Treue der Germanen: die wollen sie nicht; ich will ein herrliches und mächtiges und deutsches Volk und Reich, und kein französisches und bonapartisches: das wollen sie nicht; ich will Lüge und Tyrannei vertilgt und Wahrheit und Gerechtigkeit herrschend haben: die kennen sie nicht und können sie also nicht wollen; ich will gern erhalten, was erhalten werden kann, aber sie sollen mir das Tote nicht als lebendig noch das Verfaulte als blühend zeigen." Geist der Zeit, Tl. 3 (1813), in: Werke, a. a. O., Tl. 8, hier S. 177f.

113 Berlin 1854.

114 Pro Populo, a. a. O., S. 97.

115 Pro Populo, a. a. O., S. 98f.

116 Pro Populo, a. a. O., S. 99.

117 Pro Populo, a. a. O., S. 108.

118 Pro Populo. a. a. O., S. 111.

> Dieses Geschlecht hatte Metternich und der Bundestag in Frankfurt erzogen; Schrift-
> sperre und Maulsperre, Augen- und Ohren-Polizei waren an vielen Stellen nur zu sehr
> gehegt und .gepflegt worden; große deutsche Ausbildung und Entwickelung deutscher
> Verfassung im Innern oder würdige Entfaltung und Darstellung deutscher Macht nach
> Außen hin, die Vertretung der Würde und Ehre des größten europäischen Volks vor den
> Völkern — o daran hatte von den frankfurter Diplomaten auch kein Mensch denken
> dürfen.[119]

Die Ordnung Metternichs stellt sich als Ordnung der Unterdrückung und Unfreiheit
dar, der deutsche Bundesstaat wird zum *„Preßstaat und Polizeistaat"*[120].

Arndt erkannte genau, daß sich dem freiheitlichen Nationalstaat als Ziel der
historischen Entwicklung besonders in Deutschland zahlreiche Widerstände entgegenstellten. Als entscheidenden Hintergrund sah er naturgemäß die „Vielherr-
schaft"[121] an, unter der das Reich seit langem litt. Von einem Volk, das unter solchen politischen Strukturen zu leben gezwungen ist, gilt: „Die Idee der Gemeinschaft und des Vaterlandes fehlt ihm, die dauernd größte für ein Volk"[122]. Über
die Deutschen heißt es deshalb: „Vaterland, Freiheit, Gesetz sind ihnen wunder-
liche Namen"[123]. In Arndts Sicht mußte unter den partikularistischen Strukturen
des Reichs jedes Gemeingefühl absterben; dies führte auch zu einer Verödung der
Kultur, die für Arndt nur auf der Basis einer festgefügtem Volksgemeinschaft
entstehen und bestehen kann.[124] In diesem Zusammenhang sah er bereits im Jahre
1803 in bemerkenswerter Deutlichkeit voraus, daß nur außergewöhnliche politische Entwicklungen, von außen hereinbrechende gewaltsame Erschütterungen
geeignet waren, die verkrusteten Strukturen des alten Deutschen Reichs zu zerstören: „Ich bekenne, wie ich nicht sehe, wie mein Vaterland je zur Einheit eines
Volks gelangen könne, als durch ungeheure Revolutionen, durch Ueberschwem-
mung von Fremden, von den Alpen bis zur Ostsee, wodurch die alten Fürstenhäuser verdorben, und die Nation unterjocht würde."[125] Erst nach diesen bitteren
Erfahrungen, so Ernst Moritz Arndt schon 1803, würde es möglich sein, die Deutschen „zu Einer Masse" zusammenzuschweißen.

Vor allem die aktuelle Erfahrung der Zusammenarbeit deutscher Fürsten mit
den Franzosen ließ Arndt verstärkt eine Reduzierung ihrer Macht zugunsten einer
strafferen Zentralgewalt befürworten: „Ich will die deutschen Fürsten nicht vernichtet wissen, aber sie müssen den größeren deutschen Herrschern [d.h.: von Preußen und Österreich] ebenso gehorchen lernen für das Vaterland, als sie jetzt Bona-
parten gehorchen gegen das Vaterland. Durch neue Einrichtungen müssen sie unter

119 Pro Populo, a.a.O., S. 122.
120 Pro Populo, a.a.O., S. 122.
121 Germanien und Europa, a.a.O., S. 412; vgl. zu diesem Zusammenhang S. 412ff.
122 Germanien und Europa, a.a.O., S. 413.
123 Germanien und Europa, a.a.O., S. 416.
124 So heißt es vom geistigen Leben des deutschen Volkes: „aber kräftig und gestaltreich,
    wie könnte es das [sein], ohne sein freudiges und gestaltetes Leben unten am Erdboden,
    welches allein durch die Einheit des Volkes und des Staates geboren werden kann!"
    Germanien und Europa, a.a.O., S. 426.
125 Germanien und Europa, a.a.O., S. 420f.

die beiden größeren Herrscher gezogen [. . .] werden [. . .] Das aber darf ich sagen, daß neue und festere Bande um das Deutsche Reich geknüpft werden müssen"[126].

Am Ende der Freiheitskriege, im Jahre 1815, glaubte Arndt an die unmittelbar zu realisierende Einheit Deutschlands und — wie viele Deutsche — daran, daß Preußen diejenige Macht sei, durch die diese Einheit verwirklicht werden könne.[127] Er selbst sagte über seine Haltung Preußen gegenüber: „Aber ich bin kein Preuße von Geburt noch Heimat, sondern ein Preuße von Meinung und Liebe, weil ich jetzt in Preußen allein die Rettung und Haltung des Vaterlandes sehe"[128]. Aber auch mit dem Wunsch nach *einem* deutschen Herrn, der in seiner Sicht eben nur der König Preußens sein konnte, verbanden sich Arndts freiheitliche Ideen. Es ging ihm um die Beseitigung der elenden Folgen des deutschen Partikularismus, gleichermaßen auch darum, die Macht der unzähligen deutschen Souveräne aufzuheben oder zumindest einzuschränken:

> Nein, laut und kühn wollen wir es sagen und verkündigen, daß das Alte vergangen ist, und daß das Neue werden muß; laut und kühn wollen wir es sagen und verkündigen, daß das Volk nicht da ist, damit Fürsten seien, sondern daß Fürsten nur da sind als Diener und Beamte des Volkes, und daß sie aufhören müssen, sobald das Volk ihrer nicht mehr bedarf, oder sobald sie sogar das Verderben dieses Volkes sind. [. . .] Nein, das große und herrliche deutsche Volk darf nicht ferner schwächlich und verächtlich sein, damit einige kümmerliche Dynastien ihr Dasein um ein paar Jahrhunderte, vielleicht nur um ein paar Jahrzehnte verlängern.[129]

Das Ziel der geschichtlichen Entwicklung ist für Ernst Moritz Arndt nicht eine preußische Suprematie in Deutschland als Selbstzweck, sondern als Vorbedingung eines nationalen Einheitsstaates, der zugleich freiheitlichen Prinzipien folge: „Alles dieses ist für Preußen gesprochen. Ja; aber es ist mehr für das deutsche Volk gesprochen"[130].

Arndt so erwies sich, trat für ein national einheitliches und zugleich freiheitlich verfaßtes Deutschland ein. Diese leitende Ideenverbindung, die die Basis seines politischen Denkens darstellt, zeigt sich auch in seiner Definition des Patriotismusbegriffs. Arndt geht von zwei Arten des Patriotismus aus: vom Patriotismus des Obrigkeitsstaats und von dem Patriotismus, der im Zeichen geschichtlichen und politischen Fortschritts steht. Über den ersten heißt es: Im absolutistischen Staat, in dem nur „Subordination"[131] bezweckt wird, steht auch der Patriotismus in ihrem Zeichen: „höchste Haltung dieser Subordination, ein strenges und grausames Kind des Geistes, ward Patriotismus"[132]. In einer solchen Ordnung werden die

---

126 Geist der Zeit, Tl. 2, in: Werke, a.a.O., Tl. 7, S. 79.
127 Vgl. 'Über Preußens Rheinische Mark und über Bundesfestungen' (1815), in: Werke, a.a.O., Tl. 11, S. 143—199. Ähnliche Strebungen nach preußischer Suprematie bei Meinecke, Dt. Gesellschaften, a.a.O.
128 Über Preußens Rheinische Mark, a.a.O., Tl. 11, S. 155.
129 Über Preußens Rheinische Mark, a.a.O., Tl. 11, S. 192f.
130 Über Preußens Rheinische Mark, a.a.O., Tl. 11, S. 198.
131 Ernst Moritz Arndt, Germanien und Europa, a.a.O., S. 90.
132 Germanien und Europa, a.a.O., S. 91.

Menschen notwendig zu „Egoisten und Bösewichtern"[133], vor allem aber sind sie an der Ausbildung einer freien, harmonischen Gesamtpersönlichkeit gehindert.[134] Die Subordination des einzelnen unter einen übermächtigen, despotischen Staat kleidet sich in die Form des Patriotismus, eines Patriotismus, der somit zur herrschenden Ideologie des menschenfeindlichen absolutistischen Staates werden konnte.

Gegen diesen Patriotismus, den der Obrigkeitsstaat alter Prägung seinen Bürgern oktroyierte, stellt Arndt das Bewußtsein der Menschen in einem grundlegend erneuerten Staat, wie er im Anschluß an die Befreiungskriege geschaffen werden sollte. Vom Denken der Menschen in einem solchen Gemeinwesen heißt es: „Aus diesem Bewusstseyn keimt bürgerlicher Stolz, Freiheitssinn, weil der Mensch sich unter keinem andern Druck als unter dem Gesetze fühlt [. . .]"[135]. Erst der Staat, der dem einzelnen – auch und gerade aus den bisher unterdrückten Schichten – Gerechtigkeit widerfahren läßt, ist ein Staat, der im Gefühl seiner Bürger Vaterlandsliebe erzeugen kann: „Aus einem solchen Staate, ja aus einem, der in einigen Hauptpunkten sich ihm nur nähert, entspringen, wie aus einem lebendigen Quell, die zwei Seelen jedes Staates – *Vaterlandsliebe* und *Freiheit*"[136]. Arndt fordert also, so belegt auch diese Definition, in Deutschland einen Patriotismus, eine Vaterlandsliebe, die unlöslich mit der Freiheit der Bürger, mit einer gerechten Staatsordnung verbunden sind.

Auf dem Hintergrund dieses politischen Ziels eines einheitlichen und freien Deutschland, dieses Ziels, das er 1815 zeitweise schon fast verwirklicht glaubte, wird verständlich, daß Arndt sich enttäuscht von der Entwicklung nach dem Wiener Kongreß, auf dem sich der bürgerliche Patriotismus nicht durchsetzte, abwenden mußte. Für Arndt war die Erneuerungsbewegung der Freiheitskriege zunächst ein entscheidender Einschnitt in der Geschichte des deutschen Volkes. Dem allgemein menschheitlichen Prinzip der Höher- und Weiterentwicklung folgend, war hier für Deutschland eine neue Stufe im Prozeß des historischen Fortschritts erreicht worden. Nun war die Chance zu einer nationalen Neubesinnung gegeben, zu einer Neubesinnung, deren praktisches Resultat die Gründung eines einheitlichen Deutschland hätte sein müssen. Es geht Arndt, so machten die Zitate immer wieder deutlich, aber nicht nur um ein einheitliches Deutschland, es geht ihm gleichermaßen auch um ein im Innern freiheitlich konstituiertes Vaterland. Von diesen Erwartungen her ist die Polemik Arndts gegen das System der Restaurationszeit erklärlich, das nicht nur ein einheitliches Deutschland verhinderte, das zudem im

---

133 Germanien und Europa, a.a.O., S. 162.
134 Von diesen Staaten gilt, der Bürger „sah sich aufs höchste als ein Rädchen und Stiftchen in einer Maschine an, die mit dem benachbarten Rädchen und Stiftchen keinen andern Zusammenhang haben, als daß sie zusammengestellt sind. So ward Subordination, ewig ein heiliges Ding in einem Staate, das Höchste." [E. M. Arndt:] Beherzigungen vor dem Wiener Kongreß, a.O. 1814, S. 90.
135 Germanien und Europa, a.a.O., S. 318.
136 Germanien und Europa, a.a.O., S. 316.

Innern der Einzelstaaten die absolute Herrschaft der Souveräne restituierte. Arndt erscheint somit als Verfechter eines freiheitlichen und nationalen Staates, dem die Wirklichkeit der Restaurationsepoche nicht genügen konnte. Nicht von ungefähr wurde er als 'Demagoge' verfolgt und war von 1820 bis 1840 von seinem Universitätsamt suspendiert.[137]

Auch auf Männer wie Ernst Moritz Arndt ist die diffamierende Beschreibung der nationalen Kräfte gezielt, die ein Historiker der Restauration, Karl Adolf Menzel, entwarf:

> Aber wie schwer auch der Gewaltige [d.i. Napoleon] und seine Helfer durch ihre Blutthaten am Rechte gefrevelt, doch haben sie kaum so große Schuld auf ihre Häupter geladen, als Diejenigen ihrer Gegner, welche damals in dem Wahne, daß Böses durch Böses bekämpft werden müsse, aus dem verwesenden Leichnam der Revolution den Peststoff verbrecherischer, das sittliche Leben vergiftender Grundsätze zogen, und ihn einimpften den Seelen der Jugend. Zu der Gedankenverwirrung, in welche der verunglückte Ausgang des Französischen Freithums selbst Männer und Greise versetzt hatte, waren die Bemühungen der Cabinette getreten, Frankreichs politisch-militärischen Despotismus, nach dem Beispiel, welches Spanien gegeben hatte, durch Erweckung des Selbstgefühls der Völker, durch die Zauberkraft der Worte 'Unabhängigkeit und Freiheit' – zu stürzen. [. . .] die große Masse der unreifen Geister in Deutschland fand sich zeitig genug in denselben Hirngespinsten über allgemeine Freiheit und Glückseligkeit, Verdienstlichkeit und Volksgerechtsame verstrickt, mit welchen das unselige Spiel zwei Jahrzehende früher in Frankreich begonnen hatte.[138]

Für den Verteidiger des Restaurationssystems ist die nationale Bewegung, die das „Selbstgefühl der Völker" wecken wollte und eben deshalb auch freiheitliche Ziele vertrat, ein ebenso gefährlicher, ja gefährlicherer Gegner als die Französische Revolution selbst. Obgleich sich sogar „Cabinette" – dem Zwang des Augenblicks folgend – der nationalen Bewegung zeitweise anschlossen, wird diese als Geistesverwirrung verteufelt und in perfider Verfälschung der historischen Realität mit der Französischen Revolution vermischt. Auf das freiheitliche Nationalgefühl, wie es auch Arndt vertrat, reagierten die 'Ordnungsmächte' und ihre publizistischen Helfer schon bald mit Ablehnung, Diffamierung und auch mit konkreten Unterdrückungsmaßnahmen.

Analysiert man, so sei abschließend betont, Arndts Nationalgefühl, taucht der Begriff der Freiheit immer wieder auf. Vaterlandsliebe und Freiheit sind für ihn verwandte, ja untrennbare Leitmotive politischen Denkens und Handelns. Hier ist nun die Frage zu stellen, ob der Freiheitsbegriff Arndts politisch vage, eben nur Begriff bleibt oder ob Arndt ihn konkretisiert hat.

Zunächst geht Ernst Moritz Arndt von der unverlierbaren Freiheit des einzelnen Individuums aus: „Ich stehe auf dem Recht meiner Brust, dem höchsten, unverlierbaren Menschenrecht, meinen eigenen Willen zu gebrauchen. So, in solcher Gesin-

---

137 Vgl. E. M. Arndt: Nothgedrungener Bericht aus deinem Leben und aus und mit Urkunden der demagogischen und antidemagogischen Umtriebe, Th. 1–2, Leipzig 1847. Zum selben Zusammenhang vgl. von Arndt auch: Erinnerungen aus dem äußeren Leben, in: Werke, a.a.O., Tl. 2, hier S. 242ff.

138 K. A. Menzel, a.a.O., Th. 3, S. 22f.

nung, mit solcher Ansicht der Dinge ist jeder Sterbliche eine kleine Vorsehung auf Erden."[139] Im politischen Bereich konkretisiert sich für Arndt diese unverlierbare Freiheit des einzelnen in genau spezifizierten Forderungen. Diese Forderungen laufen auf Pressefreiheit, auf verfassungsmäßig garantierte politische Rechte und auf Mitwirkungsmöglichkeiten des Volkes im Rahmen ständischer Vertretungen hinaus. Hierbei handelt es sich um Forderungen für das Volk, aber vor allem auch um Forderungen, die das Volk selbst stellt:

> Man hört jetzt von vielen Seiten, besonders in den öffentlichen Blättern, die im Namen der Regierungen und Polizeien unter das Volk ausgelassen werden, die Preßfreiheit dünke dem deutschen Volke etwas Wildes und Widerliches, sie sei seinem ganzen Charakter etwas Unnatürliches und Verderbliches; auch mit dem Verlangen und der Bitte um Verfassungen und Stände sei es ihm gar nicht so ernst, als gewisse Leute vorstellen: es befinde sich unter der Obhut weiser und menschlicher Gesetze und unter dem Schirm milder und sanfter Regierungen zu glücklich, als daß es etwas Neues und anderes nur wünschen könnte. Beide Behauptungen sind eine Lüge [. . .]. Und doch hat ein jeder die große Glocke der Zeit schlagen hören und weiß wohl, wer an dem Glockenstrange zieht; ja der einfältigste und ungebildetste Bauer und Bürger empfindet und versteht und spricht aus, was in allen Menschen als Wunsch und als Bedürfnis lebendig ist; ja wer nicht schreiben und lesen kann, versteht es doch und spricht es aus. Dahin ist es bei uns gottlob! gekommen, so weit ist ein öffentlicher Sinn, ohne welchen ein Volk als Volk nichts ist, erwacht, daß der Bauer und Handwerksmann jetzt richtiger fühlt, worauf es in der Zeit ankommt, und was das Vaterland und die Welt bedarf, als vor zwanzig und dreißig Jahren der Gelehrte und Edelmann. Was so aus allen herausklingt, ohne daß es hineingebracht ist, was so allen ohne Lehre offenbart wird, das liegt viel tiefer, als Bücher und Polizeiminister tasten können, das kommt von einer gewaltigeren Macht, als die etwa in ein paar hundert Schreibfedern sitzt. Und sie werden sie fühlen müssen, wenn sie sie nicht erkennen wollen. Auch ist dem Deutschen bei dem Ruf und Klang von Verfassung und Ständen und öffentlicher Verhandlung der Dinge um sein friedseliges, gehorsames Gemüt, um seine stillen und häuslichen Tugenden und seinen milden und demütigen Charakter nicht so bange, als jene Gewisse gewissen andern einbilden möchten. Er weiß jetzt, nachdem er Jahrhunderte in einem fast matten und trüben Zustande, in einer starren Lähmung seiner feurigen und geistigen Kräfte verträumt hat, daß es noch eine höhere Aufgabe des Lebens gibt, als in mattherziger Zufriedenheit und Sorglosigkeit der Dinge außer ihm mit Weib und Kindern hinter dem Ofen zu sitzen und die Hände übereinanderzukreuzen; er weiß jetzt, daß er der stillen und sanften Freuden der Menschlichkeit, Liebe und Freundschaft, daß er der schönen Häuslichkeit desto frischer und würdiger genießen wird, je frischer und würdiger er draußen gewandelt und mit andern für und um Recht und Ehre gekämpft und gestritten hat; er weiß, daß derjenige noch klein wilder und frecher Frevler und Barbar ist, welcher auf Vaterland und Freiheit und auf vaterländische Gesetze und Ordnungen stolz ist.[140]

Pressefreiheit, Verfassungen und Stände sind also für Arndt Freiheitsforderungen, die selbst „der einfältigste und ungebildetste Bauer und Bürger" empfindet. Diese Forderungen weitester Schichten des Volkes macht sich Arndt zu eigen und möchte sie in einem nationalen Staat verwirklichen. Auch Arndt gehörte zeitlebens zu denen, die „auf Vaterland und Freiheit und auf vaterländische Gesetze und Ordnun-

---

139 Geist der Zeit, Tl. 2, in: Werke, a.a.O., Tl. 7, S. 128.
140 Geist der Zeit, Tl. 4 (1818), in: Werke, a.a.O., Tl. 9, S. 44f.

gen stolz" waren und die Realisierung dieser Werte von den Machthabern in Deutschland verlangten.

Freiheit ist für Ernst Moritz Arndt, so wurde erstmals in der 'Dissertatio historico-philosophica' deutlich, die Verwirklichung der Interessen der unteren, entrechteten Schichten des Volkes, für die Freiheit in diesem Sinne hat er sich stets eingesetzt. Dies zeigt besonders konkret die Schrift über die Lage der Bauern in seiner Heimat.[141] Hier wendet sich Arndt zunächst scharf gegen die Abwertung der Bauern als 'Pöbel' und gegen ihre elende äußere Lage: „Das Volk – Pöbel wird niemand Menschen zu nennen wagen, welche durch Arbeit ihr Brod verdienen – war arm und unterdrückt, und hing von fremder Willkühr ab"[142]. Die Gebrechen, die Arndt in seiner Heimat, in Schwedisch Pommern, feststellt, kennzeichnen für ihn darüber hinaus die Situation der Unterschichten im ganzen Deutschen Reich: „Von diesen beiden Gebrechen war das erste die Unterdrückung des Volkes, das zweite der völlige Mangel politischer Gesinnung"[143]. Mit Ausbeutung und Rechtlosigkeit des Volkes ging also in ganz Deutschland ein allgemeines politisches Desinteresse einher. Für Arndt bedeutete diese kritische Sicht der realen Lage des Volkes, daß er stets gegen diejenigen kämpfte, „welche in unsern freien Himmelsstrichen, die für keine Kasten und Klassen gemacht sind, gerne die Kasteneinrichtung verewigen [. . .] möchten"[144].

Als wichtigsten Schritt angesichts dieser Situation fordert Arndt für die Bauern eine politische Vertretung, also politische Mitbestimmungsmöglichkeiten. Sie sollen „eine ordentliche Landstand- und Reichsstandschaft" erhalten; erläuternd präzisiert Arndt in diesem Zusammenhang: „Wie soll der Bauer dargestellt werden? Ich antworte: durch sich selbst und durch keinen andern. Er wählt aus seiner Mitte die Männer, welche sein Vertrauen besitzen, und welchen er den Kopf und das Herz zutraut, sie werden seine Vorteile und die gemeinsamen Vorteile des

---

141 Geschichte der Veränderung der bäuerlichen und herrschaftlichen Verhältnisse in dem vormaligen Schwedischen Pommern und Rügen vom Jahr 1806 bis zum Jahr 1816 durch E. M. Arndt als Anhang zu dessen im Jahr 1803 erschienenem Versuch einer Geschichte der Leibeigenschaft in Pommern und Rügen, Berlin 1817. Zur Einordnung in die Diskussion um die bäuerlichen Verhältnisse vgl. Epstein, a.a.O., S. 235ff.

142 Geschichte der Veränderung, a.a.O., S. 16.

143 Geschichte der Veränderung, a.a.O., S. 17.

144 Fragmente über Menschenbildung, a.a.O., hier Th. 1, S. 39. – Vgl. auch die 'Erinnerungen aus dem äußeren Leben', Werke, a.a.O., Tl. 2, hier S. 74ff: Arndt berichtet an dieser Stelle von seinem Buch 'Geschichte der Leibeigenschaft in Pommern und Rügen', dessen Inhalt er zunächst zusammenfaßt. Den Zustand der Bauern charakterisiert er mit jenen folgenden Worten: „Kurz, für das schwedische Pommern galt noch um das Jahr 1800 der lichtenbergische Scherz in seiner vollen Bedeutung einer hübschen Preisfrage: Eine Salbe zu erfinden zur Einschmierung der Bauren, damit sie drei-, viermal im Jahre geschoren werden können" (S. 77). Wegen dieses Buches wurde Arndt natürlich von den privilegierten Schichten als Aufrührer hingestellt: „Mein Büchlein machte natürlicherweise Haß und Lärm, nicht bloß bei dem Adel, welchen ich darin am meisten anzuklagen schien, sondern auch bei andern Halbvornehmen und bei manchen reichen und junkerisch gesinnten Großpächtern, welche schrien, ich sei ein Leuteverderber und Bauernaufhetzer." (S. 78).

Vaterlandes würdig vertreten."[145] Doch nicht nur zugunsten der Bauern, auch allgemein trat Arndt für die ständischen Rechte ein.[146] Er knüpfte an die ständische Tradition in Deutschland an und kämpfte gegen jede Form des Despotismus. Dies zeigt besonders deutlich die Schrift 'Über künftige ständische Verfassungen in Teutschland' aus dem Jahr 1814[147]. Hier stellt Arndt fest: „Das Recht zu ständischen Verfassungen können wir dartun aus unserer Geschichte"; darüber hinaus aber gilt: „Der Gott [. . .] gab uns auch das Recht, als edle und freie Männer regiert zu werden, d.h. uns selbst regieren zu helfen [. . .]"[148]. Dies führt Arndt nun zu seiner Konzeption einer 'demokratischen' Ordnung, die er auch in seinem Vaterland verwirklicht sehen möchte: „[. . .] alle Staaten, auch die noch keine Demokratien sind, werden von Jahrhundert zu Jahrhundert mehr demokratisch werden [. . .] Jedes Volk, das darstellende und ständische Verfassungen hat, die aus allen Klassen der Einwohner zusammengesetzt sind, hat dadurch schon demokratische Verfassungen; denn wo der Bauer und Bürger, dieser große und ehrwürdigste Teil jedes Volkes, öffentlich vertreten wird, da kann man die Verfassung schon demokratisch nennen."[149]

Es geht Arndt also um eine Ordnung, in der das Volk Anteil an seiner Regierung hat, in der es nicht mehr wie in dem Obrigkeitsstaat alter Prägung nur regiert und kommandiert wird. Adel, Bürger und Bauern sollen in allen Fragen mitbestimmen dürfen, den Fürsten der einzelnen Territorien soll die exekutive Gewalt bleiben, beschränkt aber durch die Gesetzgebung einer größeren, gesamtdeutschen Institution: „Diese drei Stände haben in allen Geschäften und Bedürfnissen des Landes die ratschlagende und mitregierende Macht; die ausführende Gewalt steht bei den Fürsten in den Grenzen, welche durch die allgemeinen Gesetze Teutschlands bestimmt sind."[150] Über alle Einzelheiten und alle rückwärtsgewandten Züge seiner Konzeption hinaus erhält der Entwurf Arndts seine progressive und freiheitliche Bedeutung in der unbedingten Ablehnung jeglicher „Zuchthausordnung eines despotischen Staates"[151]. Es geht um politische Mitwirkungsmöglichkeiten für alle und gerade für die bislang rechtlosen Schichten des deutschen Volkes.

145 Der Bauernstand, politisch betrachtet. Nach Anleitung des Königlich Preußischen Edikts vom 9. Oktober 1807, in: Werke, a.a.O., Tl. 10, S. 31–111, hier S. 74; in dieser 1810 erschienenen Schrift bezieht sich Arndt auf Steins Edikt vom 9.10.1807, das vom Martinitag 1810 an die Erbuntertänigkeit der Bauern aufhob.

146 Zum historischen Hintergrund, der 1814/15 versuchten Wiederbelebung der Stände, auf den hier nicht detailliert eingegangen werden kann, vgl. F. L. Carsten: Die Ursachen des Niedergangs der deutschen Landstände, in: Historische Zeitschrift 192 (1961), S. 273–281; W. Mager: Das Problem der landständischen Verfassungen auf dem Wiener Kongreß 1814/15, in: Historische Zeitschrift 217 (1973), S. 296–346.

147 In: Werke, a.a.O., Tl. 11, S. 83–130.

148 Über künftige ständische Verfassungen, a.a.O., S. 89.

149 Über künftige ständische Verfassungen, a.a.O., S. 106.

150 Über künftige ständische Verfassungen, a.a.O., S. 121.

151 Über künftige ständische Verfassungen, a.a.O., S. 129.

Für Arndt ist mithin der Freiheitsbegriff, der mit seinem nationalen Denken
so eng verknüpft erscheint, keineswegs eine politische Leerformel, wenn er auch,
wie seine Demokratiedefinition zeigt, den alten ständischen Traditionen näher-
steht als den politischen Forderungen der Französischen Revolution. Er, der „Vaterland und Freiheit" als untrennbare Werte zusammenstellt, fordert Pressefreiheit und Verfassungen mit ständischen Vertretungen. Damit aber erscheint die
nationale Einheit, wie er sie in der Epoche der Freiheitskriege anstrebte, zugleich
als eine Ordnung, in der allen, auch den Bauern als der zugleich größten und recht-
losesten Schicht, Mitsprache und Mitwirkung zukommen.

Daß für Arndt Vaterland und reale Freiheit untrennbare Begriffe waren, bewies
er, wie betont, in seinem unbeugsamen Kampf gegen die Restauration mit ihrer
Wiedererrichtung kleinstaatlicher Ordnungen, die im Innern jede echte Mitwirkungs-
möglichkeit des Volkes ausschlossen. Exemplarisch findet sich das freiheitliche,
weil auf die Interessen weitester Schichten gerichtete Bekenntnis Arndts in seinen
'Beherzigungen vor dem Wiener Kongreß'[152]. Hier heißt es:

> 'Des Volkes Stimme Gottes Stimme' ist ein uralter Spruch, der oft vergessen, doch im-
> mer wieder hervorgeholt werden muß. Wer an diesen Spruch nicht glaubt, ist entweder
> sehr unglücklich oder sehr unwürdig: unglücklich weil er das Höchste der Menschheit
> nicht erkannt hat, unwürdig weil er das Heiligste nicht verehrt. Despoten und Despoten-
> hunde, die wedelnd von ihren Füßen den Staub auflecken, haben diesen Spruch immer
> geleugnet, aber in großen Nöthen, wo alle Fäden gewöhnlicher Künste und Verhältnisse
> rissen, und wo die Pfiffe und Kniffe laurender Tyrannei oder abgelebter Schwäche
> nicht ausreichen mogten, hat die gewaltige Majestät der Völker den Spruch immer wieder
> in Erinnerung gebracht.[153]

In diesem Zusammenhang schreibt Arndt weiter: „Die gediegene Weltempfindung,
der gediegene Weltverstand, und die lauterste Himmels- und Gottesvernunft ruhet
allein in der Menge und sendet von dieser Menge ihre Geister zu den Einzelnen aus"[154]. Hierin, so wird nochmals deutlich, liegt der Grund dafür, daß Arndt
für ein politisches Mitspracherecht des Volkes eintrat. Über die Rechte der „Menge"
auf diesem Gebiet meint er: „Also muß auch in politischen Dingen ihre Stimme gehört werden, ja sie muß eine laute politische Stimme haben"[155]

Die zu Beginn gestellte Frage, ob die heutige Einschätzung Arndts als eines
nur konservativ-reaktionären Nationalisten historisch angemessen sei, läßt sich
nun beantworten. Die Diffamierung und Verfolgung Arndts und seiner Gesinnungs-
genossen in der Zeit der Restauration deutet bereits auf einen prinzipiellen Gegensatz zwischen denen, die den freiheitlichen Patriotismus in der Phase der Freiheitskriege vertreten hatten, und dem System der wiederhergestellten reaktionären
Fürstenherrschaften. Was zunächst vom Bild eines von Fürsten und Volk gemeinsam
geführten nationalen Krieges verdeckt wurde, stellte sich nach 1815 als gegen-
sätzlich heraus. Erklärlich wird dieser Gegensatz, bedenkt man, daß der freiheitliche
Patriotismus Arndts an bestimmten, genau spezifizierten Rechten des Volkes aus-

---

152 A.a.O.
153 Beherzigungen, a.a.O., S. 2.
154 Beherzigungen, a.a.O., S. 8.
155 Beherzigungen, a.a.O., S. 9; dieses ganze Zitat ist im Original gesperrt.

gerichtet war. Kein vager Begriff von 'Freiheit', sondern politische Freiheitsforderungen werden für den Patrioten Arndt zum Maßstab seines Denkens. Weil das Wirken Arndts gerade auf die Interessen der unteren Schichten abhob, besitzt es eine — freilich vom Volkssouveränitätsgedanken der Aufklärung und der Französischen Revolution abzugrenzende — demokratische Komponente.

Im Verlust der kosmopolitischen Weite, in einem Nationalgefühl, das sich nur aggressiv den Franzosen gegenüber artikulieren kann, und in der Überzeugung, die Sache des eigenen Volkes sei Maßstab jeglichen Urteilens und Handelns, ist Arndt ein typischer Vertreter des nationalen Denkens in der Epoche der Freiheitskriege. Der weltoffene, auf der westeuropäischen Aufklärung und der Französischen Revolution basierende Patriotismus tritt angesichts des Kampfes gegen Frankreich zurück. Gerade das Beispiel Arndts belegt aber auch, daß das neue Nationalgefühl bei einem Teil seiner Verfechter dennoch mit politisch freiheitlichen Idealen verbunden war. Neben den von der Romantik beeinflußten Dichtern und Publizisten, die von einem rückwärtsgewandten Denken aus keine konkret politischen Freiheitsforderungen mehr stellten, stehen Männer wie Arndt, die, wenn auch — etwa im Rekurs auf ständische Traditionen — teilweise von der Romantik geprägt, politisch eine ganz andere Richtung vertraten. Unter, mit der Phase des aufgeklärten Patriotismus verglichen, völlig veränderten Vorzeichen wird hier doch der Nexus von Vaterlandsliebe und Freiheitsdenken bewahrt.

6. DAS DEUTSCHE NATIONALBEWUSSTSEIN BIS ZUM JAHR 1848

Die Ordnung Europas wurde nach der endgültigen Niederwerfung Napoleons auf dem Wiener Kongreß neu gegründet, wobei Macht- und Gleichgewichtspolitik im Rahmen supranationaler Formationen im Vordergrund standen.[1] Eine erste Enttäuschung für die deutschen Patrioten lag darin, daß es hier nicht gelang, die territorialen Verluste auszugleichen, die das Reich in der Zeit der Französischen Revolution und Napoleons hatte hinnehmen müssen: „Es schien ihnen über alle Begriffe ungerecht, daß die im Kampf gegen Napoleon vereinigt gewesenen Deutschen als Sieger nicht einmal das wiedererlangen sollten, was ihnen früher gehört hatte, die Niederlande, das Elsaß, Lothringen."[2] In dieser Territorialfrage zeigte sich für jedermann sichtbar, daß der Egoismus der deutschen Fürsten die Lösung nationaler Ziele hintertrieb. Da jeder Souverän in erster Linie seine Sonderinteressen durchsetzen wollte, da aber auch im Volk selbst vielfach wieder ein durch lange Gewöhnung eingeschliffenes kleinstaatliches Denken herrschend wurde, traten die übergeordneten nationalen Interessen notwendig in den Hintergrund. „Aber es ließ sich nicht ändern. Oesterreich und Preußen waren nicht einig und konnten mithin auch den übrigen Großmächten gegenüber für das deutsche Gesammtinteresse nichts ausrichten. Noch weniger die Mittelstaaten. [. . .] Das Volk selbst verhielt sich passiv, indem es nach Staaten, Stämmen und Confessionen getheilt, den überschauenden Standpunkt nicht zu gewinnen vermochte, von wo aus es seine eigene nationale Größe, seine Gesammtinteressen und seine Zukunft hätte ins Auge fassen können."[3] Es setzten sich partikulare dynastische Interessen durch, das Volk verfiel nach dem Aufschwung der Freiheitskriege wieder der Passivität kleinstaatlichen Denkens.

Neben der äußeren Größe konnte auch die innere Einigung Deutschlands auf dem Wiener Kongreß gegen die einzelstaatlichen Interessen nicht durchgesetzt werden: „Die wenigen Entwürfe und Memoranden, die wirklich und ohne Nebenabsichten für einen starken deutschen Bund und für ein liberales einheitsstaatliches Verfassungsprogramm geworben hatten, konnten sich weder gegen die kompromißlose Haltung der auf Wahrung der völligen einzelstaatlichen Souveränität be-

---

1 Zum Wiener Kongreß vgl. bes. K. Griewank: Der Wiener Kongreß und die europäische Restauration 1814/15 , 2., neubearb. Aufl., Leipzig 1954. Ein Forschungsüberblick findet sich bei H. Duchhardt: Gleichgewicht der Kräfte, Convenance, Europäisches Konzert. Friedenskongresse und Friedensschlüsse vom Zeitalter Ludwigs XIV. bis zum Wiener Kongreß, Darmstadt 1976, (= Erträge der Forschung, Bd. 56), S. 127ff. Zum supranationalen Moment vgl. Th. Schieder: Idee und Gestalt des übernationalen Staates seit dem 19. Jahrhundert, in: Historische Zeitschrift 184 (1957), S. 336–366.
2 W. Menzel: Geschichte der letzten vierzig Jahre (1816–1856), 3., verb. Aufl., Bd. 1–2, Stuttgart 1865, hier Bd. 1, S. 21.
3 W. Menzel, a.a.O., Bd. 1, S. 22.

dachten süddeutschen ehemaligen Rheinbundstaaten (Bayern, Würrtemberg) durchsetzen noch gegen Hardenberg und Metternich, für die die gleichgeordnete, zumindest ihre außenpolitische Souveränität und damit ihre Stellung im europäischen
System nicht tangierende Hegemonie Preußens und Österreichs im Deutschen Bund
absoluten Vorrang hatte."[4] Sehr deutlich wurde auch in dieser Frage der Kontrast
zwischen dem nationalen Aufschwung der Freiheitskriege und dem Geist des Wiener
Kongresses: „Kurz und glänzend war die Blüthe einer einheitlich freien deutsch-
nationalen Macht, Volk und Herrscher im Bunde, und schmählich lief sie in die
Farce des Wiener Congresses aus."[5]

Der Deutsche Bund, der so auf dem Wiener Kongreß entstand, umfaßte 34
erbliche Monarchien sowie 4 Stadtrepubliken; ferner besaßen drei ausländische
Fürsten, der König von Großbritannien als König von Hannover, der König von
Dänemark als Herzog von Holstein und Lauenburg sowie der König der Niederlande
als Großherzog von Luxemburg Sitz und Stimme beim Bund. Die deutschen Mit-
gliedsstaaten beharrten darauf, ihre eigene Politik zu betreiben, ihre besonderen
politischen Einrichtungen und territorialen Besitzungen zu verteidigen, sie standen
jeder nationalen Bestrebung, die über eine lockere Zusammenarbeit hinausging,
naturgemäß mißtrauisch gegenüber. Der Deutsche Bund hatte sich deshalb als
Hauptaufgabe gesetzt, die nach dem Zusammenbruch der napoleonischen Herrschaft wiederhergestellte traditionelle partikularistische Ordnung zu verteidigen. Es
ging um die Sicherung des auf dem Wiener Kongreß restaurierten monarchistisch-
dynastischen Systems in Deutschland: „Nicht die Freiheit und die Lebensbedürf-
nisse der Völker, sondern staatliche Restauration und Gleichgewicht der Mächte
waren die Parolen der Stunde [. . .]."[6]

Aus dieser Konstellation heraus ist es erklärlich, daß die Angriffe gegen die
Ordnung des Wiener Kongresses nun von den Kräften getragen wurden, die soeben
entscheidend zum Sturz Napoleons, zur Befreiung Deutschlands von den Franzosen
beigetragen hatten: von den liberalen und nationalen Kräften. Die Patrioten, die
den Befreiungskampf mit Hoffnungen auf eine Erneuerung und Einigung des zeris-
senen Deutschlands verbunden hatten, mußten mit der politischen Realität unzu-
frieden sein.[7] Die Ergebnisse des Wiener Kongresses und die folgende starr konservative Politik Metternichs[8], dem „nationale Einheitsgedanken [. . .] grundsätzlich
als Erzeugnis der Revolution"[9] galten, konnten ihren Erwartungen nicht entspre-

4 Duchhardt, a.a.O., S. 142f.
5 J. J. Honegger: Literatur und Cultur des neunzehnten Jahrhunderts, Leipzig 1865, S. 105.
6 Griewank, Wiener Kongreß, a.a.O., S. 107.
7 Vgl . W. Mommsen: Zur Beurteilung der deutschen Einheitsbewegung, in: Historische
   Zeitschrift 138 (1928), S. 523–545; G. Ritter: Großdeutsch und kleindeutsch im 19.
   Jahrhundert, in: G. R.: Lebendige Vergangenheit, München 1958, S. 101–125; Th. Schieder: Partikularismus und nationales Bewußtsein im Denken des Vormärz 1815–1848,
   hrsg. v. W. Conze, Stuttgart 1962, S. 9–38; K. Obermann: Deutschland von 1815 bis
   1849 (Von der Gründung des Deutschen Bundes bis zur bürgerlich-demokratischen Revolution), 4., überarb. Aufl., Berlin 1976, (= Lehrb. d. dt. Gesch., 6), S. 31ff. –
8 Zu Metternich vgl. bes. H. v. Srbik: Metternich. Der Staatsmann und Mensch, Bd. 1–2,
   München 1925, Bd. 3, 1954.
9 Duchhardt, a.a.O., S. 177.

chen. Andererseits begann sich die restaurative Ordnung gegen jede oppositionelle Regung zu wehren: „Der Deutsche Bund, der auf dem Wiener Kongreß entstand und den Rest deutscher staatlicher Gemeinschaft darstellen sollte, bildete sehr bald das Werkzeug, mit dem Österreich und Preußen Einheit und Freiheit bekämpften. Der Haß gegen den Bund und seinen in Frankfurt tagenden Bundestag wurde bald allen Anhängern von Einheit und Freiheit selbstverständlich."[10]

Auch im Innern der einzelnen deutschen Staaten wurden die Hoffnungen der Patrioten nicht erfüllt. Es hat sich gezeigt, daß der Patriotismus freiheitlich gesinnt war: Immer ging es um die Ausformung einer Gemeinschaft, die jedem ihrer Mitglieder die Möglichkeit zur freien Entfaltung und zur Mitsprache gäbe. Die Ordnung des Wiener Kongresses bestand dagegen jedoch in der Restitution der monarchischen Einzelherrschaften.[11] Zu einer echten Mitbestimmung des Volkes kam es nicht, Verfassungen wurden von den Fürsten zwar z.T. gewährt, doch lag die Herrschaft beim Souverän und seinem Kabinett. Die ständischen Vertretungen und die Kammern erhielten wohl — besonders in den deutschen Mittelstaaten des Südens wie Bayern und Württemberg — ein gewisses politisches Gewicht, wurden auch teilweise zu Trägern der liberalen Bestrebungen, eine wirkliche Mitwirkung an den grundsätzlichen Entscheidungen erwarben sie aber nicht. Mit Recht schrieb Wolfgang Menzel rückblickend von den Kammern: „Sie richteten freilich nur wenig oder nichts aus, denn wenn sie an die großen Fragen des deutschen Gesammtvaterlands geriethen, stießen sie sich an die Bundesbeschlüsse, und wenn sie in die innere Politik des Einzelstaats eingriffen, an die Gewohnheitstyrannei der Bureaukratie wie an eherne Mauern."[12] Stets ging es der herrschenden Politik um die Konservierung der bestehenden Machtverhältnisse; dies Ziel beschrieb Metternich in einem Brief mit folgenden Worten: „[. . .] die Erhaltung des Bestehenden ist unser nächstes und wichtigstes Augenmerk."[13]

Die patriotische Bewegung, die sich gegen die Ordnung des Deutschen Bundes und für die freiheitliche Einigung Deutschlands einsetzte, war numerisch schwach. Es handelt sich eher um die geistige Gemeinschaft weniger patriotisch denkender Männer und Gruppen aus dem Kreis der bürgerlichen Intelligenz als um eine Bewegung, die wirklich große Teile des Volkes ergriffen hätte. So läßt sich sagen, daß zunächst im wesentlichen eine relativ schmale Schicht bürgerlicher Intellektueller zum Träger des national-freiheitlichen Denkens in Deutschland wurde.[14] Wichtig sind hier besonders die Sprecher der Universitäten, die Professoren und die Führer

---

10 W. Mommsen: Größe und Versagen des deutschen Bürgertums. Ein Beitrag zur Geschichte der Jahre 1848–1849, Stuttgart (1949), S. 30.

11 Zur innenpolitischen Restauration in den einzelnen deutschen Staaten vgl. K. H. Hermes: Geschichte der neuesten Zeit von der Stiftung des heiligen Bundes bis zur Wahl Louis Napoleons, Bd. 1–5, Braunschweig 1855, hier Bd. 1, S. 43ff., sowie Bd. 2, S. 1ff.

12 W. Menzel, a.a.O., Bd. 1, S. 347.

13 Zitiert nach Hermes, a.a.O., Bd. 1, S. 122.

14 Zum Bürgertum als oppositioneller Potenz im Vormärz vgl. R. Stadelmann: Soziale und politische Geschichte der Revolution von 1848, (2. Aufl.), München (1970), S. 42ff.

der Burschenschaften. Sie wurden trotz mannigfacher Zensur- und anderer Unterdrückungsmaßnahmen zu Wortführern des national eingestellten Bürgertums. Die Gelehrten stellten ihre Wissenschaft in den Dienst der Forderung nach einer einheitlichen und zugleich freiheitlichen Ordnung für Deutschland.

Aus dem Kreis des national gestimmten deutschen Bürgertums ragen neben den später an Bedeutung gewinnenden Turn-, Gesangs- und Schützenvereinen vor allem die Burschenschaften heraus, hier fanden sich die besonders aktiven Vertreter eines freiheitlichen und nationalen Denkens.[15] Der Geist, der diese studentische Jugend trug, geht aus einem Brief Heinrich von Gagerns vom Juni 1818 an seinen Vater über seine Mitgliedschaft in der Jenaer Burschenschaft hervor. Hier heißt es: „Wir wünschen unter den einzelnen Staaten Deutschlands größeren Gemeinsinn, größere Einheit in ihrer Politik und in ihren Staatsmaximen; keine eigene Politik der einzelnen Staaten, sondern das engste Bundesverhältnis überhaupt, wir wünschen, daß Deutschland als ein Land und das deutsche Volk als ein Volk angesehen werden könne."[16]

Zuvörderst also ging es den Burschenschaftlern um die möglichst enge Bindung der Einzelstaaten Deutschlands, um die Einheit des Vaterlandes, damit auch um die Einheit der Menschen untereinander, um die Einheit des deutschen Volkes. Daß dieses Streben der Burschenschaftler nach Einheit mit der Forderung nach Freiheit im Innern verknüpft war, belegen die Geschehnisse des Wartburgfestes von 1817. Hier versammelten sich fast 500 Burschenschaftler aus den meisten deutschen Universitäten und brachten ihre Enttäuschung über die politische Entwicklung seit dem Ende der Befreiungskriege zum Ausdruck. Am Ende dieses Festes wurde – dem Beispiel Luthers folgend – eine Bücherverbrennung veranstaltet. Etwa 20 sog. 'Schandschriften des Vaterlandes' wurden ins Feuer geworfen, darunter Karl Ludwig von Hallers Werk 'Restauration der Staatswissenschaft', das die politische Restauration theoretisch begründete; daneben wurden die Symbole der reaktionären deutschen Fürstenherrschaft den Flammen übergeben. Zusammen mit dem Kampf um die Einheit Deutschlands ging es gerade den Burschenschaftlern auch um die innere Freiheit, um das Abwerfen der Fesseln, mit denen das bestehende monarchisch-dynastische System die Bürger an der freien Entfaltung ihrer Persönlichkeit hinderte. „Der Eindruck, den die Kunde von dieser Feier beinahe durch ganz Deutschland hervorbrachte, war ungeheuer. Auf die Jugend wirkte sie, wie ein elektrischer Schlag, denn unter ihr war die Gesinnung, die sich auf so kühne Weise aussprach, allgemein."[17]

Der Geist des Wartburgfestes wurde wenige Monate später von einem fortschrittlich-demokratischen Studenten in 'Grundsätzen und Beschlüssen'[18] zusammenge-

15 Vgl. zu den Burschenschaften Zechlin, a.a.O., S. 52ff.; Obermann, a.a.O., S. 47ff.; zu den übrigen Vereinen Mosse, a.a.O., S. 153ff.

16 Zitiert nach Zechlin, a.a.O., S. 53f.

17 Hermes, a.a.O., Bd. 1, S. 71f.

18 Riemann: Die Grundsätze und Beschlüsse des 18. Oktober, gemeinsam beraten, reiflich erwogen, einmütig bekannt und den studierenden Brüdern auf anderen hohen Schulen zur Annahme, dem gesamten Vaterlande aber zur Würdigung vorgelegt, von den Studierenden zu Jena, in: Obermann, a.a.O., S. 50–52. Vgl. auch R. u. R. Keil: Die burschenschaftlichen Wartburgfeste von 1817 und 1867, Jena 1868; Nachdr. Walluf 1971, S. 46ff.

faßt. An erster Stelle steht auch hier die Forderung: „Ein Deutschland ist, und ein Deutschland soll sein und bleiben." Es wird betont, jeder deutsche Staat, der sich in den Dienst einer fremden Macht stelle, mache sich „des deutschen Namens unwürdig". Mit dieser nationalen Sicht stimmt die Forderung nach wirtschaftlicher Einheit zusammen. Die demokratische Komponente der nationalen Bewegung wird deutlich, wenn es im 17. Grundsatz heißt: „Der Wille des Fürsten ist nicht Gesetz des Volkes, sondern das Gesetz des Volkes soll Wille des Fürsten sein". In eben diesem Sinne wird im 20. Grundsatz formuliert: „Freiheit und Gleichheit ist das Höchste, wonach wir zu streben haben"; dies führt dann zur Forderung nach Gleichberechtigung des Bürgertums sowie nach Abschaffung der Leibeigenschaft. Spezifisch bürgerliche Forderungen sind das Verlangen nach Rede- und Pressefreiheit sowie der Wunsch, die „Reinheit der deutschen Sprache, die Ehrbarkeit der deutschen Sitten, die Eigentümlichkeit deutscher Bräuche und überhaupt alles zu fördern und zu unterstützen, was Deutschland groß und stark, das deutsche Volk achtungswürdig und ehrenwert, den deutschen Namen rühmlich, jeden einzelnen Deutschen gebildeter und edler machen kann."

Für die Mentalität des Bürgertums in dieser Epoche ist jedoch typisch, daß zugleich auf die Einsichtsfähigkeit der Fürsten vertraut wird (Grundsatz 31), ein angesichts der systemsprengenden Forderungen illusionäres Vertrauen. Charakteristisch ist auch, daß hier eine starke Abneigung gegen „das Ausländische", besonders gegen die Franzosen auftaucht. Dies, illusionäres Vertrauen auf die Herrschenden und eine fremdenfeindliche, auf dem Wartburgfest teils auch antisemitische Tendenz, wird aber überwogen vom fortschrittlich-demokratischen Geist der zitierten Forderungen der Studenten. Die Kräfte, die das Wartburgfest trugen, beweisen, daß die Einheit patriotischer und freiheitlicher Forderungen weiterhin bestand und auch zu dieser Zeit ein ausschlaggebendes Moment im Kampf um die bürgerliche Emanzipation war.

Die Reaktion Metternichs auf diese Vorgänge war naturgemäß scharf. Er und mit ihm alle Anhänger des Systems der Restauration sahen die gesamte Ordnung des Wiener Kongresses gefährdet. Als bei diesem Stand der Dinge der Theologiestudent Sand am 23. März 1819 den Dichter Kotzebue, von dem er annahm, er sei ein russischer Agent, ermordete, war für Metternich die Gelegenheit gegeben, endlich gegen die Burschenschaften umfassend vorzugehen. Die Tat Sands, von der der Liberale Jochmann schrieb, „das Volk betrachtet ziemlich unverhohlen diese Tat als *seine* Sache"[19], wurde gerade deswegen zum Anlaß systemkonservierender Maßnahmen.

Im August 1819 faßten Minister der zehn wichtigsten deutschen Staaten auf einer Konferenz in Karlsbad Beschlüsse, die jede Opposition ersticken sollten. Diese Beschlüsse wurden am 20. September 1819 einstimmig vom Bundestag angenommen. Die Karlsbader Beschlüsse führten zu einer genauen Kontrolle der

19 C. G. Jochmann: Brief an E. H. von Sengbusch in Riga über Kotzebues Ermordung, in: C. G. J.: Die Rückschritte der Poesie und andere Schriften, hrsg. v. W. Kraft, (Frankfurt a.M. 1967), (= sammlung insel, 26), S. 33–41, hier S. 37. Vgl. Kraft, a.a.O., S. 273ff.

deutschen Universitäten, zum Verbot der Burschenschaften, zur Einführung einer präventiven Zensur der Presse und zur Einsetzung einer Zentraluntersuchungs-kommission des Deutschen Bundes in Mainz.[20]

In der Folge dieser Beschlüsse wurden gegen Patrioten wie Arndt, Schleier-macher oder Jahn Verfahren eingeleitet. Görres, der — trotz seiner nun im Kern konservativen Grundposition — 1819 in der Schrift 'Deutschland und die Revolution' die Machthaber vor einer Politik gewarnt hatte, die am Ende wirklich die Revolu-tion provozieren würde, mußte nach Straßburg, dann in die Schweiz flüchten. Wie Görres flohen viele Intellektuelle ins Ausland bis nach Amerika, die freisinnigen Zeitungen, in denen sie ihre Ideen vertreten hatten, gingen ein. Von diesem Zeit-punkt an entwickelte sich ein umfassendes Unterdrückungssystem, das die Staa-ten des Deutschen Bundes gegen jegliche nationale und liberale Bewegung schützen sollte. Der Deutsche Bund bekam nun eine eindeutig reaktionäre Tendenz, wurde zum Gegner jedes freiheitlichen und historisch progressiven Ansatzes. Der deutsche Frühliberalismus stieß auf die erbitterte Gegnerschaft des bestehenden Staaten-systems und wurde seinerseits zum erbitterten Gegner der Ordnung, die sich aus dem Wiener Kongreß herleitete.

Der Liberalismus wandte sich angesichts der restaurativen Politik gegen jeden Eingriff des Staates in die Rechte der einzelnen Individuen.[21] Es ging zunächst jetzt vielfach weniger um den aktiven Kampf um die politische Macht als vielmehr lediglich um die Abwehr der Übergriffe des monarchischen Staates. Weite Kreise der liberalen Geistigkeit wollten noch nicht so sehr die konsequent demokratische Verwirklichung der Volksrechte in einem parlamentarisch organisierten System, ihnen ging es um die Freiheit des einzelnen. Eine andere, radikalere, Politik ver-traten dagegen bereits Teile der Burschenschaften — Karl Follen und sein Kreis[21a] wären hier zu nennen —: Die Radikalen wollten statt der konstitutionell-freiheit-lichen Formen die bestehenden Systeme in einer egalitär demokratischen Richtung, oft gemischt mit christlich-deutschen Elementen, umgestalten. Sie schlossen keinen Kompromiß mit der herrschenden Ordnung, ihr Programm war mehr revolutionär als evolutionär. Einen wenn auch geringen Zustrom bekamen die radikalen Führer aus den kleinbürgerlichen und kleinbäuerlichen Schichten.

Wichtigen Auftrieb erhielten die Kräfte der deutschen Opposition nach der Windstille der 20er Jahre durch die Juli-Revolution von 1830 in Frankreich.[22] Hier hatte Karl X. durch seinen Starrsinn das Aufbegehren der Bevölkerung hervorge-

---

20 Vgl. L. F. Ilse: Geschichte der politischen Untersuchungen, Frankfurt a.M. 1860; Nachdr. Hildesheim 1975; zu Fichte S. 59f., zu Arndt S. 22, 63f., 67ff., 80 u.ö.
21 Vgl. zum Frühliberalismus auch M. Zenner: Der Begriff der Nation in den politischen Theorien Benjamin Constants, in: Historische Zeitschrift 213 (1971), S. 38–68.
21a Vgl. W. Grab: Radikale Lebensläufe, (Berlin 1980), S. 105ff.
22 Eine ausführliche Beschreibung der Ereignisse bei W. Menzel, a.a.O., Bd. 1, S. 233ff. — Zur Rezeption in Deutschland vgl. Obermann, a.a.O., S. 69ff.; R. Booß (Hrsg.): Ansich-ten der Revolution. Paris — Berichte deutscher Schriftsteller nach der Juli-Revolution 1830: Heine, Börne u.a., Köln 1977.

rufen. Die Monarchie wurde immer heftiger in der Presse attackiert: „In der That überboten sich die liberalen Blätter in den wüthendsten Schmähungen der Minister und mehrere [. . .] verschonten auch die Person des Königs nicht"[23].

Nachdem der König am 25. Juli 1830 in seinen Ordonanzen die Pressefreiheit aufgehoben und das Wahlrecht zur Deputiertenkammer eingeschränkt hatte, kam es zur Revolution. Folgende Bekanntmachung — verfaßt u.a. von Thiers und Mignet — kündigte die Absetzung Karls X. und die Einsetzung des Herzogs von Orleans als neuen König an:

> Karl X. kann nicht wieder nach Paris zurückkehren; er hat das Blut des Volkes vergossen.
>
> Die Republik würde uns furchtbaren Spaltungen aussetzen; sie würde uns mit Europa entzweien.
>
> Der Herzog von Orleans ist ein Prinz, welcher der Sache der Revolution ergeben ist.
> Der Herzog von Orleans hat sich niemals gegen uns geschlagen.
> Der Herzog von Orleans war zu Jemappes.
> Der Herzog von Orleans ist ein Bürgerkönig.
> Der Herzog von Orleans hat die dreifarbige Fahne im Feuer getragen; der Herzog von Orleans allein kann sie wieder tragen. Wir wollen keinen Andern.
> Der Herzog von Orleans erklärt sich nicht; er erwartet unsere Wünsche. Sprechen wir diese Wünsche aus, und er wird die Charte annehmen, wie wir sie immer verstanden und gewollt haben. Er wird seine Krone von keiner andern Macht, als vom französischen Volke haben.[24]

Es zeigt sich hier, daß die Revolution — in der Person des Herzogs von Orleans — an die Tradition der großen Französischen Revolution anknüpft. In die Programmatik der Revolutionäre fließt — vorbereitet durch eine liberale Propaganda während der Restauration, die zur Integration der Bourgeoisiefraktionen wie zur Massenagitation nationale Parolen verwendete[24 a] — das nationale Prinzip im Verein mit einer demokratisch-freiheitlichen Tendenz ein, die dem neuen König die Krone nur aus der Machtvollkommenheit des Volkes zugestehen will. Bei seiner Thronbesteigung mußte Louis Philippe daher eine Reihe freiheitlicher, seine monarchische Macht beschränkender Bestimmungen anerkennen. Die Pressefreiheit wurde ohne Einschränkung eingeführt, der König durfte fortan keine Gesetze suspendieren, er mußte die Unabhängigkeit der Justiz anerkennen und durfte keine fremden Söldner in seinen Dienst nehmen. Ferner wurden das Wahlrecht erweitert und die katholische Kirche ihrer Funktion als Staatskirche beraubt. Vor allem aber erhielten die Kammern nun — ebenso wie der König — die Initiative bei Gesetzesvorschlägen. Zwar wurde, um inneren Spaltungen und der Feindschaft zum übrigen Europa vorzubeugen, keine republikanische Lösung gewählt, dennoch ist deutlich, daß die Gründung einer in dieser Weise ausgerichteten Monarchie ein neues Element in die Politik Europas bringen mußte.

23 Die französische Revolution von 1830 historisch und staatsrechtlich beleuchtet in ihren Ursachen, ihrem Verlaufe und ihren wahrscheinlichen Folgen, Berlin 1831, S. 165.
24 Zitiert nach Hermes, a.a.O., Bd. 2, S. 417. — In der Schlacht von Jemappes (1792) siegte die Französische Revolution über die konterrevolutionären Armeen.
24a Vgl. die sozialgeschichtlich orientierte Arbeit von H.-G. Haupt: Nationalismus und Demokratie: Zur Geschichte der Bourgeoisie im Frankreich der Restauration, (Frankfurt a.M. 1974).

Insgesamt kann man sagen, daß die öffentliche Meinung in Europa sich nach 1830 überwiegend gegen Karl X. wendete und die Revolution gegen die Bourbonen billigte: „Die in Frankreich dermalen herrschende Parthei und mit ihr eine große Anzahl, vielleicht die Mehrheit aller Gebildeten in allen europäischen Ländern klagt den König Karl X. an, daß er [. . .] das französische Volk zum Aufstande gegen sich berechtigt, ja gezwungen habe."[25] Bald schon zeigten sich deshalb die ersten europäischen Konsequenzen der Juli-Revolution: Im September brach in Brüssel ein Aufstand gegen die Union mit Holland aus, der zur Unabhängigkeit Belgiens führte.

Die französische Revolution wirkte mit den Worten Metternichs „wie der Durchbruch eines Dammes in Europa"[26]. Dies gilt auch für den Deutschen Bund, auf dessen Gebiet sich bei fortschreitender wirtschaftlicher Entwicklung erhebliche Konflikte angebahnt hatten. Auch in Deutschland setzte sich in wichtigen Produktionsbereichen zunehmend die kapitalistische Produktionsweise durch. Die Bourgeoisie stellte schon eine bedeutende ökonomische Macht dar, war aber immer noch von jedem wirklichen politischen Einfluß ausgeschlossen. Zwar errang die Bourgeoisie durch ihr ökonomisches Gewicht wesentliche Zugeständnisse, so besonders, dies allerdings erst nach 1830, den Deutschen Zollverein; gerade deswegen aber machten sich die Schranken der noch bestehenden feudalabsolutistischen politischen Organisation für die Bourgeoisie immer lastender bemerkbar. Die Ruhe, in der sich Deutschland vor 1830 befand, war deshalb trügerisch.[27]

Diese Friedhofsruhe wurde schnell gestört: Es kam in den mittleren und kleineren Staaten Norddeutschlands zu Unruhen[28], es wurden hier — so in Kurhessen, Sachsen, Braunschweig und Hannover — Konstitutionen wie in Süddeutschland erkämpft. Aber auch über diese Auseinandersetzungen in den Einzelstaaten hinaus weckte die Julirevolution — im Verein mit dem polnischen Freiheitskampf[29] — die nationalen Wünsche der deutschen Intelligenz. Die Sehnsucht nach deutscher Einheit im Verein mit größerer Freiheit erhielt neue Nahrung.

In den Unruhen, die Deutschland erschütterten, zeigt sich daher stets auch ein Zug zu größerer Einheit. Exemplarisch verdeutlichen dies die Ereignisse in Baden; im Landtag des Großherzogtums stellte der liberale Vertreter Welcker den Antrag,

> die Regierung möge sich bei dem Bundestage dafür verwenden, daß alle Bundesstaaten nach den Vorschriften der Bundesacte eine wahre repräsentative Verfassung erhielten, und daß zur Förderung der Zwecke, welche bei der Gründung des deutschen Bundes

25 Die französische Revolution von 1830, a.a.O., S. 1.

26 Zitiert nach Zechlin, a.a.O., S. 93.

27 „Der Ausbruch der französischen Julirevolution fand das Volk und das Land der Deutschen in einem Zustande der tiefsten Ruhe, der für einen Beweis innerer Befriedigung hätte gelten können, wenn nicht in allen Lebensäußerungen sich eine Abspannung kund gegeben hätte, die man unmöglich als ein Zeichen ungestörter Gesundheit betrachten durfte. Alle Theilnahme an den öffentlichen Angelegenheiten war erloschen [. . .]"; Hermes, a.a.O., Bd. 2, S. 516.

28 Vgl. Hermes, a.a.O., Bd. 2, S. 533ff.; W. Menzel, a.a.O., Bd. 1, S. 351ff.

29 Vgl. Hermes, a.a.O., Bd. 2, S. 568ff; Obermann, a.a.O., S. 88ff., sowie A. Gerecke: Das deutsche Echo auf die polnische Erhebung von 1830, Wiesbaden 1964.

öffentlich ausgesprochen wären, neben dem Bundestage eine deutsche Nationalpräsentation geschaffen werde: ein deutscher Volksrath, der zu dem Bundestage in dasselbe Verhältniß träte, wie die Wahlkammern der constitutionellen deutschen Staaten zu den Herrenkammern.[30]

Unter Berufung auf die vertragsmäßigen Grundlagen des restaurativen Systems selbst wird hier deutlich eine Neuordnung Deutschlands gefordert, eine Neuordnung, die einen demokratischen Zug trägt, wenn eine ,,deutsche Nationalrepräsentation" angestrebt wird.

Den nationalen und freiheitlichen Wünschen gegenüber ergriff die Bundesversammlung als Organ zur Verteidigung der bestehenden Machtverhältnisse Maßnahmen gegen die oppositionellen Kräfte.[31] Dennoch gaben eben diese Kräfte ihren Kampf nicht auf. Dies belegen sowohl die Preß- und Vaterlandsvereine[32], die über die öffentliche Meinung auf nationale Einheit und Freiheit hinwirken wollten, als auch vor allem das von den Radikaldemokraten Wirth und Siebenpfeiffer organisierte Hambacher Fest Ende Mai 1832, an dem zwanzig- bis dreißigtausend Menschen teilnahmen: ,,Das Hambacher Fest zeigte in seiner charakteristischen Mischung von liberalen und nationaldemokratischen Elementen deutlich, daß die Radikalisierung in der Einheitsbewegung im Fortschreiten begriffen war und vor allem, daß die nationalen Forderungen bereits auf eine beträchtliche Resonanz in der Bevölkerung stießen."[33]

Dennoch gelang es den Vertretern der Restauration noch einmal, das Kontrollsystem gegenüber jeder freiheitlichen und nationalen Regung zu verschärfen. Mit den 6 Artikeln vom Juni 1832 und den in Wien im Juni 1834 ausgehandelten 60 Artikeln wurden politische Vereine, Volksversammlungen und Volksfeste verboten, es wurden die Zensur verschärft, die akademische Freiheit beschnitten und die Rechte der Landtage eingeschränkt. Vor allem aber sicherte der Bund den in ihren Staaten bedrohten Fürsten Hilfe durch Exekutionstruppen zu. Auch im Innern der einzelnen Territorien verschärfte sich der Druck. So wurde in Preußen der Mecklenburger Fritz Reuter auf der Durchreise verhaftet und als Burschenschaftler verurteilt. Über den 'Erfolg' dieser Strafe meinte er später in seinem Buch 'Ut mine Festungstid': ,,Als wir eingesperrt wurden, waren wir keine Demokraten, als wir herauskamen, waren wir's alle." Gleichzeitig wurde der Versuch unternommen, die Menschen wieder zu einer traditionellen Religiosität zurückzuführen. Programmatisch formulierte der preußische Hofprediger Theremin: ,,Was uns Noth thut, das ist ein lebendiger Glaube an den lebendigen Gott, der die Dinge in der Welt nicht ihrer eigenen Bewegung überläßt, sondern sie beherrscht und nach seinen Absichten leitet."[34]

30 Zitiert nach Hermes, a.a.O., Bd. 2, S. 561f.
31 Vgl. Hermes, a.a.O., Bd. 4, S. 50ff., Ilse, a.a.O., S. 259ff.
32 Vgl.. Obermann, a.a.O., S. 92ff.
33 Zechlin, a.a.O., S. 102; vgl. auch Obermann, a.a.O., S. 96ff. — Im Rahmen dieser Radikalisierung ist auch der Sturm auf die Frankfurter Hauptwache im April 1833 zu sehen. Vgl. Hermes, a.a.O., Bd. 4, S. 60ff.; Obermann, a.a.O., S. 102ff.
34 F. Theremin: Gott regiert die Welt, in: F. Th.: Zeugnisse von Christo in einer bewegten Zeit, Berlin 1832, S. 45–67, hier S. 48.

Neben der politischen Repression in der Folge der Julirevolution standen zugleich wirtschaftliche Konzessionen an das Bürgertum. Der Notwendigkeit, einen größeren Wirtschaftsraum zu schaffen, trug der Deutsche Zollverein Rechnung. Vorkämpfer dieses Zollvereins war Friedrich List[35], der schon 1819 den 'Allgemeinen deutschen Handels- und Gewerbeverein' gründete, in dem der Abbau der innerdeutschen Zollschranken gefordert wurde. Die theoretisch vollständige Begründung einer wirtschaftlichen Einigung Deutschlands gab List dann in seinem Hauptwerk 'Das nationale System der politischen Ökonomie' (1841), einem Werk, das von der Idee eines gemeinsamen deutschen Vaterlandes getragen ist. Von derartigen theoretischen Erwägungen und der praktischen wirtschaftlichen Notwendigkeit ausgehend, wurde 1834 der Deutsche Zollverein gegründet, der schließlich ganz Deutschland bis auf den Nordwesten und Österreich zollpolitisch vereinte. Zweifellos war dieser Zollverein ein Teil der preußischen Hegemonialpolitik in Deutschland, politisch war er von Preußen sicher nicht als eine Institution mit dem Ziel der deutschen Einheit geplant, dennoch wurde er zum Katalysator der Einigung: „Die Herstellung der Verkehrsfreiheit in dem größten Theile des Innern von Deutschland durch den Zollverein hatte mächtig darauf eingewirkt, das Gefühl der volksthümlichen Einheit der verschiedenen Staaten und Stämme der deutschen Nation zum Bewußtsein zu bringen [. . .]".[36]

Mußte die Reaktion in dieser Weise modernen wirtschaftlichen Notwendigkeiten Rechnung tragen und damit selbst — auf längere Sicht — die politische Einigung Deutschlands fördern, so versuchte sie nichtsdestoweniger, das tradierte politische System aufrechtzuerhalten. Einer der wichtigsten Versuche, die aufbegehrende bürgerliche Intelligenz zu unterdrücken, war das Vorgehen in Hannover gegen die sog. 'Göttinger Sieben'[37]. Als nach dem Tode Wilhelms IV. 1837 Ernst August die Regierungsgewalt in Hannover übernahm, kündigte er an, er werde das Grundgesetz des Landes von 1833 prüfen und suspendieren. Vor allem wollte er damit erreichen, daß die Domänen, die 1833 Staatsbesitz geworden waren, wieder in den Besitz des Fürstenhauses gelangten. Hiergegen empörten sich sieben Göttinger Professoren, sie wollten sich dem offenen Rechtsbruch des neuen Regenten nicht beugen. Als die Professoren, unter ihnen Dahlmann, Gervinus und die Brüder Grimm, entlassen und z.T. des Landes verwiesen wurden, kam es zu einem Proteststurm in ganz Deutschland und zu einer Solidarisierung der Liberalen, die die bürgerliche Bewegung von neuem belebte und festigte.

Hinter dem Vorgehen der 'Göttinger Sieben' stand eine freiheitliche Grundeinstellung, die die Rechte der Bürger gegen Willkürmaßnahmen verteidigen wollte. Daß mit dieser freiheitlichen auch hier eine national-patriotische Position einher-

35 Vgl. F. Bülow: Friedrich List. Ein Volkswirt kämpft für Deutschlands Einheit, Göttingen, Berlin, Frankfurt 1959, (= Persönlichkeit und Geschichte, Bd. 16); Obermann, a.a.O., S. 36ff., 109ff.

36 Hermes, a.a.O., Bd. 4, S. 139.

37 Zum historischen Hintergrund vgl. Hermes, a.a.O., Bd. 4, S. 83ff.; Obermann, a.a.O., S. 112ff.; die wichtigsten Quellen bei W. Real (Hrsg.): Der hannoversche Verfassungskonflikt von 1837/39, Göttingen (1972), (= Histor. Texte, 12).

ging, zeigt das Beispiel Jakob Grimms. Er berichtet in seiner Darstellung über den Konflikt der 'Göttinger Sieben' mit der Staatsautorität über seine eigene Entwicklung, daß er von Anbeginn an seine Heimat „nur als einen wesentlichen Bestandteil des deutschen Vaterlandes"[38] sehen lernte. Grimm wurde auf dieser Grundlage einer der Germanisten, die die Identität der Nation in der Literaturgeschichte und in der Geschichte der deutschen Sprache aufwiesen. Er ist ein Repräsentant der Germanistik und Literatur, von der der demokratische Publizist Robert Prutz urteilt: „In der öden Zeit der zwanziger Jahre, der Blüthezeit der Restauration, war sie es hauptsächlich, wenn nicht ausschließlich, welche die patriotischen Hoffnungen der Nation wach erhielt [. . .]"[39]. Eben dieser Patriotismus ließ Grimm sich 1837 gegen die als Unrecht empfundenen Übergriffe der Regierung Hannovers wenden.

Durch obrigkeitliche Maßnahmen, wie die Repression der 'Göttinger Sieben', konnte der revolutionäre Geist, der die Grundstimmung dieser Zeit bildete, nicht wirklich gebrochen werden. Über diesen revolutionären Geist heißt es in einer – konservativen – zeitgenössischen Schrift:

> Jene Prinzipien aber sind theils religiöser, theils politischer Natur, und zwar ist der politische Theil derselben blos die äußere Seite der Vorstellungen auf dem religiösen und sittlichen Gebiete, in diesen aber liegt der Schlüssel und die Wurzel des ganzen Systems. – Wollen wir dasselbe aber mit einem Worte bezeichnen, so ist es der Materialismus auf dem Gebiete der Religion und der Politik, – d.h. das Läugnen einer göttlichen und dem Menschen geoffenbarten, historisch fortgepflanzten, ewig wahren Lehre, in welcher alle wahre Religion und Moral enthalten ist, an welche alle menschliche Wissenschaft, wie an einen höchsten Vereinigungspunkt sich anschließen, auf welcher alle Staatsverbindung und menschliche Gesellschaft, wie auf einem nothwendigen Fundamente beruhen muß.[40]

Auf politischem und geistig-religiösem Gebiet geht es um den Kampf gegen die tradierten Dogmen und politischen Normen. Was für den Verfasser des obenstehenden Zitats „Materialismus" ist, erscheint in der historischen Rückschau als der Kampf kritischer Vernunft gegen nicht begründbare und deshalb zutiefst unvernünftige Institutitionen des geistigen und gesellschaftlichen Lebens. Es geht, noch einmal mit den Worten der zitierten Schrift, um das

> Erheben der isolierten Vernunft zur alleinigen Quelle der Wahrheit und höchsten Autorität. Ist sie aber dieses, so hat der Mensch nur sich selbst zu achten und nur sich selbst zu gehorchen, – und dies ist das wahre, von den Meisten unbewußt gehegte Grundprinzip des revolutionären Systems, welches in nothwendiger und unaufhaltsamer Consequenz allen Gehorsam, alle Treue und alle Unterordnung in Staat und Kirche vernichtet.[41]

---

38 J. Grimm: Über seine Entlassung, Nachw. v. W. Vordtriede, (Frankfurt a.M. 1964), S. 7, Erstausgabe: 1838; vgl. auch Honegger, a.a.O., S. 164f.: „Nicht minder groß ist das Wirken der Gebrüder Grimm, dessen hohe Bedeutung darin gipfelt, daß es national ist im größten Styl und von monumentalem Charakter, daß es ein ganzes Nationalleben in allen seinen Bethätigungen fixiert."
39 R. Prutz: Deutsche Literatur der Gegenwart, 1848–58, Leipzig 1860, S. 19.
40 Die französische Revolution von 1830, a.a.O., S. 321.
41 Die französische Revolution von 1830, a.a.O., S. 321.

Dies den Interessen der Herrschenden so scharf entgegengesetzte „revolutionäre System" prägte trotz aller Gegenmaßnahmen das Denken vieler Menschen, dieser Geist war „bei vielen der sogenannten Gebildeten der herrschende, und es ist richtig, wenn man ihn als Zeitgeist oder öffentliche Meinung bezeichnet"[42].

Die durch die Gegenmaßnahmen der herrschenden Kräfte ungebrochene Opposition spiegelt sich nach 1830 auch in der deutschen Literatur wieder. Die Literatur wurde zunehmend mit politischem Gehalt gefüllt, mit einem politischen Gehalt, der sich dem bestehenden System entgegensetzte. So meinte Georg Herwegh: „Die junge Literatur ist nämlich durch und durch, von ihrem Ursprunge an *demokratisch* [. . .]"[43]; die Literatur erschien als „ein Kind der Politik, deutscher gesprochen, ein Kind der Julirevolution"[44]. Herwegh beklagte in bezug auf Deutschland einen „Mangel an einem großartigen nationalen Interesse", einen Mangel, den er darauf zurückführte, *„Freiheit* und *Nationalität"*[45] seien im modernen Deutschland keine lebendigen Werte mehr. Um so dringender erschien es ihm deshalb, „sich direkt an die Massen zu wenden, im Volksliede, im nationalen Drama"[46].

Im Anschluß an die französische Julirevolution entstanden in ganz Europa revolutionäre Bünde, so das Junge Italien Mazzinis (la giovine Italia) oder in Frankreich La Jeune France. In Deutschland muß in diesem Zusammenhang die literarische Bewegung des Jungen Deutschland genannt werden, dessen Name den 'Ästhetischen Feldzügen' Wienbargs entnommen war, einer Schrift, dem „jungen Deutschland", nicht dem alten gewidmet.[47] „Die Jungdeutschen und jene politischen Dichter, die sich ihnen verbunden fühlten, glaubten nicht nur, daß die Literatur die Welt verbessern könne, sondern auch, daß sie Sache der gesamten Nation sei. Ihr Name, die 'Jungdeutschen', ist darum treffend gewählt, denn sie fühlten sich ganz Deutschland, nicht nur einem einzelnen deutschen Stamm verpflichtet."[48] Die Vertreter dieser sich von etwa 1830 bis 1850 erstreckenden Bewegung: Gutzkow, Wienbarg, Laube, Mundt, Kühne, Herwegh, auch Börne und Heine standen in nur losem Kontakt zueinander. Erst das von Wolfgang Menzel und dem österreichischen Gesandten beim Bundestag erwirkte Verbot ihrer Schriften am 10.12.1835 ließ diese Schriftsteller sich als Gruppe empfinden.

42 Die französische Revolution von 1830, a.a.O., S. 324.
43 G. Herwegh: Die neue Literatur, in G. H.: Literatur und Politik, hrsg. v. K. Mommsen, (Frankfurt a.M. 1969), (= sammlung insel, 37), S. 9–13, hier S. 11. Vgl. auch H. Denkler: Zwischen Julirevolution (1830) und Märzrevolution (1848/49), in: Hinderer, a.a.O., S. 179–209.
44 G. Herwegh: Die Literatur im Jahre 1840, in G. H.: Literatur und Politik, a.a.O., S. 90– 94, hier S. 90.
45 G. Herwegh: Literatur und Volk, in: G. H.: Literatur und Politik, a.a.O., S. 33–40, hier S. 38.
46 G. Herwegh: Literatur und Volk, a.a.O., S. 40.
47 L. Wienbarg: Aesthetische Feldzüge (1834), Berlin, Weimar 1964. – Quellensammlungen bei J. Hermand (Hrsg.): Das junge Deutschland, Stuttgart (1966), (= Reclam Univ.-Bibl., 8703–07). A. Estermann (Hrsg.): Politische Avantgarde 1830–1840, Bd. 1–2, (Frankfurt a.M. 1972).
48 E. Sagarra: Tradition und Revolution. Deutsche Literatur und Gesellschaft 1830 bis 1890, München (1972), (= List Taschenb. d. Wiss., 1445), S. 198f.

Das junge Deutschland, das einen engen Kontakt zwischen den literarischen Bestrebungen und dem gesellschaftlich-politischen Leben forderte und verwirklichte, wollte auf das Geschehen der eigenen Zeit, auf den politischen Tageskampf einwirken. Man wandte sich gegen den bestehenden absolutistischen Staat, gegen die Orthodoxie der Kirche und gegen überalterte Konventionen. Auch in diesen literarischen Bestrebungen lag ein Moment des Aufbruchs zu einer Neugestaltung Deutschlands im Sinne der freiheitlich-patriotischen Ideale. Trotz persönlicher Zurückhaltung gegenüber einer bewußt tendenziösen Literatur hat Eichendorff wohl am schönsten die belebende Wirkung der Dichter des Jungen Deutschland auf die verkrusteten Zustände des Vormärz beschrieben:

> Aber sie teilen, wie ein Gewittersturm, die drückendschwüle Luft, die auf allen lastet, drängen gewaltsam zur Entscheidung und werden den Handel, weil sie ihn keck auf die äußerste Spitze treiben, wider eigenes Wissen und Wollen endlich spruchreif machen. Bei ihnen ist, der allgemeinen Apathie und heuchlerischen Mattherzigkeit gegenüber, doch noch Leben, ein resolutes Hasten und Kämpfen, daß noch Funken sprühen, die leicht zünden, wann und wo sie es am wenigsten gedacht.[49]

In den 40er Jahren ist dann ein gewaltiger Aufschwung der politischen Lyrik zu verzeichnen. Dieser Aufschwung begann mit der deutsch-französischen Krise von 1840. Als die Regierung Thiers und die französische Presse die Rheingrenze forderten, kam es in Deutschland wie in Frankreich zu nationaler Empörung auf breiter Basis.[50] Wie schon während der Befreiungskriege rückte neben patriotischen Zielen in bezug auf die innere Ausgestaltung Deutschlands die kämpferische Behauptung deutscher Machtinteressen in den Mittelpunkt der Forderungen des liberalen Intelligenzbürgertums. Besonders die nationale Lyrik spielte in diesem Zusammenhang eine bedeutsame Rolle. Nikolaus Becker etwa schrieb 1840 in seinem Lied 'Der deutsche Rhein':

> Sie sollen ihn nicht haben,
> den freien deutschen Rhein,
> ob sie wie gier'ge Raben
> sich heiser danach schrein [.]

In Max Schneckenburgers 'Die Wacht am Rhein' heißt es:

> Es braust ein Ruf wie Donnerhall,
> wie Schwertgeklirr und Wogenprall:
> Zum Rhein, zum Rhein, zum deutschen Rhein,
> wer will des Stromes Hüter sein?
> Lieb Vaterland, magst ruhig sein,
> fest steht und treu die Wacht am Rhein.
>
> Durch Hunderttausend zuckt es schnell,
> und aller Augen blicken hell:
> Der deutsche Jüngling, fromm und stark,

---

49 J. v. Eichendorff: Anmut und Adel der Poesie. Aus den Schriften zur Literatur, ausgew. u. eingel. v. P. Stöcklein, München (1955). S. 189.

50 Vgl. I. Veit-Brause: Die deutsch-französische Krise von 1840. Studien zur deutschen Einheitsbewegung, Diss. phil., Köln 1967. – Die im folgenden zitierten Beispiele nationaler Lyrik finden sich bei H. Lamprecht (Hrsg.): Deutschland, Deutschland. Politische Gedichte vom Vormärz bis zur Gegenwart, Bremen (1969), (= Samml. Dieterich, 323), S. 33ff.

beschirmt die heil'ge Landesmark.
Lieb Vaterland . . .

Auf blickt er, wo der Himmel blaut,
wo Vater Hermann niederschaut,
und schwört mit stolzer Kampfeslust:
„Du, Rhein, bleibst deutsch, wie meine Brust!"
[. . .]

In den Chor derer, die sich aggressiv gegen die französischen Ansprüche wendeten, stimmte auch wieder Ernst Moritz Arndt ein ('Das Lied vom Rhein an Niklas Becker', 'Als Thiers die Welschen aufgerührt hatte').

Im Gegensatz zu dieser machtpolitischen Akzentuierung wurde von anderen Dichtern am Vorabend der Revolution von 1848 aber auch weiterhin in erster Linie die freiheitliche Komponente des Patriotismus betont, Einheit und Liberalität erschienen als zusammengehörige Werte. So trat Hoffmann von Fallersleben in seinem 1841 entstandenen 'Lied der Deutschen' eben nicht nur für ein „Deutschland, Deutschland über alles" im Sinne territorialer, machtpolitischer Forderungen ein, sondern auch für „Einigkeit und Recht und Freiheit/für das deutsche Vaterland". Diese Richtung patriotischen Denkens wurde vor allem durch drei 1841 publizierte Werke repräsen tiert, durch Franz Dingelstedts 'Lieder eines kosmopolitischen Nachtwächters', durch Hoffmann von Fallersleben 'Unpolitische Lieder' (2. Theil) und schließlich durch Georg Herweghs 'Gedichte eines Lebendigen'. Hoffmann von Fallersleben hatte den Titel seiner Gedichtsammlung gewählt, um die Zensur irrezuführen, er vertrat hier jedoch dezidiert die Positionen des liberalen Patriotismus; Herwegh, seit 1839 in die Schweiz emigriert, stand dagegen auf der Seite der demokratischen Bewegung, seine Gedichte, erfüllt von revolutionärem Schwung, waren eine Manifestation der demokratischen Opposition. Diesen Dichtern zur Seite trat Ferdinand Freiligrath, der sich zum Demokraten entwickelte und mit seinen Gedichtsammlungen 'Ein Glaubensbekenntnis' (1844) und 'Ça ira' (1846) zu einem der populärsten Freiheitsdichter wurde. Am entschiedensten vertrat schließlich Georg Weerth revolutionär-demokratische Positionen in Prosa und Lyrik, er war für Friedrich Engels der erste bedeutende Dichter des deutschen Proletariats.

Der Geist dieser politischen Lyrik des Vormärz sei hier durch wenige Zeilen Freiligraths und Herweghs angedeutet. In seinem Gedicht 'Die Freiheit! Das Recht!' schrieb Freiligrath:

Ja, ihr Banner entflattert und weht allerorten,
daß die Unbill gesühnt sei, die Schande gerächt!
Ja, und siegen sie hier nicht, so siegen sie dorten,
und am Ende doch siegen sie gründlich und echt!
O Gott, welch ein Kranz wird sie glorreich dann zieren!
All die Läuber, die Völker im Fahnentuch führen!
Die Olive des Griechen, das Kleeblatt des Iren,
und vor allem germanisches Eichengeflecht!
    – Die Freiheit! Das Recht![51]

51 In: Werke, Berlin, Weimar 1967, S. 50f.

Freiheit und Recht sind die Werte, für die sich zu kämpfen lohnt, im Zeichen dieser Werte, so meint Freiligrath siegesgewiß, wird die Zukunft stehen. Der geschichtliche Fortschritt beschränkt sich aber für den Dichter nicht nur auf *ein* Volk, kosmopolitisch sieht er alle Völker diesem Ziel zustreben, wenn auch der Patriot Freiligrath das „germanische" Element in diesem Freiheitskampf der Völker naturgemäß stark betont.

Auch Herwegh faßte seine politischen Ziele nicht mit nationalistischer Enge, er betonte die wichtige Funktion Frankreichs für die Freiheitsbewegung in ganz Europa. So verspottete er den borniierten Nationalismus:

> Kaum geht im deutschen Land ein Riegel,
> Ein Schloß und eine Kette los:
> So steckt man hinter unsres Rheines Spiegel
> Geschwind als Rute den Franzos!

> Und du, mein Volk, du glaubst die Mären,
> Und dein Verstand ergreift die Flucht,
> Du rupfst den *Hahn* und denkst nicht an den *Bären*,
> den man dir *aufzubinden* sucht!

> Du rupfst den Hahn, indes der *Geier*
> Dir tief in deine Leber frißt:
> Du träumst von Einheit, und du glaubst dich freier,
> Wenn Dein Gefängnis größer ist.[52]

Sehr klar tritt Herwegh gegen jeden Versuch ein, ein größeres, einheitliches und mächtiges Deutschland zu schaffen, ohne dabei zugleich die demokratischen Freiheitsrechte des Volkes zu verwirklichen. Jede Position, die Einheit ohne Liberalität will, findet hier aus radikaldemokratischer Sicht entschiedenen Widerspruch, einen Widerspruch, den Herwegh in dem Aphorismus zuspitzte: „Ein Volk, das nicht frei sein will, hat auf keinen Zoll Land oder Wasser Anspruch, so auch nicht auf das linke Rheinufer"[53]. Bestimmend bleibt für Herwegh auch am Vorabend der 48er Revolution der Gedanke der Freiheit und der Solidarität aller Völker im Geiste dieser Freiheit.[54]

Das Ethos der politischen Dichtung gegen die herrschenden Verhältnisse im Vormärz formulierte Herwegh am klarsten in seinem Gedicht 'An die deutsche Jugend':

> Leicht können wir der Fürsten Gunst entbehren
> Für *eines* Bettlers Herz, das wir gerührt!
> Sie soll mich auch in Zukunft singen lehren,
> Die mir die Hand zum ersten Lied geführt.
> All meine Schätze leg ich ihr zu Füßen:
> Die *Freiheit* ist ein Weib und liebt den Putz.
> Jawohl! Ich werd ihr Sklave bleiben müssen, –
> Nimm, deutsche Jugend, nimm mein Lied in Schutz![55]

---

52 Die Rute, in: Werke, Berlin, Weimar 1967, S. 122f. – Vgl. auch W. Büttner: Georg Herwegh – Ein Sänger des Proletariats, 2. überarb. Aufl., Berlin 1976.

53 Werke, a.a.O., S. 174.

54 In einem Aphorismus Herweghs heißt es: „Die Freiheit der Welt ist solidarisch. Wo man für oder gegen sie kämpft, kämpft man für oder gegen die Freiheit der ganzen Welt", Werke, a.a.O., S. 174.

55 In: Werke, a.a.O., S. 93f.

Im Geiste der Freiheit formuliert Herwegh ein Aufbegehren der Dichter und der deutschen Jugend gegen das System der Fürsten. Der Geist, den Herwegh hier unmittelbar vor der Revolution beschwor, sollte sich 1848 zu dem großangelegten Versuch entfalten, die Verhältnisse im absolutistisch regierten Deutschland nun nicht mehr nur im Wort, sondern in der Tat anzugreifen und grundlegend zu verändern.

Neben diesem Protest der bürgerlichen patriotischen Intelligenz gegen die veralteten Institutionen machte sich — in ganz Europa — eine andere Bewegung deutlich bemerkbar: Der soziale Konflikt zwischen der Bourgeoisie und dem Vierten Stand nahm seinen Ausgang. Ein Zeitgenosse, der Publizist Honegger, beschrieb diesen Konflikt mit folgenden Worten:

> [. . .] sozial herrscht das allerschärfste, selbst feindliche Individualisieren als Concurrenz, und doch langt eine jede Schicht nach neuen gesellschaftlichen Ordnungen und Corporativeinheiten. Darauf hin weist der im Arbeiterstande stehend gewordene Thesengedanke einer allgemeinen corporativen Verbrüderung, dessen theilweise Realisierung bereits blutige Revolutionen heraufbeschworen und — was bedeutsamer ist — die tausende von Institutionen geschaffen hat, durch welche der Stand sich selber zu helfen und zu erziehen gedenkt. Das ist eine im Ganzen geräuschlose, aber vielleicht die grandioseste Thatsache. Andererseits stehen auf demselben Boden die mächtigen Capitalverbindungen, die ungeheuren Triebräder der industriellen Massenbewegung, denen der Fluch aufgebürdet wird, den goldenen Mittelstand zu vernichten. Das sind zwei Riesennetze, deren Maschen, über die ganze civilisierte Welt ausgebreitet, sich feindlich immer mehr in einander schlingen, um sich zu zerreißen. [56]

Speziell von Frankreich konnte in Übereinstimmung mit dieser europäischen Entwicklung schon unmittelbar nach der Revolution des Jahres 1830 prophezeit werden: „Jetzt aber beginnt als zweiter Akt der Kampf der Armen gegen die Geldreichen. Die mittleren Klassen haben einen vollen Sieg über die Aristokratie des Ranges und der Geburt erfochten. Jetzt sind sie als aristocratie bourgeoise in deren Stellen getreten, und zwischen ihnen und den Verfechtern der Gleichheit und der consequenten Demokratie, welche die Masse der Unbegüterten für sich haben, beginnt nun ein neuer und heftiger Kampf auf Leben und Tod."[57]

In den Staaten des Deutschen Bundes kann die soziale Situation der Zeit des Vormärz durch folgende Entwicklungslinien gekennzeichnet werden: Es gab um 1840 schon beinahe 46 Millionen Einwohner, die Industrialisierung hatte enorme Fortschritte gemacht, vor allem der Eisenbahnbau entwickelte sich stürmisch, wenn die wirtschaftliche Entwicklung auch noch weit hinter der des westlichen Auslands herhinkte. Die meisten Menschen lebten nach wie vor auf dem Lande, ihre Lage war elend wie seit Jahrhunderten. Zugleich aber nahm die Abwanderung in die Städte zu, wo das Überangebot an Arbeitskräften auf die Löhne drückte. Hier verschlechterte sich die Lage der Unterschichten in besonderem Maße, die Dienstboten, die Handwerksgesellen und vor allem die Fabrikarbeiter mußten bei immer längeren Arbeitszeiten mit Hungerlöhnen leben. Diese Situation der Arbeiter

---

56 Honegger, a.a.O., S. 9.
57 Die französische Revolution von 1830, a.a.O., S. 311.

hat Georg Weerth in seinem 1846/47 entstandenen ersten deutschen 'Arbeiter-roman' beschrieben.[58] Hier läßt er ironisch den Fabrikanten sich als Opfer der Gesellschaft, als eigentlich Ausgebeuteten darstellen: „[. . .] sein Sie versichert, daß ich meine Fabrik nur noch fortführe, um die Arbeiter nicht außer Brot kommen zu lassen [. . .] wir Industriellen sind die Märtyrer der ganzen übrigen Gesellschaft[. . .]"[59]. Dagegen stellt Weerth die Beschreibung des armseligen Arbeiter-milieus[60], der Fabrikant erscheint nun als „Schurke, der durch den Schweiß von Tausenden groß und reich geworden ist, durch den Schweiß und das Blut zahlloser Unglücklicher, denen er das Mark aus den Knochen sog [. . .]"[61].

Obgleich die schichtenspezifische Differenzierung noch nicht weit fortgeschritten war, begann sich die soziale Frage immer schärfer abzuzeichnen.[62] Gesellschaftliche Gegensätze traten zunehmend hervor und beeinflußten das soziale Klima. In seinem 'Hessischen Landboten' hat Georg Büchner diese Gegensätze, hier bezogen auf die Lage der Bauern, die mit 'dem Volk' schlechthin identifiziert werden, in klassischer Form beschrieben: „Das Leben der Vornehmen ist ein langer Sonntag: sie wohnen in schönen Häusern, sie tragen zierliche Kleider, sie haben feiste Gesichter und reden eine eigene Sprache; das Volk aber liegt vor ihnen wie Dünger auf dem Acker. Der Bauer geht hinter dem Pflug, der Vornehme aber geht hinter ihm und dem Pflug und treibt ihn mit den Ochsen am Pflug, er nimmt das Korn und läßt ihm die Stoppeln. Das Leben des Bauern ist ein langer Werktag; Fremde verzehren seine Äcker vor seinen Augen, sein Leib ist eine Schwiele, sein Schweiß ist das Salz auf dem Tische des Vornehmen"[63]. Diesen Zuständen gegenüber träumt Büchner davon, auch in Deutschland, wie es 1789 und 1830 in Frankreich geschah[64], revolutionär die gesellschaftlichen Gegensätze zu bekämpfen. Als Ziel sieht er ein freies, sozial gerecht konstituiertes Deutschland, in dem auch die Territorialherrschaft der Fürsten aufgehoben ist, denn, so Georg Büchner, „das deutsche Volk ist *ein* Leib"[65].

Ereignisse wie die Mißernten 1845/46, wie die allgemeine Handels- und Industriekrise 1847 oder wie die Weberunruhen von 1844 und die Hungerepedemie in Ober-

58 G. Weerth: Fragment eines Romans, (Frankfurt a.M. 1965), (= sammlung insel, 8).
59 A.a.O., S. 69f.
60 A.a.O., S. 75ff., 109ff., 121ff.
61 A.a.O., S. 83.
62 Vgl. W. Fischer: Soziale Unterschichten im Zeitalter der Frühindustrialisierung, in: International Review of Social History 8 (1963), S. 415—435; W. Conze, D. Groh: Die Arbeiterbewegung in der nationalen Bewegung, Stuttgart (1966), (= Industrielle Welt, 6); D. Dowe: Aktion und Organisation. Arbeiterbewegung, sozialistische und kommunistische Bewegung in der preußischen Rheinprovinz 1820 bis 1852, Hannover 1970; E. Schraepler: Handwerkerbünde und Arbeitervereine 1830 bis 1853. Die politische Tätigkeit deutscher Sozialisten von Wilhelm Weitling bis Karl Marx, Berlin, New York 1972; vgl. auch Stadelmann, passim; Mommsen, Größe und Versagen, a.a.O., S. 155ff.
63 G. Büchner: Der Hessische Landbote, in: G. B.: Sämtliche Werke, (hrsg. u. erl. v. H. J. Meinerts), (3. Aufl.), (Gütersloh 1965), S. 353—365, hier S. 353. — Zu Büchner vgl. H. Mayer: Georg Büchner und seine Zeit, Frankfurt a.M. 1972, (= suhrkamp tb., 58).
64 Vgl. a.a.O., S. 359ff.
65 A.a.O., S. 365.

schlesien im Jahre 1847 machten die Situation der Unterschicht am Vorabend der Revolution ganz deutlich. Georg Weerth schrieb in seinem 'Hungerlied':

> Verehrter Herr und König,
> Weißt du die schlimme Geschicht?
> Am Montag aßen wir wenig,
> Und am Dienstag aßen wir nicht.
>
> Und am Mittwoch mußten wir darben,
> Und am Donnerstag litten wir Not;
> Und ach, am Freitag starben
> Wir fast den Hungertod!
>
> Drum laß am Samstag backen
> Das Brot, fein säuberlich —
> Sonst werden wir sonntags packen
> Und fressen, o König, dich![66]

In Schlesien, wo es schon 1793 zu einem ernsten Aufstand der Weber gekommen war, flammte der Aufruhr fünfzig Jahre später wieder auf.[67] Die Weber, nicht konkurrenzfähig gegenüber der ausländischen Leinenindustrie, von den Fabrikanten ausgebeutet, in grauenvoller Armut dahinvegetierend, stürmten Mitte des Jahres 1844 die Villen ihrer Fabrikanten und zerstörten Fabriken. Erst unter Einsatz von Militär war es den Behörden möglich, 'Ruhe und Ordnung' wiederherzustellen. Durch verzweifelte Aufstände wie diesen Weberaufruhr, der auch in die Literatur einging[68], wuchs zugleich bei vielen Bessersituierten die Angst vor einer sozialen Revolution, vor einem umfassenden Aufbegehren gegen das soziale Elend. In diesem Sinne hieß es schon während der Unruhen im Jahre 1830 im 'Wachtlied der Leipziger Bürger' zur Position des Bürgertums zwischen der Tyrannei der Fürsten einerseits und dem Aufbegehren des Volkes andererseits:

> Es will die Bürgerwache
> Allein die gute Sache,
> Nicht des Pöbels Raserei,
> Doch auch nicht Tyrannei.[69]

Obwohl die Industrialisierung in Deutschland erst in Ansätzen vorhanden war, obwohl es kein dem englischen vergleichbares Frühproletariat gab, wuchsen also die sozialen Spannungen auch in Deutschland. Es wuchs die Not weiter Kreise und damit zugleich das Bewußtsein der eigenen Benachteiligung. Dies gab der sozialen Frage ihre Sprengkraft:

> Aus allen Klassen der Gesellschaft rekrutiert sich ein immer zunehmendes Proletariat, welches durch Armenhäuser, Gefängnisse und Auswanderung nicht erschöpft zu werden vermag. Daher neben der politischen Frage die soziale sich gebieterisch aufzudrängen

---

66 G. Weerth: Das Hungerlied, in: Ausgewählte Werke, hrsg. v. B. Kaiser, (Frankfurt a.M. 1966), S. 38f.

67 Vgl. bes. A. Zimmermann: Blüthe und Verfall des Leinengewerbes in Schlesien, Breslau 1885.

68 So von Heinrich Heine in 'Die schlesischen Weber' und später von Gerhart Hauptmann; vgl. den dokumentarischen Anhang in G. Hauptmann: Die Weber, hrsg. v. H. Schwab-Felisch, (Frankfurt a. M., Berlin, Wien 1963), (= Ullstein Buch, 3901), hier bes. S. 153ff.

69 Zitiert nach Obermann, a.a.O., S. 72.

beginnt. Keine Staatsgewalt, keine Macht der Bajonette und ebensowenig Verfassungs-
paragraphen und Kammerdeclamationen sichern und retten vor diesem Elend, dem eine
furchtbare elastische Kraft innewohnen wird, wenn es zum Aeußersten kommt.[70]
Auf diesem Hintergrund bildeten sich schon vor 1848 Kreise, die zum Träger
sozialer und revolutionärer Gedanken wurden. Diese Kreise setzten sich oft aus
Handwerksgesellen zusammen, die sich, weil sie kaum die Chance besaßen, Meister
zu werden, gegen die überkommene Zunftordnung auflehnten. Aber auch die Abneigung gegen die beginnende Industrialisierung war hier groß, da man in steter
Furcht lebte, zur untersten Schicht der Fabrikarbeiter abzusinken. Diese Position
zwischen den sozialen Gruppen, die Gefahr, von der wirtschaftlichen Entwicklung
zerrieben zu werden, machte viele Handwerker empfänglich für neue, revolutionäre
Ideen. Ihre aktivsten Vertreter emigrierten aus Deutschland und fanden in der
Schweiz und in Frankreich in Verbindung mit exilierten Intellektuellen den nötigen
Freiraum, sich zu organisieren und durch eingeschleuste revolutionäre Druckschrif-
ten im Vaterland weiterhin wirksam zu sein.[71] Dazu tritt, wenn auch von geringerer
politischer Bedeutung, als ein weiterer Träger der sozialen Unruhe ein wachsendes
ländliches Proletariat aus kleinen Bauern, die, verursacht durch die Konkurrenz des
wachsenden Agrarmarktes, zu Tagelöhnern herabsanken.

Den theoretischen Hintergrund gaben sozialistische und utopisch kommunistische Ideen, die besonders aus Frankreich nach Deutschland eindrangen. In Frankreich verstummte nach der Julirevolution die Forderung nach grundlegender sozialer Neugestaltung des gesamten menschlichen Zusammenlebens nicht mehr. Zu
nennen sind hier etwa Cabet mit seinem Roman 'Voyage en Icarie', „der das Ideal
eines Freistaates schilderte, in dem die republikanischen Grundsätze der Freiheit,
Gleichheit und Brüderschaft in ihrer wahren Bedeutung verwirklicht seyn sollten"[72], ferner Proudhon mit der Schrift 'Qu'est ce que la propriété?', Louis Blanc
mit der Abhandlung 'L'organisation du travail' (1841) sowie Saint-Simon und
Fourier.[73] In Deutschland verbreitete Lorenz von Stein besonders mit seinem
Buch 'Der Socialismus und Communismus des heutigen Frankreich'[74] diese Ideen,
hier erschien bereits der Klassenkampf des Vierten Standes gegen die Wirtschafts-
bourgeoisie als die ausschlagebende historische Kraft. Es kam zu einer erheblichen
Agitation durch Männer wie Wilhelm Weitling, die führende Persönlichkeit im
revolutionären 'Bund der Gerechten', und natürlich durch Karl Marx und Friedrich Engels.[75] Als Reaktion auf die sich verschärfende wirtschaftliche und soziale

---

70 W. Menzel, a.a.O., Bd. 1, S. VIII.
71 Vgl. Obermann, a.a.O., S. 116ff. Ferner Schraepler, a.a.O., S. 29ff. (Junges Deutschland),
    S. 40ff. (Bund der Geächteten), S. 52ff. (Bund der Gerechten).
72 Hermes, a.a.O., Bd. 4, S. 283.
73 Vgl. A. Bebel: Charles Fourier. Sein Leben und seine Theorien, Frankfurt a.M. 1978.
74 Der Socialismus und Communismus des heutigen Frankreich. Ein Beitrag zur Zeitgeschich-
    te, Leipzig 1842. Die zweite Auflage erschien 1848 wesentlich erweitert in 2 Bänden;
    vgl. auch ders.: Geschichte der sozialen Bewegung in Frankreich von 1789 bis auf unsere
    Tage (1850), hrsg. v. G. Salomon, Bd. 1–3, München 1921; Nachdr. Darmstadt 1959;
    zu v. Stein vgl.: W. Schmidt: Lorenz von Stein. Ein Beitrag zur Geschichte Schleswig-
    Holsteins und zur Geistesgeschichte des 19. Jh.s, Eckernförde 1956; M. Hahn: Bürgerli-

Lage weiter Bevölkerungsschichten in Deutschland trat so eine radikale, demokratisch und sozial engagierte Bewegung[76] neben die bürgerlichen Kräfte, die sich
den Zielen der nationalen Einheit und Freiheit verschrieben hatten. Neben den
Liberalen standen am Vorabend der Revolution Demokraten sowie – mit fließenden Übergängen – frühkommunistisch-sozialistische Kräfte.

Insgesamt gesehen handelt es sich – entsprechend der rückständigen wirtschaftlichen Struktur Deutschlands – bei der skizzierten Bewegung lediglich um ,,zag-
hafte soziale Unterströmungen"[77]. Es kann angesichts der heterogenen Zusammensetzung der radikalen Opposition (Intellektuelle, Gesellen, Fabrikarbeiter, Hand-
langer, Tagelöhner, auch Angehörige des sog. Lumpenproletariats) nicht von einem
klassenbewußten Proletariat gesprochen werden. Eben deshalb blieben die bürgerlichen Kreise weiterhin in Deutschland das entscheidende politische Element auf
der Seite der für den geschichtlichen Progreß kämpfenden Kräfte. Dennoch ist es für
die Geschichte der nationalen Idee von großer Bedeutung, die Haltung derer, die
sich radikalen Freiheitsforderungen und zunehmend auch sozialen Programmen
verschrieben hatten, zum Nationalismus zu analysieren. Wie sahen die Intellektuellen, die sich mit radikaldemokratischen Idealen identifizierten, die Idee des
Vaterlands, wie nahmen sie zu patriotischen Gedanken – seit der Aufklärung
Zeichen der bürgerlichen Emanzipation – Stellung?

Hier zeigt sich nun neben einem demokratischen Radikalismus, der das Bekenntnis zur Nation nicht scheut, auch eine entschiedene Kritik deutscher Radikaler[78] am Begriff des Patriotismus und der in seinem Zeichen stehenden Politik.
Schon vor der Revolution von 1848 wird diese radikaldemokratische Kritik an der
nationalen Idee im Konflikt zwischen Börne und Wolfgang Menzel deutlich. Menzel,
im Zusammenhang mit dem Jungen Deutschland bereits erwähnt, in der vorliegenden Arbeit mit seiner 'Geschichte der letzten vierzig Jahre' des öfteren zitiert, vertrat eine strikt nationale Haltung. Die Französische Revolution wertete er aus
antiaufklärerischer Position und als Ausfluß eines negativen Volkscharakters ab,

cher Optimismus im Niedergang. Studien zu Lorenz Stein und Hegel, München 1969; dort
auch Zusammenstellung der wichtigsten Literatur über Stein; D. Blasius: Lorenz von Stein.
Grundlagen und Struktur seiner politischen Ideenwelt, Diss.phil, Köln 1970. – Neben v.
Stein vgl. auch K. Grün: Die soziale Bewegung in Frankreich und Belgien. Briefe und Studien, Darmstadt 1845; Nachdr. Hildesheim 1974.

75 Vgl. Obermann, a.a.O., S. 164ff. Schraepler, a.a.O., S. 127ff.

76 Texte finden sich bei H.-J. Ruckhäberle (Hrsg.): Frühproletarische Literatur. Die Flugschriften der deutschen Handwerksgesellenvereine in Paris 1832–1839, Kronberg/Ts.
1976.

77 Stadelmann, a.a.O., S. 102.

78 Vgl. I. Wykowski: Die Kritik der deutschen Radikalen an den Begriffen Nation, Nationalität und Patriotismus, Diss. phil., Göttingen 1950. – P. Wende: Radikalismus im Vormärz. Untersuchungen zur politischen Theorie der frühen deutschen Demokratie, Wiesbaden 1975, sieht neuerdings die 'frühe deutsche Demokratie' als eigenständige politische
Gruppierung, abgesetzt auch von den Frühsozialisten (S. 1–47, S. 128f.). In der Kritik
am Patriotismus (S. 177–196) liegt aber ein gemeinsames Element, das es erlaubt, *hier*
allgemein von 'Radikalen' oder 'Radikaldemokraten' zu sprechen.

glorifizierte dagegen die Freiheitskriege als Ausdruck deutscher Volkskraft.[78a] Sein Nationalismus setzt sich intolerant von allem 'Undeutschen' ab. So polemisierte Menzel zwar gegen die anachronistische Zersplitterung Deutschlands im Sinne der Forderung nach nationaler Einheit, zugleich aber kämpfte er auch gegen den französischen Liberalismus und seine deutschen Anhänger. Das Hambacher Fest war ihm ein „wildes Franzosen-, Polenund Judenfest", der dort gefeierte Börne „der bleiche Jude Börne"[79]. Hier beginnt sich der Patriotismus deutlich in einen intoleranten, zudem heftig antisemitisch gefärbten Nationalismus zu verwandeln.

Gegen Börne und Heine, die wichtigsten Vertreter progressiver Literatur im Vormärz, ließ sich Menzel mit den folgenden Worten aus:

> *Börne*, ein Jude aus Frankfurt am Main, hatte in seinem tiefen Groll gegen Deutschland etwas Tragisches, während in *Heine*, einem Juden aus Hamburg, die ganze Frivolität und witzige Niederträchtigkeit Kotzebues wieder zum Vorschein kam, gepaart mit dem giftigsten Haß gegen das Christenthum. Durch ihre wohlfeilen Sarkasmen gegen die deutschen Fürsten sicherten sie sich die Bewunderung der liberalen Opposition. Um bequemer über Deutschland schimpfen zu können, ließen sich beide in Paris nieder, wo sie gestorben sind. Aus ihren Nachahmern ging seit 1835 eine literarische Coterie hervor, die sich 'das junge Deutschland' nannte [. . .]
> Diese 'Juden und Judengenossen' bemächtigten sich der Unterhaltungspresse. Ueberall tauchten Judennamen in der Literatur auf und durchzog den deutschen Dichterwald ein unausstehlicher Judengeruch.[80]

78a Neben der 'Geschichte der letzten vierzig Jahre' vgl. 'Geschichte Europas vom Beginne der französischen Revolution bis zum Wiener Congreß, 2. Aufl., Bd. 1–2, Stuttgart 1866.

79 W. Menzel, a.a.O., Bd. 1, S. 360.

80 W. Menzel, a.a.O., Bd. 2, S. 68. – Zum Vergleich sei ein nationalsozialistisches Schulbuch zitiert: „Die beiden hervorstechendsten Vertreter dieses jüdischen Literatentums waren Löw Baruch (nach seiner Taufe Ludwig Börne) und Heinrich Heine (Chaim Bückeburg). Börne unternahm es, [. . .] über alle politischen Fragen seinen bissigen Spott auszuschütten und seinem Hohn auf die politische Unfähigkeit der Deutschen gegenüber dem bewunderten französischen Vorbild Ausdruck zu geben. [. . .] Heine versuchte als der 'Dichter des Weltschmerzes', seinem haltlosen Schwanken zwischen alles herunterziehendem Spott und unklarer Sehnsucht eine tiefere Bedeutung zu geben. Er war ein leidenschaftlicher Bewunderer Napoleons und ließ sich endlich dazu herbei, als bezahlter Agent Frankreichs Deutschland und alles Deutsche maßlos zu beschimpfen"; Klagges, a.a.O., S. 270. – Progressive Schriftsteller der Zeit selbst wußten dagegen die Verdienste Heines und Börnes wie der übrigen jüdischen Intellektuellen anzuerkennen. So heißt es bei Fanny Lewald: Erinnerungen aus dem Jahre 1848, in Ausw. hrsg. v. D. Schäfer, (Frankfurt a.M. 1969), (= sammlung insel, 46), S. 39: „Sie sagen, Heine habe Frankreich auf Deutschlands Kosten gelobt, Deutschland verspottet im Vergleich zu Frankreich. Das mußte jeder, der gesunde Vernunft hatte; denn mochten die französischen Zustände noch so mangelhaft sein, sie waren golden im Vergleich zu den unsern"; vgl. auch S. 129: „Die Konservativen sagen, wenn die das Maß ihres Zornes gegen die Partei der Bewegung erschöpft haben, als schwersten, letzten Vorwurf: 'Es sind hauptsächlich die Juden gewesen, die jüdischen, unzufriedenen Literaten, welche den ganzen Spektakel angefangen haben aus jämmerlichem Egoismus.' Und keiner dieser Ankläger fühlt, welchen Ehrenkranz er in diesen Worten den Juden windet."

Dieser Haß auf das jüdische Element innerhalb der Intelligenz Deutschlands zieht sich durch Menzels gesamtes Werk. Dazu tritt seine Abneigung gegen jede vom Ausland inspirierte politische Bewegung; dies ließ Menzel dann über die Revolution von 1848 und ihre Volksbewegungen so urteilen: „Aber die Jugend und das arme Volk wurde doch nur mißleitet von Demagogen, die keine Kenntniß deutscher Geschichte und kein Herz für deutsches Volk hatten, sondern in fremdartige, unmöglich ausführbare republikanische und communistische Theorien verrannt oder verdächtige Ausländer waren. Was ging die Russen Struve und Bakunin die deutsche Volkssache an? Welche Unnatur, daß der eine in Baden, der andere in Sachsen die Leitung des Volks an sich reißen konnte!"[81]

Eingefügt sei hier die Stellungnahme eines preußischen Generals aus dem Revolutionsjahr 1848. Hier wird Menzels Sicht, die sich auf Fremdenhaß und bornierte Abneigung gegen das Ausland stützt, in reaktionärer Vergröberung in den politischen Tageskampf eingebracht. Der ironische Unterton, mit dem Georg Weerth den General zitiert, darf nicht darüber hinwegtäuschen, daß dieser die Einstellung großer Teile des Offizierskorps, damit aber die konkrete Macht repräsentierte.

> Ein solcher impotenter Don Quijote [der Reaktion] ist [. . .] der Herr General von Webern Hochwohlgeboren in Berlin. Derselbe hatte neulich eine Versammlung von Landwehrunteroffizieren, Feldwebeln usw., welche zu konterrevolutionären Konspratiönchen benutzt werden sollten. Der Herr General hielten daselbst folgende Rede:
> 'Kameraden! Wem verdanken wir die Revolution? Wem anders als den französischen und polnischen Aufwieglern und Literaten, die das Volk aufgehetzt und unserm allergnädigsten König Gewalt angetan haben! Das, Kameraden, sind die Leute, die all das Unheil anstiften, aber ich will euch sagen, was das für Leute sind! Es sind. . . es sind . . . na, ich sage euch, es sind Sch . . . kerle und abermals Sch . . . kerle und zum drittenmal Sch . . . kerle!' (Donnernder Beifall.)
> Die 'Zeitungs-Halle' hatte diese Rede wörtlich publiziert. Man erhob Zweifel gegen die Richtigkeit des angeführten Textes. Aber Herr General von Webern, mit Recht stolz auf sein Meisterstück altpreußischer Beredsamkeit, beseitigte bald jede Ungewißheit durch folgenden Brief an die Redaktion der 'Zeitungs-Halle', der in der Nummer vom 6. Juni d.J. abgedruckt steht: 'Der Unterzeichnete ist der Gegenstand eines geharnischten Angriffs in der 'Zeitungs-Halle' geworden. . . Aber Wahrheit ist ein gutes Ding, selbst dann, wenn ihre scharfe Säbelspitze in der Hitze des Gefechts auch etwas in den Schmutz gehauen haben sollte, und so nehme ich keinen Anstand zu erklären, daß ich die Wühler und insbesondere das fremde ausländische Element unter ihnen, welches das gute, gesunde deutsche Blut der treuen Berliner Landwehr habe verderben und anstecken wollen, wirklich als. . .kerls bezeichnet und vor ihnen gewarnt habe. . .'.[82]

In einer um die Jahreswende 1836/37 erschienenen Schrift 'Menzel der Franzosenfresser'[83] bezog Börne dezidiert gegen den von Menzel so pointiert vertretenen Nationalismus Stellung. Hier formulierte Börne in polemischer Abgrenzung gegen den „Lügenweber Menzel"[84], der zur gleichen Zeit auch von Heine in der

81 W. Menzel, a.a.O., Bd. 2, S. 331.
82 G. Weerth in der 'Neuen Rheinischen Zeitung', zitiert nach Weerth, Werke, a.a.O., S. 216f.
83 In: L. Börne: Sämtliche Schriften, neu bearb. u. hrsg. v. I. u. P. Rippmann, Bd. 1–5, Dreieich 1977, hier Bd. 3, S. 871–984. Vgl. schon Saul Aschers Polemik gegen die 'Germanomanie', Grab, Lebensläufe, a.a.O., S. 73ff.
84 Börne, a.a.O., Bd. 3, S. 871.

Schrift 'Ueber den Denunzianten' (1837) angegriffen wurde, sein politisches Credo. Zunächst verurteilt er die deutsche Restauration in scharfer und zugleich ironisierender Form; in einem historischen Rückblick heißt es: „Den Völkern sagten sie [die deutschen Fürsten], Napoleon sei ihr einziger Tyrann und sein Untergang wäre der Aufgang ihrer Freiheit. Die deutschen Völker glaubten das, und in ihrem elektrischen Zustande besiegten sie den Kaiser der Franzosen. Darauf kamen sie mit großen Schnappsäcken herbei, um von den Schlachtfeldern die erbeutete Freiheit nach Hause zu tragen; aber die Fürsten, die sie schon früher eingesackt, lachten das dumme Volk aus, und als es räsonnierte, prügelten sie seine vorlaute Begeisterung durch [. . .]"[85].

Während Börne derart scharf die Zustände im Deutschland der Restauration kritisiert, tritt er — mit kosmopolitischer Grundtendenz — entschieden für Frankreich ein: „Wenn die Franzosen nicht wären und ihre Taten; wenn sie nicht unbeweglich in ihrer drohenden Stellung blieben; wenn sie nicht die Leibwache der Völker Europas bildeten, wie die Kosaken die Leibwache der europäischen Fürsten bilden: dann würden in Deutschland, wie überall, schnell alle alten Mißbräuche zurückkehren, aber mit verjüngter Kraft und vermehrter Bösartigkeit. Darum ist ein Verräter an seinem Vaterlande, welches auch sein Vaterland möge sein; darum ist ein Feind Gottes, der Menschheit, des Rechts, der Freiheit und der Liebe, wer Frankreich haßt, oder es lästert, aus schnöder Dienstgefälligkeit"[86]. Deshalb verabscheut Börne den übersteigerten „Egoismus eines Landes", der es verbietet, „uns gegen unser Vaterland zu erklären, wenn die Gerechtigkeit ihm nicht zur Seite steht!"[87]

Börne vermag in der Zeit des Vormärz — wie etwa auch Freiligrath und Herwegh — noch eine neidlose Wertschätzung französischer Vorzüge zu formulieren, der Vorzüge im Bereich der geselligen Kultur des urbanen Menschen, basierend auf gesellschaftlich fortgeschrittenen Strukturen, vor allem aber der Vorzüge im politischen Bereich. Frankreich bleibt ihm das Wahrzeichen politischer Progressivität. In seinen 'Briefen aus Paris'[88] bekennt er sich daher, vom Vorbild der französischen Julirevolution ausgehend, zur Notwendigkeit einer Revolution auch in Deutschland: „Wenn es Friede bleibt, wird die Zuchtmeisterei in Deutschland immer unerträglicher werden [. . .] Dem deutschen Bürgerstande wird Angst gemacht vor dem Pöbel, und er bewaffnet sich, stellt sich in seiner viehischen Dummheit unter das Kommando der Militärmacht und vermehrt dadurch nur die Gewalt der Regierungen"[89].

Von solchen Voraussetzungen her kann es für Börne derzeit keinen deutschen Patriotismus geben. „In Spanien, dem Vaterlande der Inquisition, besteht Preßfreiheit, und in Deutschland, dem Vaterlande Luthers, herrscht die Zensur! Ihr

85 Börne, a.a.O., Bd. 3, S. 895.
86 Börne, a.a.O., Bd. 3, S. 898.
87 Börne, a.a.O., Bd. 3, S. 905f.
88 Börne, a.a.O., Bd. 3, S. 3–867.
89 Börne, a.a.O., Bd. 3, S. 49. S. 102 heißt es im gleichen Sinne: „Die Freiheit, die man von Herren geschenkt bekommt, war nie etwas wert; man muß sie stehlen oder rauben".

hungert nach Nationalehre, ihr füttert euch mit dem Siege, den vor achtzehnhundert Jahren Arminius über die Römer gewonnen, ihr ernährt euch armselig mit der Asche eures Ruhmes [. . .]"[90]. Börnes Patriotismus ist, so wird deutlich, in der besprochenen Tradition der deutschen Aufklärung freiheitlich akzentuiert, während der offiziell von den Fürsten geduldete Patriotismus im Vormärz eine freiheitsfeindliche Funktion gewonnen hat: „Nun haben aber die Machthaber [. . .] d i e Liebe zum Vaterland, die sich gegen die inneren Feinde hülfreich zeigt, nie als eine Tugend geltend zu machen gesucht, sondern vielmehr als das größte Laster verdammt und unter dem Namen Landesverräterei und Majestätsverbrechen durch ihre Gesetze mit den härtesten Strafen bedroht [. . .] Nur denjenigen Patriotismus, der sich äußern Feinden des Vaterlands entgegensetzt, haben sie als eine Tugend angepriesen und belohnt, weil er ihnen nützte, weil er ihre Herrschaft sicherte und sie in den Stand setzte, jeden fremden Fürsten oder jedes fremde Volk, die sie befeinden wollten, als Feinde ihres Volkes darzustellen"[91].

Es zeichnet sich hier eine entscheidende neue Entwicklung ab. Der Patriotismus, seit der Aufklärung mit dem bürgerlichen Freiheitsstreben verknüpft, ist nun nicht mehr ein fraglos geschichtlich progressiver Wert. Der Demokrat Börne, selbst ein deutscher Patriot, aber geprägt von der kosmopolitischen und freiheitlich-toleranten Tradition der Aufklärung, wendet sich scharf gegen den intoleranten Nationalismus Wolfgang Menzels. In Börne lebt der aufklärerische Patriotismus weiter, bei ihm ist das patriotische Ideal noch mit der Freiheitsforderung, mit der Emanzipation des Dritten Standes verbunden, bei Menzel kündigt sich der Nationalismus des späteren 19. Jahrhunderts an. Hier geht es wohl um nationale Einheit, aber nicht mehr zugleich um kosmopolitische Toleranz und Liberalität.

Verschärft erscheint Börnes Polemik gegen den Nationalismus bei zwei anderen Autoren, bei Arnold Ruge und bei Wilhelm Weitling. Für Ruge, den radikal-demokratischen Publizisten[92], der für seine Überzeugung sechs Jahre in preußischen Gefängnissen verbrachte und in der Paulskirche Abgeordneter der äußersten Linken war, ist Patriotismus eine Erscheinung, die mit der republikanischen Ordnung verbunden ist. Nur „die alten und die neuen Republikaner" hatten Grund zu Patriotismus ihrem Vaterland gegenüber:

> Sie liebten es, *denn ihr Vaterland war die Republik*. Nur der alte und der neue Republikaner kann das Vaterland an seinen Sohlen nicht mit sich nehmen; denn draußen ist die Barbarei. Der tyrannisirte Mensch hat kein Vaterland, denn draußen ist die Menschheit; und der Mensch der civilisirten Welt, der Civilmensch, hat keine Ursache zur Vaterlandsliebe. Die Zeit des zivilisirten Industriemenschen bricht die antike Periode des Aufschwungs, den die französische Republik [in der Epoche der Französischen Revolution] freilich mehr in den Gedanken Einzelner, als in der Durchbildung Aller nahm, wieder ab, und hebt damit auch den Patriotismus wieder auf, der nur Sinn hat als Begeisterung für ein freies humanes Gemeinwesen, das von den *Barbaren* gefährdet ist.[93]

90 Börne, a.a.O., Bd. 3, S. 913.
91 Börne, a.a.O., Bd. 3, S. 918.
92 Ruge gab vor allem die 'Hallischen Jahrbücher für Wissenschaft und Kunst', die 'Deutschen Jahrbücher', die 'Deutsch-Französischen Jahrbücher' (im Pariser Exil) sowie − nach dem vorläufigen Sieg der Revolution von 1848 − 'Die Reform' heraus.
93 A. Ruge: Der Patriotismus, hrsg. v. P. Wende, (Frankfurt a.M. 1968), (= sammlung insel, 38), S. 10.

Ruge bindet den Patriotismus, wie es der aufklärerischen Tradition entspricht, an eine freiheitliche politische Ordnung. Neu ist jedoch die grundsätzliche Skepsis, mit der er einem zeitgenössischen Patriotismus gegenübersteht. Es wird hier − bereits vier Jahre vor der Revolution von 1848 − die Unmöglichkeit einer zugleich freiheitlichen und patriotischen Einstellung in der modernen Gesellschaft begründet.

Für Ruge geht es in der modernen Welt um den Kampf gegen die „Reaction" in jedem Land und um die Verbrüderung der fortschrittlichen Kräfte aller Länder: „Es fragt sich nicht mehr, ist dieser Mensch ein Deutscher oder ein Franzose, sondern ist der Deutsche, der Franzose ein Mensch, ein freier Mensch, und er soll es nicht nur dem Namen nach sein, man verlangt seine humane, seine freie Existenz."[94] Die kosmopolitische Forderung nach freiheitlichen Entfaltungsmöglichkeiten für die Bürger bedingt das übernational ausgerichtete Zusammenstehen für diese Ziele. Es geht so um den Bund aller Gleichgesinnten in allen Ländern:

> Nicht die Fremden (LES ETRANGERS) sind ins Auge zu fassen, sondern die *Gegner* (LES ENNEMIES), wo sie auch sind. Hat die Reaction die Ufer der Seine im Besitz, so wird von hier aus keine Seele erobert. Hat die Freiheit das Herz von Frankreich, so hat sie alle Herzen in Europa erobert. Der Patriotismus hat den Feind in der Fremde und vergißt über dieser Vorstellung den einheimischen Feind, den er vor sich und den principiellen Freund, den er in der Fremde hat.[95]

Arnold Ruge, der als Junghegelianer zur radikal-demokratischen Bewegung in Deutschland gehörte, sieht also den Patriotismus erst dann als Wert, wenn er auf realer Humanität in den einzelnen Gemeinschaften basiert. Für ihn gilt, „die Nation [. . .] erhebt sich zur Würde einer wahren ethischen Existenz nur, wenn sie ein humaner, ein freier, vernünftig geordneter Staat von freien Menschen ist"[96]. In dieser Sicht muß der Patriotismus stets an einen freiheitlichen Gehalt gebunden sein. Hierin knüpft Ruge − ebenso wie Börne − an die aufklärerische Tradition patriotischen Denkens an. Im Unterschied zu den bisher behandelten Theorien ist Ruge jedoch grundsätzlich skeptisch, ob in seiner eigenen Zeit ein patriotisches Denken überhaupt noch möglich ist.

War bisher der Patriotismus ein wirksamer Kampfbegriff der um geschichtlichen Fortschritt ringenden Kräfte, so lehnt ein Mann wie Ruge den Patriotismus als eben solchen Kampfbegriff im wesentlichen ab. Der Grund liegt für ihn darin, daß in den modernen Gesellschaften die Solidarität der Unterprivilegierten wesentlicher als jeder Patriotismus ist, daß ferner die Kräfte der politischen Reaktion den einstmals mit progressivem Gehalt gefüllten Patriotismusbegriff zu usurpieren beginnen. Damit aber ist der Patriotismus kein Wahrzeichen der Freiheit mehr. So kann Ruge über seine Schrift 'Der Patriotismus' als Motto folgende Worte setzen:

> Wer ist noch patriotisch?
> Die Reaction.
> Wer ist es nicht mehr?
> Die Freiheit.

94 Ruge, a.a.O., S. 47.
95 Ruge, a.a.O., S. 48f.
96 Ruge, a.a.O., S. 92.

Diese Polemik wird bei Wilhelm Weitling, einem der ersten Deutschen, die revolutionär für die Interessen und die Emanzipation des Vierten Standes eintraten, zu einer prinzipiellen Polemik gegen den Nationalismus als Element der bürgerlichen Ideologie erweitert. In seinem Hauptwerk, den 'Garantien'[97], das erstmals 1842 erschien, nimmt Weitling auch zur nationalen Frage Stellung. Hier will er, der in Paris an leitender Stelle im revolutionären 'Bund der Gerechten'[98] mitarbeitete, die nationalen Vorurteile entlarven; er verhöhnt den Chauvinismus mit seinen Phrasen und faßt den gesamten Bereich nationalen Denkens als Mittel der Herrschenden, die Beherrschten an der Erkenntnis ihrer spezifischen Interessen zu hindern, indem sie gegen die gleichfalls Unterdrückten anderer Länder aufgehetzt werden. Deshalb fordert Weitling eine internationale Allianz der Beherrschten gegen die Herrschenden. Zugleich stellt er fest, daß es — solange die gegenwärtigen Herrschaftsverhältnisse aufrechterhalten werden — für die Unterdrückten, für das Proletariat, kein eigentliches Vaterland geben kann.

Im Namen der Unterdrückten spricht Weitling die Regierenden mit folgenden Worten an: „Leider habt ihr uns vom Vaterland nichts weiter gelassen als den Namen, den aber werden wir euch bald vor die Füße in den Kot werfen und uns unter das Banner der Menschheit flüchten, welches keine Hohe und Niedere, keine Arme und Reiche, keine Herren und Knechte unter seinen Verteidigern zählen wird."[99] Hier also wird der Nationalismus als ein Bereich des Denkens dargestellt, der den Unterdrückten verschlossen bleiben muß. Sie appellieren an die Menschheit, an die Befreiung der Menschheit als an ihre eigentliche Instanz.

Noch deutlicher macht Weitling diesen Gedanken mit folgenden Worten:

> Alle Vorurteile und Leidenschaften des großen Haufens werden aufgeregt, um ihn im Namen der Vaterlandsliebe und der Nationalität zu einer willenlosen Maschine zu formen, welche die Eitelkeit und Herrschsucht dann mit größerer Leichtigkeit und Sicherheit regieren kann. Da ziehen sie denn hin zu Hunderttausenden gegen den vermeintlichen fremden Feind, welcher auch nichts anderes ist als eine lebendige willenlose Maschine, aus Arbeitern bestehend, die man mit List und Gewalt vom Pflug und aus der Werkstatt gerissen, um mit ihnen ein blutiges Drama zu spielen.[100]

Der Nationalismus wird hier endgültig zum Mittel, die Masse der Ausgebeuteten zu beherrschen. Der Vierte Stand hat keine Verbindung zum nationalen Denken und soll — nach Weitling — dem Nationalismus einen (proletarischen) Internationalismus entgegensetzen. Dem Kosmopolitismus der Aufklärung entspricht hier eine klassenbedingte internationale Solidarität. Während die Aufklärung jedoch kosmopolitische und patriotische Ideale in ihrem Streben nach Freiheit vereinte, führt im Denken Weitlings vom Internationalismus keine Brücke zum nationalpatriotischen Denken.

---

97 W. Weitling: Garantien der Harmonie und Freiheit, Berlin 1955. Vgl. Schraepler, a.a.O., S. 58ff., 65ff.
98 Vgl. Obermann, a.a.O., S. 127ff.; Ilse, a.a.O., S. 486ff., 580ff.
99 Weitling, a.a.O., S. 86.
100 Weitling, a.a.O., S. 88. Zum Internationalismus auch der englischen Arbeiterbewegung Schraepler, a.a.O., S. 117ff.

Der Nationalismus, wie er exemplarisch von Wolfgang Menzel vertreten wurde, findet, so sei zusammengefaßt, im radikal-demokratischen Lager entschiedenen Widerstand. Menzel repräsentiert einen Nationalismus, der wohl die nationale Einheit erstrebt, mit dieser Einheit jedoch nicht mehr gleichermaßen auch liberale Reformen will. Dies heißt, daß nun das nationale Denken nicht länger unbedingt mit einem bürgerlich-freiheitlichen, mit einem demokratischen Denken einhergeht. Eine Tradtion, die sich aus der Zeit der Aufklärung bis weit ins 19. Jahrhundert erstreckt, geht hier ihrem Ende zu. Gerade dies, die Trennung von Freiheit und Patriotismus, stieß auf scharfe Opposition, die von Börne — wie auch von Freiligrath und Herwegh — noch in Anlehnung an die patriotische Tradition der Aufklärung formuliert wird. Prinzipieller lehnt Ruge das Nationalgefühl ab, für ihn handelt es sich bereits um ein angesichts der modernen Gesellschaft historisch obsoletes Phänomen. Bei Weitling endlich erscheint die internationale Solidarität der Unterdrückten und Entrechteten als der höhere Wert im Vergleich mit der nationalen Zusammengehörigkeit. Ein neuer Kosmopolitismus auf sozialer Basis, ein Internationalismus des Vierten Standes, tritt in scharfe Opposition zur Idee der Nation, mit aller Konsequenz dann praktiziert von Marx und Engels im 'Bund der Kommunisten'.

Den Vertretern demokratisch-sozialer Ideale erschien der bürgerliche Nationalismus zunehmend als konservative Ideologie, der man mit Abneigung und Spott begegnete. Georg Weerth läßt in seinem schon zitierten 'Arbeiterroman' einen Kaufmann namens „Jammer" den nationalen Stolz auf die in der Realität so erbärmlichen Zustände im Deutschland des Vormärz formulieren. Da es dem Bürgertum in der Sicht eines Radikaldemokraten wie Weerth nicht mehr um Patriotismus und Freiheit, sondern lediglich um ein dummstolzes, der Wirklichkeit völlig unangemessenes Nationalgefühl ging, bleibt dieser Haltung gegenüber nur noch bitterer Hohn:

> Es konnte nicht fehlen, daß er [Herr Jammer] auch dann jedesmal das Gespräch auf die ruhmvolle Vergangenheit Deutschlands brachte, in schrecklichen Farben die Tage der Gefahr malte, die Sünden seines 'persönlichen' Feindes, des korsischen Usurpators, schilderte und seine Stimme bald zu ihrem ganzen Umfange erhebend, bald geheimnisvoll flüsternd das endliche Aufstehen, das Ringen und Siegen unsres Volkes in so kurzen, aber ergreifenden Zügen darstellte, daß ihm nie der gerechteste Beifall versagt wurde [. . .] Wollte sich indes irgendein liberaler Antagonist noch immer nicht zufriedengeben und warf man dem Herrn Jammer ein, daß all dieser zugestandenen ruhmvollen Vergangenheit indes doch am Ende nur eine sehr miserable Gegenwart gefolgt sei, [. . .] sieh, dann kannte die Heftigkeit des Herrn Jammer keine Grenzen. [. . .] wenn er aufs neue die verschiedenen Staatsformen zugunsten der Monarchie miteinander verglichen hatte, da ging er plötzlich mit einer so gewaltigen Geläufigkeit auf die kleinsten Details des deutschen Lebens und Wirkens über, daß es bald für alle Gegner unmöglich wurde, wieder zu Worte zu kommen und nur noch der Ausspruch des Herrn Jammer zu verstehen war, der ein über das andere Mal versicherte, daß der Deutsche sich kühn mit jedem Briten und Franzen messen könne. 'Jedes Volk hat sein Eigentümliches, in dem es sich vor allen andern auszeichnet', rief er dann bisweilen. 'Ich gebe zu, daß die englische Industrie größer ist als die unsre, daß das französische Theater besser ist als das deutsche — aber, meine Herren, haben wir nicht Eisenbahnen, haben wir nicht Preußischblau, haben wir nicht den Professor Liebig? Ach, der Professor Liebig! Ach, die deutsche

Wissenschaft! Die deutsche Wissenschaft ist allein schon hinreichend, um alle Nationen der Welt vor uns erröten zu machen!' Und im Nu hatte sich der Herr Jammer in den gelehrten Leuten seiner Umgebung einen neuen Anhang erworben.[101]

Poetisch-allgemeingültig hat schließlich Heinrich Heine, der „an die Völkerverbindung, an das allmähliche Schwinden aller törichten Vorurteile, an das Untergehen aller schroffen Besonderheiten in der Allgemeinheit der europäischen Zivilisation"[102] glaubte, die Opposition dem überzogenen Nationalismus gegenüber in einer Fabel formuliert. In der Fabel 'Die Wahl-Esel'[103] läßt er einen Esel ausführen:

> Ich bin kein Römling, ich bin kein Sklav':
> Ein deutscher Esel bin ich,
> Gleich meinen Vätern. Sie waren so brav,
> So pflanzenwüchsig, so sinnig.

Diese nationale Haltung bringt dem Esel die ungeteilte Zustimmung der anderen Esel ein:

> So sprach der Patriot. Im Saal
> Die Esel Beifall rufen.
> Sie waren alle national,
> Und stampften mit den Hufen.

Im Gewand der Fabel wird der Nationalismus mit seiner auf das Vaterländische und seine spezifischen Tugenden, die hier nur noch als lächerlich erscheinen, mit seiner auf einen engen Kreis fixierten Sicht dargestellt. Die nationale Haltung ist nun die Haltung der „Esel", ist Ausdruck der Borniertheit, die zu jeder über ihre Grenzen hinausgehenden Sicht unfähig geworden ist.

Diese radikaldemokratische Kritik am nationalen Denken wurde zunächst nur von der äußersten Linken vertreten. Da die Linke sich im wirtschaftlich zurückgebliebenen Deutschland aber auf keinen klassenbewußten Vierten Stand stützen konnte, waren ihre Vorstellungen im politischen Geschehen noch nicht bestimmend. Der Dritte Stand blieb auch weiterhin die ausschlaggebende Kraft im antifeudalen Lager. Die bürgerlich-liberale Opposition aber hielt an den alten Forderungen nach Einheit der Nation und freiheitlicher Verfassung fest. Trotz der im Vorhergehenden zitierten Kritik blieb deshalb das bürgerliche Nationalgefühl eine geschichtlich bestimmende Kraft: In seinem Zeichen versuchte das deutsche Bürgertum noch einmal, in einem großen revolutionären Aufschwung seine politischen Vorstellungen durchzusetzen. Die Linke stimmte dabei, was die grundsätzliche Forderung nach Einheit anging, trotz aller Differenzen mit den Liberalen überein. Die Revolution von 1848 wurde so zur letzten Manifestation bürgerlicher Emanzipationsforderungen, die sich in den Begriffen Patriotismus und Freiheit kristallisierten.

101 Weerth, Fragment, a.a.O., S. 189f.
102 C. Brinitzer: Heinrich Heine, (Frankfurt a.M., Berlin, Wien 1972), (= Ullstein Buch, 2920), S. 82. Vgl. auch M. Windfuhr: Heinrich Heine, Stuttgart 1969, bes. S. 212 ff. Kohn, Wege und Irrwege, a.a.O., bes. S. 120ff.
103 Zitiert nach: R. Dithmar (Hrsg.): Fabeln, Parabeln und Gleichnisse, (3. Aufl.), (München 1974), (= dtv, WR 4047), S. 221—223.

Das System Metternichs erhielt den entscheidenden Stoß durch die Ereignisse des Jahres 1848. Schon 1847 war es in Preußen zu einer Manifestation bürgerlicher Macht gekommen: Angesichts der Krise der Staatsfinanzen hatte der König den Vereinigten Landtag berufen. Hier verweigerte die Bourgeoisie der Regierung jede Geldzahlung, wenn nicht die verfassungsmäßigen Rechte des Volkes erweitert würden; zwar konnte Friedrich Wilheln IV. den Landtag auflösen, der Protest des Dritten Standes war aber niemals vorher in Deutschland so couragiert geäußert worden. Fast gleichzeitig zeigten sich in ganz Europa ähnliche Tendenzen: In Italien wurde die Bewegung des Risorgimento für ein einiges und freies Italien immer stärker, in der Schweiz siegten die liberalen Kantone im Sonderbundskrieg.

Ausschlaggebend für die Entwicklung in Deutschland war aber, daß im Februar 1848 in Frankreich die bürgerliche Monarchie, die auf dem Zensuswahlrecht beruhte, gestürzt wurde[104], als die Regierung mehrere von der Bevölkerung gewünschte politische und soziale Reformen ablehnte. Es gelang den Gegnern des Systems, „den niedern Mittelstand" gegen die Regierung Louis Philippes aufzuwiegeln, „indem sie ihm die Aussicht auf die Betheiligung an der politischen Macht eröffneten, von welcher derselbe durch das Wahlgesetz ausgeschlossen war, das nach der Juli-Revolution die Macht von der Aristokratie der großen Besitzer auf den vermögenden Mittelstand übertragen hatte"[105]. Louis Philippe wurde zur Abdankung gezwungen und die Republik ausgerufen, was der deutsche Dichter Freiligrath mit den Worten begrüßte:

> Die Republik, die Republik!
> Herrgott, das war ein Schlagen!
> Das war ein Sieg aus einem Stück!
> Das war ein Wurf! die Republik!
> Und alles in drei Tagen!
> Die Republik, die Republik!
> Vive la République![106]

Nüchterner, aber ebenso begeistert für republikanische Ideale meinte die Demokratin Fanny Lewald: „Die höchste geistige Entwicklung und sittliche Bildung fordern aber die Republik, und wenn Frankreich jene erlangt hat, wird die Republik bestehen, trotz aller Spötter und Zweifler"[107]. Wiederum wird in den französischen Proklamationen deutlich, daß das freiheitlich demokratische Pathos der Revolution von 1789 nicht erloschen war:

> Französische Republik.
> Freiheit, Gleichheit, Brüderlichkeit.
> Bürger,
> Das Königthum, unter welcher Form auch immer ist abgeschafft. Keine Legitimität, keinen Bonapartismus, keine Regentschaft mehr! Die provisorische Regierung hat alle Maßregeln ergriffen, die nöthig waren, um die Rückkehr der alten Dynastie oder die Einsetzung einer neuen Dynastie unmöglich zu machen. Die Republik ist ausgerufen. Das Volk ist einig.[108]

104 Zum historischen Hintergrund vgl. Hermes, a.a.O., Bd. 4, S. 355ff. sowie Bd. 5, S. 325ff.
105 Hermes, a.a.O., Bd. 5, S. 1.
106 Die Republik!, in: Werke, a.a.O., S. 116−118.
107 Lewald, a.a.O., S. 18.
108 Zitiert nach Hermes, a.a.O., Bd. 5, S. 39.

In Deutschland, in dem „eine revolutionäre Schwüle [...] in der Luft"[109] lag, waren die Ereignisse in Frankreich das Signal zum revolutionären Aufbruch.[110] Dem ganz spontanen Aufruhr von Bauern, Arbeitern, Handwerkern und Studenten traten die bürgerlichen Reformer aus der Zeit des Vormärz an die Seite. Diese Bewegung errang große Anfangserfolge. Überall ertönte die Forderung nach Pressefreiheit, nach Aufhebung der Feudallasten, nach einem Volksheer und einer Verwaltungsreform, überall wurden die bürgerlichen Reformpolitiker der Kammeropposition in die Regierungen der Länder aufgenommen, wurden Konstitutionen versprochen. Angesichts der Bewegung des Volkes schienen die alten monarchischen Gewalten zum Nachgeben bereit zu sein. So konnten liberale Führer des deutschen Südwestens wie Welcker, Gervinus und viele andere an die Spitze einer mächtigen Bewegung treten. Am 8. März versammelten sie sich in Heidelberg, erließen einen Aufruf an das deutsche Volk, eine Nationalversammlung zu bilden, und luden zu einem Vorparlament ein. In diesem Vorparlament (seit dem 29. März) wurden nationale und liberale Forderungen erhoben, die auf die Schaffung eines Bundesoberhauptes und einen Reichstag abzielten, der allein, d.h. ohne die Fürsten, die deutsche Reichsverfassung regeln sollte.

Allerdings zeichnete sich innerhalb der oppositionellen Bewegung schon frühzeitig ein Gegensatz zwischen den Liberalen und den radikalen Demokraten ab. Die radikalen Demokraten entfalteten eine rege Aktivität. Außer der Gruppe um Karl Marx ist besonders der Berliner Arbeiterführer Stephan Born zu nennen. In Frankfurt fand ein großer Handwerkerkongreß der Gesellen statt, in Berlin versammelte sich auf Betreiben Borns der Berliner Arbeiterkongreß, auf dem eine umfassende Arbeiterorganisation für ganz Deutschland geplant wurde. Auch an vielen anderen Orten hielt die demokratische Linke Vereinssitzungen, Volksversammlungen und Demonstrationszüge ab. Ihre Forderungen liefen im wesentlichen auf Presse-, Religions- und Lehrfreiheit, aber auch auf allgemeine Volksbewaffnung, Selbstregierung des Volkes, progressive Einkommensteuer, Garantie der Arbeit und Abschaffung aller Privilegien hinaus. Letztlich ging es in dieser Situation auch für diejenigen, die wie Marx und Engels[110a] an internationalistischen Konzepten

---

109 W. Menzel, a.a.O., Bd. 2, S. 99.
110 Zur deutschen Revolution von 1848 vgl. bes. Stadelmann, a.a.O., sowie Mommsen, Größe und Versagen, a.a.O.; Obermann, a.a.O., S. 245ff.; Hermes, a.a.O., Bd. 5, S. 51ff.; W. Menzel, a.a.O., Bd. 2, S. 153ff. Ferner K. Griewank: Ursachen und Folgen des Scheiterns der Revolution von 1848, in: Historische Zeitschrift 170 (1950), S. 495–523.; V. Valentin: Geschichte der deutschen Revolution von 1848/49, Bd. 1–2, Berlin 1930–31; J. Droz: Les Révolutions Allemandes de 1848, Paris 1957; F. Baumgart: Die verdrängte Revolution. Darstellung und Bewertung der Revolution von 1848 in der deutschen Geschichtsschreibung vor dem Ersten Weltkrieg, Düsseldorf (1976), (= Geschichte u. Gesellschaft, 14). – Einen Überblick über die Kommentare zu den Berliner Ereignissen in der Tagesliteratur gibt: Berliner Straßenecken-Literatur 1848/49, Stuttgart (1977), (= Reclam-Univ.-Bibl., 9856[4]).
110a Vgl. H.-U. Wehler: Sozialdemokratie und Nationalstaat, (2., überarb. Aufl.), Göttingen (1971), S. 17ff. Ferner Schraepler, a.a.O., S. 233ff., 253ff., zu Born S. 297ff.

orientiert waren, vorläufig um die Schaffung der einen deutschen Republik, die Freiligrath mit den Worten beschwor:

> Die eine deutsche Republik,
> die mußt du noch erfliegen!
> Mußt jeden Strick und Galgenstrick
> dreifarbig noch besiegen!
> Das ist der große letzte Strauß —
> Flieg aus, du deutsch Panier, flieg aus!
> > Pulver ist schwarz,
> > Blut ist rot,
> > golden flackert die Flamme![111]

Entschieden schritten Hecker und Struve im April 1848 zur Tat und versuchten von Baden aus, die deutsche Republik zu erkämpfen. Sie marschierten mit Freischaren unter Teilnahme aus Frankreich heimgekehrter Emigranten, die Georg Herwegh führte, gegen die fürstlichen Truppen, proklamierten die deutsche Republik, scheiterten aber letztlich an ihrer unzureichenden Bewaffnung. Außerdem bewahrheitete sich die prophetische Skepsis, mit der Fanny Lewald geschrieben hatte: „Nach allem, was ich bis jetzt gesehen habe, werden die deutschen Republikaner, die von Frankreich in das Vaterland zurückkehren, bald bemerken, wie sehr sie sich täuschten, wenn sie das monarchisch gewöhnte Deutschland für die Republik begeistert wähnten"[112].

Die gemäßigten Oppositionellen, die bürgerliche Mitte, traten dagegen für eine konstitutionell beschränkte Monarchie, aber gegen reine Demokratie und Republik ein.

> Nur so viel ist gewiß, daß unter gebildeten Völkern die beschränkte Monarchie als die vollendetste sich ausgewiesen hat, weil sie die Vorzüge aller Regierungsformen, der monarchischen wie der republikanischen, in sich vereinigt, von ersterer die Kraft und Einheit in der Vertretung der Staatsgewalt, von letzterer die sichere Gewähr der Volksrechte; weil sie ferner die Gerechtigkeit und einzig wahre Gleichheit der Bürger dadurch vermittelt, daß sie die Theilnahme derselben an der Staatsgewalt nach den Fähigkeiten und Kräften eines Jeden ordnet, und weil sie die einzige Form ist, welche ausreichende Bürgschaften gegen den Misbrauch der Staatsgewalt gibt.[113]

Von hier aus waren die liberalen Kräfte durchaus bereit, im Sinne einer konstitutionellen Monarchie mit den alten Mächten einen Kompromiß zu suchen, während die Linke radikale Änderungen im Rahmen einer republikanischen Ordnung forderte.

Durch diesen Gegensatz zwischen den Befürwortern der Konstitutionellen Monarchie und der Linken begann sich die Opposition selbst zu schwächen.[114] Zwar behielten im antifeudalen Lager die liberalen Kräfte eindeutig das Übergewicht

---

111 Schwarz — Rot — Gold, in: Werke, a.a.O., S. 118—121.
112 Lewald, a.a.O., S. 78.
113 Politische Belehrungen. Zeitfragen, Geschichte und Persönlichkeiten der Gegenwart, Bdch. 1—3, Leipzig 1848—49, Zitat Bdch. 1, S. 11f.
114 W. Tormin: Geschichte der deutschen Parteien seit 1848, Stuttgart, Berlin, Köln, Mainz (1966), S. 29: „Überall lassen sich die im Laufe des Jahres 1848 entstehenden politischen Vereine, ebenso die Fraktionen in den Parlamenten, in die drei (bzw. vier oder fünf)

und prägten wesentlich das Gesetz des politischen Handelns. Die Linke jedoch, die vielfach die Aktionen der unteren Schichten lenkte oder — wie Hecker und Struve — militärisch gegen die Fürstenherrschaft vorging, fühlte sich mit der liberalen Opposition nicht unbedingt solidarisch. Die Linke, die die Liberalen mit folgenden Worten angriff, hatte sich ideologisch von den Verfechtern einer Konstitutionellen Monarchie entfernt:

> Ihr wollt nur ein Jahr, das wie Dreißig blitzt —
> Ihr wollt kein Gewitter von Vierzig und acht!
>
> Doch wir schreiben jetzt Achtundvierzig, ihr Herrn!
> Und das Wetter ist da, und ihr haltet's nicht auf!
> Und wie ihr euch stellen mögt und sperrn:
> Es nivelliert bis zu euch herauf![115]

Übrig blieben lediglich Mißtrauen und Spott der Bourgeoisie gegenüber, Mißtrauen und Spott, die auch Georg Weerth in den 'Humoristischen Skizzen aus dem Deutschen Handelsleben' (1845—1848)[116] formulierte: Die Bourgeoisie erscheint nicht nur als habgierige und ausbeuterische Klasse, sie ist vor allem auch politisch — kommt es zum revolutionären Aufbegehren — unentschlossen, kläglich und feige.

Am 13. März 1848 wurde in Wien Fürst Metternich zum Rücktritt gezwungen, „die unter Metternichs langer Verwaltung verrostete Staatsmaschine fiel vor einem bloßen Hauch zusammen"[117]. In Wien wie in Berlin wurde gleichermaßen die traditionelle Ordnung durch die Märzgeschehnisse erschüttert.[118] Zunächst lag deshalb der Schwerpunkt der politischen Aktivität beim Bundestag in Frankfurt. Im Sinne der Forderung nach nationaler Einheit Deutschlands wurde ein Nationalparlament geschaffen[119], das am 18. Mai 1848 erstmals in der Paulskirche zu Frankfurt zusammentrat. Es entstand hier ein erstes improvisiertes parlamentarisches Leben, es wurde ein Reichsverweser (Erzherzog Johann) eingesetzt und eine der Nationalversammlung verantwortliche Regierung berufen. Hierdurch schien die Macht der einzelnen Bundesstaaten gebrochen, schien die deutsche Einheit nahe zu sein. Der Abgeordnete Johann Jacoby formulierte programmatisch: „Wer Deutschlands Einheit will, der muß die Macht, die Kraft des Volksparlaments fordern. Wer dieser Macht entgegentritt, wer sie hemmt oder schwächt, ist ein Feind des Vaterlands"[120].

Hauptrichtungen einordnen, die im Ansatz vor 1848 zu unterscheiden waren: Konservative, Liberale (in zwei Flügel gespalten), Klerikale, Sozialisten (in den Parlamenten noch nicht vertreten und auch außerhalb der Parlamente ohne wesentlichen Einfluß auf den Gang der Ereignisse)".

115 Freiligrath: Ein Lied vom Tode, in: Werke, a.a.O., S. 125f.
116 In: Werke, a.a.O., S. 105—209.
117 W. Menzel, a.a.O., Bd. 2, S. 199.
118 Zu den Ereignissen in Berlin vgl. Hermes, a.a.O., Bd. 5, S. 143ff., in Österreich Bd. 5, S. 206ff.
119 Vgl. M. Botzenhart: Deutscher Parlamentarismus in der Revolutionszeit 1848—1850, Düsseldorf (1977); ferner F. Eyck: The Frankfurt Parliament 1848—49, London 1963, (München 1973 auch in deutscher Übersetzung).
120 Zitiert nach Obermann, a.a.O., S. 346.

Bald schon erwies sich jedoch, daß dem Reichsministerium die konkreten Machtmittel fehlten. Dies zeigte sich zunächst in der schleswig-holsteinischen Frage. Schleswig-Holstein machte seine Zugehörigkeit zur deutschen Nation geltend und kämpfte energisch gegen die Ansprüche der dänischen Krone. Trotz der ungeheuren patriotischen Begeisterung in Deutschland für die Schleswig-Holsteiner mußte die Nationalversammlung hinnehmen, daß Preußen mit Dänemark einen Waffenstillstand schloß, der sich keineswegs an nationalen Idealen orientierte. Die Aktivitäten der Nationalversammlung wurden angesichts ihrer Ohnmacht zu eher theoretischen Diskussionen um die rechte Verfassung, was Herwegh mit den Worten glossierte:

> Zu Frankfurt an dem Main —
> Sucht man der Weisen Stein;
> Sie sind gar sehr in Nöten,
> Moses und die Propheten,
> Präsident und Sekretäre,
> Wie er zu finden wäre —
> Im Parla — Parla — Parlament
> Das Reden nimmt kein End.[121]

Monatelang debattierte man um die Grundrechte, die am 21. Dezember verkündet wurden. Dem deutschen Volk wurden Gleichheit vor dem Gesetz, Abschaffung der Privilegien, gleiche Wehrpflicht, persönliche Freiheit, Presse- und Lehrfreiheit, Abschaffung der bäuerlichen Lasten und manches andere garantiert. Diesen Grundrechten wurde aber der Boden dadurch entzogen, daß die Einzelstaaten — vor allem Preußen und Österreich — innerhalb ihrer Territorien in teilweise schweren Kämpfen die freiheitlichen Volksbewegungen zurückdrängen konnten. Wie sehr sich für viele schon bald die Ereignisse von 1848 zu marginalen Erscheinungen reduzierten, dokumentiert in fast grotesker Weise der Bericht einer Angehörigen des österreichischen Hofes: „Bald waren die Schrecken von 1848 vergessen, Wien war wieder lustig und tanzte wieder. Wien ohne Tanzen? Ganz undenkbar! Auch wir in den Hofkreisen tanzten und freuten uns unseres erblühenden Lebens"; als „Konsequenz" der Revolution stellte sich einigen Kreisen des Adels etwa folgendes dar: „Das tolle Jahr hat im alt-Wiener Leben mit mancher alten Gewohnheit aufgeräumt. Auch die althergebrachten Formen und Gepflogenheiten der aristokratischen Kreise verblaßten allmählich. Nur ein Beispiel: bis dahin war es Sitte gewesen, wenn man Mitgliedern der Kaiserlichen Familie begegnete, aus seiner Equipage auszusteigen und auf dem Straßenpflaster stehend zu grüßen; später grüßte man nur noch in seinem Wagen sich erhebend und stehend"[122].

Österreich zog schließlich Anfang April 1849 seine Abgeordneten aus der Nationalversammlung zurück, Preußen folgte diesem Schritt am 14. Mai. Weitere Abgeordnete traten freiwillig bis zum Ende dieses Monats aus der Versammlung aus, die daraufhin — nun fast ausschließlich aus Vertretern der Linken bestehend

---

121 Das Reden nimmt kein End, in: Werke, a.a.O., S. 163f.
122 P. v. Bülow: Aus verklungenen Zeiten. Lebenserinnerungen 1833–1920, 2. Aufl., Leipzig 1925, S. 23, 21.

– nach Stuttgart ging. Hier wurde die Rumpfversammlung am 18. Juni aufgelöst.[123] Letzte Volksbewegungen und Aufstände für die Reichsverfassung im Mai 1849, vor allem in Sachsen, in der Rheinpfalz und in Baden[124] wurden besonders durch preußische Truppen brutal unterdrückt. Der Kampf um ein freiheitlich organisiertes, einheitliches Deutschland hatte sein Ende gefunden. Den Liberalen und Demokraten blieben nur hilflose Empörung und Zorn angesichts ihres Scheiterns: „Was die Regierung mit dieser Auflösung der Nationalversammlung getan hat, den Widerspruch, den sie gesprochen gegen ihre Verheißungen im März, das wird sie und wir mit ihr, wenn nicht jetzt, doch einst zu büßen haben"[125].

Es läßt sich sagen, daß 1848/49 erstmals weiteste Schichten der Bevölkerung Deutschlands durch die Ereignisse des Revolutionsjahres politisch aktiviert wurden. Gerade das Problem eines einheitlichen Deutschlands mit einer rechtsstaatliche und demokratische Elemente enthaltenden Verfassung war nun endgültig zur drängenden Aufgabe im Bewußtsein weiter Kreise geworden: „Die deutsche Revolution von 1848 bildet den Höhepunkt der deutschen liberalen und bürgerlichen Bewegung des 19. Jahrhunderts, die für deutsche Einheit und innenpolitische Freiheit kämpfte"[126].

In welcher Weise diese nationalen und freiheitlichen Forderungen in Deutschland erhoben wurden, illustriert eine Adresse an den württembergischen König, die eine Versammlung am 29. Februar 1848 in Stuttgart abfaßte. Zu Beginn heißt es hier: „Die neuesten Ereignisse in Frankreich fordern den Vaterlandsfreund zu ernsten Betrachtungen auf. [. . .] wer möchte in Abrede stellen, daß auch in Deutschland Stoff zu gerechter Unzufriedenheit vorhanden ist? Diesen schleunigst zu beseitigen, ist in den jetzigen kritischen Verhältnissen doppelt geboten." Im einzelnen forderte man in bezug auf den Deutschen Bund u.a. eine „Reorganisation im volksthümlichen Sinne, d.h. *die Berufung eines deutschen Parlamentes"*, Geschworenengerichte, Preßfreiheit, Versammlungsrecht, gerechte Beteuerung, „die kräftige Entwicklung der *handelspolitischen Macht Deutschlands"* und sprach sich gegen stehende Heere sowie für die *„Wehrhaftmachung des Volkes"* aus.[127] Sehr deutlich wird hier die Kritik an den bestehendenVerhältnissen in Deutschland, eine Kritik, die von den Ereignissen in Frankreich ausgeht und von daher ihre Stärke bezieht. Im Vordergrund stehen dabei national und freiheitlich ausgerichtete Ziele, es geht gleichermaßen um die Gewinnung eines einheitlicheren Deutschlands wie um die Stärkung der Freiheitsrechte der Bürger.

123 Vgl. B. Mann: Das Ende der deutschen Nationalversammlung im Jahre 1849, in: Historische Zeitschrift 214 (1972), S. 265–309.
124 Vgl. dazu das Kapitel 'Die Mairevolutionen' bei W. Menzel, a.a.O., Bd. 2, S. 329ff.; Obermann, a.a.O., S. 379ff.
125 Lewald, a.a.O., S. 138.
126 Mommsen, Größe und Versagen, a.a.O., S. 7.
127 Zitiert nach Hermes, a.a.O., Bd. 5, S. 77f. Schon vor dem Ausbruch der Februarrevolution hatte im September 1847 im Großherzogtum Baden eine Versammlung liberal eingestellter Männer u.a. folgende Forderungen erhoben: „Wir verlangen Vertretung des Volkes beim deutschen Bunde. Dem Deutschen werde ein Vaterland und eine Stimme in dessen Angelegenheiten! Gerechtigkeit und Freiheit im Innern, eine feste Stellung dem Auslande gegenüber gebühren uns als Nation".; zitiert nach Hermes, a.a.O., Bd. 5, S. 57.

Ein solches nationales Denken spricht sich in einer Vielzahl von Dokumenten aus. So erklärte eine Bürgerversammlung in Hannover in einer Eingabe am 16. März 1848:

> Der Genius des deutschen Volkes ist erwacht. Wir sehen sein majestätisches Wesen in der überraschenden Uebereinstimmung aller Wünsche und Forderungen, wie sie jetzt im Osten und Westen, im Süden und Norden unsers großen Vaterlandes laut geworden sind, und welche zum Theil schon ihre Befriedigung erhalten haben. Heil und Segen den erleuchteten deutschen Fürsten, welche durch sofortige Gewährung der gerechten Wünsche ihrer Völker mit Vertrauen ihnen entgegengekommen sind! Das deutsche Volk will einig, stark und frei seyn; es will seine ihm gebührende Stellung in den Reihen der großen Völker Europa's einnehmen.[128]

Betont wird also vor allem, daß der einheitliche Wille des deutschen Volkes auf die Gründung eines Staatswesens zielt, das Deutschland endlich „seine ihm gebührende Stellung" im Konzert der europäischen Nationen zu geben vermag. Hier wird deutlich, wie der wachsende Nationalismus über die innenpolitischen Fragen hinaus auch eine adäquate Repräsentation der deutschen Nation im übernationalen Rahmen forderte. Zwar wird den Fürsten gegenüber noch ein Ton der Kompromißbereitschaft angeschlagen, klar klingt aber auch durch, daß kein Fürst sich der mächtigen und einheitlichen Bewegung des Volkes zu widersetzen vermag. Der Wille zur nationalen Einheit erscheint als eine unüberwindliche Potenz.

Dieser Wille zur Einheit war 1848 so stark, daß man teilweise sogar bereit war, die Forderung nach mehr Freiheit zugunsten größerer nationaler Einheit zurückzustellen:

> Prägen wir es uns alle daher tief ein: ohne Einheit gibt es für uns keine Freiheit, keine Selbständigkeit, keine Sicherheit, keine Wohlfahrt! Mußten wir sogar dieser Einheit zu gefallen — was nicht nöthig werden wird — einen Theil unserer Freiheit opfern, uns mit einem bescheidenern Maße derselben begnügen, so müßten wir dazu bereit sein [. . .][129]

Das leitende Motiv aller politischen Bemühungen ist 1848 die Einheit Deutschlands. Sie allein erscheint als der Ausweg aus der politischen, gesellschaftlichen und wirtschaftlichen Misere des Vormärz.

Zusammenfassend sei das liberale Programm mit den Worten des preußischen Liberalen Hansemann illustriert. Hansemann formulierte die Forderung nach Einheit und Freiheit in einer Denkschrift an den preußischen Inneminister am 1. März 1848 in einer für das bürgerliche Denken der Zeit exemplarischen Weise: „Eine einige deutsche Nation mit deutschem Parlamente in der Form eines Bundesstaates, der jedem einzelnen Staate eine gewisse Freiheit der Entwicklung gewährt; bürgerliche, politische und religiöse Freiheit, gesichert duch lebenskräftige Institutionen; eine größere Einwirkung und Berücksichtigung der handarbeitenden Volksklassen bei der allgemeinen und insbesondere der Finanzgesetzgebung der Staaten"[130].

Zwar waren sich die Liberalen — mehr als die eher einheitsstaatlich orientierte Linke — bewußt, daß die lange gewachsenen einzelstaatlichen Besonderheiten nicht

---

128 Zitiert nach Hermes, a.a.O., Bd. 5, S. 135.
129 Politische Belehrungen, a.a.O., Bdch. 1, S. 26.
130 Zitiert nach Obermann, a.a.O., S. 256.

mit einem Schlag aus der Welt zu schaffen waren; allgemein aber war der Wille, diese Besonderheiten bundesstaatlich unter dem gemeinsamen Dach der nationalen Einheit zusammenzufassen. Diese Konzeption wurde in fast dichterisch überhöhter Sprache folgendermaßen beschworen:

> Ohne allen Zweifel sind wir am einigsten über das, was wir wollen, denn es steht auf allen Fahnen und ist das Ziel, für welches seit dreißig Jahren unzählige Herzen gesungen und gelitten haben: wir wollen Eins sein, [. . .] wie Deutschlands Berge wollen wir sein, reich bewaldet, mannigfaltig in einander verschlungen, durchbrochen von fruchtreichen Thälern; ein Gebirge mehr als ein Berg und nur nach Außen wie ein Berg angesehen und fest wie ein Berg. Wir wollen geachtet sein in der Fremde und gekannt, nicht verspottet, nicht dem Franzosen, dem Italiener, dem Engländer gegenüber Bayern, Sachsen, Preußen, Hessen, von denen kaum ein Mensch gehört hat, sondern Deutsche, verbunden durch unsere Sprache, durch ein Banner, einen Schutz, eine Treu. Allein wir wollen deshalb nicht aufhören, Sachsen, Preußen, Oestreicher und Bayern zu sein, wie der Sohn, wenn er aus dem Hause tritt, nicht aufhört, dem Hause anzugehören, dem er zunächst verdankt, was er ist, und durch welches er eben mit der Außenwelt, dem Geschlecht, dem Stamme, dem Volke zusammenhängt. Nicht aufheben wollen wir alle Unterschiede, alle süßen Gewohnheiten, alle Eigenthümlichkeiten, sondern wir wollen sie nur unter dem Schutze der Gesammtheit pflegen; wir wollen in der Einheit die Mannichfaltigkeit bewahren und gerade dadurch ganz das werden, wozu wir berufen sind, ein großes, mächtiges Volk von Männern.[131]

Daß neben dieser nationalen Grundhaltung der kosmopolitische Geist, der sich seit der Aufklärung mit dem Patriotismus verband, nicht erloschen war, belegt Gutzkows bedeutsame Schrift 'Deutschland am Vorabend seines Falles oder seiner Größe'[132] aus dem Jahr 1848. Gutzkow polemisiert hier gegen die nationale Überheblichkeit, die sich für ihn in den ehemaligen Freiheitskämpfern Arndt und Jahn versinnbillicht: „Die Deutschen, die ihre Größe nur im geschwungenen Flammberg sehen, wie Arndt und Jahn, das sind fossile Antiquitäten, die man belächelt und von dem gereiften politischen Verstande der Deutschen mit Betrübniß in's Parlament, wie zu einer Germanistenversammlung geschickt sah"[133]. Gutzkow konstatiert einen wachsenden Nationalismus, der über jede Beeinträchtigung deutscher Interessen klagt, selbst jedoch, wenn es um Preußens polnische, um Österreichs italienische Besitzungen geht, andere Völker zu unterdrücken bereit ist. Dies sieht Gutzkow darin begründet, daß die mangelnde eigene innere Freiheit zum mangelnden Respekt vor der Freiheit anderer geführt habe: „Unterdrückt, unterdrücken wir"[134]. Von dieser Position aus gelangt Gutzkow zur Forderung,

131 Politische Belehrungen, a.a.O., Bdch. 2, S. 70f.
132 K. Gutzkow: Deutschland am Vorabend seines Falles oder seiner Größe, hrsg. v. W. Boelich, (Frankfurt a.M. 1969), (= sammlung insel, 36). Gutzkows Schrift wurde von den Zeitgenossen nicht nach ihrem wahren Wert gewürdigt; so heißt es bei W. Neumann: Carl Gutzkow. Eine Biographie, Kassel 1854, S. 317 lakonisch: „So war er während jener Märzkatastrophe des Jahres 1848 in Berlin; er betheiligte sich durch die Presse an den Ereignissen, und veröffentlichte unter Anderem eine 'Ansprache an das Volk' sowie eine Brochüre 'Deutschland am Vorabend seines Falles und [!] seiner Größe'".
133 A.a.O., S. 18.
134 A.a.O., S. 19f. S. 32 heißt es: „Wir fühlen, daß das *innere* Band locker ist und bleibt, so so lange der Rest der Feudalzeit, unsre Staatenzersplitterung, andauert, und da stützen wir uns auf Anmaßung nach Außen [. . .]".

die Integrität und Freiheit anderer Völker ebenso zu respektieren, wie man die eigene Integrität und Freiheit respektiert sehen möchte.

> Italien und Polen gegenüber hat Deutschland seit dem März dieses Jahres eine sehr charakterlose Rolle gespielt. Als Mailand die Oesterreicher aus ihren Mauern vertrieb, hieß es: Ja, ein Volk, das selbst nach Freiheit ringt, soll nicht die Freiheit anderer Völker unterdrücken helfen! Als aber Radetzky Mailand wieder einnahm, nennt man es Verrath, von Oesterreichs italiänischen Besitzungen mit Gleichgültigkeit zu reden! Das Frankfurter Parlament, wo sich nicht etwa die geläuterte politische Intelligenz unsres Volkes, sondern deren ganzer Statusquo, das ganze Durcheinander der Interessen und Meinungen, wie sie leider einmal da sind, zusammengefunden hat, hat sich durch seine überwiegende österreichische Neigung ebenso gegen Italien ausgesprochen, wie durch seine preußischen Elemente gegen Polen. Die deutsche Nation hat sich damit zwei Lasten auf's Gewissen gebürdet. Es kann die Zeit kommen, wo einmal die Völker Europa's für die Prahlereien Deutschland's Rechenschaft fordern werden. Diese Zeit scheint mir sogar sehr nahe und wer einen Mund zum Reden, eine Hand zum Schreiben hat, dessen heiligste Pflicht ist es, das Vaterland zu warnen, auf einer solchen Bahn der Unterdrückung und Uebermuthspolitik fortzuwandeln. In unsern italienischen und polnischen Debatten haben wir geradezu die Sympathie Europa's verscherzt [. . .][135]

Für Gutzkow ist in der Revolution die Forderung nach wirklichem politischen Fortschritt bestimmend: „Uns ist die innere Freiheit und Einheit nothwendig, weiter nichts"[136]; es geht ihm im aufklärerischen Sinne um die alte Verbindung von Freiheit und Einheit, nicht aber um die Sucht nach nationaler Größe auf Kosten der liberalen Ziele. Gutzkows Schrift belegt, daß wie im Vormärz etwa bei Börne, Freiligrath und Herwegh so auch 1848 die Tradition weiterwirkte, die Freiheit, Patriotismus und zugleich kosmopolitischen Respekt von anderen Völkern verband. Obgleich die Tendenzen des nationalen Egoismus wuchsen, obgleich die Weite der aufklärerischen Weltsicht schwand, ist die Tradition, die die vorliegende Arbeit seit der Mitte des 18. Jahrhunderts verfolgte, auch in der 48er Revolution vorhanden. Noch 1848 konnte Gutzkow die schönen Worte schreiben:

> Kosmopolit, Weltbürger, kann vor allen Völkern der Deutsche sein. Nicht nur, weil er den Blick für die Würdigung fremder Eigenthümlichkeiten hat, sondern auch, weil sein Nationalinteresse ihn nicht, wie den Engländer, zwingt, Egoist zu sein. Unser Volk, so organisirt, wie es sein sollte, könnte allen Völkern an Großmuth und Gerechtigkeit voranleuchten und durch die That beweisen, warum Weltweise, wie Kant und Herder, Prediger des ewigen Friedens, in Deutschland geboren wurden.[137]

In der Paulskirchenversammlung gab es zwar die Tendenz, die Interessen fremder Nationen zugunsten nationaler Interessen hintanzustellen. Der Abgeordnete W. Jordan setzte sich unter dem Rubrum des „gesunden Volksegoismus" für die deutschen, d.h. preußischen Belange Polen gegenüber ein und wandte sich gegen jede 'sentimentale' Toleranz.[138] Trotz Opposition der Linken billigte die Mehrheit das preußische Vorgehen gegen die polnischen Wünsche (Posen-Kontroverse). Es gab

---

135 A.a.O., S. 16f. Parallelen 1846 bei Schraepler, a.a.O., S. 184.
136 A.a.O., S. 18.
137 A.a.O., S. 27.
138 Vgl. F. Wigard (Hrsg.): Stenographischer Bericht über die Verhandlungen der deutschen constituierenden Nationalversammlung zu Frankfurt am Main, Bd. 1–9, Frankfurt 1848–49, hier Bd. 2, S. 1143–1150. Vgl. Eyck, a.a.O., S. 317ff.

jedoch auch unter den Abgeordneten scharfe Kritik an einer derartigen Haltung. So meinte der Demokrat Robert Blum[139], wenn man Polen zugunsten nationaler deutscher Interessen in zwei Teile zerschneiden wolle, müsse dies auch mit Schleswig-Holstein geschehen, das man doch engagiert ganz für Deutschland reklamiere.

Beide Tendenzen, die der Toleranz und die des nationalen Egoismus, mischen sich in der Revolution von 1848, ohne daß eine eindeutige Zuordnung im politischen Sinne von 'links' und 'rechts' möglich wäre. Doch kann man im ganzen gesehen sagen, daß die nationale Aggressivität weit hinter der späterer Jahrzehnte zurückblieb. So konnte 1848/49 ein Liberaler aus Österreich noch Garantien für die Entwicklung auch der nichtdeutschen Völker der Monarchie verlangen. Die Grundrechte der Nationalversammlung sicherten den fremden Nationalitäten im Bereich deutscher Staaten „volkhafte Entwicklung" zu, ihnen wurden gleiche Rechte im Gebrauch ihrer Sprache, in Unterricht, Verwaltung, vor Gericht und auf religiösem Gebiet eingeräumt.[140]

Das nationale Ideal konnte seine Erfüllung nur in einem einigen, die ganze Nation umfassenden Reich finden. Die Paulskirchenversammlung debattierte deshalb seit dem 20. Oktober 1848 über die Reichsverfassung. Ziel der Demokraten war die deutsche Republik, doch die Linke war in der Nationalversammlung nicht stark genug, ihre Vorstellungen durchsetzen zu können. Wenn auch Herwegh höhnte:

> O Freiheit, die wir meinen,
> O deutscher Kaiser sei gegrüßt!
> Wir haben auch nicht einen
> Zaunkönig eingebüßt[141],

blieb lediglich der Weg, einen deutschen Fürsten an die Spitze des Reiches zu berufen, das alte Kaisertum in der Form der konstitutionellen Monarchie wiederzubeleben. Dieser Fürst konnte nur der preußische König Friedrich Wilhelm IV. sein, in dem viele einen Repräsentanten des nationalen Gedankens sahen, obgleich sein rigides Vorgehen gegen die preußische liberal-nationale Opposition der 40er Jahre, so gegen den Demokraten Johann Jacoby[142], seine wahre Einstellung längst dokumentiert hatte. In jedem Falle blieb die Berufung des preußischen Königs die einzige Möglichkeit zur nationalen Einheit zu gelangen, denn der Vielvölkerstaat Österreich, die andere Großmacht des Deutschen Bundes, entfernte sich nach Schwarzenbergs Programm von Kremsier (27.11.1848) und vor allem nach der oktroyierten Zentralstaatsverfassung vom 4. März 1849, verbunden mit den Plänen einer großen zentraleuropäischen Staatenföderation (Erweiterung des Deutschen Bundes auf den österreichischen Gesamtstaat) immer mehr vom Gedanken des nationalen Einheits-

---

139 Vgl. Wigard, a.a.O., Bd. 2, 1142.
140 Vgl. H. Rothfels: 1848. Betrachtungen im Abstand von hundert Jahren, Darmstadt 1972, (= Libelli, 290), S. 53f.
141 Mein Deutschland, Strecke die Glieder!, in: Werke, a.a.O., S. 166f.
142 Vgl. Obermann, a.a.O., S. 143ff.; P. Schuppan: Johann Jacoby und seine politische Wirksamkeit innerhalb der bürgerlich-demokratischen Bewegung des Vormärz (1830–1846), Diss. phil., Berlin 1963. Grab, Lebensläufe, a.a.O., S. 203ff.

staats. Inakzeptabel war für Österreich die Trennung der deutschen und nichtdeutschen Reichsteile, wie sie Frankfurt verlangte: „Allen Einsichtigen war aber bald klar, daß es nur noch auf Preußen ankam mit einem engern, von Oesterreich getrennten Bunde, oder auf Oesterreich mit dem alten Bundestage"[143]. Da die überwältigende Mehrheit der Paulskirche den Deutschen Bund durch ein Deutsches Reich ersetzen wollte, wurde Ende März 1849 auf Betreiben der kleindeutschen erbkaiserlichen Partei Friedrich Wilhelm IV. mit 290 gegen 248 Stimmen (Enthaltungen) zum Kaiser ausgerufen. Zu diesem Zeitpunkt waren die Fürsten jedoch bereits im Begriff, die tradierten Machtstrukturen zu konsolidieren, die Revolutionsbewegung hatte ihren Höhepunkt überschritten. So lehnte Friedrich Wilhelm die deutsche Kaiserkrone, die ihm eine Deputation der Nationalversammlung antrug, verächtlich ab. Es bestätigte sich, was Fanny Lewald mit begründeter Skepsis vorausgesagt hatte: „Es gibt gewisse Dinge, welche Volk und König einander nie verzeihen, nie vergessen können. Eine wirkliche Aussöhnung zwischen unserem mittelalterlich-monarchischem Könige und der Idee der Volksfreiheit ist so unmöglich wie die Herstellung einer innerlich zerstörten Ehe. Ein Volk soll aber kein Scheindasein führen"[144].

Damit war der Versuch, durch das Volk und mit dem Volk das Deutsche Reich wiederzuerrichten, gescheitert. Obgleich der Dritte Stand zum Kompromiß mit den fürstlichen Mächten bereit gewesen war, obgleich die Abgeordneten den preußischen König zum Oberhaupt eines konstitutionellen Reiches beriefen, konnte die Einheit nicht erreicht werden. In Deutschland waren die Kräfte der feudalen Reaktion immer noch − gestützt auf die Macht ihrer Heere − viel zu stark, um auch ihrerseits einen Kompromiß mit dem Dritten Stand einzugehen. Anders als in Frankreich waren die bürgerlichen Kräfte ökonomisch nicht mächtig und mithin politisch nicht selbständig genug, uneingeschränkt die Überreste des feudalen Systems zu vernichten, anders als in Frankreich gab es langfristig keine aktivüberwältigende Solidarisierung des Volkes mit den Zielen des Dritten Standes. Untereinander zersplittert, ideologisch verfeindet, waren die Unterprivilegierten des alten Systems letztlich nicht in der Lage, eben dieses System zu sprengen. Die Anfangserfolge des Jahres 1848 wurden deshalb bald durch die systematische Reaktion der deutschen Fürsten aufgefangen und rückgängig gemacht.

Damit aber war der Traum vom deutschen Reich, geschaffen im Geiste der bürgerlichen Emanzipation, im Geiste von Einheit und Freiheit, gescheitert. Die wichtigste Forderung der Emanzipationsbewegung, die seit 100 Jahren das Denken der besten Kräfte des Bürgertums geprägt hatte, konnte nicht realisiert werden.

---

143 W. Menzel, a.a.O., Bd. 2, S. 313. Eyck, a.a.O., S. 371ff. − Über die Entstehung eines liberalen und nationalen Denkens unter den nichtdeutschen Völkern des Vielvölkerstaats vgl. zum Beispiel Ungarns die instruktive Biographie D. Silagi: Der größte Ungar. Graf Stephan Széchenyi, Wien, München (1967).

144 Lewald, a.a.O., S. 67.

Die 48er Revolution stellt so den Höhepunkt und zugleich das Ende der Ideenverbindung von Patriotismus und Freiheit dar. Zum erstenmal war in Deutschland
in einer das ganze Land umfassenden Bewegung die Konkretisierung dieses Ziels
versucht worden, der völlige Mißerfolg im Jahre 1849 mußte auf das deutsche
Bürgertum tief desillusionierend wirken.

7. ZUSAMMENFASSUNG UND AUSBLICK

Am Ende des in dieser Studie zurückgelegten Weges soll zunächst eine Zusammenfassung stehen, die den gezeigten Entwicklungsgang noch einmal akzentuierend und an einigen Stellen ergänzend verdeutlicht. Ein Ausblick wird dann abschließend die Linien über das Jahr 1848 hinaus weiterverfolgen, um anzudeuten, wie sich das Nationalgefühl im Verhältnis zur bürgerlichen Freiheitsidee entwickelt hat.

Der neuzeitliche Patriotismus bildete sich in Deutschland in der 2. Hälfte des 18. Jahrhunderts. Angesichts der wirtschaftlichen und politischen Rückständigkeit des Reichs, angesichts vor allem der eigenen Machtlosigkeit entstand im deutschen Bürgertum Opposition gegen die feudalen staatlich-gesellschaftlichen Zustände. Hier ist der Patriotismusbegriff von ausschlaggebender Bedeutung: In ihm artikulierte sich die Forderung nach einem freiheitlich konstituierten Staat, einem Staat, der allein die patriotische Liebe seiner Bürger verdiene. Es verbanden sich Patriotismus und bürgerliche Freiheitsidee.

Dazu tritt, charakteristisch für das Denken der Aufklärung, ergänzend, nicht widersprüchlich, eine kosmopolitische Grundhaltung, die Unterschiede zwischen den Völkern und Kulturen nicht anerkennt: „Was heißt denn Volk? / Sind Christ und Jude eher Christ und Jude / Als Mensch?" (Lessing, Nathan, II, 5). Dieser Kosmopolitismus wird in einer anonymen Schrift aus dem Jahre 1797, die sich an Kants 'Entwurf zum ewigen Frieden' anschließt, exemplarisch formuliert.[1] Der anonyme Verfasser ist ein begeisterter Verfechter einer Verbrüderung der gesamten, organisch zusammengehörenden Menschheit im Sinne des geschichtlichen Fortschritts. Er betont,

> daß die Menschheit in allen Ländern und Welttheilen nur ein Ganzes ist; daß alle Erdenvölker zu einer einzigen Wesengattung gehören. [. . .] Endlich bedenke man, daß mit der Zeit alle Schranken werden weggerissen werden, welche jetzt die Völker von Völkern scheiden, daß dereinst die ganze Menschheit wird wieder zusammenfließen und nur ein einziges Ganzes bilden, wie es schon vor den Zeiten des Despotismus der Fall war. [. . .] Es ist kein Himmel für uns, sondern blos eine Erde, aber diese kann und soll für uns Himmel werden; es kommt kein Reich zu uns; aber wir selber wollen ein Reich der Tugend und Glückseligkeit auf diesem Erdball begründen.[2]

Im Rahmen einer solche Konzeption, die vom Gedanken einer Menschheit ausgeht, die im Streben nach einer antidespotischen Ordnung ein gemeinsames Ziel besitzt, hat auch der freiheitliche Patriotismus seinen Platz. Er ist im Verband der einzelnen Staaten die Grundlage einer besseren, letztlich auf die Menschheit bezogenen Ordnung.

---

1 Hermann H . . . ch: I. Kants Philosophischer Entwurf zum ewigen Frieden. Fortgesetzt von Hermann Hch, Germanien 1797; teilweise abgedruckt in E. Weller: Die Freiheitsbestrebungen der Deutschen im 18. und 19. Jahrhundert, dargestellt in Zeugnissen ihrer Literatur, Leipzig 1847; Nachdr. Kronberg/Ts. 1975, S. 178–187, 325–334.
2 Zitiert nach Weller, a.a.O., S. 325–327.

Für den freiheitlichen Patriotismus war die Gestalt Friedrichs II. ein Kristallisationspunkt. Wenn sich auch nach Lessing in Berlin die „Freyheit, zu denken und zu schreiben", „auf die Freyheit, gegen die Religion so viel Sottisen zu Markte zu bringen, als man will"[3], reduzierte, wurde der aufgeklärte preußische König zur nationalen Integrationsfigur stilisiert. Die Geschehnisse des Siebenjährigen Krieges ließen dann Preußen und seinen König infolge einer geschickten Propaganda vielen verstärkt als Fixpunkte patriotischen Denkens erscheinen. Aber auch Publizisten, die dem Krieg und den deutschen Souveränen kritisch gegenüberstanden, erhoben in diesen Jahren patriotische Forderungen, erstrebten eine bessere Ordnung im deutschen Vaterland.

Nach dem Ende des Siebenjährigen Krieges differenzierte sich die patriotische Diskussion. Unter den Reichspublizisten kam es zu einer kritischen Hinterfragung des tradierten politischen Systems in Deutschland im Sinne auch einer Partizipation breiterer Schichten am öffentlichen Leben. Ein Beispiel dafür sind die Theorien Friedrich Karl v. Mosers. Dieser trat für eine freiheitlichere Ordnung in den Territorien des Reiches ein. Um dieses Ziel zu erreichen, wollte er keinen radikalen Bruch mit den überlieferten Strukturen, er wollte aber die in der tradierten Rechtsordnung des Reiches liegenden Freiheiten ausschöpfen und den Menschen dienstbar machen. Die nationale Reichsordnung wird so gegen den einzelstaatlichen Despotismus ausgespielt; Moser erhoffte keinen Einheitsstaat, aber eine wirksame und freiheitliche Reichsordnung, in der „ein Berliner Wien, ein Wiener Hannover, ein Hesse Maynz als sein Vaterland achten, lieben und ehren lernte"[4].

Neben diesen im Kern auf die Bewahrung des Reichssystems gerichteten Ideen stehen dann Patriotismuskonzepte, die sich noch stärker an den Interessen der vom Absolutismus unterdrückten politischen Institutionen und Schichten ausrichten (Bülau) oder aber in deutlicher Absage an die eigene Zeit, orientiert an „Rechtsordnung, Sitte, Wirtschaftswesen des frühen Mittelalters"[5], eine freiheitliche nationale Vergangenheit beschwören, alle bürgerlich emanzipatorischen Tendenzen dabei jedoch ablehnen (Möser).

Aus der deutschen Vergangenheit, deren kulturelle und geschichtliche Traditionen nun zunehmend wiederentdeckt und erweckt wurden, leitete sich in der zweiten Hälfte des 18. Jahrhunderts ein wachsendes Selbstbewußtsein und auch Sendungsbewußtsein ab. Es entstand auf kulturellem Gebiet eine patriotische Bewegung, getragen vor allem von Klopstock und den Mitgliedern des Göttinger Hainbundes, eine Bewegung, die nicht nur kulturell-literarisch orientiert war, sondern auch politisch ein antidespotisches patriotisches Pathos kultivierte. Später kulminierte dieser kulturell und zugleich politisch-freiheitlich akzentuierte Patriotismus in der Bewegung des Sturm und Drang. Hier, im literarischen Patriotismus

---

3 Brief an F. Nicolai vom 25.8.1769, zit. nach G. E. Lessing: Sämtliche Schriften, hrsg. v. K. Lachmann, 3. Aufl., bes. d. F. Muncker, Bd. 17, Leipzig 1904, S. 298.
4 Moser, National-Geist, a.a.O., S. 56.
5 Th. Heuss: Justus Möser, in: Th. H.: Deutsche Gestalten. Studien zum 19. Jahrhundert, Tübingen o.J., S. 13–18, hier S. 16.

vor allem lag eine nationale Komponente, die Deutschland — freilich nicht aktuell-politisch, sondern kulturell — als Einheit faßte.

Der deutsche Patriotismus der Aufklärung zeigt über lange Phasen hinweg, was seine Freiheitsforderung angeht, zwar Pathos und teilweise großes politisches Engagement, die Freiheitsforderung konnte jedoch nicht konkretisiert werden. Es entstanden noch keine praktisch-politischen Vorstellungen, mit denen man den deutschen Souveränen gegenüber aufgetreten wäre. Dies begann sich erst zu ändern, als 1789 in Frankreich die Revolution ausbrach. Hier wurde der revolutionäre Patriotismus zum tragenden Element, das das Bewußtsein der Bürger prägte. Stendhal, der die Jakobinerherrschaft als Kind miterlebte, schrieb ein halbes Jahrhundert später: „Der Leser stelle sich eindringlich vor Augen, daß wir im Jahre 1794 keine Religion kannten. Das ernste Gefühl unserer Herzen war ganz in dieser einen Idee versammelt, dem Vaterland zu dienen. Feste wurden gefeiert und zahlreiche ergreifende Zeremonien abgehalten, die dieses Gefühl nährten, das in unserem Herzen alles beherrschte. Es war unsere einzige Religion." Im Sinne des aufgeklärten Kosmopolitismus sollten die revolutionär-patriotischen Errungenschaften dann auch über die Grenzen Frankreichs hinaus für andere Völker gelten. Zwar begann mit der zunehmenden Fraktionierung die Fiktion des alle Klassen übergreifenden Patriotismus in Frankreich brüchig zu werden, zwar distanzierten sich die Jakobiner vom Kosmopolitismus der Gironde: In den ersten Jahren nach 1789 wirkte die revolutionär-patriotische Bewegung jedoch in starkem Maße auf Deutschland ein. Wenige nur waren von Anbeginn an prinzipiell Gegner der Revolution und ihrer vernunftbestimmten Reformprojekte. Für sie sprach etwa Matthias Claudius, der meinte: „Ein Staat nach dem neuen System oder ein Vernunftregiment ist denn unmöglich, weil man wohl klug aber nicht gut machen kann; weil die Menschen nicht wollen wie sie denken, sondern, vielmehr umgekehrt, denken wie sie wollen, und also durch Aufklärung noch kein Gehorsam geschafft wird." Die Konsequenz daraus war, es sei „biederer und besser: unbedingt Gehorsam und Ordnung, und Liebe, und Glauben, und Vertrauen auf Gott und Menschen zu predigen"[6]. Im Gegensatz zu dieser Sicht gewann das Bürgertum jedoch allgemein im Reich an Selbstbewußtsein und beanspruchte, die wichtigste Schicht der Bevölkerung zu sein, also an die Stelle feudaler Privilegien eine bürgerliche Ordnung zu setzen:

> Itzt, da das heroische Zeitalter gänzlich vorüber ist, werden Bürgertugenden immer wichtiger. Die Bürgerkrone (la couronne civique) verdrängt Schild, Helm und Wappen, und kaum kann noch der Degen die Quelle des Adels werden, oder edle Tugenden und Thaten hervorrufen. So wie ehemals der glückliche Krieger auftrat, oder der räuberische Landeroberer, und, indem Verheerung vor ihm herging, seinen Zeitgenossen zurief, ihr seyd unfreie, ich und die Meinigen sind frei! Eben so kann itzt der einsichtsvolle Diener des Staats, der begüterte Kaufmann, der fleißige Bürger ausrufen: Längst sind die Ketten, die Gewalt schmiedete, zerbrochen. Auch ich bin frei; auch ich habe alle Rechte der Menschheit![7]

6 M. Claudius: Über die neue Politik (1794), in: M. C.: Sämtliche Werke, München (1968), S. 416—443, Zitate S. 434, 437.

7 A. Hennings: Vorurtheilsfreie Gedanken über Adelsgeist und Aristokratism, o.O. 1792; Nachdr. Kronberg/Ts. 1977, S. 23.

Die deutschen Patrioten stellten deshalb unter dem Einfluß des französischen Vorbilds auf der Grundlage der Volkssouveränität dezidierte politische und auch soziale Forderungen, sie distanzierten sich schärfer von der feudalabsolutistischen Realität im Reich. Zwar wollten nur wenige die politischen Strukturen in revolutionärer Tat ändern[8], der Ruf nach Reformen wurde aber immer deutlicher. Das deutsche politische Denken erreichte hier einen ersten großen Höhepunkt.

Zum erstenmal bemühte sich umfassend nach 1789 die offizielle deutsche Propaganda in dieser Situation, im Gegensatz zum revolutionären einen obrigkeitshörigen, reaktionären Patriotismus zu entwickeln. Die Verteidigung der Territorien und des Reiches wurde zur 'deutschen', d.h. vaterländischen Angelegenheit erklärt. Trotz dieser publizistischen Kampagne der schon wegen ihrer Zensurpraktiken unglaubwürdigen Regierungen[9] gelang es den bürgerlichen Patrioten in den Jahren nach 1789 aber, die öffentliche Meinung überwiegend in ihrem Sinne zu prägen.

In der Phase der Jakobinerherrschaft begannen sich weite Teile der deutschen Intelligenz von der Revolution zu distanzieren, die sich überstürzenden Ereignisse im revolutionären Zentrum Paris konnten von Deutschland aus kaum verstanden werden. Diese Distanzierung verstärkte sich in den folgenden Jahren. Die aggressive und ausbeuterische Politik Frankreichs den Nachbarländern gegenüber, die sich in der Epoche des Direktoriums bis hin zu Bonaparte ständig verstärkte, sowie die jeden Beobachter desillusionierende innenpolitische Lage in Frankreich waren die Ursachen für ein Umdenken der deutschen Intelligenz. Die Abkehr von Frankreich wurde vollends in der Zeit der napoleonischen Herrschaft in Deutschland zur allgemein verbreiteten Stimmung.

Diese Distanzierung vom französischen Vorbild hatte zur Folge, daß sich die deutschen Patrioten von nun an immer stärker auf ihr eigenes Vaterland konzentrierten. Deutschland wurde eine spezifische geschichtliche Mission zugeschrieben, aus seiner nationalen Identität heraus sollte das Vaterland wirken. Diese Aufgabe Deutschlands wurde in der Epoche vor den Freiheitskriegen zunächst aber nicht eindeutig politisch fixiert, sie wurde – von Hölderlin – als „geistig und reif", als das nur Politische überschreitend definiert: Eine Entpolitisierung im Vergleich mit der Phase nach 1789. Zugleich damit blieb trotz der Konzentration auf Deutschland die kosmopolitische Offenheit erhalten: Da die patriotischen Ideale anfangs noch nicht unmittelbar mit der machtpolitischen Realität konfrontiert wurden, kam es zu keiner nationalen Aggressivität anderen Völkern gegenüber.

Dies begann sich in dem Maße zu ändern, in dem sich der Kampf gegen die französische Vormacht konkretisierte. Nach den Niederlagen Preußens und Österreichs in den Jahren 1805–1807 stand Deutschland völlig unter dem Einfluß

---

8 So wurde die monarchische Organisationsstruktur von vielen nicht angetastet, es sollten nur die feudalen Adelsprivilegien fallen. Hennings schrieb, „daß die Volkserhebung eben so sehr die Monarchie begünstigt, als die Macht des Adels sie schwächt" (a.a.O., S. 57f.), und fügte hinzu: „Je näher Volk und Regent einander sind, je mehr sie sich einer Identität nähern [. . .] desto glücklicher sind beide" (S. 96f.).

9 Vgl. H. Zschokke: Eine Selbstschau, Th. 1–2, Aarau 1842, hier Th. 1, S. 54: „Es gibt kein untrüglicheres Mittel, Regierungen um Glauben und Vertrauen eines Volkes [. . .] zu betrügen, als Preßzwang."

Napoleons. Doch je rigider die Franzosen ihre Herrschaft ausübten und die Deutschen für ihre Zwecke einspannten, desto deutlicher regte sich der Widerstand. In Preußen war die Stein-Hardenbergsche Reformbewegung eine wichtige Vorbedingung, daß fortschrittlich nationale Tendenzen an Gewicht gewannen. Auch das geistige Leben war zunehmend von Gedanken des Widerstands gegen die Fremdherrschaft bestimmt. Die politisch-militärischen Erfolge Napoleons konnten diese erstarkenden nationalen Kräfte nicht schwächen, im Gegenteil, die Oppositionsbewegung wuchs kontinuierlich. Als Napoleon dann 1812 in Rußland scheiterte, war der Zeitpunkt gekommen, den nationalen Widerstand Tat werden zu lassen. Nach dem Sieg in der Völkerschlacht bei Leipzig wurde schließlich die Befreiung Deutschlands erreicht.

Das Nationalgefühl der Deutschen weist in dieser Epoche verschiedene Akzentuierungen auf. Insgesamt trat der Einheitsgedanke im Gegensatz zur Epoche nach 1789, als primär die Prinzipien einer demokratischen Gesellschaft, weniger der Einheitsstaat reflektiert wurden, in den Vordergrund. Sind die Konzentration auf das Vaterland und der Wille zum Kampf gegen die Franzosen, damit der Verlust an kosmopolitischer Dimension nun unter den Patrioten auch allgemein, so lassen sich von der politischen Richtung her eine konservative und eine bürgerlich-freiheitliche Tendenz konstatieren. Die von der Romantik beeinflußten Dichter und Publizisten unterstützten den Kampf gegen das universalistische, die Völker nivellierende napoleonische System, sie wandten sich aber gleichzeitig politisch reaktionären Ideen zu. Die Freiheitsforderung wird hier zur Leerformel. Daneben steht ein Nationalgefühl, das auch weiterhin den Nexus zwischen dem Streben nach der Einheit Deutschlands und der freiheitlichen inneren Ausgestaltung des Vaterlands bewahrt.

Ein Exponent dieses politisch-freiheitlichen Nationalgefühls ist Ernst Moritz Arndt. Gegner der Aufklärung und der Französischen Revolution, Vertreter einer ganz auf die Mission Deutschland eingestellten Sicht, wurde er in der Epoche der Freiheitskriege zum radikalen Verfechter nationaler Zielsetzungen. Damit aber verbinden sich bei Arndt Forderungen nach einer freiheitlichen Ordnung des Vaterlands, wobei die Freiheit als Freiheit *aller* Menschen, nicht nur privilegierter Klassen definiert wird. Die Grundlage der Wirksamkeit Arndts in der Phase der Freiheitskriege und später seiner strikten Opposition in der Restaurationsepoche, in der sich der bürgerliche Patriotismus nicht durchsetzen konnte, war eben dieser patriotische Freiheitsbegriff. Nicht vage und unbestimmt, sondern auf bestimmte, genau päzisierte Rechte des Volkes ausgerichtet, wurde er für Arndt zum Maßstab seines politischen Engagements. Ernst Moritz Arndt kann damit als der bedeutendste Exponent derer gelten, die in der Epoche der Freiheitskriege – und darüber hinaus – mit dem Nationalgefühl auf die Interessen breiter Schichten gerichtete Freiheitsforderungen verbanden.

Auf dem Wiener Kongreß wurde weder die innere Einheit Deutschlands hergestellt, noch wurden die gesamtnationalen Interessen dem Ausland gegenüber energisch vertreten. Es setzten sich die partikularen fürstlichen Interessen durch, das Volk versank nach dem nationalen Aufbruch erneut in der Passivität des alten kleinstaatlichen Lebens und Denkens. In dieser Situation schlossen die Dichter und Publizisten der Spätromantik mit dem wieder herrschenden reaktionären System ihren Frieden. Die Romantik löste sich nun völlig vom bürgerlich-emanzipatorischen Denken, wie es aus Aufklärung und Revolution resultierte, zum freiheitlich akzentuierten Nationalgefühl trug sie nichts bei.

Andere Kräfte setzten jedoch auch unter dem System des Deutschen Bundes die vom bürgerlichen Patriotismus getragene Opposition fort. Neben Patrioten der Freiheitskriege wie Ernst Moritz Arndt wurden nun viele Professoren und besonders die Burschenschafter zu Wortführern des national eingestellten Bürgertums. Der nationale Gedanke verband sich hier mit der liberalen Forderung nach Freiheit für das Individuum, eine Forderung, die auf dem Wege der Reform durchgesetzt werden sollte; wenige radikale Kreise strebten bereits nach einem egalitär-demokratischen Umsturz der bestehenden Ordnung. Gelang es während der 20er Jahre dem Metternichschen System durch umfassende Repressionsmaßnahmen, die nationale und liberale Bewegung zurückzudrängen, so gab die Juli-Revolution von 1830 in Frankreich den deutschen Patrioten erheblichen Auftrieb.

Energischer als in den Jahren zuvor stellte nun auch in Deutschland die wirtschaftlich erstarkte, politisch aber nach wie vor unmündige Bourgeoisie ihre Forderungen, die wiederum auf größere Einheit im Verein mit vermehrten Volksrechten hinausliefen. Noch einmal allerdings gelang es den Organen des Deutschen Bundes, die nationale Bewegung zurückzudrängen. Standen auf der einen Seite Konzessionen an die bürgerlichen Wünsche nach einem nationalen Wirtschaftsraum, versuchte der Deutsche Bund auf der anderen Seite die politische Repression zu verstärken und ging radikaler gegen aufbegehrende Angehörige der bürgerlichen Intelligenz vor.

Dennoch artikulierte sich der oppositionelle Geist auch weiterhin. Das Junge Deutschland vertrat im Bereich der Literatur die freiheitlich-patriotischen Ideale, die sich gegen die tradierten Institutionen von Staat und Kirche wandten.

Der nationale Gedanke gewann Anfang der 40er Jahre dann erheblich an Gewicht. Im Zusammenhang mit der deutsch-französischen Krise von 1840 wurden die Gegensätze aus der Zeit der Freiheitskriege erneut wach, es kam auf deutscher — wie auch auf französischer — Seite zu Ausbrüchen nationaler Aggressivität. Vor allem in der vaterländischen Lyrik dieser Jahre wird deutlich, daß nationale Machtpositionen Frankreich gegenüber bezogen und offensiv vertreten wurden. Dennoch stellten derartige Töne, so verbreitet und wirkungsmächtig sie auch waren, nicht die einzige Spielart des nationalen Denkens am Vorabend der Revolution von 1848 dar.

In dem Maße, in dem sich die nationale Bewegung in den 40er Jahren verstärkte, kam es gleichzeitig zu wichtigen und zukunftsweisenden Differenzierungen. Auf der rechten Seite des politischen Spektrums füllte sich der Einheitsgedanke zunehmend mit Intoleranz allem 'Undeutschen' gegenüber (W. Menzel). Diese Haltung traf auf die entschiedene Kritik der progressiven Intelligenz, so auf diejenige Börnes und Heines, der dafür wiederum „als ehrloser und vaterlandsloser Geselle"[10] diffamiert

---

10 Grab, Heine, a.a.O., S. 69.

wurde. Die liberale und demokratische Intelligenz bewahrte die Verbindung von Vaterlands- und Freiheitsgedanken und hielt sich von chauvinistischer Enge frei. Eine gänzliche Absage erteilten dem Nationalgefühl die Publizisten, die sich angesichts der wachsenden sozialen Spannungen rückhaltslos zur Sache des ausgebeuteten Volkes bekannten. Mit dem Willen, das herrschende Unrecht revolutionär zu brechen, verband sich ein Internationalismus, für den nationale Grenzen im Vergleich mit Klassenkonflikten unwesentlich wurden (W. Weitling).

Die Gegensätze zwischen den Liberalen und den radikalen Demokraten verschärften sich, als die Revolution von 1848 ausbrach.[11] Dem liberalen Streben nach Bürgerfreiheit und Einheit, realisiert durch parlamentarische Reform, stand die radikaldemokratische Forderung nach sozialem Wandel, nach wirklicher Machtverschiebung zugunsten des Volkes und nach der Republik, die in direkter revolutionärer Aktion errungen werden sollte, gegenüber. Für die Anhänger beider Gruppierungen aber war die Forderung nach nationaler Einheit und Freiheit ein gemeinsames Ziel, wenn es auch mit unterschiedlichen Methoden und Akzentsetzungen angestrebt wurde. Über die trennenden Grenzen hinweg, jenseits der Frage nach einer republikanischen oder konstitutionell-monarchischen Ordnung, nach einer primär politischen oder einer auch sozialen Revolution war die nationale Einheit, verbunden mit einer im Interesse der Unterprivilegierten umgestalteten Ordnung eine für den liberalen und den demokratischen Flügel gemeinsame Zielvorstellung. Wenige ultralinke Kreise nur distanzierten sich gänzlich vom nationalen Gedanken.[12]

Einheit und Freiheit im Sinne bürgerlicher Emanzipation waren also weiterhin die prägenden Leitmotive der 48er Revolution. Auch der kosmopolitische Geist, der sich den Belangen und Vorzügen anderer Völker nicht verschloß, vereinbarte sich immer noch mit dem nationalen Gedanken, wie die oben zitierte Schrift Gutzkows belegte, wie aus den Debatten der Frankfurter Nationalversammlung hervorgeht. Für die Demokraten sprach Herwegh, wenn er an die junge französische Republik folgende Worte richtete: „Du hast endlich den Funken der Freiheit zur Flamme angefacht, die Licht und Wärme bis in die letzte Hütte verbreiten soll. Die Stimme des Volkes hat zu den Völkern gesprochen und die Völker sehen der Zukunft freudig entgegen. Vereint auf einem Schlachtfeld treffen sie zusammen, zu kämpfen den letzten, unerbittlichen Kampf für die unveräußerlichen Rechte jedes Menschen."[13]

Der Versuch, die freiheitlich-nationalen Ideale mit der Gründung eines Deutschen Reiches zu realisieren, scheiterte an der Haltung des preußischen Königs, der

---

11 Diese Gegensätze sind besonders deutlich in Baden erkennbar; vgl. F. X. Vollmer: Vormärz und Revolution 1848/49 in Baden, Frankfurt a.M., Berlin, München (1979).

12 So hieß es in der 'Mannheimer Abendzeitung' vom 18. Juni 1848: „Wir stellen also die Nationalität *unter* die Freiheit, wir fordern, daß die Nationalität aufgegeben werde, wo sie in Konflikt gerät mit der Freiheit [. . .] der echte Kosmopolit [. . .] erkennt die Bedeutung der Nationalität an, aber nur als eine notwendige Entwicklungsstufe der Menschheit [. . .]"; zit. nach Vollmer, a.a.O., S. 65.

13 Zit. nach Büttner, a.a.O., S. 65.

keine von einem Volksparlament angebotene Krone tragen wollte. Trotz der Kompromißbereitschaft des Dritten Standes war die mächtige feudale Reaktion ihrerseits nicht zum Kompromiß bereit. Der Dritte Stand allein jedoch vermochte, da auch die aktiv-überwältigende Solidarisierung des Volkes mit seinen Zielen längerfristig fehlte, das System nicht zu vernichten. So konnte das Reich 1848/49 im Geiste der bürgerlichen Emanzipation, im Geiste von Einheit und Freiheit, nicht wieder errichtet werden. Die Ziele der Revolution wurden nicht erreicht, ihr Vermächtnis allerdings sollte die deutsche Geschichte entscheidend prägen, es blieb eine historische Aufgabe:

> Das Werk der Paulskirche ist, gemessen an ihren eigenen Zielen, politisch zunächst gescheitert. Es ist aber nicht erfolglos geblieben. Zwar erwies sich die Frage der Einigung Deutschlands und besonders der Schaffung einer parlamentarisch legitimierten Zentralgewalt historisch als noch nicht lösbar. Aber der Inhalt der von der Paulskirche verkündeten Reichsverfassung wurde zur Substanz eines neuen freiheitlichen Staatsdenkens und prägte die spätere Entwicklung des Parlamentarismus in Deutschland bis in unsere Tage.[14]

Nach dem Scheitern der Revolution im Jahre 1849 begannen sich die Voraussetzungen des nationalen Denkens grundlegend zu wandeln.[15] Nun bekannte sich die deutsche Bourgeoisie angesichts ihrer Niederlage zu einem Bündnis mit den traditionell herrschenden Gewalten. Der Dritte Stand verzichtete weitgehend auf ein eigenes politisches Programm und ordnete sich der Politik der deutschen Souveräne unter, die nachrevolutionäre Epoche war geprägt von „auf der einen Seite stummer Resignation bei den Völkern und Unterwürfigkeit in den Kammern, auf der andern Seite grenzenloser Willkür bei den Regierenden"[16]. Die Bourgeoisie konzentrierte sich immer mehr auf ihre wirtschaftlichen Interessen, auf „jenes Etwas, das so wichtig und merkwürdig geworden ist: das Geld"[17]; ihre politischen Wünsche dagegen gingen in der monarchischen Kabinettspolitik auf und suchten hier zunehmend ihre Erfüllung.

Andererseits vertiefte sich die Kluft zwischen dem Dritten Stand und den Unterschichten immer mehr. Eine partielle Aktionsgemeinschaft, schon während der Revolution selbst in Auflösung begriffen, wurde vollends unmöglich. An ihre Stelle trat unerbittliche Gegnerschaft. Bereits in den Jahren 1848/49 hatte das Bürgertum im wesentlichen nicht erkannt, daß der auch in Deutschland heranwachsende 4. Stand berechtigte Forderungen anzumelden hatte. In dem Maße, in dem die Volksmassen hervorzutreten begannen, in dem sie soziale Ziele proklamierten,

---

14 K. Carstens: . . . die Freiheit voll und unverkürzt, in: Die Zeit vom 23. März 1979.
15 Zur allgemeinen geistigen Situation vgl. G. Lukács: Die Lage der deutschen Literatur nach 1848, in: H. N. Fügen (Hrsg.): Wege der Literatursoziologie, (2. Aufl.), (Neuwied, Berlin 1971), (= Soziolog. Texte, 46), S. 120–127. Kohn, Wege und Irrwege, a.a.O., S. 153ff.
16 A. Goegg: Nachträgliche authentische Aufschlüsse über die Badische Revolution von 1849, Zürich 1876, S. 176.
17 H. Laube: Reise durch das Biedermeier, (1833–1837), (Hamburg 1965), S. 39.

war dann die Bourgeoisie zum Bündnis mit den traditionellen Mächten bereit.[18] Der Grund für diesen Rückzug des Bürgertums vor den großen sozialen Problemen auf einen Kompromiß mit der Reaktion liegt in seiner tiefen Verunsicherung durch sich rapide wandelnde gesellschaftliche Strukturen. Die deutsche Bourgeoisie sah sich mit einem verwirrenden Gesellschaftssystem konfrontiert; dieses System zeigte „nebeneinander Überreste des Feudalismus, ein absinkendes Kleinbürgertum, das in politischer Hinsicht demokratisch, aber sozial konservativ war, sowie den Aufstieg nicht einer, sondern zweier moderner Klassen, des Besitzbürgertums und des Proletariats, die gleichzeitig miteinander verbündet waren und im Gegensatz zueinander standen"[19]. In dieser Situation schien der Mehrheit der Bourgeoisie ein politisches Bündnis mit den etablierten Gewalten sicherer als ein Nachgeben den bedrohlichen, den eigenen Besitzstand tangierenden Forderungen der Unterschichten gegenüber. Politisch-gesellschaftlich führte diese Haltung dazu, daß wesentliche Institutionen der vorkapitalistischen Ära erhalten blieben und nur das verschwand, was unmittelbar ökonomisch mit der Entwicklung des Kapitalismus unvereinbar war.

Der Rückzug des Bürgertums auf ein Bündnis mit den traditionellen Mächten aus gleichermaßen politischer Resignation und sozialer Angst vor den sich bedrohlich regenden Unterschichten bedeutete für die Entwicklung des Patriotismus, daß das bürgerlich-emanzipatorische nationale Denken mehr und mehr zurücktrat. Der Dritte Stand strebte nach wie vor — schon aus der wirtschaftlichen Notwendigkeit eines größeren Zusammenschlusses — nach der nationalen Einheit. Der Wille, diese Einheit mit dem Umsturz oder zumindest der Reform fürstlicher Machtvollkommenheit zu verknüpfen, trat dagegen weitgehend zurück. Dem Ziel der Einheit wurde das Streben nach mehr Freiheit geopfert, die geistigen Führer des sich immer stärker zum Nationalliberalismus entwickelnden Bürgertums gaben der Einheit den absoluten Vorrang vor der Freiheit. So ersetzte ein politisch konservativer Nationalismus das an spezifisch bürgerlichen Interessen ausgerichtete Nationalgefühl. Mit dieser Verleugnung des politischen Erbes von 1848 beendete das spätere 19. Jahrhundert die in dieser Darstellung aufgezeigte Tradition eines freiheitlich orientierten patriotischen Denkens.[20]

---

18 „Diese Revolution ist deshalb auf halbem Wege stehen geblieben, weil das Bürgertum, von dem sie zunächst getragen wurde, sich gegen die Revolution und für die Reform entschieden hatte und auf die Bahn der Loyalität gegenüber den herrschenden Mächten eingeschwenkt war; das Bürgertum hat die ganze Tragweite des gesellschaftlichen Prozesses nicht erkannt und die soziale Frage nicht begriffen, obwohl es hatte erleben müssen, daß die Revolution ohne das Proletariat schon in der ersten Stunde verloren gewesen wäre", W. Pollak: 1848 — Revolution auf halbem Wege, (Wien 1974), S. 7, vgl. auch S. 197ff.

19 Rothfels, a.a.O., S. 30.

20 „Die Männer von 1848 erschienen jetzt weiten Kreisen als Träumer und Phantasten, die durch die geschichtliche Entwicklung überholt seien [. . .] Damit riß eine Entwicklung ab, die trotz allem Irren und aller Übersteigerung in der Paulskirche gesund war, die enge Verbindung des nationalen Gedankens mit Liberalismus und Demokratie", Mommsen, Größe und Versagen, a.a.O., S. 127.

Konkret wurde die Reichseinheit deshalb nun nicht mehr durch Volksbewegungen — seien sie revolutionärer oder reformerischer Art — angestrebt, sondern auf dem Wege traditioneller Kabinettspolitik. Schon der erste Versuch nach der Revolution, die deutsche Einheit zu erreichen, stand unter diesem Vorzeichen. Es war nicht mehr der Dritte Stand, der den Versuch unternahm, das dringendste deutsche Problem zu lösen, sondern preußische Kabinettspolitik.

Bereits vor 1848 war Preußen im Begriff gewesen, zur Vormacht in Deutschland heranzuwachsen, zumindest wurde es zum Kristallisationspunkt vieler, die nach der Einheit strebten. Österreich, unter Metternich die Hauptmacht der Reaktion in Mitteleuropa, zudem durch die Verbindung von mehr als zehn verschiedenen Völkern kein rein deutscher Staat, auch wirtschaftlich und industriell im Vergleich mit den westlichen Großmächten weit zurückgeblieben, konnte in der Sicht vieler Patrioten die Rolle einer führenden Macht im deutschen Einigungsprozeß nicht spielen. Dazu kam, daß sich in Österreich eine großösterreichische Idee, ein spezifisch österreichischer Nationalbegriff zu entwickeln begann.[21] Publizisten aller deutschen Länder vertraten deshalb den Gedanken, mit und durch Preußen müsse die nationale Einheit hergestellt werden.[22] Warum man sich zunehmend auf Preußen konzentrierte, faßte ein Zeitgenosse der Revolution von 1848 mit den folgenden Worten zusammen: „Preußen baute sich als eine selbständige Macht in einer Zeit auf, als das seit dem westphälischen Frieden zu einem erbarmenswerthen Siechthum verurteilte deutsche Reich seinem endlichen Verscheiden mit immer größerer Raschheit entgegenging, seine Schöpfung geschah gewissermaßen in der Voraussicht, ein neuer Träger für den nationalen Beruf des Kaisers und des Reiches müsse erstehen, und letzteres, weil kraftlos, darum auch zwecklos geworden, ablösen"[23].

Im Revolutionsjahr selbst hatte sich Preußen dann zeitweilig zum Vorreiter nationaler Interessen gemacht. Der preußische König wollte in der für ihn prekären Lage zu Beginn der Revolution die Massen durch populäre nationale Töne auf seine Seite bringen; am 21. März wurde ein Aufruf an das deutsche Volk veröffentlicht, in dem es heißt: „Preußens Friedrich Wilhelm IV. hat Sich, im Vertrauen auf Euren heldenmüthigen Beistand und Eure geistige Wiedergeburt, zur Rettung Deutschlands an die Spitze des Gesamtvaterlandes gestellt"[24]. Daß diese Sätze das Volk gewannen, zeigte sich, als der König, mit einer schwarz-rot-goldenen Schleife

---

21 Zu den Anfängen vgl. Pollak, a.a.O., S. 184ff.

22 Dies meinte Anfang der 40er Jahre der schwäbische Liberale Paul Pfitzer in der Schrift 'Gedanken über Recht, Staat und Kirche', dies meinten zur selben Zeit der sächsische Historiker Karl Biedermann in 'Das deutsche Nationalleben in seinem gegenwärtigen Zustande und in seiner fortschreitenden Entwicklung' und der Präsident der braunschweigischen Kammer Karl Steinacker in seiner Arbeit 'Über das Verhältnis Preußens zu Deutschland'.

23 A. H. Springer: Österreich, Preußen und Deutschland, Leipzig 1856, S. 29.

24 Zitiert nach H. Blum: Die deutsche Revolution 1848 –1849, Florenz, Leipzig 1897, Faksimile nach S. 196.

geschmückt, durch Berlin ritt und von den Bürgern umjubelt wurde. Am Abend dieses Tages erschien eine Proklamation mit den Worten:

> Deutschland ist von innerer Gärung ergriffen und kann durch äußere Gefahr von mehr als einer Seite bedroht werden. Rettung aus dieser doppelten, dringenden Gefahr kann nur aus der innigsten Vereinigung der Fürsten und Völker unter einer Leitung hervorgehen. Ich übernehme heute diese Leitung für die Tage der Gefahr. Mein Volk, das die Gefahr nicht scheut, wird mich nicht verlassen, Deutschland wird sich mir in Vertrauen anschließen. Ich habe heute die alten deutschen Farben angenommen und mich und mein Volk unter das ehrwürdige Banner des Deutschen Reiches gestellt. Preußen geht fortan in Deutschland auf.[25]

Dies führte dazu, daß Preußen zunehmend als die eigentliche deutsche Vormacht betrachtet wurde, der Vielvölkerstaat Österreich aber in der nationalen Frage in den Hintergrund trat[26]: Es setzte sich in der Nationalversammlung die kleindeutsche Fraktion durch, die das Ausscheiden Österreichs aus dem Deutschen Bund sowie eine preußische Vormachtstellung verlangte.

Obgleich die Reichseinigung, wie erwähnt, nicht zuletzt durch die Haltung des preußischen Königs scheiterte, konnte Preußen nach den Ende der Nationalversammlung auf dieser Basis versuchen, die Einheit Deutschlands unter seiner Vorherrschaft zu erreichen, zumindest seinen Einfluß auf die kleineren Staaten auszudehnen. Friedrich Wilhelm wollte die deutsche Einheit aber nicht durch eine Volksbewegung, sondern durch eine 'Union der Fürsten' — ohne Österreich — zustandebringen. Bald schon jedoch mußte er vor Österreich, das von Rußland gestützt wurde, kapitulieren.[27] Selbst die Großmacht Preußen konnte zu diesem Zeitpunkt die nationale Frage nicht lösen: Am 29. November 1850 entsagte Friedrich Wilhelm in Olmütz den Unionsplänen und erkannte den Bundestag an. Es blieb so vorerst nur die Rückkehr zum Deutschen Bund, der rekonstituiert wurde und 1851 in Frankfurt in der alten Form und Zusammensetzung wieder zusammentrat.

Die preußischen Unionspläne zeigen jedoch, wenn sie zunächst auch scheiterten, die Richtung an, in der sich die Lösung der nationalen Frage nun anbahnte. Nicht das deutsche Volk, vertreten durch das Bürgertum, würde die Einheit erreichen, traditionelle Kabinettspolitik hatte jetzt die Initiative. Deutsche Einheit, realisiert durch fürstliche Politik, Einheit von oben, nicht auf revolutionärem Wege vom Volk erzwungen, dies sollte der Gang der deutschen Politik von jetzt an sein.

Die damit verbundene Distanzierung des deutschen Bürgertums von seinen freiheitlich-patriotischen Idealen zeigt sich exemplarisch in der Abwendung von der

---

25 Zitiert nach Blum, a.a.O., S. 199.

26 Zur Revolution von 1848/49 in bezug auf die österreichische Frage vgl. Pollak, a.a.O., passim, bes. S. 247ff.

27 Vgl. G. A. Rein: Der Deutsche und die Politik. Betrachtungen zur deutschen Geschichte von der Reichsgründung bis zum Reichsuntergang 1848–1945, Göttingen, Frankfurt, Zürich (1974), S. 55ff. — Mit dieser Niederlage Preußens war das Ringen der beiden Großmächte um die Hegemonie in Deutschland nicht beendet, es setzte sich bis zum preußischen Sieg im Krieg von 1866 unvermindert fort; vgl. die materialreiche Darstellung von H. Friedjung: Der Kampf um die Vorherrschaft in Deutschland 1859 bis 1866, Bd. 1–2, Stuttgart 1897–1898. H. Böhme: Deutschlands Weg zur Großmacht, (3. Aufl.), Köln 1974).

48er Revolution.[28] Konservative diffamierten in der Reaktionszeit nach 1849 die Revolution als von ausländischen Provokateuren angezettelt, als Werk von Fremden und unzufriedenen Intellektuellen, wandten sich gegen die Volkssouveränität und usurpierten zunehmend den nationalen Gedanken für sich.[29] Aber auch die Liberalen selbst bekannten sich immer eindeutiger zu einer 'Realpolitik' (L. A. v. Rochan: Grundsätze der Realpolitik, 1853), die die konkreten Machtverhältnisse stärker respektieren sollte, d.h. die Einheit Deutschlands sollte nicht mehr durch eine Bewegung des Volkes, sondern durch eine 'Revolution von oben' verwirklicht werden. Die nationale Einigung wurde wichtiger als die freiheitliche innere Gestaltung des neuen Deutschland, zugleich verlor sich die kosmopolitische Komponente endgültig, die noch die Liberalen von 1848 geprägt hatte.[30] In den 60er Jahren, vollends seit dem preußischen Sieg von 1866 verstärkte sich diese machtpolitische Orientierung des liberalen Bürgertums, die revolutionäre Tradition wurde, von Ausnahmen abgesehen, verleugnet.[31] Das Bürgertum arrangierte sich mit Bismarck (H. Baumgarten: Der deutsche Liberalismus. Eine Selbstkritik, 1866), akzeptierte die Einigungspolitik von oben und verzichtete gleichzeitig auf die patriotischen Forderungen, die mit der Einheit die Emanzipation der von der politischen Macht Ausgeschlossenen anstrebten. Im selben Maße ging die Linke in Distanz zum werdenden Nationalstaat Bismarcks, Tendenzen und Differenzierungen, die sich nach der Reichseinigung von 1871 vertiefen und zementieren sollten.[32] Der nationale Gedanke in seiner seit der Aufklärung tradierten Bindung an freiheitlich bürgerliche Zielsetzungen verschwand weitgehend aus der politischen Diskussion.[33]

Vor 1870/71 konnte sich die Sehnsucht nach der deutschen Einheit auf keine politische und gesellschaftliche Realität beziehen. Während die Mehrheit der großen Völker bereits seit Jahrhunderten ein einheitliches Staatsgebilde darstellte, blieb Deutschland in Einzelstaaten zersplittert. War die Einheit so keine Realität, konnte man aber „deren geistigen Wert hypostasieren", das Ringen um den Nationalstaat hatte einen „idealistischen Dezisionismus" zur Basis, der das in der Wirklichkeit Entbehrte zum geistigen Ideal erhob. Nationales Denken war in Deutschland immer auch eine oppositionelle „Komplementärideologie", um „durch Denken für das

---

28 Vgl. Baumgarts Darstellung 'Die verdrängte Revolution', a.a.O., Aus konservativer Sicht hierzu das Kapitel 'Reaktion, Resignation, Realpolitik' bei Rein, Der Deutsche und die Politik . . . von der Reichsgründung bis zum Reichsuntergang, a.a.O., S. 66ff.
29 Vgl. Baumgart, a.a.O., S. 21ff.
30 Vgl. Baumgart, a.a.O., S. 42ff.
31 Vgl. Baumgart, a.a.O., S. 64ff., 86ff.
32 Vgl. Baumgart, a.a.O., S. 93ff.
33 Die Tradition der 48er Revolution wurde von nun an von einzelnen Linksliberalen und den Sozialdemokraten, nicht mehr vom Bürgertum in seiner Mehrheit getragen; vgl. Baumgart, a.a.O., S. 146ff., 158ff. – Eine Interpretation der Reichsgründung als „Aufbau eines *freiheitlichen* deutschen Nationalstaates" jüngst noch bei Rein, Der Deutsche und die Politik . . . von der Reichsgründung bis zum Reichsuntergang, a.a.O., S. 75ff., Zitat S. 76.

zu entschädigen, was die Wirklichkeit selbst versagt"[34]. Solange der Patriotismus derart Ausdruck einer oppositionellen Haltung war, war er in weiten Teilen von Offenheit und Toleranz geprägt. Noch nicht an die Interessen einer herrschenden Klasse gebunden, noch nicht auf ein bestehendes System fixiert, konnte er sich mit Ideen und Bestrebungen mannigfacher Art verknüpfen. Der Patriotismus bis 1848 besitzt so auch eine kosmopolitische Dimension, das nationale Element verdrängt nicht die Rücksichtnahme auf die Interessen anderer Völker. Zudem war im Zeichen patriotischen Denkens, im Streben nach dem Gemeinwohl eine Allianz aller Unterprivilegierten möglich. Der bürgerliche Patriotismus schloß prinzipiell die unterbürgerlichen Schichten noch nicht völlig aus. Zur internationalen, kosmopolitischen Solidarität aller für eine freiheitliche Ordnung kämpfenden Patrioten trat die nationale Solidarität, die — von der Idee her — die Interessen des ganzen Volkes vertrat. Freiheit und Einheit waren lange das gemeinsame ideologische Band aller in der monarchischen Ordnung Benachteiligten.

Nach der Reichsgründung von 1870/71 wurde das Nationalgefühl jedoch zur Ideologie derer, die vom nun herrschenden System politisch und wirtschaftlich profitierten. Die konservativen Kräfte, ursprünglich durchaus nicht national eingestellt, bekannten sich jetzt zum nationalen Gedanken. Der preußische Adel, der 1848 noch gegen jedes Aufgehen Preußens in Deutschland eingetreten war[35], der während der Revolution den Einheitsgedanken mit folgenden Worten kommentierte: „Schwarz, Roth und Gold glüht nun im Sonnenlichte,/Der schwarze Adler sinkt herab entweiht;/Hier endet, Zollern, Deines Ruhms Geschichte"[36], dieser preußische Adel beanspruchte nun mit seiner Politik die nationalen Wünsche der Deutschen zu erfüllen. Dadurch wurden Konservatismus und Nationalismus für die deutsche öffentliche Meinung zu verwandten Begriffen. In Vergessenheit geriet, daß der Einheitsgedanke „weder auf Fürstenthronen noch in preußischen Junkerschlössern das Licht der Welt erblickte"[37]. Friedrich Naumann konnte historisch mit Recht, für die wilhelminische Ära aber vergeblich betonen: „Wir auf der linken Seite dürfen uns niemals das nehmen lassen, daß die Idee der Nationalität auf unserer Seite geboren ist und zu ihrer Höhe immer nur dann steigen wird, wenn sie von neuem gesättigt wird mit dem Gedanken des freien, sich selbst verwaltenden Staatsbürgers. Die Idee der Nationalität wird ein Schematismus, ein Bevormundungsapparat, wenn sie nicht mit Liberalismus gesättigt ist"[38]

---

34 K. Lenk: Volk und Staat. Strukturwandel politischer Ideologien im 19. und 20. Jahrhundert, Stuttgart, Berlin, Köln, Mainz (1971), S. 78f. Lenk beruft sich (S 74ff.) auf das Beispiel Fichtes, stellt allerdings — im Gegensatz zur vorliegenden Interpretation — die realitätsfernen und auf den späteren Nationalismus weisenden Elemente heraus.

35 Vgl. O. v. Bismarck: Gedanken und Erinnerungen, Bd. 1—2, Stuttgart, Berlin 1905, hier Bd. 1, S. 38ff.

36 Zitiert nach Bismarck, a.a.O., Bd. 1, S. 58.

37 H. Radaut: Die deutsche Volkserhebung 1848/49, Leipzig 1898, S. 217, zitiert nach Baumgart, a.a.O., S. 150.

38 F. Naumann, zitiert nach Baumgart, a.a.O., S. 150f.

Das Bürgertum, wirtschaftlich in seinen meinungsprägenden Kreisen saturiert, politisch angepaßt, bekannte sich weiterhin zum nationalen Gedanken. Dieser nationale Gedanke trug aber gänzlich veränderte Vorzeichen, er wurde zum Nationalismus. Elemente, die bereits während der Freiheitskriege sich vorbereiteten, traten nun bestimmend hervor. Es verschwand die kosmopolitische Komponente, an ihre Stelle setzte sich eine betonte Aggressivität anderen Völkern gegenüber. Mit der internationalen Solidarität schwand auch die nationale Solidarität der von der politischen Herrschaft Ausgeschlossenen im Zeichen von Einheit und Freiheit. Emanzipative Ideen und Bestrebungen verbanden sich nicht mehr mit dem nationalen Ideal.

Daß der Nationalismus nach 1871 keinerlei emanzipative Züge mehr trägt, zeigt sich vor allem darin, daß vom nationalen Denken nun weite Schichten des Volkes ausgeschlossen wurden, bzw. sich selbst von Nationalismus distanzierten. Dieser wurde zur Ideologie derer, die in der Ära Bismarcks, dann Wilhelms II. Macht ausübten, die wirtschaftliche, soziale und politische Privilegien genossen. War ursprünglich „die gesamtdeutsche Nationalidee mit konstitutionellen, sozialen und ökonomischen Hoffnungen"[39] verbunden gewesen, war die Nationalidee also noch 1848/49 für die Linke wie für die Liberalen ein gemeinsames Ziel[40], so zeigte sich nach dem Scheitern der Revolution auf der Linken, vor allem bei Bebel und Liebknecht, starker Vorbehalt gegen die preußische Politik. Zwar gab es auf Seiten der Lassalleaner die Tendenz, mit Bismarcks politischer Linie einen Kompromiß zu schließen, eine gerechtere innere Ordnung im Gefolge einer von Preußen geleiteten Reichseinigung zu erhoffen, während des Kriegs von 1870/71 setzte sich aber die Skepsis Preußen gegenüber auf der Linken durch. Das Vorgehen gegen die Pariser Kommune wie der Expansiondrang wurden strikt abgelehnt[41]. Es wurde jetzt immer deutlicher, „daß die Wege der nationalen Demokratie und des nationalen Staates sich endgültig schieden"[42]: Die Linke sah in der nationalen Ideologie schließlich die Ideologie ihrer politischen und ökonomischen Gegner. Damit vollendete sich eine Entwicklung, die sich schon vor 1848, dann während der Revolution in ersten Ansätzen abgezeichnet hatte: Das Nationalgefühl wurde auf der politischen Linken abgelehnt, die internationale Solidarität der Unterprivilegierten erschien als das gewichtigere, den eigenen Interessen adäquatere Ziel. In Deutschland blieb der Opposition vorerst nur übrig, die zunehmende Bewunderung Bismarcks und seiner Politik resignierend zu konstatieren, wie es Liebknecht formulierte: „Die Unterdrücker von gestern sind die Retter von heute, Recht ist zum Unrecht, Unrecht zum Recht geworden. [. . .] aus dem Engel der Finsternis ist der Engel des Lichts geworden, vor dem das Volk im Staube liegt, um ihn anzubeten"[43].

---

39 Conze/Groh, a.a.O., S. 22.
40 Vgl. Conze/Groh, a.a.O., S. 32ff.
41 Vgl. Conze/Groh, a.a.O., S. 86ff.
42 Conze/Groh, a.a.O., S. 97, vgl. auch S. 114ff. Differenziert auch Wehler, a.a.O.
43 Zitiert nach Kohn, Wege und Irrwege, a.a.O., S. 165.

Mit der 'sozialen Spannweite' des Nationalgefühls, mit seiner 'inneren Toleranz' nahm auch die Toleranz nach außen anderen Völkern gegenüber ab. Schon 1859 schrieb Julius Fröbel über den werdenden Nationalismus: „Die deutsche Nation ist der Prinzipien und Doktrinen, der literarischen Größe und der theoretischen Existenz satt. Was sie verlangt, ist Macht – Macht – Macht! Und wer ihr Macht gibt, dem wird sie Ehre geben, mehr Ehre, als er sich ausdenken kann"[44]. Realpolitik, verstanden als Machtpolitik, d.h. äußere Größe wurde nun statt der früheren emanzipativen und kosmopolitischen Ziele zum Inhalt nationalen Denkens.

Nach der Reichsgründung von 1870/71 gewann der Nationalismus darum endgültig aggressive und chauvinistische Züge. Er wurde Teil einer systematisch im Volk verbreiteten Ideologie[45], der es um Machtpolitik, nicht um die bürgerlichen Freiheiten ging. Exemplarisch zeigt sich dies in der von der Obrigkeit gelenkten Organisation nationaler Feste wie dem Sedanstag, an dem des Sieges über Frankreich gedacht wurde. Es waren dies nicht mehr Feste, die aus der Opposition gegen die bestehenden Gewalten veranstaltet wurden und die Dynamik echter Volksbeteiligung zeigten wie das Wartburg- oder das Hambacherfest, sondern vom politischen Establishment gelenkte Aktionen, die nationale Einheit und militärische Größe demonstrieren sollten.[46] Für die Linken stellten daher die Feiern zum Sedanstag nur einen „Sedanfest-Schwindel" dar, zu dem ihr Kommentar lautete: „40 000 Tote auf deutscher Seite, mehr noch erschlagene Franzosen; die Verwundeten sind zahllos; und solche Schmach bejubelt die Bourgeoisie. Nieder mit den Mordspatrioten"[47].

Die Aggressivität des deutschen Nationalgefühls, die erstmals während der Freiheitskriege in der Überzeugung auftauchte, mit der nationalen auch eine religiös begründete Mission zu erfüllen, eine Mission, die Deutschland das Recht zum Kampf gegen andere Völker gäbe, diese Aggressivität wurde erneut aufgegriffen und verstärkt.[48] Dagegen gingen die konkret freiheitlichen Forderungen, wie sie noch ein

---

44 Zitiert nach H. v. Srbik: Deutsche Einheit. Idee und Wirklichkeit vom Heiligen Reich bis Königgrätz, Bd. 1–4, München (1935–42), hier Bd. 3, S. 85.

45 Vgl. zum schulischen Bereich W. Killy: Zur Geschichte des deutschen Lesebuchs, in: H. Helmers (Hrsg.): Die Diskussion um das deutsche Lesebuch, Darmstadt 1969, (= Wege der Forschung, 151), S. 355–377. H. Helmers: Geschichte des deutschen Lesebuchs in Grundzügen, Stuttgart 1970.

46 Vgl. Mosse, a.a.O., S. 110ff. – Von der nationalen Mentalität des Kaiserreichs läßt sich daher im Vergleich mit früheren Entwicklungsstufen sagen: „Von Beginn des 19. Jahrhunderts bis zur Einigung Deutschlands entstand sie größtenteils außerhalb des Gefüges der deutschen Staaten und richtete sich eigentlich gegen die Regierungen. Der Drang nach nationaler Einheit fand keine Gnade bei den meisten der regierenden Könige und Fürsten. Nach 1871 jedoch und bis zur Geburt der Weimarer Republik versuchte der neue deutsche Staat, die nationale Liturgik zu manipulieren und sie in einen offiziell sanktionierten Nationalismus umzubiegen", Mosse, a.a.O., S. 30f.

47 J. Most: Ein Sozialist in Deutschland, (München 1974), (= Reihe Hanser, 171), S. 86, 85.

48 Schließlich konnte 1914 der Kriegsausbruch in Predigten als „Herzensmobilmachung" des deutschen Volkes, als „Erweckung weitester Volkskreise", als „Stück biblischer Geschichte", als „Gotteserleben im Vaterland, wie es uns noch nie zuteil geworden", als „Geistes- und [. . .] Gotteserlebnis, wie wir es nie zuvor in unserem selbstsüchtigen und sinnlichen Leben uns träumen ließen", als „Tag unseres Gottes" gefeiert werden;

Ernst Moritz Arndt trotz allen nationalen Überschwangs erhoben hatte, verloren. Deutschland entfernte sich nun vollends von der aufgeklärten westeuropäisch-liberalen Tradition[49] und ging seinen eigenen 'nationalen' Weg. Was sich in der Romantik angebahnt hatte, der Rückgriff auf eine vermeintlich spezifisch 'deutsche' Tradition, auf nationale Werte, die im Gegensatz zu der von Aufklärung und bürgerlicher Emanzipation geprägten Entwicklungslinie standen, setzte sich durch.

Im neuen Deutschland Bismarcks und dann Wilhelms II. wuchs nur noch ein militanter Chauvinismus. Der persönliche Einfluß des Kaisers wirkte sich hier zunehmend unheilvoll aus; Wilhelm II., ein, wie ihn eine zeitgenössische anonyme Polemik darstellt, selbstherrlicher, auf allen Gebieten dilettierender und bestimmender, militaristisch-dünkelhafter Politiker, repräsentierte ebenso die deutsche Wirklichkeit, wie er sie mit seinen Wesenszügen prägte: „Heute ist alle selbstsichere Vornehmheit längst untergegangen in wilder Effekthascherei, in unkluger Selbstbewunderung, in einem widerlichen und aufdringlichen Protzentum, in lächerlicher Empfindlichkeit und krankhafter Angst, wir könnten irgendwo übergangen werden, irgendwo in der Welt einmal nicht dabei sein"[50]. Mit der solchermaßen gearteten deutschen Mentalität vereinigten sich die industrie-kapitalistischen, agrarischen und überseeischen Interessen sowie die strategischen Forderungen des Militärs zu einer imperialistischen Grundstimmung. Schließlich wagte das kaiserliche Deutschland von dieser Basis aus den 'Griff nach der Weltmacht'[51] und wurde mitschuldig am Ausbruch des Ersten Weltkriegs. Nicht von den patriotischen Ideen, die im Zentrum dieser Darstellung standen, wohl aber vom Nationalismus, der seit

zitiert nach W. Pressel: Die Kriegspredigt 1914–1918 in der evangelischen Kirche Deutschlands, Göttingen (1967), (= Arb. z. Pastoraltheol., 5), S. 12. – Von dieser religiös-politischen Basis aus wurde dann selbst in den wahnwitzigsten militärischen Unternehmungen den deutschen und österreichischen Truppen die Pflicht auferlegt, sich im Sinne eines pervertierten Nationalgefühls „als vollwertige Deutsche" zu beweisen; U. Nettelbeck: Der Dolomitenkrieg, (Frankfurt a.M. 1979), S. 84.

49 „Das endgültige Scheitern der zweiten, der großen Nationalbewegung von 1848, hat darüber entschieden, daß der Gegensatz zwischen deutschem und westeuropäischem Staatsdenken nicht erst recht verfestigt wurde – nachwirkend bis in unsere Zeit"; G. Ritter: Das deutsche Problem. Grundfragen deutschen Staatslebens gestern und heute, (neubearb. Aufl.), München 1962, S. 67f.

50 Unser Kaiser und sein Volk! Deutsche Sorgen. Von einem Schwarzseher, 3. Aufl., Freiburg, Leipzig 1906, S. 68.

51 Vgl. F. Fischer: Griff nach der Weltmacht. Die Kriegszielpolitik des kaiserlichen Deutschland 1914/18, (Nachdr. d. Ausg. 1967), (Kronberg/Ts.) 1977. Ders.: Krieg der Illusionen. Die deutsche Politik von 1911 bis 1914, Düsseldorf (1969), bes. S. 62ff. Vgl. zur Wirkung der Thesen F.s Iggers, a.a.O., S. 359ff.

der Niederlage des deutschen Bürgertums 1848/49 herrschend wurde, gilt Brechts Parabel von der Gefährlichkeit der 'Vaterlandsliebe':

> Herr K. hielt es nicht für nötig, in einem bestimmten Lande zu leben. Er sagte: 'Ich kann überall hungern'. Eines Tages aber ging er durch eine Stadt, die vom Feind des Landes besetzt war, in dem er lebte. Da kam ihm entgegen ein Offizier dieses Feindes und zwang ihn, vom Bürgersteig herunterzugehen. Herr K. ging herunter und nahm an sich wahr, daß er gegen diesen Mann empört war, und zwar nicht nur gegen diesen Mann, sondern besonders gegen das Land, dem der Mann angehörte, also daß er wünschte, es möchte vom Erdboden vertilgt werden. 'Wodurch', fragte Herr K., 'bin ich für diese Minute ein Nationalist geworden? Dadurch, daß ich einem Nationalisten begegnete. Aber darum muß man die Dummheit ja ausrotten, weil sie dumm macht, die ihr begegnen.'

LITERATURVERZEICHNIS

1. QUELLEN

1.1. Aufklärung

Abbt, Th.: Vom Tode fürs Vaterland, Berlin, Stettin 1770.

(Anonym:) Denkmal der freudigsten Rükkehr des durchlauchtigsten Churfürsten Carl Theodors, München 1789.

Archenholz, J. W. v.: England und Italien, Th. 1, (2. Ausg.), Karlsruhe 1787.

Ders.: Geschichte des siebenjährigen Krieges in Deutschland, Bd. 1–2, Mannheim 1793.

[Bodmer, J. J. (Hrsg.):] Proben der alten schwäbischen Poesie des dreyzehnten Jahrhunderts, Zürich 1748; Nachdr. Hildesheim 1973.

Bräker, U.: Leben und Schriften, dargest. u. hrsg. v. S. Voellmy, Bd. 1–3, Basel 1945.

Bürger, G. A.: Sämmtliche Werke, hrsg. v. K. v. Reinhard, Bd. 1–7, Berlin 1823–24.

Ders.: Sämmtliche Werke, hrsg. v. A. W. Bohtz, Göttingen 1835.

Cotta, Chr. F.: Eulogius Schneiders Schicksale in Frankreich, hrsg. u. eingel. v. Chr. Prignitz, Hamburg 1979.

Cramer, C. F.: Klopstock. Er; und über ihn, Th. 1, Hamburg 1780.

Dohm, Chr. W. v.: Denkwürdigkeiten meiner Zeit, Bd. 3, Lemgo, Hannover 1817.

Friedrich d. Gr.: De La Litterature Allemande. Französisch-Deutsch mit der Möserschen Gegenschrift, hrsg. v. Chr. Gutknecht u. P. Kerner, Hamburg (1969).

[Gleim, J. W. L.:] Preussische Soldatenlieder in den Jahren 1778 bis 1790, Berlin 1790.

Ders.: Preussische Kriegslieder von einem Grenadier, (hrsg. v. A. Sauer), Stuttgart 1882, (= Deutsche Lit.denkmale d. 18. Jhds., 4).

Goethe, J. W. v.: Werke, (hrsg. v. E. Trunz), Bd. 1–14, Hamburg (1949–60).

Iselin, I.: Über die Geschichte der Menschheit, 4., verb.u. verm. Aufl., Bd. 1–2, Basel 1779.

Kant, I.: Werke, hrsg. v. W. Weischedel, Bd. 1–6, Wiesbaden 1956–64.

Kleist, E. v.: Sämtliche Werke, Th. 1–2, Karlsruhe 1776.

Klopstock, F. G.: Sämmtliche Werke, Bd. 1–10, Leipzig 1854–55.

Kluckhohn, P. (Hrsg.): Die Idee des Volkes im Schrifttum der deutschen Bewegung von Möser und Herder bis Grimm, Berlin 1934.

Lessing, G. E.: Sämtliche Schriften, hrsg. v. K. Lachmann, 3. Aufl., bes. d. F. Muncker, Bd. 17, Leipzig 1904.

Miller, J. M.: Siegwart. Eine Klostergeschichte, Nachdr. d. Ausg. Leipzig 1776, Bd. 1–2, Stuttgart (1971).

[Moser, Fr. K. v.:] Von dem Deutschen national-Geist, [Frankfurt] 1765.

Ders.: Patriotische Briefe, [Frankfurt] 1767.

Moser, J. J.: Lebensgeschichte, 3., st. verm. u. fortges. Aufl., Th. 1–3, Frankfurt, Leipzig 1777.

Müller, A: Über Friedrich II., Berlin 1810.

Nicolai, H. (Hrsg.): Sturm und Drang, Bd. 1–2, München (1971),

Ramler, K. W.: Poetische Werke, Th. 1–2, Berlin 1825.

[Riesbeck, J. K.:] Briefe eines Reisenden Franzosen über Deutschland, 2., betr. verb. Ausg., Bd. 1, [Zürich] 1784.

Schneider, E.: Gedichte, 2, verm. Ausg., Frankfurt a.M. 1790.

Schubart, Chr. F. D.: Gesammelte Schriften und Schicksale, Bd. 1–8, Stuttgart 1839–40; Nachdr. Hildesheim, New York 1972.

Ders.: Werke, Berlin, Weimar 1965.

Stumpf, A. S.: Eulogius Schneiders Leben und Schicksale im Vaterland, hrsg. u. eingel. v. Chr. Prignitz, Hamburg 1978.

Uz, J. P.: Sämtliche politische Werke, Bd. 1–2, Karlsruhe 1776.

Wieland, Chr. M.: Sämmtliche Werke, Bd. 1–36, Leipzig 1853–58.

Zimmermann, J. G. v.: Von dem Nationalstolze, 2. Aufl., Zürich 1760.

Ders.: Ueber Friedrich den Großen und meine Unterredungen mit Ihm kurz vor seinem Tode, Frankfurt, Leipzig 1788.

1.2. Epoche der Französischen Revolution

Abegg, J. F.: Reisetagebuch von 1798, hrsg. v. W. u. J. Abegg in Zusammenarb. mit Z. Batscha, (Frankfurt a.M. 1976).

Albrecht, H. Chr.: Versuch über den Patriotismus, Hamburg 1793.

(Anonym:) Christlich-philosophische Rede über die Generalversammlung und den dermaligen Zustand Frankreichs. Nebst dem Schreiben eines deutschen Patrioten, der aus Gelegenheit des wirklichen Zustandes von Frankreich seines Vaterlandes wegen besorgt ist, 1789, (= Gesammelte Schriften unserer Zeiten zur Verteidigung der Religion und Wahrheit Bd. 4, Augsburg 1789).

(Anonym:) Ueber den Verfall der Vaterlandsliebe in Deutschland, Nürnberg 1795.

(Anonym:) Sammlung verschiedener Gedichte und Freiheits-Lieder, gesammelt von einem Freund der Freiheit, Landau im 5ten Jahr der Republik [1797].

(Anonym:) Darstellung der Ursachen, welche die Unfälle der österreichischen Armeen im letzten Landkriege, besonders im Jahre 1800, nach sich gezogen haben, London 1802.

Bahrdt, C. F.: Rechte und Obliegenheiten der Regenten und Unterthanen in Beziehung auf Staat und Religion, Riga 1792, (= C.F. Bahrdt: System der moralischen Religion, 3); Nachdr. Kronberg/Ts. 1975.

Der kosmopolitische Beobachter, hrsg. v. A. Fuchs, Mainz 1793; Nachdr. Nendeln 1976.

Beyträge zur Geschichte der französischen Revolution [hrsg. v. P. Usteri], Bd. 1–7, Leipzig 1795–96; Nachdr. Nendeln 1972.

Bignon, [L. P. E. Baron v.]: Geschichte von Frankreich, vom achtzehnten Brümaire (November 1799) bis zum Frieden von Tilsit (Julius 1807), Bd. 1–6, Leipzig 1830–31.

Brandes, [E.]: Ueber einige bisherige Folgen der Französischen Revolution in Rücksicht auf Deutschland, Hannover 1792.

Brutus, oder der Tyrannenfeind. Eine Zehntags-Schrift um Licht und Patriotismus zu verbreiten, hrsg. v. T. Th. Biergans, Köln 1795; Nachdr. Nendeln 1972.

Claudius, M.: Sämtliche Werke, München (1968).

Emmerich, K. (Hrsg.): Der Wolf und das Pferd. Deutsche Tierfabeln des 18. Jahrhunderts, Darmstadt 1960.

Erhard, J. B.: Über das Recht des Volkes zu einer Revolution, (München 1970).

Fain, [A. J. F. Baron v.]: Manuscript des Jahres III (1794–1795), Leipzig 1829.

Fersen, A. v.: Rettet die Königin. Revolutionstagebuch 1789–1793, (München 1969).

Frankreich im Jahr 1795 (–1805). Aus den Briefen deutscher Männer in Paris, (Jg. zu je 3 Bdn.), Altona (1804f.: Hamburg).

Garber, J. (Hrsg.): Kritik der Revolution. Theorien des deutschen Frühkonservativismus 1790–1810. Bd. 1: Dokumentation, Kronberg/Ts. 1976, (= Monographien Lit.wiss., 6).

Der Genius der Zeit, hrsg. v. A. Hennings, Bd. 1–21, Altona 1794–1800.

Grab, W. (Hrsg.): Die Französische Revolution. Eine Dokumentation, (München 1973), (= nymphenburger texte zur wiss., 14).

Halem, G. A. v.: Blicke auf einen Theil Deutschlands, der Schweiz und Frankreich bey einer Reise vom Jahre 1790, Th. 1–2, Hamburg 1791.

Hansen, J. (Hrsg.): Quellen zur Geschichte des Rheinlandes im Zeitalter der Französischen Revolution 1780–1801, Bd. 1–4, Bonn 1931–38, (= Pub. d. Ges. f. Rhein. Gesch.kunde, 42).

Hennings, A.: Vorurtheilsfreie Gedanken über Adelsgeist und Aristokratism, o.O. 1792; Nachdr. Kronberg/Ts. 1977.

Herder, J. G.: Sämtliche Werke, hrsg. v. B. Suphan, Bd. 1–33, Berlin 1877–1913.

Hölderlin, F.: Sämtliche Werke, Große Stuttgarter Ausgabe, Bd. 1ff., Stuttgart 1943ff.

Jahrbuch für die Menschheit, hrsg. v. F. B. Beneken, Jg. 1–4, Hannover 1788–91.

Journal für Gemeingeist, hrsg. v. G. W. Bartholdy und J. G. Hagemeister, Jg. 1792–93, Berlin.

Politisches Journal, [hrsg. v. G. B. v. Schirach u. W. v. Schirach]. Jg. 1781–1840, Hamburg.

Strasburgisches politisches Journal, hrsg. v. F. Cotta, Jg. 1792, Bd. 1–2, Straßburg; Nachdr. Nendeln 1976.

Kerner, G.: Jakobiner und Armenarzt. Reisebriefe, Berichte, Lebenszeugnisse, (hrsg. v. H. Voegt), Berlin (1978).

Kerner, J.: Das Leben des Justinus Kerner. Erzählt von ihm und seiner Tochter Marie, (hrsg. v. K. Pörnbacher), München (1967), (= Lebensl., Biogr., Erinn., Briefe, Bd. 11).

Knigge, A. Freiherr v.: Joseph von Wurmbrand (1792), hrsg. v. G. Steiner, (Frankfurt a. M. 1968), (= sammlung insel, 33).

Landauer, G. (Hrsg.): Die Französische Revolution in Briefen, Hamburg 1961.

Lanpacher, Joseph: Was war in Frankreich? Was ist es jetzt? Was wird daraus werden? 1790, (= Gesammelte Schriften unserer Zeiten zur Verteidigung der Religion und Wahrheit, Bd. 7, Augsburg 1790).

Laukhard, F. Ch.: Leben und Schicksale, hrsg. v. V. Petersen, 6., unver. Aufl., Bd. 1–2, Stuttgart 1908.

Marat, J. P.: Die Ketten der Sklaverei, (Gießen, Lollar 1975).

Niedersächsischer Merkur, hrsg. v. F. W. v. Schütz, Altona 1792–93; Nachdr. Nendeln 1972.

Neuer niedersächsischer Merkur als Beylage zum Neuen grauen Ungeheuer, hrsg. v. F. W. v. Schütz, Mainz, Altona 1797–99; Nachdr. Nendeln 1976.

Minerva, hrsg. v. J. W. v. Archenholz, sp.: K. N. Röding u. A. u. Fr. Bran, Bd. 1–263, Berlin, Hamburg 1792–1858.

Novalis: Werke, [Reinbek b. Hamburg] (1967), (= Rowohlts Klassiker, 11).

Oelsner, K. E.: Luzifer oder gereinigte Beiträge zur Geschichte der französischen Revolution, Th. 1–2, Leipzig 1797–99; Nachdr. Kronberg/Ts. 1977.

Pahl, J. G.: Materialien zur Geschichte des Krieges in Schwaben, im Jahre 1796, Lief. 1–3, Nördlingen 1797–98.

Ders.: Denkwürdigkeiten zur Geschichte von Schwaben während der beyden Feldzüge von 1799 und 1800, Nördlingen 1802.

Der Patriot, hrsg. v. Chr. G. Wedekind, Mainz 1792–93; Nachdr. Nendeln 1972.

Pernoud, G., S. Flaissier (Hrsg.): Die Französische Revolution in Augenzeugenberichten, (München 1976), (= dtv, 1190).

[Riese, J. P.:] Die alten Franzosen in Deutschland, hinter der neufränkischen Maske verschlimmert, Deutschland 1793.

Robespierre, M.: Ausgewählte Texte, Hamburg (1971).

Toulongeon, F. E.: Geschichte von Frankreich seit der Revolution von 1789, übers. v. Ph. A. Petri, Bd. 1–3, Münster 1804–07.

Träger, C. (Hrsg.): Mainz zwischen Rot und Schwarz. Die Mainzer Revolution 1792–1793 in Schriften, Reden und Briefen, Berlin (1963).

Der patriotische Volksredner, hrsg. v. H. Würzer, Altona 1796; Nachdr. Nendeln 1976.

Die neue Mainzer Zeitung oder der Volksfreund, hrsg. v. G. Forster, Mainz 1793; Nachdr. Nendeln 1976.

Wackenroder, W. H.: Werke und Briefe, Heidelberg 1967.

1.3 Epoche der Freiheitskriege

Arndt, E. M.: Werke, Tl. 1–12, hrsg. v. A. Leffson u. W. Steffens, Berlin, Leipzig, Wien, Stuttgart [1912].

Ders.: Gerettete Arndt-Schriften, hrsg. v. A. Dühr u. E. Gülzow, Arolsen, Kassel 1953.

Ders.: Briefe, hrsg. v. A. Dühr, Bd. 1–3, Darmstadt 1972–75, (= Texte zur Forschung, 8–10).

Ders.: Germanien und Europa, Altona 1803.

Ders.: Fragmente über Menschenbildung, Th. 1–3, Altona 1805–19.

Ders.: Beherzigungen vor dem Wiener Kongreß, o.O. 1814.

Ders.: Geschichte der Veränderung der bäuerlichen und herrschaftlichen Verhältnisse in dem vormaligen Schwedischen Pommern und Rügen vom Jahr 1806 bis zum Jahr 1816 durch E. M. Arndt als Anhang zu dessen im Jahr 1803 erschienenem Versuch einer Geschichte der Leibeigenschaft in Pommern und Rügen, Berlin 1817.

Ders.: Versuch in vergleichender Völkergeschichte, Leipzig 1843.

Ders.: Nothgedrungener Bericht aus seinem Leben und aus und mit Urkunden der demagogischen und antidemagogischen Umtriebe, Th. 1–2, Leipzig 1847.

Ders.: Pro Populo germanico, Berlin 1854.

Biedermann, F.: Freiherr v. (Hrsg.): Goethes Gespräche ohne die Gespräche mit Eckermann, (Wiesbaden 1957).

Vertraute Briefe über Oestrreich in Bezug auf die neuesten Kriegsereignisse im Jahre 1809, Th. 2, Stralsund 1810.

Buchholz, Friedrich: Untersuchungen über den Geburtsadel und die Möglichkeit seiner Fortdauer im 19. Jahrhundert, Berlin, Leipzig 1807.

Ders.: Gallerie preußischer Charaktere (1808), Frankfurt a.M. 1979.

Coelln, Friedrich v.: Vertraute Briefe über die innern Verhältnisse am Preußischen Hofe seit dem Tode Friedrichs II., Amsterdam, Köln 1807.

Döring, H: Geschichte des Aufstandes in Tyrol, Hamburg 1842.

Emerich, F. J.: Blick in die Zukunft bei dem Lüneviller Frieden, Mainz 1801.

Fichte, J. G.: Werke, hrsg. v. F. Medicus, Bd. 1–6, Leipzig 1908–1912.

Ders.: Der Patriotismus und sein Gegenteil. Patriotische Dialogen, hrsg. v. H. Schulz, Leipzig 1918.

Granier, H. (Hrsg.): Berichte aus der Berliner Franzosenzeit 1807–1809, Leipzig 1913, (= Pub. a. d. K. Preuß. Staatsarchiven, 88).

Guggenbühl, G. (Hrsg.): Quellen zur Geschichte der Neuesten Zeit, 4. Aufl., Zürich 1966, (= Quellen zur Allgemeinen Geschichte, 4).

Heeren, A.: Ueber die Mittel zur Erhaltung der Nationalität besiegter Völker (1810), in: A. H.: Historische Werke, Th. 2, Göttingen 1821, S. 1–32.

Kircheisen, F. M. (Hrsg.): Napoleons Untergang, Bd. 2, Stuttgart o.J.

Klein, T. (Hrsg.): Die Befreiung 1813, 1814, 1815. Urkunden, Berichte, Briefe, Ebenhausen 1913.

Körner, Th.: Sämmtliche Werke, hrsg. v. K. Streckfuß, 3., rechtm. Ges.-Ausg., Berlin 1838.

Neuestes Magazin von Fest-, Gelegenheits- und anderen Predigten und kleineren Amtsreden, hrsg. von Hanstein, Eylert, Dräseke, Th. 1, Magdeburg 1816.

Menck, F. W. C.: Synchronistisches Handbuch der neuesten Zeitgeschichte, Th. 1–2, Hamburg 1826–34.

Mönckeberg, C.: Hamburg unter dem Drucke der Franzosen, 1806–1814, Hamburg 1864.

Reinhold, C. W., G. N. Bärmann (Tl. 2): Hamburgische Chronik von der Entstehung der Stadt bis auf unsere Tage, Tl. 1–2, Hamburg 1820.

Schanze, H. (Hrsg.): Die andere Romantik, (Frankfurt a.M. 1967), (= sammlung insel, 29).

Schiller, F.: Sämtliche Werke, hrsg. v. G. Fricke u. H. G. Göpfert in Verb. mit H. Stubenrauch, 4., durchges. Aufl., Bd. 1–5, München (1965–67).

Schleiermacher, F.: Predigten, Bd. 1–4, Berlin 1843–44.

Schmitz, M. (Hrsg.): Dichter der Freiheitskriege, Paderborn 1898, (= Schöninghs Ausg. dt. Klassiker, Erg.bd. 2).

Wächter, L.: Historischer Nachlaß, hrsg. v. C. F. Wurm, Bd. 1–2, Hamburg 1838–39.

Zimmermann, F. G.: Neue Chronik von Hamburg vom Entstehen der Stadt bis zum Jahre 1819, Hamburg 1820.

1.4. Vormärz und Revolution von 1848/49

(Anonym:) Die französische Revolution von 1830 historisch und staatsrechtlich beleuchtet in ihren Ursachen, ihrem Verlaufe und ihren wahrscheinlichen Folgen, Berlin 1831.

Arnim, B. v.: Goethes Briefwechsel mit einem Kinde, hrsg. u. eingel. v. H. Amelung, Berlin, Leipzig, Wien, Stuttgart (1914).

Dies.: Armenbuch, hrsg. v. W. Vordtriede, Frankfurt a.M. 1969.

Atterbom, P. D. A.: Ein Schwede reist nach Deutschland und Italien. Jugenderinnerungen eines romantischen Dichters und Kunstgelehrten aus den Jahren 1817 bis 1819, Weimar [1967].

Baader, F. v.: Vom Sinn der Gesellschaft. Schriften zur Social-Philosophie, ausgew. u. hrsg. v. H. A. Fischer-Barnicol, Köln 1966.

Baxa, J. (Hrsg.): Gesellschaft und Staat im Spiegel deutscher Romantik, Jena 1924.

Politische Belehrungen. Zeitfragen, Geschichte und Persönlichkeiten der Gegenwart, Bdch. 1–3, Leipzig 1848–49.

Börne, L.: Sämtliche Schriften, neu bearb. u. hrsg. v. I. u. P. Rippmann, Bd. 1–5, Dreieich 1977.

Booß, R. (Hrsg.): Ansichten der Revolution. Paris-Berichte deutscher Schriftsteller nach der Juli-Revolution 1830: Heine, Börne u.a., Köln 1977.

Büchner, G.: Sämtliche Werke, (hrsg. u. erl. v. H. J. Meinerts), (3. Aufl.), (Gütersloh 1965).

Bülow, P. v.: Aus verklungenen Zeiten. Lebenserinnerungen 1833–1920, 2. Aufl., Leipzig 1925.

Dithmar, R. (Hrsg.): Fabeln, Parabeln und Gleichnisse, (3. Aufl.), (München 1974), (= dtv, WR 4047).

Eichendorff, J. v.: Anmut und Adel der Poesie. Aus den Schriften zur Literatur, ausgew. u. eingel. v. P. Stöcklein, München (1955).

Estermann, A. (Hrsg.): Politische Avantgarde 1830–1840, Bd. 1–2, (Frankfurt a.M. 1972).

Freiligrath, F.: Werke, Berlin, Weimar 1967.

Gervinus, G. G.: Einleitung in die Geschichte des neunzehnten Jahrhunderts, (Frankfurt a.M. 1967), (= sammlung insel, 24/1).

Ders.: Geschichte des neunzehnten Jahrhunderts seit den Wiener Verträgen, Bd. 1, Leipzig 1855.

Goegg, A.: Nachträgliche authentische Aufschlüsse über die Badische Revolution von 1849, Zürich 1876.

Grimm, J.: Über seine Entlassung, Nachw. v. W. Vordtriede, (Frankfurt a.M. 1964).

Grün, K.: Die soziale Bewegung in Frankreich und Belgien. Briefe und Studien, Darmstadt 1845; Nachdr. Hildesheim 1974.

Gutzkow, K.: Deutschland am Vorabend seines Falles oder seiner Größe, hrsg. v. W. Boelich, (Frankfurt a.M. 1969), (= sammlung insel, 36).

Hauptmann, G.: Die Weber, hrsg. v. H. Schwab-Felisch, (Frankfurt a.M., Berlin, Wien 1963), (= Ullstein Buch, 3901).

Hermand, J. (Hrsg.): Das Junge Deutschland, Stuttgart (1966), (= Reclam Univ.-Bibl., 8703–07).

Hermes, K.H.: Geschichte der neuesten Zeit von der Stiftung des heiligen Bundes bis zur Wahl Louis Napoleons, Bd. 1–5, Braunschweig 1855.

Herwegh, G.: Werke, Berlin, Weimar 1967.

Ders.: Literatur und Politik, hrsg. v. K. Mommsen, (Frankfurt a.M. 1969), (= sammlung insel, 37).

Honegger, J. J.: Literatur und Cultur des neunzehnten Jahrhunderts, Leipzig 1865.

Jochmann, C. G.: Die Rückschritte der Poesie und andere Schriften, hrsg. v. W. Kraft, (Frankfurt a.M. 1967), (= sammlung insel, 26).

Lamprecht, H. (Hrsg.): Deutschland, Deutschland. Politische Gedichte vom Vormärz bis zur Gegenwart, Bremen (1969), (= Samml. Dieterich, 323).

Laube, H.: Reise durch das Biedermeier, (1833–1837), (Hamburg 1965).

Lewald, F.: Erinnerungen aus dem Jahre 1848, in Ausw. hrsg. v. D. Schäfer, (Frankfurt a.M. 1969), (= sammlung insel, 46).

Menzel, K. A.: Geschichte unserer Zeit seit dem Tode Friedrichs des Zweiten, 4., verb. u. verm. Ausg., Th. 2, 3, Berlin 1844, (= Forts. zu K. F. Becker: Weltgeschichte, Th. 13, 14).

Menzel, W.: Geschichte der letzten vierzig Jahre (1816–1856), 3., verb. Aufl., Bd. 1–2, Stuttgart 1865.

Ders.: Geschichte Europas vom Beginne der französischen Revolution bis zum Wiener Congreß, 2. Aufl., Bd. 1–2, Stuttgart 1866.

Müller, A.: Die Elemente der Staatskunst, Berlin (1968).

Neumann, W.: Carl Gutzkow. Eine Biographie, Kassel 1854.

Prutz, R.: Deutsche Literatur der Gegenwart, 1848–58, Leipzig 1860.

Real, W. (Hrsg.): Der hannoversche Verfassungskonflikt von 1837/1839, Göttingen (1972), (= Histor. Texte, 12).

Ruckhäberle, H.-J. (Hrsg.): Frühproletarische Literatur. Die Flugschriften der deutschen Handwerkergesellenvereine in Paris 1832–1839, Kronberg/Ts. 1976.

Ruge, A.: Der Patriotismus, hrsg. v. P. Wende, (Frankfurt a.M. 1968), (= sammlung insel, 38).

Stein, L. v.: Der Socialismus und Communismus des heutigen Frankreich. Ein Beitrag zur Zeitgeschichte, Leipzig 1842.

Ders.: Geschichte der sozialen Bewegung in Frankreich von 1789 bis auf unsere Tage, hrsg. v. G. Salomon, Bd. 1–3, München 1921; Nachdr. Darmstadt 1959.

Berliner Straßenecken-Literatur 1848/49, Stuttgart (1977), (= Reclam Univ.-Bibl., 9856 [4]).

Theremin, F.: Zeugnisse von Christo in einer bewegten Zeit, Berlin 1832.

Weerth, G.: Ausgewählte Werke, hrsg. v. B. Kaiser, (Frankfurt a.M. 1966).

Ders.: Fragment eines Romans, (Frankfurt a. M. 1965), (= sammlung insel, 8).

Weitling, W.: Garantien der Harmonie und Freiheit, Berlin 1955.

Wienbarg, L.: Aesthetische Feldzüge, Berlin, Weimar 1964.

Wigard, F. (Hrsg.): Stenographischer Bericht über die Verhandlungen der deutschen constituierenden Nationalversammlung zu Frankfurt am Main, Bd. 1–9, Frankfurt 1848–49.

Zschokke, H.: Eine Selbstschau, Th. 1–2, Aarau 1842.

1.5. Nach 1848/49

Bismarck, O. v.: Gedanken und Erinnerungen, Bd. 1–2, Stuttgart, Berlin 1905.

Most, J.: Ein Sozialist in Deutschland, (München 1974), (= Reihe Hanser, 171).

Springer, A. H.: Österreich, Preußen und Deutschland, Leipzig 1856.

2. DARSTELLUNGEN

2.1. Aufklärung

Augstein, R.: Preußens Friedrich und die Deutschen, (Frankfurt a.M. 1971), (= Fischer T.b., 1212).

Bäsken, R.: Die Dichter des Göttinger Hains und die Bürgerlichkeit, Königsberg 1937.

Bäte, L.: Justus Möser. Advocatus patriae, Frankfurt a.M., Bonn (1961).

Baur, E.: Johann Gottfried Herder, Stuttgart (1960).

Beaulieu-Marconnaij, K. Freiherr v.: Karl von Dalberg und seine Zeit, Bd. 1–2, Weimar 1879.

Becker, U. A. J.: Politische Gesellschaft. Studien zur Genese bürgerlicher Öffentlichkeit in Deutschland, Göttingen 1978, (= Veröff. d. Max-Planck-Inst. f. Gesch. 59).

Benjamin, W.: Deutsche Menschen, (Frankfurt a.M. 1977), (= Bibl. Suhrkamp, 547).

Benz, R.: Die Zeit der deutschen Klassik. Kultur des achtzehnten Jahrhunderts 1750–1800, Stuttgart 1953.

Berbig, H. J.: Kaisertum und Reichsstadt, in: Mitt. d. Ver. f. Gesch. d. Stadt Nürnberg 58 (1971), S. 211–286.

Binswanger, P.: Die deutsche Klassik und der Staatsgedanke, Berlin (1933).

Burger, P.: Moral und Gesellschaft bei Diderot und Sade, in: G. Mattenklott, K. R. Scherpe (Hrsg.): Literatur der bürgerlichen Emanzipation im 18. Jahrhundert, Kronberg/Ts. 1973, (= Scriptor Taschenbücher, Literaturwiss., S. 2), S. 77–104.

Dilthey, W.: Friedrich der Große und die deutsche Aufklärung, in: W. D.: Gesammelte Schriften, Bd. 3, Leipzig, Berlin 1927, S. 81–205.

Döring, H.: G. A. Bürger's Leben, Berlin 1826.

Droz, J. (Hrsg.): Geschichte des Sozialismus, Bd. 1, (Frankfurt a. M., Berlin, Wien 1974), (= Ullstein Buch Nr. 3093).

Dülmen, R. v.: Der Geheimbund der Illuminaten. Darstellung, Analyse, Dokumentation, (Stuttgart, Bad Cannstadt 1975).

Dzwonek, U., C. Ritterhoff, H. Zimmermann: 'Bürgerliche Oppositionsliteratur zwischen Revolution und Reformismus'. F. G. Klopstocks 'Deutsche Gelehrtenrepublik' und Bardendichtung als Dokumente der bürgerlichen Emanzipationsbewegung der zweiten Hälfte des 18. Jahrhunderts, in: B. Lutz (Hrsg.): Deutsches Bürgertum und literarische Intelligenz 1750 bis 1800, (Stuttgart 1974), (= Literaturwiss. u. Sozialwiss., 3), S. 277–328.

Engelmann, B.: Wir Untertanen, (München, Gütersloh, Wien 1974).

Engels, H.-W.: Materialien zur sozialen Lage der Intelligenz in Deutschland 1770–1800, in: G. Mattenklott, K. R. Scherpe (Hrsg.): Demokratisch – revolutionäre Literatur in Deutschland: Jakobinismus, Kronberg/Ts. 1975, (= Literatur im historischen Prozeß, Bd. 3/1), S. 243–275.

Epstein, K.: Die Ursprünge des Konservativismus in Deutschland, (Frankfurt a.M., Berlin 1973).

Fischer, K.: Geschichte der neuern Philosophie, Bd. 3, 3. Aufl., Heidelberg 1920.

Gerth, H.: Die sozialgeschichtliche Lage der bürgerlichen Intelligenz um die Wende des 18. Jahrhunderts. Ein Beitrag zur Soziologie des deutschen Frühliberalismus, Diss. phil., Frankfurt a.M. 1933.

Gleichen-Russwurm, A. v.: Das galante Europa. Geselligkeit der Großen Welt 1600–1789, Stuttgart (1919).

Goeken, W.: Herder als Deutscher, Stuttgart 1926, (= Tüb. Germ. Arb., 1).

Graßl, H.: Aufbruch zur Romantik. Bayerns Beitrag zur deutschen Geistesgeschichte 1765–1785, München 1968.

Gulyga, A.: Johann Gottfried Herder, Frankfurt a. M. 1978.

Haferkorn, H. J.: Der freie Schriftsteller. Eine literar-soziologische Studie über seine Entstehung und Lage in Deutschland zwischen 1750–1800, in: B. Lutz (Hrsg.): Deutsches Bürgertum und literarische Intelligenz 1750–1800, Stuttgart 1974, (= Literaturwiss. u. Sozialwiss., 3), S. 113–239.

Hammerstein, N.: Das politische Denken Friedrich Carl von Mosers, in: Historische Zeitschrift 212 (1971), S. 316–338.

Heuss, Th.: Deutsche Gestalten. Studien zum 19. Jahrhundert, Tübingen o.J.

Hof, W.: Der Gedanke der deutschen Sendung in der deutschen Literatur, Gießen 1937, (= Gießener Beitr. z. dt. Philologie, 50).

Hubatsch, W.: Deutschland zwischen dem dreißigjährigen Krieg und der Französischen Revolution, (Frankfurt a. M., Berlin, Wien 1973), (= Deutsche Geschichte, Bd. 2, 3).

Hubrig, H.: Die patriotischen Gesellschaften des 18. Jahrhunderts, Weinheim 1957.

Im Hof, U.: Isaak Iselin, Bern, München (1967).

Kästner, E.: Friedrich der Große und die deutsche Literatur, Stuttgart, Berlin, Köln, Mainz (1972), (= Stud. z. Poetik u. Gesch. d. Lit., 21).

Kaim-Kloock, L.: Gottfried August Bürger. Zum Problem der Volkstümlichkeit in der Lyrik, Berlin (1963).

Kaiser, G.: Pietismus und Patriotismus im literarischen Deutschland, Wiesbaden 1961; (2. Aufl. Frankfurt a. M. 1973).

Kastinger-Riley, H. M.: Arnims Nationaltrauerspiel 'Friedrichs Jugend', in: Jb. d. Fr. Dt. Hochstifts, 1976, S. 189–210.

König, H.: Zur Geschichte der Nationalerziehung in Deutschland im letzten Drittel des 18. Jahrhunderts, Berlin 1960.

Kohn, H.: Die Idee des Nationalismus. Ursprung und Geschichte bis zur Französischen Revolution, (Frankfurt a. M.) 1962.

Kopitzsch, F. (Hrsg.): Aufklärung, Absolutismus und Bürgertum in Deutschland, (München 1976).

Kosellek, R.: Kritik und Krise. Ein Beitrag zur Pathogenese der bürgerlichen Welt, Freiburg, München (1959).

Krauss, W.: Zur Konstellation der deutschen Aufklärung, in: W. K.: Perspektiven und Probleme, (Neuwied, Berlin 1965), S. 143–265.

Krüger, G.: Leibniz als Friedensstifter, Wiesbaden 1947.

Ludz, P. C. (Hrsg.): Geheime Gesellschaften, Heidelberg (1979).

Meinecke, F.: Weltbürgertum und Nationalstaat, 7., durchges. Aufl., München, Berlin 1928.

Meier, W.: Der Hofmeister in der deutschen Literatur des 18. Jahrhunderts, Diss. phil., Zürich 1938.

Mühlpfordt, G.: Karl Friedrich Bahrdt und die radikale Aufklärung, in: Jb. d. Instituts für Deutsche Geschichte d. Univ. Tel-Aviv 5 (1976), S. 49–100.

Neumann, F.: Der Hofmeister, ein Beitrag zur Geschichte der Erziehung im 18. Jahrhundert, Halle 1930.

Rapp, A.: Der deutsche Gedanke. Seine Entwicklung im politischen und geistigen Leben seit dem 18. Jahrhundert, Bern, Leipzig 1920, (= Bücherei d. Kultur u. Gesch., Bd. 8).

Raumer, K. v.: Ewiger Friede, Freiburg, München (1953).

Reiners, L.: Friedrich, München (1952).

Rürup, R.: J. J. Moser, Pietismus und Reform, Wiesbaden 1965.

Schlumbohm, J.: Freiheit. Die Anfänge der bürgerlichen Emanzipationsbewegung in Deutschland im Spiegel ihres Leitwortes (ca. 1760 – ca. 1800), Düsseldorf (1975), (= Geschichte u. Gesellschaft, 12).

Schmid, A.: Das Leben Johann Jakob Moser's, Stuttgart 1868.

Schneider, F.: Pressefreiheit und politische Öffentlichkeit. Studien zur politischen Geschichte Deutschlands bis 1848, (Neuwied, Berlin 1966), (= Politica, Bd. 24).

Schömb, E.: Das Staatsrecht J. J. Mosers, Berlin 1968.

Valjavec, F.: Die Entstehung der politischen Strömungen in Deutschland 1770–1815, (Kronberg/Ts., Düsseldorf) 1978.

Weller, E.: Die Freiheitsbestrebungen der Deutschen im 18. und 19. Jahrhundert, dargestellt in Zeugnissen ihrer Literatur, Leipzig 1847; Nachdr. Kronberg/Ts. 1975.

Wilke, J.: Vom Sturm und Drang bis zur Romantik, in: W. Hinderer (Hrsg.): Geschichte der politischen Lyrik in Deutschland, Stuttgart (1978), S. 141–178.

Ziehen, E.: Die deutsche Schweizerbegeisterung in den Jahren 1780–1815, Frankfurt 1922.

2.2. Epoche der Französischen Revolution

Albertini, R. v.: Parteiorganisation und Parteibegriff in Frankreich 1789–1940, in: Historische Zeitschrift 193 (1961), S. 529–600.

Beck, A.: Hölderlin als Republikaner, in: Hölderlin-Jahrbuch 15 (1967/68), S. 28–52.

Ders.: Hölderlins Weg zu Deutschland, in: Jahrb. d. Fr. Dt. Hochstifts, 1977, S. 196–246; 1978, S. 420–487.

Bertaux, P.: Hölderlin und die Französische Revolution, in: Hölderlin-Jahrbuch 15 (1967/68), S. 1–27.

Ders.: Hölderlin und die Französische Revolution, (Frankfurt a. M. 1969), (= edition suhrkamp, 344).

Ders.: Friedrich Hölderlin, (Frankfurt a. M. 1978).

Berney, A.: Reichstradition und Nationalstaatsgedanke (1789–1815), in: Historische Zeitschrift 140 (1929), S. 57–86.

Bockenheimer, K. G.: Georg Forster in Mainz, Mainz 1880.

Droz, J.: L'Allemagne et la révolution française, Paris 1949.

Engels, H.-W.: Karl Clauer, in: Jahrb. d. Instituts f. dt. Geschichte d. Univ. Tel-Aviv 2 (1973), S. 101–144.

Fieldhouse, D. K.: Die Kolonialreiche seit dem 18. Jahrhundert, (Frankfurt a.M. 1965), (= Fischer Weltgeschichte, 29).

Zur Frage des Charakters der französischen Kriege in bezug auf die Entwicklung in Deutschland in den Jahren 1792–1815, Berlin 1958, (= Dt. Akad. d. Wiss. zu Berlin, Schr. d. Inst. f. Gesch., R. III, Vortr. u. Tag. d. Inst. f. Gesch., 2).

Furet, F., D. Richet: Die Französische Revolution, (Frankfurt a. M. 1968).

Gaxotte, P.: Die Französische Revolution, (München) 1949.

Girsberger, H.: Der utopische Sozialismus des 18. Jahrhunderts in Frankreich, (2. Aufl.), (Wiesbaden 1973).

Göhring, M.: Geschichte der Großen Revolution, Bd. 1–2, Tübingen 1950–51.

Goodwin, A.: Die Französische Revolution, 1789–1795, (Frankfurt a. M., Hamburg 1964), (= Fischer Bücherei, 573).

Grab, W.: Leben und Werke norddeutscher Jakobiner, (Stuttgart 1973), (= Deutsche revolutionäre Demokraten, 5).

Ders.: Eroberung oder Befreiung? Deutsche Jakobiner und die Franzosenherrschaft im Rheinland 1792–1799, in: Studien zu Jakobinismus und Sozialismus, Berlin, Bonn-Bad Godesberg 1974, S. 1–102.

Ders.: Französische Revolution und deutsche Geschichtswissenschaft, in: Jahrb. d. Inst. f. dt. Geschichte d. Univ. Tel-Aviv 3 (1974), S. 11–43.

Ders.: Eulogius Schneider. Ein Weltbürger zwischen Mönchszelle und Guillotine, in: G. Mattenklott, K. R. Scherpe (Hrsg.): Demokratisch-revolutionäre Literatur in Deutschland: Jakobinismus, Kronberg/Ts. 1975, (= Literatur im hist. Prozeß, 3/1), S. 61–138.

Ders.: Friedrich Freiherr von der Trenck, in: W. G.: Friedrich von der Trenck. Hochstapler und Freiheitsmärtyrer und andere Studien zur Revolutions- und Literaturgeschichte, Kronberg/Ts. 1977, S. 7–68.

Ders.: Freyheit oder Mordt und Todt. Revolutionsaufrufe deutscher Jakobiner, Berlin (1979), (= Wagenbachs Taschenb., 59).

Greer, D.: Incidence of the Terror during the French Revolution, Cambridge, Mass. 1935.

Griewank, K.: Die Französische Revolution, 1789–1799, 2., durchges. Aufl., Graz, Köln 1958.

Groethuysen, B.: Philosophie der Französischen Revolution, (Darmstadt, Neuwied 1975), (= Ullstein Buch, 3192).

Hasse, C.: Ernst Brandes 1758–1810, Bd. 1–2, Hildesheim 1973–74.

Härtling, P.: Hölderlin. Ein Roman, (Darmstadt, Neuwied 1976).

Hashagen, J.: Das Rheinland und die französische Herrschaft, Bonn 1908.

Herrnstadt, R.: Die Entdeckung der Klassen, Berlin 1965.

Hölzle, E.: Das alte Recht und die Revolution, München, Berlin 1931.

Jäger, H.-W.: Politische Metaphorik im Jakobinismus und im Vormärz, Stuttgart (1971), (= Texte Metzler, 20).

Julku, K.: Die revolutionäre Bewegung im Rheinland am Ende des 18. Jahrhunderts, Bd. 2: Die Revolution im Rheinland während der Franzosenherrschaft (1792–1801), Helsinki 1969, (= Suomalaisen Tiedeakatemian Toimituksia, Sarja B, Nide 148).

Kohn, H.: Prelude to nation – states. The French and German experience 1789–1815, Princeton (1967).

Kozlowski, F. v.: Die Stellung Gleims und seines Freundeskreises zur französischen Revolution, in: Euphorion 11 (1904), S. 464–484.

Kraft, W.: Carl Gustav Jochmann und sein Kreis, München (1972).

Kuhn, A.: Jakobiner im Rheinland. Der Kölner konstitutionelle Zirkel von 1798, Stuttgart (1976), (= Stuttgarter Beiträge zur Gesch. u. Politik, 10).

Lange, G.: Anton von Halem als Schriftsteller, Leipzig 1928, (= Form und Geist, 10).

Lomparski, B.: 'Patriotismus' und 'Vaterland' im Mainzer Klubismus, Diss. phil., Saarbrücken 1974.

Lüders, D.: Hölderlins Aktualität, in: Jahrbuch d. Fr. Dt. Hochstifts, 1976, S. 114–137.

Massin, J.: Robespierre, 5. Aufl., Berlin 1977.

Mathiez, A.: Die Französische Revolution, Bd. 1–3, Hamburg (1950).

Ders.: Les origines des cultes révolutionnaires, Paris 1904.

Meisel, E.: Die vaterländische Lyrik Friedrich Hölderlins. Wandlung des Begriffes 'Vaterland' und des korrespondierenden künstlerischen Bildes von der frühen Lyrik bis zu den Vaterländischen Gesängen, Diss. phil., Jena 1969 [Masch.].

Dies.: Der Vaterlandsbegriff und der demokratische Patriotismus in der Lyrik Friedrich Hölderlins, in: Wiss. Zeitschr. d. Friedrich-Schiller-Universität Jena, Ges.- u. sprachwiss. Reihe, Jg. 21, H. 3 (1972), S. 395–403.

Michel, W.: Hölderlin und der deutsche Geist, Darmstadt 1924.

Mignet, F.: Geschichte der Französischen Revolution von 1789 bis 1814, Th. 1–2, Wiesbaden 1825.

Palmer, R. R.: The National Idea in France before the Revolution, in: Journal of the History of Ideas 1 (1940), S. 95–111.

Ders.: Die demokratische Volksbewegung in der Französischen Revolution, in: E. Schmitt (Hrsg.): Die Französische Revolution, (Köln 1976), S. 158–180.

Prignitz, Chr.: Die Bewältigung der Französischen Revolution in Hölderlins 'Hyperion', in: Jahrb. d. Fr. Dt. Hochstifts, 1975, S. 189–211.

Ders.: Friedrich Hölderlin. Die Entwicklung seines politischen Denkens unter dem Einfluß der Französischen Revolution, Diss. phil., Hamburg 1976, (= Hamburger Philologische Studien, Bd. 40).

Ders.: Der Gedanke des Vaterlands im Werk Hölderlins, in: Jahrb. d. Fr. Dt. Hochstifts, 1976, S. 88–103.

Ders.: Hölderlin als Kritiker des Jakobinismus und Verkünder einer egalitären Gesellschaftsutopie, in: Jahrb. d. Instituts für Deutsche Geschichte der Univ. Tel-Aviv 8 (1979), S. 103–123.

Ders.: Hölderlins früher Patriotismus. Struktur und Wandlungen seines patriotischen Denkens bis zu den Tübinger Hymnen, in: Hölderlin-Jahrbuch 21 (1978/79), S. 36–66.

Raumer, F. v.: Geschichte Frankreichs und der französischen Revolution 1740–1795, Leipzig 1850.

Richter, E.: Konrad Engelbert Oelsner und die französiche Revolution, Leipzig 1911.

Rudé, G.: Die Massen in der Französischen Revolution, Wien 1961.

Ruiz, A.: Karl Friedrich Cramers ideologisch-politischer Werdegang. Vom deutschtümelnden Freiheitsbarden zum engagierten Anhänger der Französischen Revolution, in: Jahrb. d. Instituts f. dt. Geschichte d. Univ. Tel-Aviv 7 (1978), S. 159–214.

Ryan, L.: Hölderlin und die Französische Revolution, in: Festschrift für Klaus Ziegler, Tübingen 1968, S. 159–179.

Saintine, X. B.: Die Feldzüge in Italien. 2. Th. Der Feldzug von 1796 und 1797, Bdch. 2, Darmstadt 1829.

Scheel, H.: Deutscher Jakobinismus und deutsche Nation. Ein Beitrag zur nationalen Frage im Zeitalter der Großen Französischen Revolution, Berlin 1966, (= Sitzungsber. d. Dt. Akad. d. Wiss. zu Berlin, Kl. f. Phil., Gesch., Staats-, Rechts- u. Wirtschaftswiss., Jg. 1966, Nr. 2).

Ders.: Die Mainzer Republik im Spiegel der deutschen Geschichtsschreibung, in: Jahrb. für Geschichte 4 (1969), S. 9–72.

Ders.: Süddeutsche Jakobiner. Klassenkämpfe und republikanische Bestrebungen im deutschen Süden Ende des 18. Jahrhunderts, 2., durchges. Aufl., Berlin 1971, (= Dt. Akad. d. Wiss. zu Berlin, Schr. d. Zentralinst. f. Gesch., R. I, Allg. u. dt. Gesch., 13).

Schmitt, E.: Einführung in die Geschichte der Französischen Revolution, München (1976).

Schulte, A.: Frankreich und das linke Rheinufer, 2., durchges. Aufl., Stuttgart, Berlin 1918.

Sieburg, F.: Robespierre, Napoleon, Chateaubriand, Stuttgart (1967).

Soboul, A.: Die Große Französische Revolution, (2., durchges. Aufl.), (Frankfurt a. M. 1973).

Spaemann, R.: Rousseau – Bürger ohne Vaterland, (München 1980).

Stephan, I.: Literarischer Jakobinismus in Deutschland (1789–1806), Stuttgart 1976, (= Sammlung Metzler, 150).

Stern, A.: Der Einfluß der Französischen Revolution auf das deutsche Geistesleben, Stuttgart, Berlin 1928.

Streisand, J.: Deutschland von 1789 bis 1815, 4., durchges. Aufl., Berlin 1977, (= Lehrbuch d. dt. Gesch., 5).

Sydenham, M. J.: The Girondins, London 1961, (= University of London Historical Studies, 8).

Wachsmuth, W.: Geschichte Frankreichs im Revolutionszeitalter, Th. 1–4, Hamburg 1840–44.

Weissel, B.: Von wem die Gewalt in den Staaten herrührt, Berlin 1963.

Weyergraf, B.: Der skeptische Bürger. Wielands Schriften zur Französischen Revolution, Stuttgart 1972.

Witte, K.: Reise in die Revolution. Gerhard Anton v. Halem und Frankreich im Jahre 1790, Stuttgart (1971), (= Texte Metzler, 21).

2.3. Epoche der Freiheitskriege

Allemann, B.: Der Nationalismus Heinrich von Kleists, in: B. v. Wiese, R. Heß (Hrsg.): Nationalismus in Germanistik und Dichtung, (Berlin 1967), S. 305–311.

Andreas, W.: Das Zeitalter Napoleons und die Erhebung der Völker, Heidelberg (1955).

Batscha, Z.: Gesellschaft und Staat in der politischen Philosophie Fichtes, (Frankfurt a.M. 1970).

Burschell, F.: Schiller, (Reinbek b. Hamburg 1968).

Chandler, D.: Napoleon, (Bergisch Gladbach 1978).

Chroust, A.: Französische Geheimberichte zur Geistesgeschichte Deutschlands am Anfang des 19. Jahrhunderts, in: Historische Zeitschrift 157 (1938), S. 537–545.

Darmstaedter, P.: Das Großherzogtum Frankfurt, Frankfurt a.M. 1901.

Dreyhaus, H.: Die Königin Luise in der Dichtung ihrer Zeit, Berlin o.J.

Freund, M.: Napoleon und die Deutschen. Despot oder Held der Freiheit, München (1969).

Gallois, J. G.: Geschichte der Stadt Hamburg, Bd. 1–3, Hamburg 1853–56.

Groote, W. v.: Die Entstehung des Nationalbewußtseins in Nordwestdeutschland 1790–1830, Göttingen, Berlin, Frankfurt (1955).

Groote, W. v. (Hrsg.): Napoleon I. und die Staatenwelt seiner Zeit, Freiburg 1969.

Grünhagen, C.: Zerboni und Held in ihren Konflikten mit der Staatsgewalt 1796–1802, Berlin 1897.

Gschwind, H.: Die ethischen Neuerungen der Früh-Romantik, Bern 1903, (= Unters. z. neueren Sprach- u. Lit.gesch., 2); Nachdr.: Hildesheim 1974.

Herre, F.: Nation ohne Staat. Die Entstehung der deutschen Frage, Köln, Berlin (1967).

Ders.: Freiherr vom Stein, München (1979).

Ibbeken, R.: Preußen 1807–1813. Staat und Volk als Idee und in der Wirklichkeit, Köln, Berlin 1970.

Joachimsen, P.: Vom deutschen Volk zum deutschen Staat, (3. Aufl.), Göttingen (1956), (= Kl. Vandenhoeck-Reihe, 24/5).

Kemiläinen, A.: Auffassungen über die Sendung des deutschen Volkes um die Wende des 18. und 19. Jahrhunderts, Helsinki, Wiesbaden 1956, (= Suomalaisen Tiedeakatemian Toimituksia, Sar. B, Nid. 101).

Knemeyer, F.-L.: Regierungs- und Verwaltungsreformen in Deutschland zu Beginn des 19. Jahrhunderts, Köln 1970.

König, H.: Zur Geschichte der bürgerlichen Nationalerziehung in Deutschland zwischen 1807 und 1815, Tl. 1–2, Berlin 1972–73.

Koselleck, R.: Preußen zwischen Reform und Revolution, Stuttgart 1967.

Linden, W.: Heinrich von Kleist. Der Dichter der völkischen Gemeinschaft, Leipzig (1935).

Meinecke, F.: Das Zeitalter der Deutschen Erhebung (1795–1815), (6. Aufl.), Göttingen (1957), (= Kl. Vandenhoeck-Reihe, 46/7).

Ders.: Die Deutschen Gesellschaften und der Hoffmannsche Bund, Stuttgart 1891.

Mosse, G. L.: Die Nationalisierung der Massen. Politische Symbolik und Massenbewegungen in Deutschland von den Napoleonischen Kriegen bis zum Dritten Reich, (Frankruft a. M., Berlin 1976).

Paul, J.: Ernst Moritz Arndt. „Das ganze Teutschland soll es sein", Göttingen, Zürich, Frankfurt a. M. 1971.

Perthes, C. Th.: Politische Zustände und Personen in Deutschland zur Zeit der französischen Herrschaft, Bd. 1–2, Gotha 1862–69.

Rössler, H.: Österreichs Kampf um Deutschlands Befreiung, Bd. 1–2, Hamburg 1940.

Schäfer, K. H.:Ernst Moritz Arndt als politischer Publizist, Bonn 1974.

Schlosser, Fr. Chr.: Zur Beurtheilung Napoleons's und seiner neusten Tadler und Lobredner, Tl. 1, Frankfurt a.M. 1835.

Ders.: Weltgeschichte für das deutsche Volk, Bd. 18, Frankfurt 1856.

Schmidt, A.: Fouqué und einige seiner Zeitgenossen, (Frankfurt a.M. 1975).

Schmidt, W. A.: Geschichte der deutschen Verfassungsfrage während der Befreiungskriege und des Wiener Kongresses 1812 bis 1815, Stuttgart 1890.

Sieburg, H.-O.: Napoleon in der deutschen Geschichtsschreibung des 19. und 20. Jahrhunderts, in: Geschichte in Wissenschaft u. Unterricht, 1970, S. 470–486.

Ders. (Hrsg.): Napoleon und Europa, Köln, Berlin (1971), (= Neue Wiss. Bibl., 44).

Tarlé, E.: 1812. Rußland und das Schicksal Europas, Berlin (1952).

Tiedemann, H.: Der deutsche Kaisergedanke vor und nach dem Wiener Kongreß, Diss. phil., Jena 1932.

Tulard, J.: Napoleon oder der Mythos des Retters, Tübingen (1978).

Vensky, G.: Die Russisch – Deutsche Legion in den Jahren 1811 – 1815, Wiesbaden, 1966, (= Veröff. d. Osteuropa-Institutes München, 30).

Wiese, B. v.: Friedrich Schiller. Erbe und Aufgabe, (Pfullingen 1964), (= Opuscula aus Wiss. u. Dichtung, Bd. 18).

Wolfram, R.: Ernst Moritz Arndt und Schweden. Zur Geschichte der deutschen Nordlandsehnsucht, Weimar 1933, (= Forsch. z. n. Lit.Gesch., 65).

Zechlin, E.: Die deutsche Einheitsbewegung, (2., durchges. Aufl.), (Frankfurt a.M., Berlin, Wien 1973), (= Deutsche Geschichte, Bd. 3,1).

2.4. Vormärz und Revolution 1848/49

Angermann, E.: Die deutsche Frage 1806–1866, in: E. Deuerlein, Th. Schieder (Hrsg.): Reichsgründung 1870/71, Stuttgart 1970, S. 9–32.

Aris, R.: Die Staatslehre Adam Müllers in ihrem Verhältnis zur Deutschen Romantik, Tübingen 1929.

Baxa, J.: Einführung in die romantische Staatswissenschaft, Jena 1923.

Ders.: Adam Müllers Philosophie, Ästhetik und Staatswissenschaft, Berlin 1929.

Bebel, A.: Charles Fourier. Sein Leben und seine Theorien, Frankfurt a.M. 1978.

Béguin, A.: Traumwelt und Romantik. Versuch über die romantische Seele in Deutschland und in der Dichtung Frankreichs, Bern, München (1972).

Blasius, D.: Lorenz von Stein. Grundlagen und Struktur seiner politischen Ideenwelt, Diss. phil., Köln 1970.

Blum, H.: Die deutsche Revolution 1848–1849, Florenz, Leipzig 1897.

Botzenhart, M.: Deutscher Parlamentarismus in der Revolutionszeit 1848–1850, Düsseldorf (1977).

Brinitzer, C.: Heinrich Heine, (Frankfurt a.M., Berlin, Wien 1972), (= Ullstein Buch, 2920).

Büttner, W.: Georg Herwegh – Ein Sänger des Proletariats, 2., überarb. Aufl., Berlin 1976.

Carsten, F. L.: Die Ursachen des Niedergangs der deutschen Landstände, in: Historische Zeitschrift 192 (1961), S. 273–281.

Conze, W.: Das Spannungsfeld von Staat und Gesellschaft im Vormärz, in: W. C. (Hrsg.): Staat und Gesellschaft im deutschen Vormärz 1815–1848, Stuttgart 1962, S. 207–269.

Ders.: Nation und Gesellschaft. Zwei Grundbegriffe der revolutionären Epoche, in: Historische Zeitschrift 198 (1964), S. 1–16.

Ders., D. Groh: Die Arbeiterbewegung in der nationalen Bewegung, Stuttgart (1966), (= Industrielle Welt, 6).

Dann, O.: Nationalismus und sozialer Wandel in Deutschland 1806–1850, in: O. D. (Hrsg.): Nationalismus und sozialer Wandel, (Hamburg 1978), (= Historische Perspektiven, 11), S. 77–128.

Denkler, H.: Zwischen Julirevolution (1830) und Märzrevolution (1848/49), in: W. Hinderer (Hrsg.): Geschichte der politischen Lyrik in Deutschland, Stuttgart (1978), S. 179–209.

Dowe, D.: Aktion und Organisation. Arbeiterbewegung, sozialistische und kommunistische Bewegung in der preußischen Rheinprovinz 1820 bis 1852, Hannover 1972.

Droz, J.: Les Révolutions Allemandes de 1848, Paris 1957.

Dru, A.: Erneuerung und Reaktion. Die Restauration in Frankreich 1800–1830, München (1967).

Duchhardt, H.: Gleichgewicht der Kräfte, Convenance, Europäisches Konzert. Friedenskongresse und Friedensschlüsse vom Zeitalter Ludwigs XIV. bis zum Wiener Kongreß, Darmstadt 1976, (= Erträge der Forschung, Bd. 56).

Engelsing, R.: Zur politischen Bildung der deutschen Unterschichten von 1789–1863, in: Historische Zeitschrift 206 (1968), S. 337–369.

Eyck, F.: The Frankfurt Parliament 1848–49, London 1963; Dt.: München 1973.

Gall, L.: Die 'deutsche Frage' im 19. Jahrhundert, in: 1871. Fragen an die deutsche Geschichte, (Berlin 1971), S. 19–52.

Gerecke, A.: Das deutsche Echo auf die polnische Erhebung von 1830, Wiesbaden 1964.

Grab, W.: Heinrich Heine als politischer Dichter, in: Jahrbuch der Wittheit zu Bremen 22 (1978), S. 69–92.

Ders.: Radikale Lebensläufe, (Berlin 1980).

Griewank, K.: Ursachen und Folgen des Scheiterns der Revolution von 1848, in: Historische Zeitschrift 170 (1950), S. 495–523.

Ders.: Der Wiener Kongreß und die europäische Restauration 1814/15, 2., neubearb. Aufl., Leipzig 1954.

Hahn, M.: Bürgerlicher Optimismus im Niedergang. Studien zu Lorenz Stein und Hegel, München 1969.

Haupt, H.-G.: Nationalismus und Demokratie. Zur Geschichte der Bourgeoisie im Frankreich der Restauration, (Frankfurt a.M. 1974).

Ilse, L. F.: Geschichte der politischen Untersuchungen, Frankfurt a.M. 1860; Nachdr. Hildesheim 1975.

Kals, H.: Die soziale Frage in der Romantik, Köln, Bonn (1974).

Keil, R. u. R.: Die burschenschaftlichen Wartburgfeste und 1817 und 1867, Jena 1868; Nachdr. Walluf 1971.

Kohn, H.: Wege und Irrwege. Vom Geist des deutschen Bürgertums, Düsseldorf (1962).

Mager, W.: Das Problem der landständischen Verfassungen auf dem Wiener Kongreß 1814/15, in: Historische Zeitschrift 217 (1973), S. 296–346.

Mann, B.: Das Ende der deutschen Nationalversammlung im Jahre 1849, in: Historische Zeitschrift 214 (1972), S. 265–309.

Marcuse, L.: Ludwig Börne, o.O. (1971), (= Diogenes Tb., 21/VIII).

Mayer, H.: Georg Büchner und seine Zeit, Frankfurt a.M. 1972, (= suhrkamp tb., 58).

Mommsen, W.: Zur Beurteilung der deutschen Einheitsbewegung, in: Historische Zeitschrift 138 (1928), S. 523–545.

Ders.: Größe und Versagen des deutschen Bürgertums. Ein Beitrag zur Geschichte der Jahre 1848–1849, Stuttgart (1949).

Neumüller, M.: Liberalismus und Revolution. Das Problem der Revolution in der deutschen liberalen Geschichtsschreibung des 19. Jahrhunderts, Düsseldorf (1973).

Obermann, K.: Deutschland von 1815 bis 1849 (Von der Gründung des Deutschen Bundes bis zur bürgerlich demokratischen Revolution), 4., überarb. Aufl., Berlin 1976, (= Lehrb. d. dt. Gesch., 6).

Pollak, W.: 1848 – Revolution auf halbem Wege, (Wien 1974).

Prang, H. (Hrsg.): Begriffsbestimmung der Romantik, Darmstadt 1968, (= Wege der Forschung, 150).

Rein, G. A.: Der Deutsche und die Politik. Betrachtungen zur Geschichte der Deutschen Bewegung bis 1848, Göttingen, Zürich, Frankfurt (1970).

Ritter, G.: Großdeutsch und kleindeutsch im 19. Jahrhundert, in: G. R.: Lebendige Vergangenheit, München 1958, S. 101–125.

Rothfels, H.: 1848. Betrachtungen im Abstand von hundert Jahren, Darmstadt 1972, (= Libelli, 290).

Ruprecht, E.: Der Aufbruch der romantischen Bewegung, München 1948.

Sagarra, E.: Tradition und Revolution. Detusche Literatur und Gesellschaft 1830 bis 1890, München (1972), (= List Taschenb. d. Wiss., 1445).

Sauer, W.: Das Problem des deutschen Nationalstaats, in: H.-U. Wehler (Hrsg.): Moderne deutsche Sozialgeschichte, 2. Aufl., Köln 1968, S. 407–436.

Schieder, Th.: Partikularismus und nationales Bewußtsein im Denken des Vormärz 1815–1848, hrsg. v. W. Conze, Stuttgart 1962, S. 9–38.

Ders.: Idee und Gestalt des übernationalen Staates seit dem 19. Jahrhundert, in: Historische Zeitschrift 184 (1957), S. 336–366.

Schmidt, W.: Lorenz von Stein. Ein Beitrag zur Geschichte Schleswig-Holsteins und zur Geistesgeschichte des 19. Jahrhunderts, Eckernförde 1956.

Schraepler, E.: Handwerkerbünde und Arbeitervereine 1830 bis 1853. Die politische Tätigkeit deutscher Sozialisten von Wilhelm Weitling bis Karl Marx, Berlin, New York 1972.

Schuppan, P.: Johann Jacoby und seine politische Wirksamkeit innerhalb der bürgerlich-demokratischen Bewegung des Vormärz (1830–1846), Diss. phil., Berlin 1963.

Siegl, J.: Franz von Baader. Ein Bild seines Lebens und Wirkens, (München) 1957.

Silagi, D.: Der größte Ungar. Graf Stephan Széchenyi, Wien, München (1967).

Srbik, H. v.: Metternich. Der Staatsmann und Mensch, Bd. 1–2, München 1925, Bd. 3, 1954.

Stadelmann, R.: Soziale und politische Geschichte der Revolution von 1848, (2. Aufl.), München (1970).

Stamm, E.: Ein berühmter Unberühmter. Neue Studien über Konstantin Frantz und den Föderalismus, Konstanz 1948.

Thalmann, M.: 'Der unwissend Gläubige'. Eine Studie zum Genieproblem, in: M. T.: Romantik in kritischer Perspektive, Heidelberg (1976), (= Poesie u. Wiss. 20), S. 87–115.

Tormin, W.: Geschichte der deutschen Parteien seit 1848, Stuttgart, Berlin, Köln, Mainz (1966).

Valentin, V.: Geschichte der deutschen Revolution von 1848/49, Bd. 1–2, Berlin 1930–31.

Veit-Brause, I.: Die deutsch-französiche Krise von 1840. Studien zur deutschen Einheitsbewegung, Diss. phil., Köln 1967.

Vollmer, F. X.: Vormärz und Revolution 1848/49 in Baden, Frankfurt a.M., Berlin, München (1979).

Wende, P.: Radikalismus im Vormärz. Untersuchungen zur politischen Theorie der frühen deutschen Demokratie, Wiesbaden 1975.

Windfuhr, M.: Heinrich Heine, Stuttgart 1969.

Winter, E.: Romantismus, Restauration und Frühliberalismus im österreichischen Vormärz, Wien 1968.

Wykowski, I.: Die Kritik der deutschen Radikalen an den Begriffen Nation, Nationalität und Patriotismus, Diss. phil., Göttingen 1950.

Zenner, M.: Der Begriff der Nation in den politischen Theorien Benjamin Constants, in: Historische Zeitschrift 213 (1971), S. 38–68.

2.5. Nach 1848/49

(Anonym): Unser Kaiser und sein Volk! Deutsche Sorgen. Von einem Schwarzseher, 3. Aufl., Freiburg, Leipzig 1906.

Baumgart, F.: Die verdrängte Revolution. Darstellung und Bewertung der Revolution von 1848 in der deutschen Geschichtsschreibung vor dem Ersten Weltkrieg, Düsseldorf (1976), (= Geschichte u. Gesellschaft, 14).

Böhme, H.: Deutschlands Weg zur Großmacht, (3. Aufl.), (Köln 1974).

Fischer, F.: Griff nach der Weltmacht. Die Kriegszielpolitik des kaiserlichen Deutschland 1914/18, (Nachdr. d. Ausg. 1967), (Kronberg/Ts.) 1977.

Ders.: Krieg der Illusionen. Die deutsche Politik von 1911 bis 1914, Düsseldorf (1969).

Friedjung, H.: Der Kampf um die Vorherrschaft in Deutschland 1859 bis 1866, Bd. 1–2, Stuttgart 1897–98.

Lukács, G.: Die Zerstörung der Vernunft, Berlin 1954.

Ders.: Die Lage der deutschen Literatur nach 1848, in: H. N. Fügen (Hrsg.): Wege der Literatursoziologie, (2. Aufl.), (Neuwied, Berlin 1971), (= Soziolog. Texte, 46), S. 120–127.

Pressel, W.: Die Kriegspredigt 1914–1918 in der evangelischen Kirche Deutschlands, Göttingen (1967), (= Arb. z. Pastoraltheol., 5).

Rein, G. A.: Der Deutsche und die Politik. Betrachtungen zur deutschen Geschichte von der Reichsgründung bis zum Reichsuntergang 1848–1945, Göttingen, Frankfurt, Zürich (1974).

Wehler, H. U. Sozialdemokratie und Nationalstaat, (2., überarb. Aufl.), Göttingen (1971).

2.6. Übergreifende Darstellungen zum nationalen Denken

Chabod, F.: Der Europagedanke von Alexander dem Großen bis Zar Alexander I., Stuttgart 1963.

Conze, W.: Die deutsche Nation. Ergebnis der Geschichte, Göttingen (1963), (= Die deutsche Frage in der Welt, 1).

Kedourie, E.: Nationalism, London (1960).

Krockow, C. v.: Nationalismus als deutsches Problem, (München 1970).

Lemberg, E.: Nationalismus I. Psychologie und Geschichte, (Reinbek b. Hamburg 1964), (= rde, 197/198).

Ders.: Nationalismus II. Soziologie und politische Pädagogik, (Reinbek b. Hamburg 1964), (= rde, 199).

Ders.: Geschichte des Nationalismus in Europa, Stuttgart (1950).

Lenk, K.: Volk und Staat. Strukturwandel politischer Ideologien im 19. und 20. Jahrhundert, Stuttgart, Berlin, Köln, Mainz (1971).

Minogue, K. R.: Nationalismus, (München 1970), (= samml. dialog., 41).

Ritter, G.: Das deutsche Problem. Grundfragen deutschen Staatslebens gestern und heute, (neubearb. Aufl.), München 1962.

Schieder, Th.: Nationalstaat und Nationalitätenproblem, in: Zeitschrift f. Ostforschung 1 (1952), S. 161–181.

Ders.: Typologie und Erscheinungsformen des Nationalstaats in Europa, in: Historische Zeitschrift 202 (1966), S. 58–81.

Srbik, H. v.: Deutsche Einheit. Idee und Wirklichkeit vom Heiligen Reich bis Koniggrätz, Bd. 1–4, München (1935–42).

Weymar, E.: Das Selbstverständnis der Deutschen. Ein Bericht über den Geist des Geschichtsunterrichts der höheren Schulen im 19. Jahrhundert, Stuttgart (1961).

Winkler, H. A. (Hrsg.): Nationalismus, (Königstein/Ts. 1978).

Wittram, R.: Das Nationale als europäisches Problem, Göttingen 1954.

2.7. Zur Wirtschaftsgeschichte

Aulin, H., W. Zorn (Hrsg.): Handbuch der deutschen Wirtschafts- und Sozialgeschichte, Bd. 1, Stuttgart 1971.

Bülow, F.: Friedrich List. Ein Volkswirt kämpft für Deutschlands Einheit, Göttingen, Berlin, Frankfurt 1959, (= Persönlichkeit und Geschichte, Bd. 16).

Droege, G.: Deutsche Wirtschafts- und Sozialgeschichte, (Frankfurt a.M., Berlin, Wien 1972), (= Deutsche Geschichte, Bd. 13).

Fischer, W.: Soziale Unterschichten im Zeitalter der Frühindustrialisierung, in: International Review of Social History 8 (1963), S. 415–435.

Hausherr, H.: Wirtschaftsgeschichte der Neuzeit. Vom Ende des 14. bis zur Höhe des 19. Jahrhunderts, 3. Aufl., Köln, Graz 1960.

Kuczynski, J.: Allgemeine Wirtschaftsgeschichte von der Urzeit bis zur sozialistischen Gesellschaft, Berlin 1951.

Kulischer, J.: Allgemeine Wirtschaftsgeschichte des Mittelalters und der Neuzeit, Bd. 1–2, Berlin 1954.

Lüttge, F.: Deutsche Sozial- und Wirtschaftsgeschichte, 3., verb. Aufl., Berlin, Heidelberg, New York 1966.

Mottek, H.: Wirtschaftsgeschichte Deutschlands, Bd. 1, 5., unver. Aufl., Berlin 1971.

Weinstock, H.: Arbeit und Bildung. Die Rolle der Arbeit im Prozeß um unsere Menschwerdung, 3. Aufl., Heidelberg 1960.

Zimmermann, A.: Blüthe und Verfall des Leinengewerbes in Schlesien, Breslau 1885.

2.8. Varia

Andersch, A.: Nachricht über Vittorini, in: A. A.: Norden, Süden, rechts und links. Von Reisen und Büchern 1951–1971, (Zürich 1972), S. 130–141.

Carlsson, A.: Die deutsche Buchkritik, Bd. 1, Stuttgart (1963).

Dahrendorf, R.: Gesellschaft und Freiheit. Zur soziologischen Analyse der Gegenwart, München 1961.

Dreitzel, H. P.: Theorielose Geschichte und geschichtslose Soziologie, in: H.-U. Wehler (Hrsg.): Geschichte und Soziologie, Köln o.J., S. 37–52.

Emrich, W.: Dichterischer und politischer Mythos, in: Geist und Widergeist, Frankfurt 1965, S. 78–96.

Flora, P.: Modernisierungsforschung, Opladen 1974.

Frank, H. J.: Geschichte des Deutschunterrichts, (München 1973).

Giesecke, H.: Didaktik der politischen Bildung, (7., völlig neubearb. Aufl.), München (1972).

Goldfriedrich, J.: Geschichte des Deutschen Buchhandels, Bd. 3, Leipzig 1909.

Groh, D.: Kritische Geschichtswissenschaft in emanzipatorischer Absicht, Stuttgart 1973.

Helmers, H.: Geschichte des deutschen Lesebuchs in Grundzügen, Stuttgart 1970.

Iggers, G. G.: Deutsche Geschichtswissenschaft. Eine Kritik der traditionellen Geschichtsauffassung von Herder bis zur Gegenwart, (München 1971).

Killy, W.: Zur Geschichte des deutschen Lesebuchs, in: H. Helmers (Hrsg.): Die Diskussion um das deutsche Lesebuch, Darmstadt 1969, (= Wege der Forschung, 151), S. 355–377.

Klagges, D. (Hrsg.): Volk und Führer. Deutsche Geschichte für Schulen, Kl. 7, 2., unver. Aufl., Frankfurt a.M. 1943.

Kohn, H.: Die Slawen und der Westen, Wien, München (1956).

Krauß, R.: Schwäbische Litteraturgeschichte, Bd. 1–2, Kirchheim/Teck 1975, (Nachdr. d. Ausg. 1897–99).

Kuhn, A.: Einführung in die Didaktik der Geschichte, (2. Aufl.), München (1977).

Meinecke, F.: Die Entstehung des Historismus, Bd. 1–2, München 1936.

Nettelbeck, U.: Der Dolomitenkrieg, (Frankfurt a.M. 1979).

Roeder, P.-M.: Zur Geschichte und Kritik des Lesebuchs der höheren Schulen, Weinheim 1961.

Schemme, W.: Vom 'Politischen Mandat' der Literaturpädagogik, in: R. Dithmar (Hrsg.): Literaturunterricht in der Diskussion, Tl. 1, Kronberg/Ts. 1973, (= Scriptor Taschenb. S. 6), S. 193–228.

Streisand, J. (Hrsg.): Studien über die deutsche Geschichtswissenschaft, Bd. 1, (Berlin 1974).

Wandruszka, A.: Reichspatriotismus und Reichspolitik zur Zeit des Prager Friedens 1635, Graz, Köln 1955.

Wehler, H.-U.: Modernisierungstheorie und Geschichte, Göttingen 1975.

Wellershoff, D.: Fiktion und Praxis, in: Akzente 16 (1969), S. 156–169.

PERSONENREGISTER

Moser, Johann Jacob 9 f.
Müller, Adam 92 ff., 106
Maler Müller, d.i. Friedrich Müller 92
Mundt, Theodor 156

Napoleon 71 ff., 81, 86, 97, 101 ff.,
    114 ff., 129 f., 131, 145, 146, 188,
    189
Naumann, Friedrich 197
Nicolai, Christoph Friedrich 22
Novalis 90 ff., 94, 95, 98

Oelsner, Konrad Engelbert 51, 74

Palm, Johann Philipp 105
Proudhon, Pierre Joseph 163
Prutz, Robert 155

Ramler, Karl Wilhelm 18
Ranke, Leopold v. 89
Rebmann, Georg Friedrich 69
Reuter, Fritz 153
Robespierre, Maximilien 44, 46 f., 53,
    66, 67
Roes, Alexander v. 2
Rousseau, Jean-Jacques 37, 62, 133
Rückert, Friedrich 120
Ruge, Arnold 168 f., 171

Sack, Johann August 114 f.
Saint-Just, Louis-Antoine de 41
Saint-Simon, Claude Henri Comte de 163
Sand, Karl 149
Savigny, Friedrich Karl Freiherr v. 89
Scharnhorst, Gerhard Johann David 105
Schenkendorf, Friedrich Max v. 117,
    119 ff.
Schill, Ferdinand v. 107
Schiller, Johann Christoph Friedrich v.
    42, 76 ff., 82, 83, 85 ff., 91
Schlegel, August Wilhelm v. 89, 92
Schlegel, Friedrich v. 89, 94 f., 99, 106
Schleiermacher, Friedrich Ernst Daniel
    107, 117, 150
Schlumbohm, Jürgen 3
Schneckenburger, Max 157 f.
Schneider, Eulogius 19 f., 47, 50
Schön, Heinrich Theodor v. 105
Schubart, Christian Friedrich Daniel
    15, 19, 20, 29, 31 f.
Schwarzenberg, Felix Fürst v. 182
Schwerin, Kurt Philipp Graf v. 128
Seckendorf, Leo v. 82

Shakespeare, William 28
Siebenpfeiffer, Philipp Jacob 153
Sieyes, Emmanuel 42
Stadion, Philipp Graf v. 106
Stäudlin, Gotthold Friedrich 52
Stein, Heinrich Friedrich Karl Freiherr v.
    105 f., 108, 110, 112, 120, 123, 189
Stein, Lorenz v. 163
Stendhal, d.i. Marie Henri Beyle 187
Storr, Wilhelm Ludwig 36
Struve, Gustav v. 175, 176

Theremin, Franz 153
Thiers, Adolphe 151, 157
Tieck, Johann Ludwig 92, 97
Treitschke, Heinrich v. 18
Trenck, Friedrich Freiherr v. d. 47 f.

Uhland, Johann Ludwig 92
Uz, Johann Peter 23 f., 35

Wackenroder, Wilhelm Heinrich 89 f.
Walther von der Vogelweide 2
Webern, Karl Emil v. 166
Weerth, Georg 158, 161, 162, 166, 171 f.,
    176
Weitling, Wilhelm 163, 168, 170, 171,
    191
Welcker, Carl Theodor 152 f., 174
Wieland, Christoph Martin 11, 14, 29
Wienbarg, Ludolf 156
Wilhelm II., Deutscher Kaiser 198, 200
Wilhelm IV., König von Hannover 154
Wilmans, Friedrich 81 f.
Wimpfeling, Jakob 2
Wirth, Johann Georg August 153

York, Hans David Ludwig v., Graf York
    zu Wartenberg 109

Zelter, Carl Friedrich 70
Zimmermann, Johann Georg v. 16 f.